D0349251

Sterrennacht

Rachel Hore bij Boekerij:

Het droomhuis
De droomtuin
Zomers licht
Sterrennacht

www.boekerij.nl

Rachel Hore

Sterrennacht

ISBN 978-90-225-5734-1
NUR 302

Oorspronkelijke titel: *A Place of Secrets* (Simon & Schuster)
Vertaling: Fanneke Cnossen en Fabe Bosboom
Omslagontwerp en -beeld: marliesvisser.nl
Zetwerk: Mat-Zet bv, Soest

Voor mijn zus Jenny

Kijk naar de sterren! Kijk, kijk naar de lucht!
O, kijk naar al dat vuurvolk in het hemellicht!
De stralende clusters, de cirkelende citadels daarginds!

'THE STARLIGHT NIGHT' DOOR GERALD MANLEY HOPKINS

Als je vrolijk bent, en dat graag wilt blijven, laat de sterrenkunde dan met rust. Van alle wetenschappen ligt daarin slechts de aard van het verschrikkelijke... Als je daarentegen rusteloos bent en angstig voor de toekomst, verdiep je dan onmiddellijk in de sterrenkunde. Je zorgen zullen dan op verbazingwekkende wijze afnemen. Maar met die studie zullen ze slechts in enkelvoudige zin verminderen, doordat alles aan betekenis zal inboeten. Daardoor blijft die wetenschap verschrikkelijk, zelfs als wondermiddel... Voor de mensheid is het beter – veel beter – om het universum te vergeten dan het helder voor ogen te hebben.

TWO ON A TOWER VAN THOMAS HARDY

Proloog

De avond voordat het allemaal begint, wordt Jude weer door de nachtmerrie overvallen.

Ze zwerft door een donker bos, is verdwaald en roept huilend om haar moeder. Ze wordt altijd wakker voordat de droom eindigt, dus ze weet nooit of ze haar uiteindelijk vindt, maar het is een erg levendige droom. Ze voelt de leemachtige aarde, hoort takjes onder haar voeten kraken en ruikt de rijke, houtachtige geuren die 's nachts altijd op hun sterkst zijn, wanneer de bomen ademen. Het is fris. Haar haren blijven aan de takken haken. De paniek, de wanhoop, ze voelen maar al te echt aan terwijl ze zich een weg baant naar haar bewustzijn; ze graait naar het lichtknopje en blijft liggen wachten tot haar snikkende ademhaling en wild bonzende hart tot bedaren komen.

Dit is de nachtmerrie die ze als kind vaak had. Ze weet niet waarom die nu weer is teruggekomen. Na het verlies van Mark heeft ze vele verschrikkelijke nachten doorgemaakt, maar door deze specifieke droom was ze sinds haar jeugd niet meer achtervolgd. Net als ze denkt dat ze haar leven weer op de rails heeft, doet hij haar zwakke pogingen teniet en trekt hij haar in een hulpeloze kindsheid terug.

Ze vroeg eens aan een schoolvriendin, die zich voor dromen interesseerde, wat de droom kon betekenen.

'Een dícht bos, zei je? Hm.' Sophie reikte naar een boek op de plank en bladerde erdoorheen tot ze vond waar ze naar zocht en las voor: '"Inkomensverlies, een ongelukkige thuissituatie en familieruzies." Gaat er een belletje rinkelen?' Ze keek Jude hoopvol aan.

'Dat klinkt als zo'n horoscoop in een tijdschrift,' zei Jude. 'Je kunt het op zo veel manieren opvatten als je maar wilt. Ten eerste heb ik vandaag te weinig wisselgeld teruggekregen bij de drogist en ten tweede kibbelt mijn familie altijd wel ergens over, net als bij iedereen.'

'Maar jouw familie is wel vreemd, hoor,' zei Sophie, terwijl ze het boek dichtklapte.

'Niet vreemder dan die van jou,' kaatste Jude terug.

Maar in de weken nadat haar droom was teruggekeerd, besefte ze dat Sophie wel eens gelijk kon hebben.

Deel I

1

Juni 2008

Hoe nietig en willekeurig zijn de gebeurtenissen die ons lot bepalen.

Toen ze de volgende ochtend op weg ging naar kantoor, was Jude haar droom bijna weer vergeten. Terwijl ze op station Greenwich op de trein stond te wachten, kwamen door het plotselinge gejammer van een peuter flarden van haar angst weer bovendrijven, maar bij Bond Street aangekomen, waren er ook weer andere, meer alledaagse zorgen voor in de plaats gekomen. Ze had er geen idee van dat er iets belangrijks stond te gebeuren, iets wat op het eerste gezicht eigenlijk heel onbeduidend leek.

Het was vrijdag rond lunchtijd op de afdeling Boeken en Manuscripten van veilinghuis Beecham in Mayfair. Ze had de hele ochtend achter haar computerscherm gezeten, druk bezig met het catalogiseren van zeldzame eerste uitgaven van achttiende-eeuwse dichters voor een veiling die binnenkort gehouden werd. Een nauwkeurig werkje, waarbij de inhoud van elke dunne bundel moest worden beschreven, genoteerd moest worden in welke staat die verkeerde en welke bijkomende kenmerken of sierletters het bevatte – een handgeschreven opdracht, bijvoorbeeld, of neergekrabbelde aantekeningen – wat de interesse van potentiële kopers zou kunnen wekken. Het was daarom vervelend dat iemand haar concentratie verstoorde.

'Jude.' Inigo, die in hun open kantoorruimte aan het bureau naast haar zat, kwam aanlopen met in zijn handen een stapel papieren waar veelkleurige post-its uit staken. 'De proeven van de september-aanbieding. Waar wil je ze hebben?'

'O, dank je wel,' mompelde ze. 'Geef maar.' Ze liet de stapel in een al overvolle bak naast haar computer vallen, en begon een volgende zin te typen. Inigo snapte de hint niet.

'Ik denk echt dat je nog een keer naar de Bloomsbury-pagina's moet kijken,' zei hij op zijn hoogdravendste toon. 'Ik heb een paar punten opgeschreven, als je zou willen...?'

'Inigo...' zei ze, in een vergeefse poging hem op een beleefde manier duidelijk te maken dat hij zich met zijn eigen zaken moest bemoeien. De eerste uitgaven van de Bloomsbury Group waren haar verantwoordelijkheid, en daarover – of waar dan ook over – hoefde ze zich op geen enkele manier bij hem te verantwoorden. Dat weerhield hem er niet van zich ermee te bemoeien. 'Kunnen we het hier later vanmiddag over hebben? Ik móét dit eerst afmaken.'

Inigo knikte en liep statig terug naar zijn bureau, waar hij aanstalten maakte om de deur uit te gaan. Jude kon het niet laten naar hem te kijken, gefascineerd, toen hij zijn tweedjas aantrok over het bijpassende vest, zijn vulpen in zijn borstzakje stak, zijn zijden das rechttrok en soepeltjes zijn vingers door zijn schooljongensachtige, blonde haar liet glijden. Het was een soort ritueel.

'Op weg naar iets belangrijks, Inigo?' merkte ze op.

Met een tevreden blik omdat ze ernaar vroeg, fluisterde hij: 'Ik heb een afspraak met Lord Madingsfield bij Chez Gerard.' Hij tikte op de zijkant van zijn neus om aan te geven dat het om een vertrouwelijke kwestie ging.

'Alwéér met Lord Madingsfield?' vroeg ze verbaasd. 'Nou, veel plezier dan.' Ze richtte zich weer op haar toetsenbord. Inigo was al maandenlang bij die rijke verzamelaar aan het vleien. Persoonlijk vond ze dat de sluwe, oude acristocraat hem aan het lijntje hield.

'We zitten momenteel anders in een behoorlijk delicate onderhandelingsfase,' zei Inigo en hij trok zijn engelachtige lippen samen, alsof hij het idee van plezier hebben beneden zijn waardigheid achtte.

Jude en Suri, degene die verantwoordelijk was voor de catalogus en aan het bureau tegenover haar zat, wierpen elkaar een quasigeïmponeerde blik toe. Suri keek snel weer terug naar haar werk, maar Jude zag dat haar schouders schudden van het ingehouden lachen. Inigo nam alles in het leven te serieus, en vooral zichzelf. Hij sloot de laden van zijn bureau af, pakte zijn handgemaakte, leren koffertje beet en liep weg, waarna hij op de knop drukte om de deur naar de lobby te openen, zoals altijd met een licht zwierige beweging. Door de glazen wand zagen de vrouwen dat hij meermalen op de liftknop sloeg, met zijn parmantige voorkomen zenuwachtig als een hond die last heeft van een vlo. Pas toen de lift arriveerde en hem had opgeslokt lieten ze hun lachbui de vrije loop.

'Ik ben benieuwd wat hij zou zeggen als hij een video-opname van zichzelf zou zien,' wist Suri tussen het gegiechel door uit te brengen. Ze stond op om zelf de deur uit te gaan, schoof de speld in haar glanzende, zwarte haar op zijn plaats en zwaaide haar tas over haar schouder.

'Hij is waarschijnlijk verliefd, de arme schat,' zei Jude terwijl ze verder typte. 'Eet smakelijk.'

'Kan ik iets voor je meenemen?' vroeg Suri. 'Ik kom langs Clooney's, dus als je een broodje wilt...'

'Dank je, maar ik hoef niets,' antwoordde Jude, en ze glimlachte naar haar. 'Ik maak deze uitgave nog af, en dan knijp ik er misschien zelf even tussenuit.' Nadat Suri vertrokken was, nam ze een paar slokken mineraalwater uit een fles die onder het bureau stond. De lunch moest ze overslaan. Ze had te veel werk te doen. Bovendien zat de broeksband van haar nieuwe broekpak te strak en ze wilde niet het risico lopen dat de knopen er vanavond tijdens het etentje af vlogen.

Ze pakte een muf boek van een stapel, bladerde er snel doorheen en legde het op een andere. *Kalfsleren band*, schreef ze op, *voorzien van een nieuwe rug van op touw genaaide ribben. Diepdruk zonder goudfolie.* Een mooi, schoon exemplaar van een belangrijk, eigentijds werk.

Op dat moment sloeg het Noodlot toe.

De telefoon op Inigo's bureau ging schril over en boorde dwars door haar concentratie heen. Indringend, gewichtig, net als zijn eigenaar. Ze staarde ernaar, wilde dat het ophield. Dit telefoontje was vast tijdverspilling: een beverige oude dame die hoopte munt te slaan uit haar beduimelde Agatha Christie-collectie, of een betweterige antiquarische boekverkoper die een persoonlijke behandeling verwachtte. Maar de telefoon zou acht keer overgaan, worden doorgeschakeld naar Suri's telefoon en dan nog acht keer overgaan voordat de beller bij het antwoordapparaat zou eindigen... Ze greep naar haar eigen telefoon en drukte op een knop.

'Goedemiddag, Boeken en Manuscripten.'

'Goedemiddag, ik ben op zoek naar Inigo Selbourne,' zei een volle, mannelijke stem.

'Ik ben bang dat hij is gaan lunchen,' zei Jude. Voor het geval de beller dacht dat ze Inigo's secretaresse was, wat bedroevend vaak voorkwam, voegde ze eraan toe: 'U spreekt met Jude Gower, een collega-taxateur. Kan ik een boodschap doorgeven?'

'Graag. Mijn naam is Robert Wickham. Ik bel vanuit Starbrough Hall in Norfolk.'

Jude voelde een rilling door zich heen gaan en haar interesse was gewekt. Ze kwam zelf uit Norfolk. Maar waar in vredesnaam lag Starbrough Hall? Ze drukte de telefoon dichter tegen haar oor.

'Ik heb een collectie van achttiende-eeuwse boeken, en ik wil graag dat hij daarnaar kijkt,' vervolgde de heer Wickham. 'Een vriend van me heeft mij ervan verzekerd dat ze waarschijnlijk veel waard zijn.'

Jude pakte een lege bladzijde van haar blocnote erbij en schreef bovenaan in nette hoofdletters 'Starbrough Hall' op, staarde naar de woorden en probeerde erachter te komen waaraan ze haar deden denken. Ze dacht niet dat ze ooit in Starbrough Hall was geweest, maar om de een of andere reden kwam een beeld van haar grootmoeder bij haar boven.

'Heeft Inigo uw telefoonnummer, meneer Wickham?'

'Nee.' Toen hij het noemde, kwam het netnummer haar bekend voor. Het was feitelijk hetzelfde als dat van haar zus. Dat was het. Starbrough Hall maakte deel uit van het grote landgoed waar haar oma als kind had gewoond. Ze schreef het telefoonnummer op en krabbelde er een puntig sterretje omheen.

Als ze nu ophing en de boodschap aan Inigo doorgaf, had ze haar werk gedaan. Maar de naam Starbrough betekende iets voor haar, en haar belangstelling was gewekt. Aan de andere kant, het materiaal dat hij wilde verkopen was voor Beecham misschien niet erg interessant. 'Meneer Wickham,' zei ze, 'wat zijn het voor soort boeken? De achttiende eeuw is namelijk de periode waar ik me mee bezighoud.'

'O, ja?' vroeg Wickham. 'Nou, dan kan ik wellicht beter met u zakendoen dan met de heer Selbourne.'

Ze wilde net zeggen dat Inigo uitermate capabel was om de collectie te bekijken, maar merkte dat ze dat niet wilde. Het was een lastige kwestie. Robert Wickham had speciaal naar Inigo gevraagd. Jude zou woedend worden als Inigo haar werk overnam; Suri had haar verteld dat hij dat eens had gedaan terwijl zíj die keer degene was die door een andere klant was aanbevolen. Toch wilde ze zich niet tot zijn niveau verlagen. Het was eigenlijk belachelijk dat ze constant dat rancuneuze spelletje speelden. Het hoofd van de afdeling, Klaus Vanderbilt, hamerde er altijd op dat ze moesten samenwerken teneinde klanten van de andere grote veilinghuizen weg te lokken. In feite had ze veel respect voor Inigo's professionele vaardigheden, ze ergerde zich er alleen aan dat hij altijd zo opdringerig was. Ze was nooit echt relaxed als hij op kantoor was.

'Kent u Inigo Selbourne?' vroeg ze Robert Wickham. 'Ik bedoel, heeft iemand hem bij u aanbevolen?'

'Nee, ik had tot een minuut geleden nog nooit van de man gehoord. Hij stond in het keuzemenu van uw doorschakelsysteem.'

Dan bemoeide ze zich dus niet met iets wat onder Inigo's verantwoordelijkheid viel.

'Nou, in dat geval,' zei ze tegen Wickham, met een schaamtevol besef van triomf, 'kan ik u ook verder helpen, als u dat wilt.'

'Fijn. De collectie was oorspronkelijk van een van mijn voorouders, Anthony Wickham. Hij was een soort amateurastronoom, en de meeste boeken gaan over zijn hobby. Ik zou graag willen dat u hun waarde komt bepalen en kijken of ze geveild kunnen worden.'

'Was hij astronoom? Wat interessant.' Jude schreef de bijzonderheden op. Wetenschappelijke boekwerken, vooral uit de achttiende eeuw – de eeuw van de verlichting – waren tegenwoordig erg in trek. Ze kon zo al twee of drie handelaren bedenken die er meer vanaf zouden willen weten.

'Er zitten een paar eerste drukken tussen, is me verteld. En niet te vergeten de manuscripten,' vervolgde Wickham. 'Evenals zijn kaarten en observatieverslagen. Ik kan er zelf geen touw aan vastknopen. Mijn moeder weet meer op dat gebied. Hoe dan ook, ik ga ervan uit dat u het me zo kunt vertellen als u hier bent.'

'Over hoeveel boeken gaat het? Ik neem aan dat u er niet mee naar kantoor kunt komen?' vroeg ze.

'O, god, nee. Het zijn er wel honderd of meer. En de papieren, nou ja, die zijn zeer kwetsbaar. Kijk, als het te veel moeite is, kan ik altijd Sotheby's nog bellen. Ik dacht er toch al aan om dat te doen, maar mijn vriend zei dat ik u eerst moest proberen.'

'Nee, maakt u zich geen zorgen, ik kom bij u langs,' zei ze snel. 'Ik dacht alleen dat het geen kwaad kon het te vragen.'

'We hebben wat instrumenten van hem. Telescooponderdelen. En zo'n ding... zo'n bolvormig schaalmodel van het zonnestelsel.'

'Een planetarium, bedoelt u?' Het begon er steeds meer op te lijken dat de hele zaak de moeite waard was om er een reisje voor te maken. Met haar vrije hand schoof ze boeken en papieren opzij, op zoek naar haar kantooragenda.

'Planetarium, dat is het,' vervolgde Robert Wickham. 'Waarop de planeten om de zon heen draaien. Dus u bent bereid om langs te komen?'

'Natuurlijk,' antwoordde ze. Ze kreeg haar agenda in het oog in haar bakje, onder de warboel van drukproeven die Inigo haar had gebracht. 'Wanneer komt het u uit?' Ze sloeg de bladzijden om. Zou ze volgende week weg kunnen? Als Wickham dreigde om ook naar andere veilinghuizen te gaan, moest ze ervoor zorgen dat ze vooraan stond.

'Ik ben de komende dagen weg,' zei hij, 'dus het zou daarna kunnen.' Ze spraken af dat ze Starbrough Hall volgende week vrijdag een bezoek zou brengen. 'Komt u met de auto? Dan zal ik u een routebeschrijving e-mailen. Het is te ingewikkeld om telefonisch uit te leggen. Het dichtstbijzijnde noemenswaardige plaatsje is Holt. En u kunt blijven overnachten als u wilt. We hebben meer dan genoeg ruimte en mijn moeder en ik zouden het een waar genoegen vinden als u onze gast bent. Mijn vrouw is dan met de kinderen weg, dus u kunt hier in alle rust verblijven.'

'Dat is erg vriendelijk van u, maar dat is waarschijnlijk niet nodig,' zei Jude. 'Ik heb daar familie in de buurt wonen, ziet u.' Ze was in geen eeuwen meer in Norfolk geweest. Het zou een mooie gelegenheid zijn. Misschien wilde haar vriend Caspar ook wel mee.

Nadat ze de telefoon had neergelegd hing ze onrustig op de afdeling rond. De Starbrough Hall-collectie was belangrijk, daar was ze zeker van, maar ze kon haar vinger niet leggen op de reden dat ze dat zo voelde. En als het inderdaad belangrijk bleek en ze de collectie veilig kon stellen voor Beecham, zou het er goed voor haar uitzien. En dat was van belang, nu Klaus Vanderbilt binnenkort met pensioen ging en Beecham een nieuw afdelingshoofd nodig zou hebben.

Ze overwoog, wat ze vaak deed, hoe haar promotiekansen lagen ten opzichte van die van Inigo, toen haar blik op haar aantekeningenvel en de woorden 'Starbrough Hall' viel.

Ze kon zich de plek nog steeds niet voor de geest halen. Ze spitte de boekenplanken met naslagwerken door, haalde een enorm boek tevoorschijn met de titel *Great Houses of East Anglia* en legde dat op Inigo's bureau. Toen ze bij de 'S' aankwam, vond ze een korrelige zwart-witfoto. Starbrough Hall was een gracieus, maar grimmig uitziend palladiaans landhuis met een voorplein van grind en een groot, saai grasveld. *Gelegen op drie kilometer afstand van het dorp Starbrough. Gebouwd in 1720*, luidde de korte tekst, *door landheer Edward Wickham op de uitgebrande ruïnes van het oude herenhuis van Starbrough.* Starbrough. Dat was heel dicht bij Claire. Ze was zeker een keer door Starbrough gereden; ze herinnerde zich de grote kerk, een grasveld en een mooi bord met de naam van het dorp erop, en een ronde bank om een reusachtige eikenboom. Haar grootmoeders vader was jachtopziener op het Starbrough-landgoed geweest, dacht ze, maar ze wist niet waar ze hadden gewoond.

Ze zat er in het verlaten kantoor even over te peinzen, en pakte toen de telefoon om haar oma op te bellen.

De oude vrouw dommelde tegenwoordig 's middags in, vooral wanneer de zonnestralen op de vloer van haar woonkamer begonnen te dansen, en die vulden met warmte en flakkerend licht. Omdat het de laatste vrijdag van juni was, waren er in het kustplaatsje Blakeney veel vakantiegangers. Als ze haar gehoorapparaat echter uitdeed, namen de geluiden van mensen en boottrailers die langs haar raam voorbijtrokken – dat uitkeek op de kleine haven van Norfolk – af tot een kalmerend achtergrondgeruis. In haar slaperige toestand leken de beelden uit het verleden op haar oogleden te dansen. Ze mocht nu dan halfdoof zijn, maar de lang vervlogen stemmen en flarden van vrolijk gelach borrelden als vers bronwater in haar geheugen op.

Ze herinnerde zich weer dat ze een kind was, kleine Jessie, die aan de bosrand verstoppertje speelde. Ze was goed in dat spelletje, kon in een fractie van een seconde een boom in klauteren en zich in de kromming van een boomtak opkrullen, klein en geluidloos als een bruin vogeltje, zodat de anderen haar nooit vonden. Maar op een dag was ze te ver afgedwaald, diep tussen de bomen, voorbij de folly, waarover haar vader haar had gezegd dat ze er nooit naartoe mocht omdat kleine meisjes er konden verdwalen, of erger. Het was op die dag dat ze haar voor het eerst zag – het wilde meisje. Ze voelde haar aanwezigheid voordat ze haar zag; ze kreeg een prikkelend gevoel en wist dat iemand naar haar keek. Ze bleef stofstijf staan, spitste haar oren. In haar geest vormden zich dreigende gedaanten van de schaduwen van de grote bomen en het flakkerende dak van bladeren en takken boven haar. Plotseling flitste er iets zilverachtigs tussen de laagste takken van een brede eikenboom door. Jessie hapte naar adem, en zei: 'Ik zie je heus wel, hoor.' Even later gleed het boswezen uit haar schuilplaats omlaag. Het was een meisje dat ongeveer net zo oud was als zij, acht jaar, en Jessie moest denken aan een plaatje uit een sprookjesboek van school. Ze leek op een bloemenfee, dit kind, in een versleten bruine onderjurk en met bladeren in haar haren. 'Hallo,' zei Jessie, 'waarom keek je naar me?' Maar het meisje haalde alleen haar schouders op. 'Kun je niet praten? Waarom kun je niet praten?' vroeg Jessie in één adem door. Het meisje legde haar vingers op haar lippen en zei: 'Sst. Het is een geheim.' Daarna schoten haar ogen wijd open van plezier, en ze wenkte haar. 'Waar gaan we naartoe?' vroeg Jessie, terwijl het meisje dieper het bos in sprong. 'Ik moet weer terug. Ik mag niet...' Het elfje schudde haar hoofd en dook onder een dode tak door. Terwijl ze haar volgde, zag Jessie een groepje roze bloemetjes staan. 'Orchideeën!' Dat wist ze meteen, want haar vader had er eens een paar mee naar huis genomen, die hij had gevonden bij het controleren van de vallen. De bloemenfee bleef staan, plukte er een en gaf die aan Jessie. 'Mooi!' zei Jessie en zij en het meisje lachten samenzweerderig naar elkaar...

Ze gleed terug naar haar bewustzijn, zich vaag bewust van een ver weg klinkend gerinkel, en morrelde aan haar gehoorapparaat terwijl ze naar de telefoon liep.

'Judith!' Ze zou niet snel hardop zeggen dat Jude haar favoriete kleinkind was, maar ze voelde zich sterker met haar verbonden dan met Claire ooit echt het geval was geweest, de lieve, dwarse kleine Claire.

'Ik ga volgende week vrijdag naar Starbrough Hall, oma. Kan ik donderdagavond bij u komen slapen?' vroeg Jude. 'Ik zou u dolgraag van alles over de plek willen vragen.'

'Starbrough?' Jude hoorde de verbazing in Jessies stem, maar het enige wat de oude dame daarna zei, was: 'Ik vind het heerlijk om je te zien, lieverd. Ben je hier al rond theetijd?'

Nadat ze had opgehangen, leunde Jessie tegen de bijzettafel, overstelpt door een stortvloed van herinneringen. Starbrough Hall. Ze dacht de laatste tijd erg vaak aan het wilde meisje; eigenlijk was haar geest tegenwoordig net een rol vol oude filmbeelden, die willekeurige scènes uit het verre verleden afspeelde. En nu ging haar kleinkind ernaartoe. Waarom? Dat had ze niet gezegd. Starbrough. Misschien was nu de kans gekomen om die dingen weer recht te zetten.

Later die middag, na een paar vervelende uren waarin de telefoons onophoudelijk rinkelden, en na een betweterige discussie met Inigo over de eerste Bloomsbury-uitgaven, was Jude klaar met haar kopij en nam haar toevlucht tot de opslagkamer naast hun kantoor om boeken voor de veiling te sorteren. Ze vond dat altijd een kalmerende taak, waar ze helemaal in op kon gaan en ze haar hoofd leeg kon maken. Terwijl ze over de Starbrough Hall-collectie piekerde, moest ze plotseling aan haar oude vriendin Cecelia denken. Ze hadden elkaar op de universiteit leren kennen, maar terwijl Jude de Echte Wereld van de arbeid in was gegaan, begroef Cecelia zich nog steeds in universiteitsbibliotheken, waar ze onderzoek deed naar de wetenschappelijke revolutie van het eind van de achttiende eeuw. De laatste keer dat ze elkaar hadden gezien, toen ze ongeveer een jaar geleden samen een borrel waren gaan drinken, wist ze zeker dat ze iets had gezegd over een boek dat ze aan het schrijven was, over astronomie in die periode. Ze moest absoluut contact met haar opnemen.

Voor haar gevoel heel korte tijd later stak Suri haar hoofd door de deuropening. 'Ik ga ervandoor, Jude. We gaan meteen door naar m'n ouders in Chichester en het verkeer is waarschijnlijk een ramp. Fijn weekend.'

'Verdraaid, het is al bijna zes uur. Ik moet ook niet te lang meer blijven!' Er zaten geen ramen in de opslagkamer, waardoor je de tijd kon vergeten.

'We gaan vanavond uit eten met een paar vrienden van Caspar,' zei ze tegen Suri, toen ze terug waren in het kantoor. 'Had ik je al verteld dat we over een paar weken met z'n allen op vakantie naar Frankrijk gaan? En ik heb ze pas twee keer ontmoet. Ik lijk wel gek, hè?'

'Moedig van je, als je ze niet kent,' zei Suri, kennelijk niet wetend of van haar werd verwacht dat ze ermee instemde. 'Stel dat jullie het niet samen kunnen vinden?'

'Ik denk niet dat het zo'n vaart zal lopen,' zei Jude, die positief probeerde te klinken. 'Ze lijken gezellige mensen. Daarbij, met een heleboel wijn kom je een heel eind.'

Nadat Suri was vertrokken, ruimde Jude haar bureau op en zette met snelle, handige bewegingen de boeken terug op de planken en legde de stapels documenten recht. Ze wist niet zeker of ze blij was met wat ze in Suri's blik had gezien – een soort medelijden. Met haar zesentwintig jaar en net verloofd met een jongen die ze op de universiteit had leren kennen, stond Suri nog met frisse onschuld in het leven. Haar wereld was prachtig, een en al kleur en hoop en geluk, en Jude was om die reden dol op haar. Zelfs Inigo's neerbuigende opmerkingen konden Suri's liefdevolle, stralende aura nauwelijks overschaduwen. Zo ben ik ook geweest, besefte ze, met een lichte steek van zelfmedelijden.

Het was half zeven toen ze zich een weg baande door de doelloze zomermenigte die de straat verstopte die evenwijdig aan het treinstation Charing Cross naar de ondergrondse liep.

Zelfs al had ze hem niet gekend, dan zou haar blik toch naar de gestalte zijn getrokken die tegen een pilaar leunde en iets op zijn BlackBerry intoetste. Caspar was een sterk gebouwde man in een marineblauw maatpak en een gesteven wit shirt. Hij was vijf jaar ouder dan Jude met haar vierendertig jaren, knap en energiek, met donker, krullend haar dat met een drup gel naar achteren in model werd gehouden. Ze had hem een paar maanden eerder leren kennen op een feestje van een vriendin. Ze paste met haar lengte van bijna een meter tachtig en voluptueuze lichaam in fysiek opzicht goed bij hem. Hij voelde zich aangetrokken tot haar zachte, donkere ogen en golvende, donkerblonde haar, dat ze met een speld in haar nek had vastgebonden. 'Net een madonna, jij. Je keek eerst droevig, maar toen lachte je,' had hij gezegd toen ze hem eens plagerig had gevraagd waarom hij die avond op haar was gevallen. 'Zo veel mensen lachen alleen maar met hun mond, maar jij lachte écht, met je ogen. Dat vond ik leuk.'

Zij was op haar beurt gevallen op zijn soepele manier van bewegen tussen de sophisticated groep stadsmensen, bij wie hij zich zo overduidelijk vermaakte en thuis voelde. Hij was nooit getrouwd geweest, evenals de meesten uit zijn grote vriendennetwerk die nooit echt waren gesetteld. Ze waren te druk met hard werken aan de carrières waar ze zo van hielden – Caspar en zijn vriend Jack runden het reclameadviesbureau New Media – en ze gingen er helemaal voor. Zelfs zijn getrouwde vrienden hadden over het algemeen geen kinderen. Dat was nog iets wat ze zo aantrekkelijk aan hem vond, wist ze, dat leven in het hier en nu. Ze spraken nooit over de toekomst, maar aan het heden had ze haar handen dan ook al vol. Toen hij haar vroeg of ze mee wilde op vakantie met een paar van zijn vrienden, twijfelde ze eerst, maar dacht toen: waarom ook niet? 'Het wordt echt gezellig,' zei hij. 'We krijgen een hartstikke leuke tijd.' Dat wilde ze graag geloven, maar binnen in haar kronkelde toch nog een verontrust wormpje rond.

Het leek wel alsof al haar eigen vrienden – degenen die zes jaar geleden bij haar huwelijk met Mark aanwezig waren geweest – uitnodigingen voor hun eigen bruiloften stuurden, of geboortekaartjes van hun kinderen. Behalve een nichtje, de zesjarige Summer, had ze nog een ander petekind en ze zou binnenkort meemaken dat een derde, Milo, werd gedoopt. Kleine Milo, acht maanden oud, het kind van een ex-collega, was een heerlijke, verbaasd kijkende baby met wie ze samen met zijn moeder een paar weken geleden naar de Londense dierentuin was geweest. Ze zag de driejarige Jennifer nauwelijks, wier ouders – Sophie was Judes beste vriendin van school – een jaar eerder naar de Verenigde Staten waren verhuisd. De foto's die Sophie naar Jude had ge-e-maild trokken onverdraaglijk aan haar hart.

'Hoi, sorry dat ik zo laat ben,' zei ze, en ze legde haar hand even op de mouw van Caspars maatpak.

'Dat ben je niet,' antwoordde Caspar, die haar naar zich toe trok voor een vluchtige maar deskundige kus. Zijn donkere ogen glansden en hij liet zijn blik bewonderend over haar heen glijden. Ze was blij dat ze het broekpak had gekocht en de lunch had overgeslagen zodat ze er nog in paste. 'Mooie oorbellen,' merkte hij op, ze herkennend, en ze raakte een van de elegante, zilveren en dobbelsteenvormige knopjes aan die hij haar met Pasen voor haar verjaardag had gegeven, vlak nadat ze elkaar voor het eerst hadden ontmoet. Ze wist zeker dat ze had laten vallen dat ze meestal goud droeg, maar ze was er evengoed blij mee omdat hij ze had uitgekozen.

'Luke en Marney verwachten ons om acht uur,' zei hij. 'Laten we wat gaan drinken.' Ze vonden een wijnbar, waar Caspar op magische wijze het laatste tafeltje voor hen veroverde. Na de eerste slokken zoetige bourgogne op haar lege maag, voelde Jude zich licht in het hoofd worden.

'Hoe ging je presentatie?' vroeg ze. Hij en Jack werkten aan de promotie van een sportkledingmerk voor tieners.

'Goed,' antwoordde hij. Hij had zijn glas leeg en zat al aan zijn volgende. 'Ze waren dolenthousiast over het idee van de videoclip. Als we de voor de opname geschikte kinderen vinden, wordt het vast geweldig. Jack is al met de castingbureaus aan de slag gegaan. 'Hoe is de stoffige wereld van de doodhout-technologie?' Hij plaagde haar er altijd mee dat haar baan met oude boeken te maken had terwijl de toekomst van de moderne media al online stond. Maar hij was wel onder de indruk van de bedragen waarvoor ze werden verkocht.

'Er is iets behoorlijk aanlokkelijks opgedoken,' vertelde ze hem. 'Het gaat om een collectie van een achttiende-eeuwse astronoom. Ik ga er vrijdag voor naar Norfolk. Eigenlijk best grappig, want mijn oma is daar opgegroeid. Caspar, ik vroeg me af...' De alcohol gaf haar de moed om het te vragen. 'We hadden toch nog geen plannen voor het volgend weekend, jij en ik? Ik logeer donderdag bij oma en werk op vrijdag, dus ik bedoel vrijdag- en zaterdagavond. Ik moet zondag naar de doop van Milo's, maar dat is te doen. Je zou vrijdagavond naar me toe kunnen komen in Norfolk. Of eerder, als je wilt. En meegaan naar de doopdienst. Ik weet dat Shirley en Martin het leuk zouden vinden om je te ontmoeten.'

'Vrijdag is de vierde, toch? Volgens mij is dan het housewarmingfeestje van Tate en Yasmin... nee, dat is op zaterdag.' Hij pakte zijn BlackBerry en toetste wat knoppen in. 'Ja, maar daar hoeven we niet naartoe.'

'Echt niet? Want dan kunnen we naar mijn zus, Claire, en haar kleine meisje. Je hebt ze nog niet ontmoet, snap je, en ik dacht... Hun huis is te klein voor ons allebei, maar er is een bed and breakfast in het dorp, of misschien kunnen we naar de kust. Het landschap is er prachtig; we kunnen gaan wandelen...' Ze zweeg, merkte dat hij niet meer luisterde.

Caspar kneep zijn ogen iets samen terwijl hij op zijn BlackBerry keek en het blauwe licht van het schermpje flikkerde spookachtig op zijn gezicht. Hij keek gespannen, zorgelijk.

'Ah,' zei hij, plotseling opgevrolijkt door iets wat hij had gevonden. 'Het spijt me, Jude, maar ik moet zondag naar Parijs voor een presentatie op maandag. Jack en ik moeten ons zaterdag nog voorbereiden.'

'O, wat jammer. Je hebt mijn familie nog niet ontmoet. Ik denk dat je vooral Claire wel zal mogen.'

'Is zij de... de invalide?'

'Ze loopt wat mank, dat is alles.' Jude beschouwde haar zus niet als invalide. Knap, uitbundig, oprecht, een geslepen zakenvrouw, dat wel, maar beslist niet invalide. Ze was geboren met een been dat iets korter was dan het andere, waardoor ze in haar jeugd keer op keer voor operaties in het ziekenhuis had gelegen. 'Haar dochtertje heet Summer. Ik heb ze al in geen weken meer gezien.'

'Ik dacht dat jullie elkaar allemaal vorige week op het vliegveld nog hadden gezien.' Ze hadden haar moeder uitgezwaaid, die met haar nieuwe man naar Spanje was vertrokken. Douglas was een villa aan het renoveren in de bergen achter Malaga.

'Vliegveld Stansted is niet bepaald een ontspannen omgeving om bij te praten.'

'Nou, ik zal Claire en Summer – leuke naam trouwens – een andere keer wel ontmoeten.'

Nu deed hij zijn best om zo oprecht mogelijk berouwvol te kijken, maar Jude was teleurgesteld. Het was niet de eerste keer dat hij een bezoek aan haar familie van de hand wees, en het was belangrijk voor haar. Nu ze eraan dacht, had ze ook nog geen familieleden van hem ontmoet. Hij was het enige kind van Poolse ouders, die in Sheffield woonden, dat was het enige wat hij erover had gezegd. Vanaf het moment dat ze hem had leren kennen, was hij nog niet bij hen thuis op bezoek geweest en de keer dat ze naar Londen waren gekomen, had hij haar dat niet verteld. Het was haar eerder niet opgevallen, maar nu vond ze het vreemd.

Een van de kleine oorbellen deed pijn. Met haar hand maakte ze hem voorzichtig los. Hij viel uit elkaar. Ze ving de deeltjes nog net op tijd op.

2

Het was altijd een genot om in het witte rijtjeshuis in Greenwich thuis te komen. Ze duwde de deur met haar elleboog open en zette haar boodschappentassen in de keuken. Ze had de afgelopen nacht bij Caspar in Islington geslapen, maar ook al was het zaterdag, hij moest nog wat werk doen op kantoor. Ze was met hem met de ondergrondse mee teruggereisd, waarna ze vanaf station King's Cross ieder hun eigen weg waren gegaan. Ze hadden niet veel gepraat. Hij zag er slecht uit; hij had de avond tevoren veel te veel gedronken, en het etentje had tot in de kleine uurtjes geduurd. Eerlijk gezegd had Jude nog minder van de avond genoten dan ze al had gevreesd. De zes andere mensen daar, die ze een-op-een aardig en leuk had gevonden, bleken in elkaars gezelschap een saai stel. Ze hadden het die avond gehad over restaurants waar ze nooit was geweest, over ontwerpers die haar niet interesseerden, en over oude vrienden van de universiteit die ze nooit had ontmoet. Ze had zwijgend in haar eten zitten prikken en zich buitengesloten en opstandig gevoeld. De gedachte om twee weken in hun gezelschap in de Dordogne door te brengen was ronduit deprimerend. Toen ze tijdens een stilte die in het gesprek was gevallen vroeg naar de bezienswaardigheden in de buurt van Brantôme, had hun gastvrouw, de apathische Marney, haar neus gerimpeld en gezegd dat ze hun dagen meestal aan het zwembad bij het hotel sleten, en ze er alleen 's avonds op uit gingen om ergens te gaan eten. 'Het is meestal toch veel te warm om iets te gaan doen,' zei ze lijzig.

'En laten we wel wezen,' onderbrak de stevige, giechelende Paula haar, 'als je één zo'n kasteel hebt gezien, heb je de rest ook wel gezien.'

Iedereen moest lachen en Jude forceerde een beleefd glimlachje.

Jude, wier bleke, Engelse huid knalrood werd in de zon, had een hekel aan rondhangen bij zwembaden. Voor haar was de ideale vakantie rondslenteren door rustige stadjes en dorpen, en over hun geschiedenis te leren, die vaak verbazingwekkend kleurrijk en gewelddadig was. Het zag ernaar uit dat ze dat deze keer in haar eentje zou gaan doen. Uit hun gesprek in de wijnbar maakte ze op dat Caspar ook niet van wandelen en ontdekkingstochten hield.

Nu ze veilig thuis was, schopte ze haar schoenen uit en vulde de waterketel, ontspannen in haar eigen gezelschap, hoewel ze zich in dit mooie huisje nooit helemaal alleen voelde. Het was het huis dat zij en Mark hadden uitgekozen toen ze zich verloofden en waar ze in de drie korte jaren van hun huwelijk hadden gewoond. Ze had nog steeds sterk het gevoel dat hij er was, alsof hij elk moment kon binnenlopen. In de afgelopen jaren maakten meerdere mensen – haar moeder, haar zus, Marks zus Catherine – zich daar steeds meer zorgen over. Ze hadden voorgesteld het huis te verkopen en geïmpliceerd dat het ongezond voor haar was om tussen al die herinneringen te leven; maar los van het feit dat ze zijn kleren mochten uitzoeken, deed ze niets. Het gaf haar een geruststellend gevoel om Marks spullen om zich heen te hebben; het maakte deel uit van haar overlevingsmechanisme. Aan de witgeschilderde muren van de woonkamer hingen nog steeds de prachtige foto's die hij had genomen – van de Patagonische wildernis, de Kilimanjaro en de Cairngorms – tijdens de klimexpedities in de lange vakanties die hij als leraar had. Een deel van hun moderne meubels, zoals het ijzeren ledikant en de lichtgekleurde bank, hadden ze samen uitgekozen, maar de victoriaanse, ovale spiegel en de William de Morgan-tegels in de open haard waren Judes keus geweest. Mark hield van nieuw, Jude van oud. Ze plaagden elkaar ermee. Altijd als ze samen ergens naartoe gingen – naar huis in Norfolk of een dagje naar de zuidkust – zei Jude altijd: 'Ik wip hier even naar binnen.' Vervolgens verdween ze in een of ander mysterieus winkeltje vol met fascinerende schatten, Mark achterlatend om de nieuwste snufjes in de campingwinkel of bij de kruidenier te bekijken. Hij had gelachen om een aantal van haar curiositeiten, vooral om het trio Indiaanse olifantjes, waarvan de kraaloogjes haar vanuit de etalage van een antiekwinkel smekend hadden aangekeken.

Terwijl ze van haar koffie dronk liep ze langzaam de woonkamer door, bleef staan om aan een kleine, antieke wereldbol op het bijzettafeltje te draaien en een van de ebbenhouten olifanten op te pakken, genietend van het warme hout in haar hand. 'Olifanten moeten altijd met hun gezicht naar de deur staan, anders brengen ze ongeluk,' had ze eens tegen Mark gezegd.

'Waarom naar de deur?' had hij lijzig gevraagd terwijl hij zijn armen over elkaar sloeg, een teken dat hij zijn sceptische wetenschappersact ging opvoeren. Dat was ook een verschil tussen hen. Zij was dol op oude legendes en bijgeloven; hij wilde ze alleen maar onderuithalen. Maar ze waren allebei dol op een levendige discussie.

'Dat zei mijn vader vroeger altijd. Misschien omdat ze snel naar buiten moeten kunnen als er brand of zo uitbreekt.'

'Dat is het idiootste wat ik ooit heb gehoord,' plaagde Mark en toen lachten ze.

Ze waren op erg veel manieren zeer verschillend van elkaar, maar ze waren voor elkaar bestemd. Dat had ze altijd zo gevoeld. Vanaf de eerste keer dat ze elkaar zagen. Dus waarom was ze dan zo bedrogen uitgekomen?

Ze stofte het olifantje af en zette het voorzichtig weer op zijn plek.

Het idee dat ze nog een hele lege dag voor zich had, gaf haar een geweldig gevoel. Terwijl ze de boodschappen uitpakte overwoog ze wat ze met die tijd zou doen. De heuvel op lopen om de tentoonstelling bij het observatorium te bekijken, misschien, om alvast in de astronomische stemming te komen? Toen ze de melk in de koelkast zette viel haar blik op een foto van haar nichtje, die op de deur was geplakt. Summer. De naam paste bij haar mooie, honingkleurige haar en blauwe ogen, haar feeërieke lichtheid. Het was vreemd om te bedenken dat ze in augustus al zeven werd. Het zou geweldig zijn als ze haar het volgende weekend kon zien. Ze reikte naar de vaste telefoon en belde het nummer van Claires werk.

'Star Bureau,' klonk de vlotte stem van haar zus. Claire runde een winkeltje met een vriendin, in het Norfolkse marktplaatsje Holt. Ze verkochten er allerlei soorten spulletjes die met sterren en astrologie te maken hadden. Een leuke bijkomstigheid van hun zaak was dat mensen er een naam aan een ster konden geven, bijvoorbeeld die van een geliefde. Voor een bescheiden bedrag ontvingen ze dan een certificaat waarop de locatie en het officiële nummer van de ster stonden. Er stond ook een omkaderd gedicht op dat Claire had geschreven en 'Stardust' had genoemd, waarvan Jude vond dat de derde regel niet lekker liep, maar wist dat haar mening hierover, evenals over een aantal andere zaken, niet op prijs werd gesteld.

'Met Jude. Heb je het erg druk?'

'O, ben jij het! Wacht even... Linda, ik neem dit gesprek even in het kantoor... Het is mijn zus,' hoorde Jude haar zus tegen haar zakenpartner zeggen. En toen: 'Ik moet het kort houden, Jude. Het wemelt van de toeristen. Wacht even, scheer je weg, kat.' Jude zag Claire voor zich, met een klein, elfachtig gezicht, pezig dun, terwijl ze Pandora wegjoeg, de zwart-witte kat die ze op sommige dagen naar haar werk meenam. 'Ik was van plan je te bellen, Jude. Zou je het leuk vinden om binnenkort weer eens langs te komen? Summer vroeg ernaar.' Summer, niet Claire, merkte Jude op, maar dat vond ze onvriendelijk van zichzelf.

'Ik dacht aan volgend weekend, eigenlijk. Ben je dan thuis, denk je?'

'Nou, eens kijken. Ik ben zaterdag in Dubai met Piers en vlieg zondag met Rupert naar de Solomoneilanden. Doe niet zo mal, natuurlijk ben ik thuis. Wanneer ga ik nou ergens naartoe? Ik kan het me om te beginnen niet veroorloven.'

Jude herkende de aloude scherpe toon in de stem van haar zus, en haar lach klonk niet overtuigend. Het Star Bureau wist slechts met moeite een bescheiden winst te maken, en een groot deel van Claires aandeel ging naar de hypotheek van haar cottage. Claire had het er nooit over dat ze jaloers was op Judes financiële zekerheid, maar de vreemde, duidelijke hint bezorgde haar een schuldgevoel. En het zorgde ervoor dat ze Claire af en toe een cheque stuurde, ervoor zorgend dat ze haar zus niet op de tenen trapte, door erop aan te dringen dat ze met het geld iets leuks voor Summer moest kopen.

'Nou, zullen we dan voor vrijdag- en zaterdagavond afspreken? Ik moet zondagochtend vroeg weer weg.'

'Tuurlijk, leuk om je weer te zien, als je het niet erg vindt om bij Summer in te trekken.'

'Het lijkt me enig om in Summers kamer te slapen. Ze snurkt tenminste niet zo hard als jij. Hoe gaat het trouwens met m'n lieve nichtje?'

'Prima.' Jude hoorde een lichte hapering in Claires stem. 'Ze heeft vorige week een Magische Ster gekregen voor lezen.'

'Een mágische ster?'

'Die krijg je als je vijfentwintig gewone sterren hebt gehaald.'
'De goeie ouwe Summer.'
'En verder, o, ik weet het niet, ik maak me een beetje zorgen om haar.'
'O, waarom?'
'Ze slaapt niet zo goed. Heeft steeds nachtmerries. Bij nader inzien weet ik eigenlijk niet zeker of je wel bij haar wilt slapen.'
'Waar gaan de nachtmerries over?'
'Weet ik niet. Het enige wat ze zegt is: "Ik kon je nergens vinden, mama."'
Er flitste een jeugdherinnering voorbij. Waar ben je, mama? Ik kan je nergens vinden. Lopend in een kleine, Londense slaapkamer, het straatlicht dat door de bleke gordijnen heen scheen en een insect dat zoemend aan de binnenkant van het raam wegvloog.
Met een schok richtte ze haar aandacht weer op wat Claire aan het vertellen was. '... kon de dokter niet zeggen. Dus ik weet nu niet wat ik moet doen.'
'Sorry, wát had de dokter gezegd?'
'Niets,' zei Claire geïrriteerd. 'Hij zei dat er niets mis was, voor zover hij dat kon beoordelen.'
'Je bent wel ongerust, hè?'
'Zou jij dat niet zijn, dan?'
'Nou, ja, natuurlijk zou ik ongerust zijn.' Ze was gewend aan Claires snibbigheid. Daar moest je je niets van aantrekken. Claire voedde Summer in haar eentje op en soms was de spanning duidelijk aan haar te merken.
'Is ze verder wel in orde? Is ze niet ziek of somber of zo?'
'Niet dat ik weet. Sterker nog, ze is heel vrolijk.'
'Misschien is het dan stress van school,' zei Jude onzeker, omdat ze niet veel van dit soort zaken af wist, maar daar leek Claire zich wel in te kunnen vinden.
'Misschien wel,' stemde ze in. 'Ze hebben vreselijk veel toetsen en huiswerk. En ze is de jongste van de klas.'
'Er ligt zo veel druk op ze,' voegde Jude eraan toe. 'Ik las iets over het Zweedse systeem waar ze nog niet eens naar school gaan totdat ze...'
'Jude, heb jij nog iets van mam gehoord?'
'Niet meer nadat ze vorige week had gebeld om te zeggen dat ze veilig in Malaga waren aangekomen. Jij?'

'Nee,' zei Claire verbitterd, 'maar ze belt me toch al nooit. Ik moet haar altijd bellen.'

'Doe niet zo raar,' zei Jude vermoeid. Het was onder meer haar rol in het gezin om Claire ervan te verzekeren dat ze wél van haar hielden, dat was altijd al zo geweest.

'Toch is het zo. Maar ik moet ophangen, want er staat een rij bij de kassa.'

'Luister, even snel, hoe denk je dat het met oma gaat? Ik ga donderdag bij haar logeren.'

'O, dat zou ze geweldig vinden.' Claires stem verzachtte. 'Het gaat goed met haar, Jude, een beetje fragiel alleen. Summer en ik waren zaterdag met haar in Sheringham schoenen gaan kopen. Het was een hele beproeving want ze hadden de schoenen niet die ze altijd heeft, maar we hebben uiteindelijk wel iets gevonden. Wat kom jij hier trouwens midden in de week doen?'

'Ik weet dat het enorm toevallig is, maar ik ga naar Starbrough Hall om wat spullen te taxeren.'

'Starbrough Hall? Echt waar? Nou, daar kan oma je nog wel wat over vertellen. Maar nu moet ik ophangen.'

Jude legde de telefoon neer met het verwarrende gevoel dat er iets niet in orde was. Het waren deels de normale familietoestanden. Claire zat ernaast dat hun moeder volgens haar niet om haar gaf. Mam hield net zo veel van haar oudere dochter als van Jude. Jude had nooit getwijfeld aan de liefde van haar ouders. Ze had gewoon geweten dat die er was en had het geaccepteerd.

Ik denk dat mam mij vaker belt omdat ze op me steunt, dacht ze terwijl ze de vuile was in de wasmachine deed. Ook al had ze Douglas nu, ze mist papa en ik lijk op hem – oprecht en betrouwbaar... Bah, wat klonk dat saai. Mams relatie met Claire ligt ingewikkelder. Die twee zijn water en vuur. Maar dat betekent niet dat mam niet van Claire houdt, en, in hemelsnaam zeg, ze is dol op de kleine Summer.

En nu moest ze zich zorgen gaan maken om Summer. Ze kon het nog niet echt geloven, maar ze vermoedde dat haar nichtje dezelfde vreselijke droom had die zij als kind had gehad.

3

'Oma, oma!' Er werd op de deur geklopt. Jessie opende haar ogen, was even in de war. Ze zag een gezicht voor het raam. Niet het wilde meisje. De kleine Judith. Jude, haar kleindochter. Ze had haar niet verwacht. 'Jawel, Jessie, jij malle oude dwaas,' mompelde ze tegen zichzelf terwijl ze zich uit haar stoel hees. Jude had gebeld en gezegd dat ze op donderdag kwam logeren. Vandaag was het donderdag en meneer Lewis had haar een lekker stukje vis gebracht.

'Hallo, sorry dat ik u heb wakker gemaakt,' zei ze toen haar grootmoeder de deur opende. Toen ze door het raam van het mooie vuurstenen huisje had getuurd, had ze zich even zorgen gemaakt toen ze haar oma zo weggezakt in een stoel had zien liggen, met haar mond open in haar gerimpelde gezicht en het dunne haar dat aan alle kanten langs haar hoofd hing. Ze was blij dat de oude vrouw uiteindelijk wakker werd van haar geklop.

Eenmaal binnen zette ze haar tassen neer en kuste ze haar grootmoeder op haar perkamentachtige wang. Jessie stond er even verloren bij, terwijl ze haar kleindochter van top tot teen met een blij verraste uitdrukking op haar gezicht opnam.

'O, je ziet er prachtig uit, lieverd. Erg elegant.'

'Dank u wel,' zei Jude, die nog steeds de chique, linnen rok en het jasje droeg dat ze voor een zakenlunch had aangetrokken.

Ze volgde haar grootmoeder de keuken in, ontzet toen ze zag hoe voorovergebogen ze liep. Jessie was nu vijfentachtig en de laatste keer dat Jude haar had gezien was op haar verjaardag in mei geweest. De vier generaties vrouwen – oma, haar moeder Valerie, Jude, Claire en de kleine Summer – hadden allemaal samengepakt in de woonkamer gestaan, terwijl ze broodjes en een scheve verjaardagstaart hadden gegeten, die Summer had helpen bakken en zelf met snoepjes had versierd. Later die dag was Jessie erin geslaagd om aan Judes arm een rondje langs de haven te wandelen. Maar nu ze zag hoe haar grootmoeder steun zocht bij het aanrecht terwijl ze met een gebutst theeblik klungelde, vroeg ze zich af hoe lang het nog zou duren. Oma kon nog wel zonder hulp het huis uit komen. Maar zou ze de dorpswinkel of de dokterspost halen? Ze dacht koortsachtig na. Misschien moesten ze een geschiktere woning voor haar gaan zoeken. Oma zou het vreselijk vinden om te verhuizen.

'Laat me u helpen, oma.'

Op Jessies aanwijzingen schonk ze kokend water in de vertrouwde, metalen theepot, zette de porseleinen theekopjes van haar overgrootmoeder neer en nam het theeblad mee naar de woonkamer. Jude vond het heerlijk om naar de cottage bij de kust te komen, waar haar grootouders naartoe waren verhuisd nadat haar grootvader met pensioen was gegaan. Ze herinnerde zich dat ze hier voor het eerst als tiener was geweest, toen haar vader een hartziekte kreeg en niet meer fulltime kon werken, en ze allemaal van Norwich naar Londen verhuisden.

Jessie ging wat hijgend in haar leunstoel zitten. 'Ik kan soms amper lucht krijgen,' legde ze uit bij het zien van Judes ongeruste blik. 'Gelukkig ben ik vandaag in elk geval niet zo duizelig.'

'Duizelig? Dat klinkt niet goed.'

'Dokter Gable zegt dat het een van die virusjes is. Zou jij me dat kussen even willen aanreiken? Hij heeft me wat pillen gegeven maar die neem ik niet meer in.'

'O, oma,' zei Jude afkeurend terwijl ze haar grootmoeder met het kussen hielp.

'Ik word er helemaal niet lekker van. Een rauw ei met een scheutje congnac erin – dat is tenminste een goed opkikkertje. Maak je geen zorgen, Jude, het ligt gewoon aan m'n oude botten, en daar is geen kruid tegen gewassen. Nou, vertel me eens alles over jezelf, liefje. Dat is veel interessanter. Pak je wel een petitfour? Ik weet dat je er dol op bent.'

'Dank u wel,' zei Jude, die bezorgd toekeek hoe haar oma met de theepot in de weer ging. Ze nam een slokje van haar thee en pelde plichtsgetrouw het papiertje van een van de felgekleurde petitfours af waar ze als kind dol op was geweest, maar die ze nu ze volwassen was misselijkmakend zoet vond. 'Sorry dat ik hier zo weinig kom. Ik heb het razend druk op m'n werk en, nou ja, de weekenden raken als vanzelf vol. Met vrienden en zo,' zei ze tot slot, met een schuldgevoel.

'Iemand in het bijzonder?' Jessie keek haar pienter over haar theekopje aan.

Jude aarzelde even en glimlachte toen. 'Er is een man in mijn leven, als u dat bedoelt, oma. Het is niet serieus, dus hoop maar niets. Ik weet hoe u en mam kunnen zijn.'

'O, let maar niet op ons. Maakt hij je gelukkig, lieverd?'

'Ik ben graag in zijn gezelschap.'

'Dat is niet bepaald hetzelfde,' zei ze streng. 'Ik maak me zorgen om je, Jude.'

'Dat weet ik, oma. Maar dat is nergens voor nodig. Ik heb het ergste achter de rug.'

Oma dacht daar even over na en zei: 'Dit soort dingen kun je niet gemakkelijk vergeten. Toch moeten we ze achter ons laten en het beste van ons leven zien te maken. Dat heb ik door bittere ervaring geleerd.'

Haar grootmoeder had een afwezige blik in haar ogen, alsof ze werd afgeleid door iets wat zich achter de muren van de kamer bevond.

'Oma?'

'Sorry, lieverd. Ik moest ergens aan denken.'

'Van vroeger?'

'Ja, van heel lang geleden, toen ik nog klein was. Ik neem aan dat je je, als je naar je oude oma kijkt, maar moeilijk kunt voorstellen dat ik ooit klein ben geweest, hè?'

Jude, die haar grootmoeders gerimpelde gelaatstrekken in een ondeugende glimlach zag veranderen, zei opgewekt: 'Natuurlijk wel.'

Haar oma keek verrukt.

'Dacht u aan iets verdrietigs of iets leuks?' vervolgde Jude.

'Allebei. Nou, nu je ernaar vraagt, ik herinner me iemand die ik ooit heb gekend. O, het was allemaal heel lang geleden. Neem nog een cakeje, lieverd. Ik eet ze niet.'

'Straks misschien, oma. Maar aan wie moest je denken?' Haar grootmoeder sprak zelden over haar jeugd, en Jude vond het geweldig als ze het wel deed.

'Je kent haar niet, Jude. Dat zegt je allemaal niets.'

'Jawel, hoor. Oma, wees niet zo flauw, u weet dat ik de tijd waarin u opgroeide heel fascinerend vind. Woonde u toen op Starbrough?'

'Ja, inderdaad. Toen ik zeven of acht was, leerde ik een meisje kennen dat vlak bij ons in het bos woonde en met wie ik bevriend raakte.'

'Vertel,' smeekte Jude.

'Als jij nog een paar van die cakejes neemt,' zei haar grootmoeder. Jude pakte er gehoorzaam nog een en nam een hap.

'Ik wist het toen niet, maar het meisje behoorde tot die nomaden, een heuse Roma zigeunerin, dus daarom zag ik haar een paar weken of maanden en dan weer lange tijd niet meer, misschien wel een jaar. Ze heette Tamsin.'

Ze viel even stil om op adem te komen en Jude vroeg tussen twee happen door: 'Wat is er met haar gebeurd?'

'Dat wilde ik net vertellen. Op een dag, ik was negen of tien, dook ze ineens op school op. Ik ging in het plaatsje Starbrough naar school. We zaten daar allemaal aan onze rekensommen of zo, en ik was compleet verbijsterd toen de deur openging en het schoolhoofd haar naar binnen bracht. Hij zei dat ze een nieuwe leerlinge was, en ook, nou, dat werkte nog eens als een rode lap op een stier, dat ze een zigeunerin was en we aardig voor haar moesten zijn.'

'En dat waren jullie vermoedelijk niet.' Jude merkte op dat haar oma meer in het plaatselijke dialect verviel nu ze over het verleden sprak.

'Een paar jongens waren het ergst. Het zal je niet verbazen dat ze niet erg gelukkig was op school. Om te beginnen zag ze er al anders uit in haar rommelmarktkleren, met die donkere huid van haar en gouden oorbellen. Een deel van het probleem was dat ze achterliep met de leerstof, en een paar andere kinderen vonden haar maar raar. Scholden haar uit, zeiden dat zigeuners dieven waren en zo. Dat hadden ze waarschijnlijk van hun ouders, hoewel ik dat soort onzin thuis nooit hoorde. Mijn vader had het nog wel eens over stropers, maar hij gaf de zigeuners nooit ergens méér de schuld van dan aan een ander. Hoe dan ook, tot mijn schaamte moet ik bekennen dat ik te bang was om op school met haar bevriend te zijn. Ik dacht dat ik dan ook zou worden gepest, je weet hoe kinderen kunnen zijn. Maar soms, tijdens de vakanties, wanneer je oudoom Charlie en oudtante Sarah en ik naar de folly gingen, zag ik haar en speelden we vaak samen, en we waren zo blij als een kind. Het was alsof we er nog een zus bij hadden. Het leek haar niet uit te maken dat we haar op school negeerden. Ik heb er vaak aan gedacht dat we haar vast heel ongelukkig hebben gemaakt.'

'Misschien begreep ze wel dat jullie bang waren,' zei Jude, die zich afvroeg waar dit onsamenhangende verhaal naartoe ging. Ze was er een beetje van geschrokken dat deze episode van lang geleden haar oma nog zo dwarszat.

'Dat hoop ik maar,' zei oma. 'In elk geval deed ik nooit mee aan die pesterijen die ze tijdens het speelkwartier te verduren kreeg. Nog wat thee, lieverd?'

'Graag. Wat is er met Tamsin gebeurd?' vroeg Jude.

Maar oma perste haar lippen op elkaar. Uiteindelijk schudde ze bedroefd haar hoofd en zei: 'We... haar familie heeft haar meegenomen. Ik heb haar nooit meer gezien. Ik heb me er altijd rot over gevoeld. Ik had haar niet geholpen toen ze het nodig had, ik kon niet helpen... En ik heb iets van haar afgepakt, zie je.'

'Wat?' zei Jude, maar het was alsof Jessie haar niet had gehoord. Jude was geschokt door haar grootmoeders gekwelde blik.

'Het is afschuwelijk om nooit te vergeven of vergiffenis te krijgen,' zei de oude vrouw. 'Het is altijd aanwezig... begraven, ja, maar je weet dat het er is.'

Later die avond, nadat ze naar bed waren gegaan, kon Jude haar grootmoeder in de aangrenzende kamer horen rondstommelen, hoorde ze haar laden open- en dichttrekken en in zichzelf praten. Net toen ze besloot een kijkje te gaan nemen om te zien of er iets aan de hand was, hoorde ze het bed kraken, wat gekuch, en toen stilte. Jude, die vroeg op moest, ging weer liggen. Als haar oma haar nodig had zou ze haar waarschijnlijk wel roepen.

De slaap wilde niet komen. Ze lag een tijdje te peinzen over het verhaal dat oma haar had verteld, over het zigeunermeisje in het bos bij Starbrough. Er was een folly. Ze hadden bij de folly gespeeld, had ze gezegd. Daar zou ze morgen naar moeten zoeken.

Haar gedachten dwaalden af naar haar eigen jeugd. Toen ze hier als tieners logeerden, nam hun opa haar en Claire met mooi weer vaak met zijn kleine vissersboot mee om naar de zeehonden op Blakeney Point te kijken. Hij was een vriendelijke, kalm sprekende man die altijd in de buurt van de kust had gewoond, en bij wie je je op je gemak voelde als je gewoon naast hem zat zonder dat er veel werd gezegd. Hij luisterde als je wilde praten, maar stelde niet telkens stomme vragen, over school en je lievelingsvak en wat je wilde worden als je groot was, zoals sommige volwassenen tegen kinderen praatten.

Haar grootmoeder was daarentegen een praktische, no-nonsense figuur, altijd druk, met eten klaarmaken, nieuwe gordijnen naaien of, met de handen op haar heupen, discussiëren met de melkboer over zijn rekening, of met de buren de wereld en omstreken doornemen. Jude herinnerde zich dat het altijd leek alsof haar moeder als ze naar Blakeny gingen liep als een kat op hete tegels. Er ging zelden een dag voorbij zonder dat Valerie en Jessie elkaar venijnige opmerkingen naar het hoofd gooiden. Ze hadden nooit goed met elkaar overweg gekund, had opa haar eens uitgelegd. Het was grappig om te zien hoe ze door de jaren heen beiden milder waren geworden. En ook grappig dat Jessie, die zelden over haar jeugd sprak, deze avond zo op haar praatstoel had gezeten. Deze avond was het alsof het gordijn dat het heden van het verleden scheidde even opzij was geschoven.

Het verleden. Haar verleden. Ze dacht terug aan wat haar oma had laten doorschemeren over Mark. Dat ze hem moest laten gaan. Dat was makkelijker gezegd dan gedaan. Ze probeerde dat door middel van Caspar, deed ontzettend haar best, en ze hoopte dat door een vaste relatie op te bouwen de donkere, stilstaande poel in haar geest zou loskomen en kon wegspoelen, dat de liefde weer kon stromen. Misschien, zoals met de oorbellen die hij haar had gegeven en waarbij hij was vergeten waar ze van hield, paste Caspar niet bij haar. Of misschien was het haar eigen schuld en stond ze zijn liefde niet toe. Hij was de eerste man met wie ze iets had sinds Mark en ze was bang dat ze was vergeten hoe het moest.

Toen het reiswekkertje haar de volgende ochtend wekte, was het nog stil in huis. Ze waste zich en trok het pak van de dag ervoor aan met een schoon mouwloos topje; ze wilde er netjes uitzien voor haar afspraak met de eigenaar van Starbrough Hall. Beneden doorzocht ze de keuken en vond wat cornflakes, en omdat ze boven geen geluid hoorde, schreef ze een bedankbriefje, zette dat rechtop tegen het broodrooster en ging de deur uit.

Boven bewoog Jessie zich even maar gleed weer terug in haar droom. Daarin was ze op zoek naar iets, iets wat ze dringend moest zien te vinden.

4

Jude zag bijna het bord over het hoofd waarop stond STARBROUGH HALL. PRIVÉTERREIN. Ze reed over een lange oprijlaan door ruw grasland, en daarna langs een gazon met een stenen fontein naar het zandkleurige palladiaanse huis dat ze herkende uit het boek in haar kantoor. Ze parkeerde haar glanzende, blauwe vijfdeursauto op het voorterrein van grind, naast een gehavende stationcar. Toen ze uitstapte begonnen een paar grote setterhonden in de andere auto te blaffen en uitzinnig tekeer te gaan. Ze negeerde ze, meer geïnteresseerd in het huis, dat er behalve gracieus ook vervallen uitzag, vond ze. Een aantal raamkozijnen leek rot en hier en daar was het pleisterwerk van de muren losgeraakt.

De BlackBerry in haar zak begon te trillen. Suri, zag ze op het schermpje terwijl ze opnam. Het was negen uur. Ze kon ook geen moment aan kantoor ontsnappen.

'Suri, hoi,' zei ze. 'Jij er bent vroeg bij. Ik kan niet te lang praten. Ik kom net aan bij het huis. Hoe gaat het met je?'

'Prima, dank je. Sorry dat ik je nu stoor, Jude. Ik kwam vijf minuten geleden binnen en trof een razende Klaus aan; maak je geen zorgen, ik ben in de opslagkamer dus hij kan me niet horen. De afdeling Financiën heeft de cijfers van deze maand bekendgemaakt en hij is er absoluut niet blij mee. Maandagochtend om negen uur is er een bestuursvergadering waar je bij moet zijn. Hij wil dat je er om half negen bent.'

'O, geweldig. Hij is waarschijnlijk zo gespannen omdat de Amerikanen er zijn. Zeg hem zich geen zorgen te maken, ik zal er zijn.'

'Hij wil dat je – je gaat een hekel aan me krijgen – je begroting voor de volgende veiling naar hem mailt. En er is nog iets,' zei ze vaag. 'Het kan zijn dat Inigo je belt.'

'Ik kan tot vanavond niets doen. Kan iemand anders mijn begroting niet opzoeken? Die zit in de map Septemberveiling. Ik kan me de bestandsnaam alleen niet meer herinneren, ben ik bang.'

'Ik zal ernaar kijken.'

'Geweldig, dank je wel. Deze plek hier is echt gigantisch. Je zou het moeten zien; iets uit *Pride and Prejudice*, alleen dan wat aangevreten door de motten.'

'Denk er vooral niet aan dat ik hier de hele dag opgesloten zit.' Suri slaakte een jaloerse zucht voordat ze ophing.

Jude stopte de telefoon in haar handtas, haalde haar aktetas uit de kofferbak tevoorschijn en liep snel langs de blaffende honden. Er liep een afgebrokkelde trap met lage, stenen treden naar de enorme dubbele voordeur omhoog, maar aan haar rechterhand stond een poort die, vermoedde ze, om het huis heen naar de achterkant leidde. Ze liep de eerste treden op en drukte op de bel. Na een minuut of twee hoorde ze voetstappen dichterbij komen en ging de deur schokkerig open.

Een vlezige man van begin veertig in een korte broek en een oud rugbyshirt zei: 'Mevrouw Gower? Robert Wickham. Kom binnen.'

'Het is Jude, een afkorting van Judith,' zei ze en ze schudden elkaar de hand.

Toen hij de deur achter hen dicht had gedaan, was de kleine hal in duisternis gehuld. 'Ik had je moeten vertellen dat je achterom kon lopen,' zei meneer Wickham met fronsend voorhoofd. 'Onder de poort door, linksaf. We gebruiken deze deur niet vaak.'

'Wilde u dat ik de dienstingang nam?' grapte ze terwijl ze achter hem aan een marmeren trap op liep.

'Nee, in hemelsnaam, nee, ik bedoelde absoluut niet te zeggen dat u een leverancier bent!' riep hij uit. 'Het is meer omdat iedereen deze trap verdomd vervelend vindt, vooral met alles wat de kinderen laten rondslingeren.'

'Natuurlijk,' zei Jude, die hem vriendelijk maar zonder al te veel humor vond. 'Ik begrijp wat u bedoelt.'

Ze kwamen uit op een cirkelvormig, marmeren atrium, waar uit nissen in de muur vijf klassieke stenen borstbeelden met gefronste wenkbrauwen op hen neerkeken. Bij een overvolle kapstok stond een verzameling kleine, felgekleurde kaplaarzen en speelgoedparaplu's. Een doos plastic auto's, robots en poppen met grijnzende gezichten lagen direct in het zicht van een lang geleden overleden Caesar. Door de woeste uitdrukking op het borstbeeld proestte ze het bijna uit, maar dan zou ze haar gastheer misschien beledigen.

'Zal ik uw jas aannemen?' vroeg hij.

'Ik houd hem wel aan.' Het was er best koud. Dat kwam vast door al dat marmer, dacht ze. 'Hoeveel kinderen hebt u?'

'Een tweeling van drie,' antwoordde hij, alsof hij het zelf niet echt geloofde. 'Een jongen en een meisje. Mijn vrouw is met ze naar haar ouders in Yorkshire. Het is hier een oase van rust geweest, dat kan ik u wel vertellen.' Deze keer zag ze tot haar opluchting zijn ogen oplichten. 'Maar ik mis ze wel. Deze kant op.' Hij ging haar voor in een lange gang aan hun rechterhand en opende de deur naar een kamer aan de voorkant van het huis.

'O, wat prachtig!' riep Jude uit toen ze tot haar verbazing een van de mooiste bibliotheken binnenliep die ze ooit had gezien. De ruimte was bijna ovaal en dat effect werd gecreëerd door de witgeschilderde boekenkasten die tegen de muren stonden die in twee vloeiende bochten waren gebouwd, van deur tot raam. Onder het grote Georgian schuifraam stond een buitengewone, oude wereldbol, ietwat scheef, zodat het leek alsof hij elk moment in een baan rond de aarde op zou stijgen. Daarnaast stond het planetarium dat Robert Wickham aan de telefoon had genoemd, een bolvormige constructie die was gemaakt van met elkaar verbonden houten ringen, die de verschillende banen van de planeten in het zonnestelsel weergaven. Ze liep ernaartoe om het beter te kunnen bekijken.

'Schitterend, hè?' zei Robert, die over de buitenste ring streek. 'Ik was er als kind altijd al door gefascineerd, vooral omdat niet alle planeten die we nu kennen zijn opgenomen. Wanneer hebben ze Uranus ontdekt, bijvoorbeeld?'

'William Herschel zag hem in het begin van de jaren tachtig van de achttiende eeuw, volgens mij,' zei Jude. Ze telde de planeten. Er waren er maar zes, inclusief de aarde. Hij had gelijk. Geen Uranus.

'Ik heb een slecht geheugen voor data.' Robert grinnikte. 'Alexia klaagt er altijd over. Doe alsof je thuis bent, Jude. Ik laat mijn moeder even weten dat je er bent. Je hebt vast trek in een kop koffie?'

'Dat lijkt me heerlijk,' zei ze. Hij liep weg en sloot de deur achter zich. Ze stoorde zich niet aan hem; hij kwam sympathiek op haar over, het type landheer, een beetje nerveus, maar ze had wel erger meegemaakt. Ze zette hem uit haar hoofd en genoot in plaats daarvan van de vredige, schemerige ruimte, de geruststellende geur van hout en leer en oude boeken, en keek goedkeurend naar het gevoelige gezicht van de jongeman in een achttiende-eeuws gewaad op het portret dat boven de open haard hing. De ovale vorm van de bibliotheek bezorgde haar een vreemde sensatie. Het was alsof je je in een groot ei bevond, besloot ze, of misschien in de buik van een oud schip. Er stonden een paar robuuste, leren leunstoelen en een bankstel bij de marmeren haard, wat bijdroeg aan de atmosfeer van mannelijk comfort. Ze leunde tegen een van de stoelen en keek op naar het geschilderde plafond. Daarop was een sterrenkaart van de nachtelijke hemel afgebeeld, het firmament in een nachtblauwe kleur met afbeeldingen van de verschillende sterrenbeelden – Waterman, Tweelingen, Kreeft en de rest – in goudtinten en karmozijnrood, zilver en wit. Het was adembenemend mooi.

Ze liet haar koffertje tegen een groot bureau bij het raam staan en keek uit over het grind van het voorterrein naar een gazon. Erachter lag een groot, slordig, ruw gemaaid grasveld, daarachter stonden bomen en een lage, natuurstenen muur die aan de weg grensde. In de verte strekten zich heggen en velden uit tot aan de horizon. Ze vroeg zich af waar de cottage van de jachtopziener kon zijn, waar haar grootmoeder had gewoond, en de met bos omgeven folly waar ze het over had gehad. Rechts van het landgoed stond een dicht bosje bomen dat een lage heuvel bedekte. De folly kon daarboven ergens zijn, nam ze aan, hoewel ze geen gebouwen kon zien.

Ze draaide zich om en liep door de kamer terwijl ze doelloos naar de boekenplanken keek. De meeste boeken waren werken uit de negentiende en vroeg twintigste eeuw, fictie, ouderwetse naslagwerken, geschiedenis- en reisboeken. Hoewel ze het bewijs waren van een goed ontwikkelde geest, zagen ze er geen van alle waardevol uit. Pas toen ze naar de achterkant van de kamer naast de deur liep, zag ze de boeken waarvoor ze was gekomen, achter afgesloten, glazen deuren. De sleutel lag op een plank ernaast, maar ondanks Robert Wickhams uitnodiging om te 'doen alsof ze thuis was', vond ze het fatsoenlijker om op hem te wachten voordat ze verder op onderzoek uitging. Door het glas heen kon ze een paar titels zien die in bladgoud op de leren boekbanden waren gedrukt. *Compleat System of Opticks* van Robert Smith. Als het een eerste druk was, vermoedde ze dat iemand alleen al om die reden een paar duizend pond zou willen betalen. James Fergusons *Astronomy Explained* was mogelijk ook waardevol, evenals een boek dat leek op Flamsteeds beroemde *Atlas Coelestis* – letterlijk vertaald naar het Engels als *Atlas of the Heavens*. Hoger in de boekenkast ving ze een glimp op van boekdelen die een vroege uitgave van Newtons *Principia* konden zijn en ze voelde een kleine stoot adrenaline door zich heen schieten. Die waren ongelooflijk zeldzaam. Plotseling was ze blij dat ze was gekomen.

Ze draaide zich om toen de deur openging en een elegant geklede vrouw binnenkwam, gevolgd door Robert met de koffie. 'Mevrouw Gower, Jude,' zei hij en hij zette het dienblad op een tafel naast de open haard, 'dit is mijn moeder, Chantal Wickham.'

Mevrouw Wickham liep met een elegant uitgestoken hand naar haar toe. 'Jude, als ik je zo mag noemen, wat enig om je te ontmoeten.' Terwijl ze elkaar de hand schudden en hun blikken elkaar kruisten, was het alsof er een kalme, warme kracht van de oudere dame door de jongere vrouw heen stroomde, en Jude hapte bijna naar adem.

Chantal Wickham was een mooie vrouw geweest, dat was ze nog steeds, corrigeerde Jude zichzelf. Het was moeilijk te zeggen of ze vijfenvijftig of zeventig was. Ze was bijna net zo lang als Jude, had een rechte rug, dik, zwart haar tot op de schouders met zilvergrijze stroken erdoorheen, en hoge jukbeenderen in een breed, intelligent en olijfkleurig gezicht. Ze bezat het soort natuurlijke charme dat je met een kledingkast vol dure designerkleding nog niet kon kopen. Maar, ook al deed de concealer nog zo zijn best, het was onmogelijk om de grote wallen onder haar kastanjebruine ogen over het hoofd te zien. Hier stond een vrouw als zijzelf, die wist hoe het was om 's nachts te draaien en te woelen, van slaap verstoken.

'Je bent hier om onze schatten te inspecteren.' Zelfs haar stem klonk mooi, wat hees, in formeel taalgebruik en een licht buitenlands accent. 'Ik neem aan dat Robert je heeft uitgelegd hoe verschrikkelijk we het vinden dat we ze moeten verkopen. Maar blijkbaar stort het huis onder onze voeten in als we het niet doen.' Er klonk onmiskenbaar verdriet door haar woorden heen.

'Moeder, laten we daar niet weer over beginnen,' zei Robert, die opkeek van het koffiekopje waarin hij roerde.

Jude keek onzeker van moeder naar zoon en de moed zonk haar in de schoenen. Het was lastig als een van de partijen liever niet wilde verkopen; het gaf haar het gevoel dat ze op geld uit was, iemand zijn bezit wilde nemen, en, erger nog, als ze erover bleven kibbelen, was haar komst misschien sowieso verspilde moeite. Toen Chantal Wickham de uitdrukking op haar gezicht zag, herstelde ze zich onmiddellijk. 'Jou valt absoluut niets te verwijten, Jude. Ik weet zeker dat je onze verzameling kunt waarderen. Het moet geweldig zijn, het werk dat je doet, om met zulke wonderbaarlijke spullen om te gaan.'

'Ik hou van mijn werk, ja,' zei Jude, die het gevoel had dat ze aan het koorddansen was. 'Dank u wel.' Ze nam het kopje aan dat Robert haar aanreikte.

'Jude,' zei Robert, en zijn ogen schoten naar de wijde wereld achter het raam, 'vind je het goed als ik je vanochtend met mijn moeder alleen laat? Ze weet meer van de verzameling af dan ik, en er is iets belangrijks tussengekomen. Moeder, George Fenton heeft net gebeld. Het ziet ernaar uit dat er vannacht in het fazantenhok is ingebroken.'

'O nee, Robert.'

'Dat gaat natuurlijk voor,' zei Jude. 'Ik weet zeker dat mevrouw Wickham en ik ons samen prima redden.'

Mevrouw Wickham glimlachte samenzweerderig naar haar. 'Noem me alsjeblieft Chantal,' mompelde ze, en zei toen tegen haar zoon: 'Ik hoop dat het vossen waren, Rob. Het idee dat er mensen hebben ingebroken, staat me niet aan. George spoort niet helemaal als het om mensen gaat en dat valt niet goed bij de plaatselijke bevolking, hier.'

Robert knikte en dronk zijn koffie op. Met een 'Tot bij de lunch' snelde hij vervolgens de kamer uit. Niet veel later zagen de vrouwen hoe de stationcar de oprijlaan af slingerde, met de stuiterende honden achterin.

'Arme Robert, hij moet zich altijd overal naartoe haasten,' zei Chantal. 'Kom even zitten, Jude.' Ze klopte op de plek op de bank naast haar. 'Je zult wel moe zijn na die lange rit hierheen.'

'O, ik heb vannacht bij mijn grootmoeder in Blakeney gelogeerd.'

'Dus je kent ons deel van de wereld?'

'Een beetje. Ik heb gedurende mijn tienerjaren in Norwich gewoond,' legde Jude uit. 'En een deel van mijn familie woont hier nog. Mijn moeder heeft een huis buiten Sheringham, maar dat gaat in de verkoop en ze gaat met mijn stiefvader naar Spanje verhuizen. Mijn zus woont hier dichtbij, in Felbarton. Kent u de winkel Star Bureau in Holt? Daar is zij samen met een vriendin de eigenaar van.'

'O, de cadeauwinkel in de winkelgalerij? Zo'n mooie etalage. Al die fonkelende en bewegende lichtjes. Ik wilde er altijd al een keer naar binnen lopen. Dat ga ik nu zeker doen.'

'Ja, ik denk dat u het prachtig zult vinden. En, wat ongelooflijk toevallig is, mijn oma heeft hier op het Starbrough-landgoed gewoond. Ze was de dochter van de jachtopziener. Ze heetten Bennett... zegt u dat iets? Maar het was eeuwen geleden. Ze moet geboren zijn in... o, 1923 of zo...'

Chantal schudde haar hoofd. 'Ik ben bang dat ik me geen Bennett kan herinneren,' zei ze. 'Maar ik woon pas sinds 1959 in dit land en toen was je grootmoeder waarschijnlijk al verhuisd.'

'Ja, dat moet wel. Haar ouders zijn halverwege de jaren vijftig overleden, geloof ik. Waar komt u oorspronkelijk vandaan?'

'Ik ben geboren in Parijs, maar ben op mijn twintigste hierheen gegaan.' Dat betekende dat Chantal negenenzestig was, rekende Jude uit, dus ze was ouder dan ze eruitzag. 'Ik beschouw Starbrough Hall altijd als mijn thuis.' Haar gezicht betrok en kreeg een diepbedroefde uitdrukking, maar toen zei ze op zachte, gepassioneerde toon: 'Ik ben dol op dit huis. Ik ben er getrouwd, maar het maakt nu deel van mij uit. En het is zo lief van Robert en Alexia dat ze me hier nog steeds laten wonen.'

'Zijn ze... hier onlangs ingetrokken?' Jude raadde al wat Chantal hierop zou antwoorden; ze wist, met een plotseling gevoel van genegenheid, waarom ze zich zo sterk met deze vrouw verbonden voelde.

'William, mijn man, is twee jaar geleden overleden, en Robert erfde het huis. Het probleem is, als altijd, dat smerige geld. Er is geen kapitaal, zie je. Mijn man was gedwongen om een deel van het landgoed te verkopen voordat hij overleed, en vervolgens moest Robert torenhoge successierechten betalen. En het onderhoud... o, de verf bladdert af en het dak moet worden gerepareerd, dus Anthony Wickhams verzameling moet weg. Het is zo tragisch. Die maakt deel uit van het huis en zijn geschiedenis. Dat is Anthony.' Ze wees op het schilderij boven de open haard, waar Jude nu voor het eerst goed naar keek. Anthony Wickham was een heel tengere jongeman geweest met een klein, fijnbesneden gezicht en een uilachtige gezichtsuitdrukking. Op de achtergond van het schilderij was Starbrough Hall te zien, maar de manier waarop hij het opengeslagen boek vasthield, alsof de schilder zijn studie had onderbroken, gaf sterker blijk van waar zijn interesse lag. Er stond een datum in de hoek geschilderd: 1745.

'We denken dat het is geschilderd toen hij tweeëntwintig was, een paar jaar voordat zijn vader overleed en hij het huis erfde. Ik kan de gedachte niet verdragen dat zijn spullen onder vreemden verspreid raken, en ze alleen worden gewaardeerd om hun financiële waarde. Robert bedoelt het goed, maar ik weet zeker dat er een andere manier moet zijn...' Ze keek plotseling schuldig. 'Robert zou hier niet blij mee zijn. Ik heb je veel meer verteld dan hij zou willen. Maar je bent zo... gemakkelijk om mee te praten... *sympathique*.'

Jude luisterde naar het relaas met een groeiende genegenheid voor Chantal. Ze was een aangetrouwde buitenstaander in deze familie, had het gevoel dat ze er deel van uitmaakte, maar desondanks niet het recht had beslissingen over haar huis te nemen. Tegelijkertijd was het ook mogelijk, als je de vermolmde raamkozijnen in ogenschouw nam, dat zij en haar man niet helemaal realistisch waren geweest over de kosten die het onderhoud van Starbrough Hall in deze tijd met zich meebracht.

'Maakt u zich alstublieft geen zorgen over wat u me hebt verteld,' zei ze zacht. 'Ik begrijp het, en ik leef met u mee... Ik doe dit werk omdat ik gefascineerd ben door de boeken zelf, niet alleen door de woorden die erin staan, maar als kunstvoorwerpen, de manier waarop ze zijn vervaardigd en ervoor is gezorgd. Natuurlijk, ik moet beslissen wat ze waard zijn, want dat is mijn werk, maar ik ben net als u. Ik wil dolgraag de verhalen horen van de mensen van wie de boeken waren, en die ze lazen en koesterden.' Ze was verbaasd over de passie die ze voelde. Haar werk was vaak zo stressvol, maar soms herinnerde ze zich weer waarom ze er zo veel van hield.

'Dus het was goed dat ik je die dingen heb verteld. Dank je, liefje. Nou, laten we de boeken gaan bekijken.'

Jude legde haar jas over de rugleuning van een stoel en volgde Chantal naar de boekenkast met de glazen deuren. Chantal zette de deuren wijd open en deed een stap achteruit zodat Jude naar binnen kon kijken. Met een geoefend oog bekeek ze het tiental planken. Op elke plank stonden ruim twintig boeken. Het waren zeker tweehonderdvijftig werken en dan waren er nog de manuscripten en instrumenten. Dit zou inderdaad een dag of twee in beslag nemen. Ze reikte naar een plank en pakte een boek van Isaac Newton, legde het op het tafeltje tussen de vensters en bestudeerde het voorwerk. Ze had gelijk, zag ze tot haar vreugde, het was een derde druk! Ze sloeg de bladzijden voorzichtig om, verbaasd over de goede staat waarin ze verkeerden. Een aantal pagina's was wat verkleurd – kleine, bruine vlekjes – maar van een boek dat al zo oud was kon je niet anders verwachten. 'Wist u dat dit een zeer zeldzame uitgave is?' vroeg ze Chantal.

'We vermoedden het wel,' antwoordde Chantal. 'Roberts vriend dacht dat het misschien waardevol was, maar we hebben er nooit eerder een deskundige naar laten kijken.'

'Ook niet om ze te laten verzekeren?' vroeg Jude geschokt.

'Nee, moet ik tot mijn schaamte bekennen. Mijn echtgenoot, hoe lief de man ook was, deelde mijn interesse in de bibliotheek niet. Robert ook niet... hij is meer een buitenmens. Hij hecht... weinig belang aan deze collectie.'

De telefoon in Judes handtas ging. Ze haalde hem er met een akelig voorgevoel uit. Ja, het was Inigo. Ze liet hem op de voicemail overgaan en zette haar telefoon uit.

Ze liep terug naar de boekenkast, pakte de andere boekdelen van Newton en bestudeerde ze. Ze kon het nauwelijks geloven. Het was een complete reeks, allemaal in dezelfde goede staat. Ze pakte haar koffertje, en terwijl ze wachtte tot haar laptop was opgestart trok ze een stoel bij de tafel en begon aantekeningen op haar blocnote te maken.

'Zal ik je eerst laten zien waar de rest is?' vroeg Chantal. 'Dan zal ik je daarna niet meer in de weg lopen en aan mijn wandkleed gaan werken, maar je kunt me altijd roepen als je me nodig hebt.'

'Dank je wel,' zei Jude.

'In deze kast...' zei Chantal, terwijl ze de deuren onder de boekenplanken van het slot deed en opentrok, '... liggen de aantekenboeken en kaarten. Robert heeft je er vast over verteld. Ik ben bang dat het een beetje een warboel is. Hier...' Ze trok een met leer gebonden boek in folio uit een rommelige stapel op de plank en sloeg hem open. Het stond vol met een dicht opeengeschreven, maar netjes en gelijkmatig handschrift, waarvan de inkt tot sepia was vervaagd.

'Wat is dit?' vroeg Jude die het boek gefascineerd van haar aanpakte.

'Een van Anthony's observatieboeken. Een jaar of twee geleden, toen ik wat meer tijd had, heb ik een gedeelte van het eerste boekdeel overgeschreven.' Ze glimlachte bedroefd. 'Het was niet gemakkelijk.' Ze liet Jude een schoolschrift zien. 'Ik heb niet het technische materiaal gekopieerd, de rekenkundige reeksen, die interesseerden me niet zo, alleen zijn opmerkingen. Mijn ogen zijn niet zo goed... Ik ben bang dat ik niet zo ver ben gekomen.'

'Maar het was goed om een begin te maken,' mompelde Jude, die de bladzijden van het origineel omsloeg. Ze was gewend aan het ontcijferen van oude handschriften. 'Het komt vast en zeker goed van pas.'

'En deze rollen zijn een paar van zijn kaarten. Deze...' Chantal ging op haar hurken zitten en trok voorzichtig een perkamentrol tevoorschijn. Jude legde het observatieboek weg en ze keken er samen naar. 'Hierop zijn een paar dubbele sterren in kaart gebracht, die hij heeft ontdekt,' legde Chantal uit.

'Dat zijn toch sterren die met z'n tweeën om elkaar heen draaien?'

'Ja. Ze bedachten dat het nuttig was om hun bewegingen in de gaten te houden. Op de een of andere manier konden ze daardoor de afstand tussen de sterren en de aarde berekenen. Ze raakten erg geïnteresseerd in sterren in plaats van alleen planeten, vanwege de nieuwe telescopen.'

'Uw zoon had iets over een telescoop gezegd.'

'Die ligt hier.' Chantal liep naar een lange kast in de muur tussen een paar boekenplanken in. Ze opende hem om een zwart geworden, houten en metalen buis van ongeveer een meter lang te laten zien, die op de vloer stond. 'Of eigenlijk, hier staan delen ervan.' Ze probeerde hem eruit te trekken, maar hij was zwaar en Jude moest haar helpen. 'Je moet hem schuin in het licht houden, zo, en hierin naar beneden kijken,' zei Chantal tegen haar.

Dat deed Jude, en haar adem stokte door de lichtflits die ze zag en toen, plotseling, staarde haar eigen, vage spiegelbeeld haar aan. 'Spiegels!' zei ze. 'Natuurlijk.'

Ze wist dat dit een deel was van een vroegere spiegeltelescoop, die met behulp van spiegels het licht opving en het door een vergrotende lens in de zijkant van de telescoop projecteerde. Ze waren geschikter om nauwelijks waarneembare objecten mee te bestuderen dan de originele refractoren. Refractoren waren langer en logger, en je bekeek objecten direct door de lens heen, waardoor de lichtbundel vaak werd verstoord.

'En deze was van Wickham?' vroeg Jude en ze pakte iets van de plank wat op een oculair leek.

'Het lijkt er wel op, denk je niet? Deze onderdelen zijn in een van de schuren gevonden, vlak nadat ik voor het eerst naar Starbrough kwam. Roberts vader dacht dat er oorspronkelijk meer van waren, maar in de oorlog werden stukken schroot vaak weggegeven om geweerpatronen van te maken. Op de een of andere manier heeft dit het overleefd.' Jude hielp haar het zware instrument in de kast terug te zetten.

'Deze hele kamer,' zei ze terwijl ze om zich heen keek, 'is zo prachtig, Chantal. Magisch, zelfs. Heeft Anthony Wickham hem gebouwd?'

'We denken van wel, ja,' antwoordde Chantal. 'We weten het niet echt zeker, zie je. De meeste archieven uit die periode zijn vernietigd tijdens een kantoorbrand in de victoriaanse tijd. De vader van mijn echtgenoot was een verwoed lezer en veel van deze boeken waren van hem. Voor mij is deze kamer vaak een troostrijke plek geweest. Daarom ben ik zo van streek dat Robert… O, dat moet ik niet tegen je zeggen.'

Even waren haar ogen een peilloze diepte van herinnerde pijn. Het waren zulke expressieve ogen, dacht Jude.

'Het spijt me,' zei ze, 'van uw echtgenoot. Mij is hetzelfde overkomen. Mijn man is vier jaar geleden gestorven.'

'O, arme schat,' zei Chantal, die met haar hand haar mond even aanraakte. 'En je bent nog zo jong.'

'Ik was dertig,' zei Jude. Het leek wel een eeuw geleden; ze was toen een ander mens. 'Het was een ongeluk tijdens het bergbeklimmen.'

Zelfs het praten erover, al die jaren later, bracht de shock van dat verschrikkelijke moment terug. Ze was op weg naar huis geweest, en reed achter een politiewagen aan hun straat in. De auto bleef voor haar huis stilstaan. Ze parkeerde haar auto ernaast en liep met trillende benen het tuinpad op naar de jonge agent die bij haar op de stoep stond, en bij wie het nieuws van zijn gezicht was af te lezen.

Ze knipperde het beeld weg en zag dat Chantal met een bezorgde uitdrukking naar haar staarde.

'Een ongeluk. Wat afschuwelijk,' fluisterde Chantal. 'Wat vreselijk voor je.'

'Uw man...' zei Jude snel, die wanhopig graag haar eigen pijn wilde wegdrukken, de pijn die haar zo plotseling kon verscheuren, zelfs nu nog.

Chantal zei zachtjes: 'William was al een paar jaar ziek. De kanker bleef terugkomen en,' ze spreidde haar handen in een hopeloos gebaar, 'won uiteindelijk. We waren meer dan vijfenveertig jaar getrouwd.' Ze schudde haar hoofd. 'Maandenlang was ik tot niets in staat. Dan ging ik hierheen, naar deze kamer, en zat ik hier in mijn eentje, of met Miffy; dat is mijn hondje; fantastisch gezelschap. Ik kwam op het idee om Anthony Wickhams aantekeningen te kopiëren. Dat was een werkje waarbij ik niet veel hoefde na te denken, snap je? En ik was er een hele tijd zoet mee.'

'Het is vast heel fijn om dan kleinkinderen te hebben.'

'Ja, het is prachtig om ze te zien opgroeien. Georgie doet me nu heel erg aan mijn William denken, een behoorlijk energiek klein ding. Heb jij kinderen?'

'Nee,' zei Jude langzaam. 'En daar heb ik nu spijt van.'

'Dat snap ik,' zei Chantal. 'Ik neem aan dat je vrienden en familie zullen zeggen: je bent jong, je hebt nog tijd zat.'

'Ik wilde kinderen van Mark,' flapte Jude er uit en haar stem klonk krassend in de vredige kamer.

Toen ze net waren getrouwd had het geleken alsof ze nog alle tijd van de wereld hadden. Ze hadden allebei een baan waar ze dol op waren; ze genoten van elkaars gezelschap. Ze waren wel altijd van plan om kinderen te krijgen, maar nog niet. En toen was het te laat.

'Dat is vast moeilijk te accepteren,' zei Chantal, en Jude verwonderde zich erover hoe zij en deze oudere vrouw, vreemden voor elkaar, als vanzelf zulke intieme informatie met elkaar uitwisselden.

Ze ging aan het bureau zitten waar de stapel boeken op haar aandacht wachtte, maar wist plotseling niet meer wat ze moest doen.

'Ik ga nog wat koffie halen,' mompelde Chantal.

Ze sloot de deur zachtjes achter zich en Jude bleef even met haar gezicht in haar handen zitten. Ze herstelde zich, ging aan het werk en opende een nieuw document op haar laptop. Ze maakte zorgvuldig een lijst van alle boeken, beschreef hun publicatiegeschiedenis en in welke staat ze verkeerden, waarbij ze af en toe vraagtekens in de kantlijn zette. Ze bladerde door John Flamsteeds *Atlas Coelestis* met zijn prachtige illustraties van de sterrenbeelden, toen ze zich iets realiseerde. Op hetzelfde moment kwam Chantal terug met de koffie, een naaitas, en een bejaarde King Charles-spaniël in haar kielzog.

Ze hielp Chantal met het dienblad en zei toen: 'Moet je kijken!' Ze liet haar een afbeelding zien van de Tweelingen in het boek van Flamsteed en wees naar het plafond.

'Ze zijn hetzelfde! Dat was me niet eerder opgevallen,' riep Chantal uit. De Hemelse Tweelingen uit de Atlas waren exact boven hun hoofd weergegeven. 'En de Waterman dan?'

Jude bladerde in het boek totdat ze de Waterman vond. Flamsteeds afbeeldingen hadden ook model gestaan voor dat deel van het plafond. Ze keek voor in het boek om de datum te controleren. Anthony Wickham had het boek van iemand gekregen: op het voorblad stond A.W van S.B., 1805. Was S.B. de kunstenaar, misschien?

'Fascinerend, hè? We hebben ons vaak afgevraagd wie het heeft geschilderd.' Daarna liet Chantal Jude in alle rust werken terwijl zij zich aan haar wandkleed zette met een patroon van bloemen en fruit. Miffy lag op zijn rug te snurken. Er hing een prettige sfeer en Jude merkte dat de tijd snel voorbijging.

Tegen lunchtijd kwam Robert terug en het aangename gevoel ging in rook op. 'We moeten wat eten,' zei hij, en ze begaven zich naar een eetkamer naast de keuken, waar de huishoudster op een grote, vurenhouten tafel broodjes had klaargezet.

'Hoe ging het vanmorgen?' vroeg Robert aan Jude. 'Is de collectie wat waard?' Hij sprak op luchtige toon, maar hij had een verwachtingsvolle uitdrukking op zijn gezicht. Ze had die uitdrukking vaak gezien op de gezichten van haar cliënten.

'Ik heb nog lang niet alles kunnen bekijken,' antwoordde ze behoedzaam, 'maar er zitten wel degelijk een paar zeldzame uitgaven van belangrijke werken tussen. Ik heb je moeder al verteld van de Isaac Newton.'

'Ik dacht al dat die jou zou interesseren. Je kunt nog geen bedrag noemen? Zelfs niet een ruwe schatting?'

Verkopers waren allemaal verschillend. Deze wilde onmiddellijk een antwoord. 'Ik kan je later vandaag een schatting geven,' zei ze, 'maar ik moet een en ander nog bestuderen wanneer ik weer op kantoor terug ben.' Ze dacht aan de Newton en de observatieboeken. 'Ik heb een specialist nodig voor de instrumenten.' Ze moest hem zien af te schepen; ze hield er niet van om mensen valse hoop te geven, en had er een hekel aan als ze ongeduldig waren, alsof alleen al door haar aanwezigheid het geld zou gaan rollen. Ze zorgde er altijd voor dat ze uitlegde dat ze weliswaar kon inschatten wat bepaalde items op de veiling zouden kunnen opbrengen, maar dat er simpelweg geen garanties waren. Dat was het doel van een ophoudprijs, een verzekerd bedrag, waar de eigenaar bij de verkoop niet onder gaat.

En dan had ze het nog niet over het hele systeem van belastingen en commissies, en voor mensen die niet bekend waren met het vak viel dat altijd tegen. Zo onlogisch als het was, zij, de boodschapper van het slechte nieuws, voelde zich meestal schuldig. 'Dat is belachelijk,' had Inigo eens spottend gezegd nadat ze zo dom was geweest hem dat toe te vertrouwen. 'Ze moeten leren dat het nu eenmaal zaken zijn, geen schatgraverij.' Ze herinnerde zich dat Inigo had gebeld. Ze moest hem zodra ze daar tijd voor had terugbellen.

'Wat heb je bij de fazanten aangetroffen, Robert?' vroeg Chantal, die daarmee van het ene moeilijke onderwerp op het andere overstapte.

'Nou, tenzij de plaatselijke vossen draadscharen en zware laarzen hebben aangeschaft, is het 't werk van menselijke dieven. Nou Jude, Fenton, die er zeg maar traditionele ideeën op na houdt, is er zeker van dat het de zigeuners waren. Hij stond op het punt om naar hun kamp te gaan en ze ermee te confronteren, maar ik heb hem tot bedaren gebracht en hem ervan overtuigd dat het een zaak voor de politie is. We hebben over een uur een afspraak met een politieagent, dus ik ben bang dat ik jullie weer alleen moet laten.'

'Dat is prima,' zei Jude zacht, en zij en Chantal glimlachten geruststellend naar elkaar, beiden in de wetenschap dat Robert geen rustgevend gezelschap was bij de klus die ze moesten klaren.

'In het dorp zijn er wat problemen met de reizigers,' legde Chantal uit op de weg terug naar de bibliotheek. 'Ze komen altijd naar een stuk grond in de buurt dat ooit van ons was, maar de nieuwe landeigenaar is er niet blij mee. De gemeenteraad probeert een andere plek voor ze te zoeken maar niemand wil ze natuurlijk in zijn eigen achtertuin hebben.'

De rest van de middag verliep vredig, en Jude was een deel ervan alleen, omdat Chantal graag een middagslaapje deed. Ze zocht nog een twintigtal boeken uit en pakte er toen, voor de variatie, Wickhams eerste observatieboek bij. Ze hield van het gevoel en de geur van de oude, leren boekband, en de prachtig bewerkte rug. Met haar geoefende oog bleek ze het schrift redelijk gemakkelijk te kunnen lezen, zelfs zonder hulp van Chantals transcriptie. Elk hoofdstuk begon met een algemene beschrijving van de sterren aan de hemel, waarna er gedetailleerd verslag werd gedaan van elk geobserveerd object. De eerste aantekening was van 2 september 1760.

Een heldere, maanloze nacht. De juwelen mantel van de Melkweg versiert het noorden tot het zuidwesten. Koningin Cassiopeia berijdt de hemel in het noordoosten, het sterrenbeeld van haar echtgenoot Cepheus er vlakbij. In het oosten ligt hun dochter Andromeda, vastgeketend aan haar rots, en daarnaast haar verlosser Perseus, met zijn gevleugelde paard Pegasus. Het is een genot dat de hemel hun verhaal vertelt.

5 september
In het zuiden ligt het Grote Vierkant van Pegasus. De kop van de Vissen is vaag te zien, maar de eenzame Fomalhaut is helder vannacht.

9 september
Nieuwe maan. Wolkenflarden. Camelopardalis glinstert nog net zichtbaar.

De hoofdstukken gingen hoofdzakelijk in deze trant door. Wickham scheen niet alleen geïnteresseerd in het observeren van sterrenbeelden, maar ook in de planeten, vooral Mars, die hij omschrijft als 'onze dichtstbijzijnde, hemelse broer'. Slechts zelden dreigde Wickhams persoonlijkheid door de droge objectiviteit van zijn aantekeningen heen te breken: 'Maan weer te helder. Een verspilde nacht.' Of: 'Ringen van Saturnus wonderlijk helder, geprezen zijn de handen van onze Schepper.'

Er waren nog zeven of acht van dit soort aantekenboeken, die elk twee of drie jaar besloegen. Ze bladerde er een aantal door, en bewonderde de nu en dan voorkomende kleine schetsen die de positie van een pas ontdekte ster lieten zien, of de patronen op de voorkant van de maan. Soms begonnen de aantekeningen in een ander handschrift en dat kwam geleidelijk aan steeds vaker voor. Halverwege het laatste boek, dat 1777 en het begin van 1778 besloeg, kreeg het nieuwe handschrift de overhand. Het was een raadsel. De aantekeningen hadden nog steeds dezelfde, korte toon, maar ze waren absoluut door iemand anders opgeschreven. Gedicteerd door de oorspronkelijke schrijver, misschien. Vreemd. Jude dacht na over de verkoopbaarheid van de boeken. Het was moeilijk om er een prijskaartje aan te hangen zonder dat ze meer wist over hun context. Ze zou haar vriendin Cecelia vanavond e-mailen om te vragen of zij ernaar wilde kijken. Ze opende het laatste deel weer, op een willekeurige bladzijde, en las met lichte verbazing het volgende stuk van 1 juni 1777, geschreven in het nieuwe handschrift:

De nieuwe telescoop vanavond geïnstalleerd in de folly. Een paar aanpassingen noodzakelijk. Twaalf uur 's nachts. De sterren in de lange staart van Draco de Draak worden onmiddelijk helderder. Een hemelsmooie halvemaan.

De folly. Vermoedelijk dezelfde die oma had genoemd. Jude legde het boek neer en liep naar het raam om weer naar buiten te kijken, naar de rij bomen in de verte. Ze kon niets zien. Misschien stond het op het terrein aan de achterkant, waar ze niet was geweest, maar oma had gezegd dat het in een bos stond.

'Chantal,' zei ze toen die met een theeblad binnenkwam, terwijl Miffy achter haar aan schuifelde, 'staat er nog steeds een folly op het landgoed? In een van de boeken wordt daar namelijk iets over gezegd.'

'Er staat een toren, ja. Zie je waar de bomen beginnen? Je kunt hem vanuit het huis meestal niet zien, maar hij staat boven op die heuvel daar.'

Dus Jude had gelijk. Ze staarde naar waar het bos licht omhoog glooide en speurde de horizon af, maar ze zag nog steeds geen toren.

'Er komt nu bijna nooit meer iemand. Ik ben er maar één keer geweest; hij wordt als gevaarlijk beschouwd en is afgesloten. Jaren geleden hebben hippies er een keer ingebroken en een feestje gevierd, waarbij iemand op een vreselijke manier verongelukt is. Sindsdien is het afgesloten. Het gebouw staat op de monumentenlijst, maar we kunnen ons het onderhoud niet veroorloven. William heeft het bos waarin het staat een paar jaar voordat hij overleed verkocht. Dat leek het verstandigst en we kenden degene aan wie we het verkochten. Hij onderhield het bos goed. Helaas overleed hij vlak na William, en zijn weduwe heeft het land doorverkocht. We weten nog niet wat de nieuwe landeigenaar ermee van plan is, behalve dan dat hij er de arme, oude zigeuners niet wil hebben.'

'Laat hij het bos intact?'

'Dat weet ik niet, Jude, maar dat moet toch wel, het is zo'n oud bos. Ik hoop het in elk geval wel. Er zijn nog maar zo weinig echte natuurgebieden over. Er zijn hier herten, dassen en zeldzame vogels, zegt Robert.'

'En hoe zit het met de cottage van de jachtopziener?' herinnerde Jude zich. 'Waar mijn oma is opgegroeid. Staat die er nog?'

'Ja, die staat verderop langs de weg, aan de rechterkant, maar die is ook niet meer van ons. Die is samen met de landbouwgrond in de jaren zestig verkocht. We kennen de man die daar nu woont niet echt.'

'Niet jullie George Fenton?'

'Nee, nee, hij is geen echte jachtopziener. George is meer een klusjesman en hij werkt voor meerdere mensen. Hij woont in het dorp.'

'Het is zó toevallig dat ik hier familieleden heb wonen.'

'Ja, hè?' zei Chantal glimlachend. 'Het is verbazingwekkend dat Robert uitgerekend jou trof en je hier heeft uitgenodigd.'

'Het had zomaar mijn collega Inigo kunnen zijn geweest,' bracht Jude zichzelf in herinnering. 'Maar ik was degene die de telefoon opnam.'

'Dat soort dingen zijn voorbestemd,' zei Chantal, die haar palmen omhooghield. 'Misschien heeft jouw bezoek een reden waar we nog niets van weten. Ik geloof in het lot, of hoe je het ook wilt noemen. Jij niet?'

Jude keek op naar het plafond, naar de sterrenbeelden. 'Als je hieronder staat, is het verleidelijk om het daarmee eens te zijn. Mijn zus gelooft er wel in; zij leest altijd haar horoscoop. Ik dacht vroeger ook altijd dat, zoals u al zei, dingen zijn voorbestemd.' Ze dacht aan Mark. 'Maar nu denk ik eerder dat ze chaotisch en willekeurig zijn. Daarom zal ik wel graag in het verleden snuffelen. In geschiedenis ben je veilig. Het is allemaal al gebeurd en ligt er te wachten als je ernaar zoekt.'

'Maar soms is zelfs het verleden in staat je te verrassen,' zei Chantal zacht en Jude werd door een vederlicht gevoel van angst bevangen.

Om vier uur kwam Robert weer tevoorschijn. Zijn aanwezigheid in de ovale bibliotheek was ergerlijk, aangezien hij niet kon stilzitten en hij

Jude niet haar gang liet gaan, zoals zijn moeder dat wel deed. Hij liep heen en weer, keek over haar schouder mee en verstoorde telkens haar concentratie.

'Waardoor is een boek waardevol?' vroeg hij op een gegeven moment, en Jude legde hem geduldig kwesties uit als zeldzaamheid en uitgavegeschiedenis, de staat waarin het boek verkeerde en wat het op de markt opbracht, of verzamelaars op dit moment in de auteur of het onderwerp geïnteresseerd waren.

'En jij denkt dat er wel vraag is naar deze collectie?'

'Ja. Momenteel is de geschiedenis van de wetenschap heel populair, en je hebt een paar erg zeldzame uitgaven die in bijzonder goede staat...'

'Maar je kunt nog geen bedrag noemen?' onderbrak hij haar.

'Ik kom in de buurt,' zei Jude vriendelijk. 'Het is...'

'Ja, uiteraard, dat heb je al verteld. Het is onmogelijk te zeggen wat het uiteindelijk opbrengt. Maar die ruwe schatting...?'

'Robert, laat die arme meid met rust,' commandeerde Chantal. 'Ze doet vandaag zo haar best...'

'Ik zei ook niet dat ze dat niet deed,' zei Robert snel. 'Je eet vanavond mee, Jude, hoop ik? Dat is toch wel goed, moeder?'

'Nou, nee, maar dank je wel,' interrumpeerde Jude. 'Ik heb mijn zus beloofd dat ik bij haar eet. En als jullie het niet erg vinden, lijkt het me een goed idee om het er voor vandaag bij te laten. Ik kom morgenochtend uiteraard weer terug.'

Nadat ze de vormelijke beslotenheid van het huis had verlaten en in haar auto stapte, kwam Jude met een ruk in de moderne wereld terecht. Dat gevoel werd nog versterkt toen ze haar BlackBerry aanzette en haar berichten bekeek. Ze had twee gemiste oproepen en vier e-mails van Inigo, die steeds nerveuzer werden. In het laatste e-mailtje stond dat hij haar wanhopig graag over iets wilde spreken, en of ze alsjeblieft *zsm* wilde reageren. Ze vroeg zich af waarom hij zo humeurig klonk. Er waren nog een aantal andere berichten; ze hoopte dat er een van Caspar bij zat, maar dat was niet het geval. Met een zucht belde ze Inigo's kantoornummer, biddend dat hij niet zou opnemen. Dat deed hij wel, na twee keer overgaan.

'Dat werd tijd. Ik heb je de hele dag geprobeerd te bereiken,' zeurde hij aan de lijn. 'Lord Madingsfield is met zijn collectie naar Sotheby's gegaan. Het is een volslagen ramp. Klaus denkt dat ik niet proactief genoeg ben geweest, maar je weet hoe lang ik bij die oude vos heb zitten slijmen. Je moet met Klaus spreken en hem daaraan herinneren. Hij is woest. O, en Suri kan die verdomde begroting niet vinden op je computer. Weet je zeker dat die erop staat?'

'Ja. De map heeft een duidelijke naam en het bestand moet iets zijn als "taxatieprijzen". Het spijt me van Lord Madingsfield, Inigo, en ik zal het er maandag zeker met Klaus over hebben, als je werkelijk denkt dat dat helpt.'

'Het blijkt dat Madingsfield een neef bij Sotheby's heeft zitten, stel je voor. Hij gebruikte ons al die tijd overduidelijk als voorwendsel om er een hoger bod bij zijn neef uit te slepen.'

'Echt waar? Dat is jouw schuld toch zeker niet? Heb je dat aan Klaus uitgelegd?'

'Ja, natuurlijk.'

'Ik denk dat hij wel wat bedaart zodra hij er een nachtje over heeft geslapen. Zo te merken staat hij van boven af onder druk. En nu we het daar toch over hebben: wie zijn er nog meer op die vergadering maandag?'

Tegen de tijd dat Jude had opgehangen, was de rustige sfeer van de dag aan flarden. Waarom deed Inigo altijd zo gestrest en maakte hij overal een competitie van? Toen ze tien jaar geleden, na het behalen van haar PhD, in de wereld van antiquarische boeken ging werken, verwachtte ze dat het een vredige en beschaafde baan zou zijn, met ontwikkelde en beschaafde mensen. Maar de sfeer bij Beecham was allesbehalve dat. Ze had al snel geconcludeerd dat het hogere management en de Amerikaanse eigenaren genadeloze mensen waren die hun blik op niets anders dan de winst- en verliescijfers gericht hielden. Het was een bedrijf als alle andere, bedacht ze terwijl ze de telefoon in haar tas terugstopte en de contactsleutel omdraaide.

5

In plaats van dat ze dezelfde route terug nam die ze die ochtend had genomen, reed ze zodra ze het landgoed af was in de richting van Felbarton, het dorpje een paar kilometer verderop, waar Claire en Summer woonden.

Door de serene schoonheid van het platteland, dat in de namiddagzon baadde, bedaarde haar innerlijke onrust enigszins. Met een half oog keek ze of ze de cottage van de jachtopziener ergens zag, maar ze moest hem over het hoofd hebben gezien, en de weg voerde haar verder door een tunnel van bomen, het begin van het bos dat ze vanuit het raam in de bibliotheek had gezien. Ze vroeg zich nu af waar de folly precies kon staan. Ze ging wat langzamer rijden en tuurde door het dichte gebladerte aan de rechterkant terwijl ze de heuvel op reed, maar zag niets wat op een gebouw leek. Toen ze door een bocht reed, zwenkte er een grote, uit tegengestelde richting komende bus langs haar heen, die luid toeterde en met zijn lichten flitste. Tot haar ontzetting besefte ze dat ze midden op de weg was gaan rijden. Trillend van de schrik zette ze de auto aan de kant om even bij te komen.

Het was donker en fris onder de bomen; een paar zonnestralen schenen schuin op de smalle weg. In de auto had ze misschien van een vorig bezoek nog ergens een detailkaart van het gebied. Ze stapte uit en rommelde in de kofferbak totdat ze hem had gevonden, maar kwam er tot haar teleurstelling achter dat het een vakantiekaart van Norfolk was waarop vooral toeristische attracties vermeld stonden. Ze vouwde hem open, vond er het plaatsje Starbrough op, maar Starbrough Hall werd nergens vermeld, en hoewel er een bos op stond aangegeven, was er nergens een symbool te zien van een of ander gebouw dat de folly zou kunnen zijn. Ze zag een lijn lopen die een openbaar wandelpad voorstelde dat vanaf de weg, waarop zij zich bevond, door het bos liep. Als ze de heuvel nog iets verder op liep, zou ze het pad moeten kunnen vinden.

Ze keek op haar horloge. Vijf uur. Claire zou niet voor half zes de winkel verlaten, en moest Summer dan nog bij een vriendinnetje ophalen, dus Jude zou niet vóór zes uur bij Blacksmith's Cottage hoeven zijn. Ze haalde haar sportschoenen uit haar weekendtas tevoorschijn en overwoog zich langs de kant van de weg in haar spijkerbroek te worstelen, maar verwierp het beschamende idee. Ze zou maar even weg zijn. Ze verborg haar handtas onder een stoel en deed de auto op slot. Ze stak de weg over om het naderende verkeer beter te kunnen zien aankomen, en liep de weg af, op zoek naar het wandelpad. Het bos was zo dichtbegroeid met klimop en doornstruiken, dat het onbegonnen werk was om zich er een weg doorheen te banen.

Ze zag het pad bijna over het hoofd. Op haar kaart was aangegeven dat het een openbaar voetpad was, maar er hing een nieuw uitziend bord aan een boom waarop PRIVÉTERREIN stond. Nou, op de weliswaar schetsmatige kaart had het op een openbare doorgang geleken. Ze zou het pad een stukje op lopen om te zien waar het naartoe leidde.

Het pad, dat breed was begonnen, werd al snel smaller en moeilijker begaanbaar en ze wilde dat ze haar spijkerbroek had aangetrokken. De doorns bleven aan haar panty haken, en brandnetels prikten op haar blote huid. Ze moest met een dode tak voor zich uit zwaaien om de doorgang vrij te maken.

Net toen ze zich wilde omdraaien, begon het landschap te veranderen. De schriele platanen en hazelaars die uit het dichte, doornige kreupelhout staken, maakten plaats voor grote, verder uit elkaar staande bomen – beuken, eiken en tamme kastanjes – waarvan het dikke bladerdek het meeste licht tegenhield zodat eronder weinig groeide, behalve klimop en hier en daar een felgekleurde, wilde bloem. Hier werd het lopen gemakkelijker.

Op sommige plekken stonden geen bomen en liep ze over een grasveld, dat bezaaid lag met kreupelhout. In deze wildernis waren nauwelijks sporen van menselijke aanwezigheid te bekennen. De lucht was vol vogelgezang. Verderop sprong een eekhoorn in een boom, terwijl hij kwade geluiden naar haar maakte. Plotseling was ze zich bewust van de eenzaamheid van de plek. Waarom was ze hiernaartoe gegaan? Niemand wist waar ze was. Ze kon struikelen, haar enkel breken, en zou hier dan de hele nacht liggen totdat iemand alarm sloeg, waarna het nog uren kon duren voordat ze haar auto vonden... Haar hersenen werkten op volle toeren.

Plotseling explodeerde de wereld met een serie luide knallen. Geweervuur. En dichtbij ook. Was zij het doelwit? Ze wist het niet. Ze keek wild om zich heen. Rennen. Dat had ze ergens gelezen. Ze zette het op een drafje, vooruit, de heuvel op, weg van het geluid. Maar de schoten leken achter haar aan te komen.

Het pad leidde haar door dichter bos heen. Ze duwde struikelend de takken weg, en ademde zwaar en hijgend. Uiteindelijk, uitgeput, zakte ze tegen een boom in elkaar. De schoten klonken nu verder weg. De opluchting maakte plaats voor woede. Hoe dúrfden ze? Wisten ze niet dat hier mensen konden lopen? Ze herinnerde zich het bord waarop PRIVÉTERREIN had gestaan. Maar dan nog; er konden kinderen ronddwalen. Ze kroop over de lemen grond en werd onmiddellijk overweldigd door de geur van rottende bladeren. Ze kon teruggaan, maar ze was bang om weer in het geweervuur terecht te komen. Ze probeerde rustig na te denken.

En toen zag ze het. Het was afschuwelijk. Een rottende boomstam waaraan dode dieren waren gehangen, in verschillende staat van ontbinding: een vossenjong, een paar ratten, een warboel van zwarte en witte veren, de overblijfselen van een ekster. Het moest wel de galg van een jachtopziener zijn, de lijken als waarschuwing voor de rondrennende aaseters van het bos: blijf uit de buurt, anders zal jou hetzelfde overkomen! Ze kroop kokhalzend langs de galg en haastte zich verder.

Voor zich uit zag ze stralen zonlicht door de bomen op een open plek schijnen. Ze zou nu dicht bij de top van de heuvel moeten zijn, waar ze zich misschien kon oriënteren. Ze liep naar het licht toe.

Toen ze op de open plek aankwam, knipperde ze tegen het daglicht. Niet veel later zag ze de toren.

Eerst dacht ze, verbijsterd en verward, dat het de stam was van een of andere enorme boom, maar toen zag ze dat de pilaar van steen was gemaakt. Met haar hand boven haar ogen keek ze omhoog en zag dat hij hoog boven haar uittorende, tot boven aan het bladerdak, wel zo groot als de grootste boom. Het was duizelingwekkend. Ze deed een stap in de richting van het gebouw en voelde dat iets zich in haar been vastbeet. Ze keek omlaag, naar adem snakkend van pijn. Het zonlicht reflecteerde op een stuk prikkeldraad dat zich in haar vlees groef. Ze hurkte om het los te maken, en slaakte een gil toen het bloed snel uit de snee stroomde.

Ze keek om zich heen en zag dat het prikkeldraad deel uitmaakte van een kwaadaardig uitziend hek, maar hier was het doorgesneden en omgebogen. Er hing ook een bord aan de omheining, van hetzelfde soort als waar PRIVÉTERREIN op had gestaan, alleen stond hier VERBODEN TOEGANG, GEVAARLIJK TERREIN op. Alles om haar heen leek haar 'ga weg!' toe te schreeuwen. Wat een verschrikkelijk oord. Ze haalde een pakje zakdoekjes uit haar jaszak en drukte er een op de wond, waarbij ze zich vaag probeerde te herinneren wanneer ze haar laatste tetanusinjectie had gehad.

Terwijl ze wachtte tot het bloeden ophield, zag ze dat er iets in het vlechtwerk van prikkeldraad vastzat, een paar meter naast haar. Ze hinkte erheen om te kijken. Het was een dier, een klein hert, en het was dood. Een jong misschien, dacht ze, of een van die kleine muntjaks; ja, een muntjak, besloot ze, te zien aan de grijze tekening op de jonge snoet. Ze had er eens een foto van gezien in een krant. Het was nog niet lang dood, het arme ding. Zijn ogen staarden haar dof aan. Met een vinger raakte ze zijn schouder aan – zijn lijf was nog warm. Toen ze haar hand terugtrok was die kleverig van het bloed. Ze veegde het snel af aan het gras en bekeek het lijf van dichterbij. Zijn hoofd hing in een vreemde hoek en er zat een schotwond in zijn zij.

Er golfde woede door haar heen – woede en angst en verdriet. Hoe kón iemand dit zo'n kwetsbaar wezen aandoen? Door de wond was hij op de vlucht geslagen, doodsbang van de pijn, en in het prikkeldraad blijven steken, net als zij.

Ze hoorde een geluid en keek op. Vanaf de zijkant van de toren kwam een man aanlopen die met een schep zwaaide. Ze keek tegen het licht in en kon zijn gezicht niet zien, en plotseling ving ze een vleug op van de doodsangst van de muntjak.

Hij bleef staan toen hij haar zag. 'Wat doe jij hier?' vroeg hij ruw.

Met bonzend hart stond ze op, en alle woede en angst van de afgelopen paar minuten stegen als hete lava in haar op.

'Wat gaat jou dat in vredesnaam aan?' riep ze. 'Hoe kun je dit een weerloos dier aandoen? En ik ben zelf bijna neergeschoten.'

'O, hou toch op. Wat doe je hier als er overal borden staan dat dit privéterrein is? Je ziet er oud genoeg uit om wel beter te weten.'

'Ik heb de borden gezien, maar ik liep op wat ik dacht dat een openbaar voetpad was. Stel dat ik een kind was geweest? Geeft een bord "privé" je het recht om zo wreed te zijn? En die galg, dat is... middeleeuws.'

'Vind je het soms normaal om tegen volslagen vreemden zo tekeer te gaan?' zei hij. De man was monsterlijk. Hij negeerde alles wat ze zei.

'Wel als ze op mensen schieten,' schreeuwde ze. 'En op dieren. Jij hebt dit hert doodgeschoten, hè?'

'Nee,' zei hij plotseling zacht. 'Maar ik heb hem wel uit zijn lijden verlost, de arme sukkel, en nu ga ik hem begraven.'

'Wat ongelooflijk aardig van je,' zei ze spottend, nog steeds kwaad, 'terwijl hij in je eigen prikkeldraad verstrikt is geraakt.'

'Dat prikkeldraad is niet van mij. Je bent me er wel eentje, zeg,' zei hij hoofdschuddend. 'Je beschuldigt me van allerlei dingen die ik niet heb gedaan. Ik denk dat je beter kunt gaan. Nee, niet die kant op!' schreeuwde hij toen ze zich omdraaide om dezelfde weg weer terug te lopen. 'Dan word je weer beschoten!'

'Je gaat me toch niet bedreigen, hè?!'

'Nee, dat deed ik niet. Je begrijpt het niet.' Zijn stem was vriendelijk. 'Kijk, voor mij hoef je niet bang te zijn. Maar je moet echt weggaan. Al was het maar om naar die snijwond te laten kijken.'

Ze keek naar de wond. Die zag er akelig uit.

'Wat doe je hier trouwens, helemaal opgedoft alsof je uit eten gaat?'

'Ik was hiernaar op zoek,' antwoordde ze terwijl ze in de richting van de toren knikte en zich een beetje belachelijk begon te voelen.

'De folly?'

'Ja.'

'Waarom?'

'Ik was er gewoon in geïnteresseerd.'

'Omdat...?'

'Dat is een ingewikkeld verhaal.'

'Oké, nou, je hebt hem gevonden. En geloof me maar als ik zeg dat het wel zo verstandig is om te vertrekken. Ik weet niet wie daar loopt te schieten, maar ze zouden elk moment in de buurt kunnen komen.'

Ze had werkelijk weinig keus en ze had nu toch al geen zin meer om op verkenning te gaan.

'Kom op,' zei hij. 'Ik zal je laten zien hoe je het snelst bij de weg komt. Ben je met de auto?' Ze knikte. Hij liep de open plek over en ze moest opschieten om hem bij te houden, terwijl de kloppende pijn in haar been nog maar net draaglijk was.

Terwijl ze uit het verblindende licht liepen en onder de bomen aan de andere kant van de toren kwamen, kon ze haar gezelschap beter bekijken. Hij was groot, stevig gebouwd op een manier die haar aan Caspar deed denken, maar zijn donkere, krullerige haar was langer en weerbarstiger dan dat van Caspar, en terwijl Caspars huid bleek was omdat hij zo veel tijd in vergaderkamers doorbracht, was die van hem gebruind. Hij keek af en toe achterom om er zeker van te zijn dat ze hem nog volgde en hoewel hij niet glimlachte waren zijn donker omrande ogen niet onvriendelijk. Weer deed hij haar aan Caspar denken, wat haar in verwarring bracht. Beide mannen hadden hetzelfde fysieke voorkomen, en charisma. Hij droeg een flanellen shirt, met opgestroopte mouwen zodat zijn gespierde armen zichtbaar waren. Zijn spijkerbroek was in laarzen gestopt. De schep schommelde lichtjes in zijn sterke, bruine vingers. Ze stelde zich voor hoe die vingers de arme muntjak doodden en ze huiverde.

Na twee of drie minuten kwamen ze bij een bredere, met verkeerslijnen gemarkeerde weg uit.

'Je moet hier de weg af lopen, linksaf bij de T-splitsing en na een paar honderd meter ben je weer bij het begin,' zei hij kortaf. 'Lukt dat met die snee? Je kunt ook met me mee terug en...'

'Ik heb pleisters in de auto,' onderbrak ze hem. 'Dank je wel,' voegde ze er met tegenzin aan toe, en ze begon de weg op de lopen. Hij riep haar nog iets na en ze draaide zich om. 'Wat?'

'Ik zei, kom nog een keer langs, dan laat ik je de folly zien. Je moet er niet in je eentje naar boven klimmen.'

'Wat...?' zei ze weer, hoewel ze hem wel had verstaan, maar ze was verrast door het aanbod.

'Ik zei dat het niet veilig is. Het huis onder aan de heuvel. Daar kun je me vinden.'

'Oké,' zei ze. 'Misschien.'

De tocht heuvelafwaarts was vermoeiend voor haar al uitgeputte lijf en toen ze bij de auto aankwam voelde ze zich vreselijk zwak. Ze zakte in elkaar op de bestuurdersstoel, en herinnerde zich toen dat er een chocoladereep in het dashboardkastje lag. Ze groef hem op tussen de cd-hoesjes en oude ballpoints, blij dat ze er ook haar EHBO-doosje vond. Nadat ze de chocoladereep had opgegeten, trok ze haar kapotte panty uit en maakte de wond schoon. Het zag er niet heel ernstig uit, maar hij deed nog wel pijn.

Enigszins opgeknapt reed ze de heuvel op en vroeg zich af over welk huis hij het had gehad. Ze moest er eerder met de auto zijn langsgereden, verder terug naar Starbrough Hall. Ze reed langs het kruispunt met het pad waar ze ieder hun eigen kant op waren gegaan – ze wilde dat ze die weg had gevonden in plaats van het overwoekerde voetpad – en reed verder naar Felbarton.

6

Jude deed het gammele tuinhek van Blacksmith's Cottage achter zich dicht en liep het tuinpad op. Toen stond ze stil, geamuseerd bij het zien van een klein meisje dat met regelmatige tussenpozen boven de muurrand in de achtertuin omhoogschoot en weer omlaag viel, begeleid door een ritmisch geplof en geknars. Met haar ogen dicht sprong Summer op en neer op haar trampoline, en haar lippen bewogen alsof ze in een melodieus liedje opging. Wat zag ze er toch hemels uit, dacht Jude teder. In haar roze capribroek en geborduurde shirtje en haar mooie haar dat om haar gezicht heen danste, was haar nichtje zo licht en lenig als de zwaluwen die in de avondlucht opstegen en rond scheerden.

Alsof ze wist dat er iemand naar haar keek, schoten Summers ogen open. 'Tante Jude!' riep ze. Ze lanceerde zichzelf van de trampoline af en verdween uit het zicht, maar Jude hoorde haar binnen in de cottage roepen: 'Mama, mama, tante Jude is er!'

Terwijl Jude wachtte tot de voordeur werd opengedaan, bewonderde ze de massa witte rozen die op de veranda groeide, evenals de bloembakken met geraniums en de overhangende lobelia's. Haar zus had groene vingers. Ze moest denken aan de eenzame, uitgegroeide sprietplant in haar eigen bloembak in Greenwich.

'Kom je nou nog binnen of hoe zit het?' riep Claire vanaf de drempel. Haar plompverloren manier van doen stond altijd in een verbazingwekkend contrast met hoe elegant ze met mooie dingen omging. Alleen degenen, zoals Jude, die haar goed kenden, konden daardoorheen kijken en de onderliggende warmte opmerken. Haar bruuske optreden was al van oudsher onderdeel van haar pantser tegen de wereld. 'Wat heb jij in hemelsnaam uitgespookt?' riep Claire uit.

Jude keek naar haar gekreukte jas en rok. Er droop wat bloed onder de pleister op haar huid vandaan. 'Dat is een lang verhaal,' zei ze.

Summer dook onder haar moeders arm door en danste naar buiten, greep Judes arm beet en trok haar naar binnen. Met z'n drieën struikelden ze de kleine woonkamer binnen. Claire ging op de armleuning van een stoel zitten terwijl Jude op de bank neerplofte en Summer bij haar op schoot kroop. Jude aaide over het haar van het kleine meisje, ademde haar bloemengeur in. Een mengeling van verlangen en blijdschap vlamde in haar op, maar toen was het moment voorbij, want Summer bleef nooit lang stilzitten. 'Kom je mee naar boven, tante Jude?' vroeg Summer op bevelende toon. 'Ik wil je mijn poppenhuis laten zien. Ik heb net tekeningen gemaakt voor op de muren.'

'Laat je arme tante eerst even bijkomen,' zei Claire, die weer nieuwsgierig naar Judes snijwond keek. 'Zal ik water opzetten? Neem als je wilt een douche en kleed je even om.'

'Ik vind het ook niet erg om thee te zetten,' zei Jude aarzelend, maar wat ze bedoelde als een oprecht aanbod om te helpen, werd zoals gewoonlijk verkeerd geïnterpreteerd.

'Ik kan het prima zelf, dank je,' zei Claire stellig. 'Jij bent hier degene die vandaag op oorlogspad is geweest, zo te zien.'

Jude keek toe hoe ze zich uit de stoel hees en naar de keuken hobbelde. Hoewel alle operaties aan haar been wel iets hadden geholpen, hadden ze het oorspronkelijke probleem nooit kunnen oplossen. Na haar zestiende had Claire geweigerd nog enige behandeling te ondergaan.

'Kom, tante Jude.' Summer rende naar boven.

Claire riep vanuit de keuken: 'Ik heb een bed voor je opgemaakt. Er liggen handdoeken in het badkamerkastje.'

'Dank je wel.' Jude keek in de woonkamer rond, en merkte dat er iets was veranderd. 'Ah, dat is een prachtig tapijt, zeg.' Claire kon een ruimte zo goed inrichten.

Blacksmith's Cottage, aan de rand van het plaatsje Felbarton en daterend uit de zeventiende eeuw, was piepklein, rommelig en had een strodak. Behalve de keuken en woonkamer was er op de benedenverdieping een kleine eetkamer die ook dienstdeed als Claires kantoor, en boven waren twee slaapkamers en een badkamer. Als er meer mensen dan

Claire en Summer waren, leek het huis al vol, maar Claire, die het twee jaar geleden had gekocht toen Star Bureau winst begon te maken, had van het curieuze huisje het beste gemaakt, alle balken zelf geschilderd en gelakt, en het bepleisterde schotwerk in een zachte, marmerachtige kleur geverfd. In de oude open haard was een houtkachel gezet, met eromheen ter decoratie glanzend gepoetste koperen pannen. De neutrale bank was opgefleurd met een blauw-met-wit kleed en kussens. Los van het dikke, bruin-met-blauwe haardkleed lagen er nog andere mooie vloerkleden.

Toen Jude haar tas oppakte en de trap op liep, zag ze dat er nog iets nieuw was. 'Die collages op de overloop,' riep ze naar beneden, 'die zijn heel mooi. Komen ze uit de winkel?' Er hingen twee stralende, bijna mystieke afbeeldingen van bomen en sterren, gemaakt van boomschors en beschilderd papier, waarvan de details met pen waren ingetekend.

'Vind je ze mooi?' vroeg Claire. 'Summer heeft een vriendin die Darcey heet. Haar oom maakt die collages. We hebben er een aantal gekocht voor Star Bureau en ik kon het niet laten om er voor mezelf een paar extra aan te schaffen.'

Summers kamer was zo mooi ingericht dat hij wel voor een sprookjesprinses gemaakt leek. Het plafond was versierd met bleke, plastic sterren. Jude wist dat die in het donker groenwit oplichtten. Het lage bed van haar nichtje was roze met wit, en er hingen roze met zilverkleurige katoenen gordijnen aan het hoofdeinde. Claire had op de muren verlegen boswezens geschilderd die met grote, zachte ogen van achter de verticale balken leken te piepen. Summer zat in kleermakerszit onder de ogen van een mooi hertje op de vloer met een poppenhuis van geschilderd multiplex te spelen. Jude legde haar tas op het matras dat Claire voor haar had opgemaakt en knielde naast Summer neer om te kijken wat ze aan het doen was. Het huis, besefte ze tot haar verbazing, was een exacte kopie van Blacksmith's Cottage, tot de schoorstenen en raamkozijnen aan toe.

'Kijk, dit ben ik,' zei Summer, die Jude een houten pop liet zien in een outfit die behoorlijk leek op wat ze nu zelf droeg. 'En dit is mama.' De mamapop droeg een replica van een van Claires lange, katoenen rokken, shirtjes en kleine, bungelende oorbellen.

'En dit is Pandora.' De porseleinen kat was beschilderd met precies dezelfde zwart-witte tekeningen die de levende versie ook had. Summer liet ze allemaal door het poppenhuis heen dansen. De ledematen van de twee poppen konden bewegen en Summer kon ze op een stoel laten zitten, of, in het geval van het kleine meisje, geknield op de vloer zetten.

'Dat is fantastisch. Hoe kom je hieraan?' vroeg Jude, die een keukenstoeltje oppakte en het beter bestudeerde.

'Euan maakt ze voor me. Dat is Darceys oom.'

'Heeft hij ook die tekeningen op de overloop gemaakt?' vroeg Jude. Wie die getalenteerde Euan ook was, hij was inmiddels een soort vriend.

'Hm,' antwoordde Summer vaag, die helemaal opging in haar spel. 'En nu ga je naar bed,' zei ze tegen de kleine meisjespop, en ze legde haar op het bed in de kopie van de prinsessenkamer. 'Anders vind je school morgen niet leuk omdat je dan te moe bent. Slaap lekker, lieverd!'

Jude herinnerde zich dat Claire haar had verteld dat Summer allesbehalve lekker sliep, en ze stak een hand uit en streek over Summers haar. Moest ze er iets over zeggen? Maar nu had Summer de mamapop naar beneden laten lopen en liet ze haar de kat eten geven. Het moment was voorbij.

'Ben je ooit in Starbrough Hall geweest?' Jude, die zich had omgekleed in een spijkerbroek en een T-shirt met lange mouwen, keek toe hoe haar zus het avondeten klaarmaakte.

Haar zus, die in een pan risotto roerde, schudde haar hoofd. 'Nee, ik heb er alleen vanaf de weg een glimp van opgevangen. Wat deed je daar ook alweer, zei je?'

'Ik moet daar een verzameling boeken en wetenschappelijke instrumenten taxeren. Die zijn vroeger van een amateurastronoom geweest. Ik help je wel even.' Ze pakte de steelpan voor de broccoli, het bijgerecht, van Claire aan om hem met water te vullen.

'Dank je,' mompelde Claire. 'Dus die spullen zijn waardevol?'

'Sommige wel, ja,' zei Jude, terwijl ze de pan op het fornuis zette. 'Maar het is ook heel interessant. Die man, Anthony Wickham, leefde eind achttiende eeuw en volgens mij is hij degene geweest die de folly in het bos heeft laten bouwen. Daarin ging hij naar de sterren kijken. En toen ik gisteravond naar oma ging, had zij het ook over de folly. En daardoor ben ik zo toegetakeld aangekomen. Ik ben ernaar op zoek gegaan. Heb je hem wel eens gezien?'

'Ik ben er bijna een keer met mam naartoe gegaan, maar we hebben het niet gehaald. Het is een ruïne, zeggen ze. Heb je hem gevonden?'

'Ja, uiteindelijk wel, en het ziet er niet als een ruïne uit. Ik vond een voetpad en dacht dat het er recht naartoe zou leiden, maar toen begon een of andere idioot op me te schieten, waardoor ik in paniek raakte en het op een lopen zette.'

'Je moet daar voorzichtig mee zijn,' zei Claire fronsend. 'Ze zijn vast op vossen en konijnen of zo aan het jagen; het fazantenseizoen is nog niet begonnen. Ik heb er een hekel aan; die arme vogels, het is barbaars. Maar de meeste jagers gedragen zich in elk geval verantwoordelijk.'

'Niet degene die ik vandaag trof. Hoe dan ook, ik heb de folly gevonden, maar ik heb niet de kans gekregen er goed naar te kijken. Er lag een dood hert verstrikt in het prikkeldraad. Iemand had hem neergeschoten. En toen verscheen die man en aangezien hij een schep droeg, trok ik mijn conclusies. Ik ben behoorlijk tegen hem uitgevallen, moet ik toegeven, maar hij deed dan ook heel akelig.' Jude zweeg en probeerde zich het te herinneren. 'O, god, het was een beetje gênant. Ik ging ervan uit dat hij degene was die het hert had verwond, maar misschien had ik het bij het verkeerde eind. Hij zei dat hij hem uit zijn lijden had verlost. Hoe dan ook, hij was erg onbeleefd. Zei dat het land privé-eigendom was en hij sleepte me praktisch van zijn land af.'

Claire lachte. 'Wat ik al zei: je kunt hier niet zomaar overal rondneuzen. Jullie stadsmensen denken maar dat alles van jullie is.'

'Ik ben geen stadsmens.'

'Jawel, hoor! Kijk nou eens naar jezelf. Je maakt een zwerftocht op het platteland in een chic mantelpak en een panty. Gaat tekeer tegen een of andere arme landeigenaar die zich gewoon met zijn eigen zaken bemoeit. Je bent net als dat stel dat is verhuisd naar een van die appartementen verderop in de straat en die klagen dat de mest van de boer stinkt.'

'Je zei net zelf dat jagen op fazanten barbaars is.'

'Dat weet ik, en ik zou het zelf nooit doen, maar als niemand wilde jagen, zou het land niet beheerd worden en de fazanten überhaupt niet worden gefokt. Dat zien de mensen uit de stad allemaal niet. En de overheid bekommert zich niet om het platteland omdat daar geen stemmen te halen vallen.' Met een klap deed Claire het deksel op de zacht kokende broccoli.

Waarom kibbelen we toch altijd? dacht Jude verbijsterd. Hoe komen we nou weer op politiek? Ze slaakte een zucht en gooide het over een andere boeg.

'Maar de folly, dus. Heeft oma er tegen jou ooit iets over gezegd?'

'Nee, hoezo, wat zei ze dan tegen je?'

'Iets over iemand die ze daar in het bos had leren kennen toen ze nog klein was.'

Claire proefde van de risotto, fronste haar wenkbrauwen en deed er nog een klontje boter bij. 'Daar weet ik niets van.'

'Heb je enig idee waar de cottage van de jachtopziener staat?'

'Die? Daar moet je op de terugweg van de Hall zijn langsgereden. Aan je linkerkant, vlak voordat je de heuvel op gaat. Ik weet wie daar woont. Dat is Euan, namelijk, de man die die tekeningen maakt.'

'Het huis onder aan de heuvel.' Dat is wat de man bij de folly had gezegd. Nou ja, er konden nog andere huizen staan, maar die had ze niet gezien. 'Dan kon hij wel eens degene zijn geweest die ik heb gesproken,' zei ze. 'Euan. Volgens mij was hij de man bij de folly. Groot? Donker, krullend haar. Een wat gebruinde huid.'

'Dat klinkt als Euan,' vervolgde Claire, die Jude met een opmerkzame blik aankeek.

'Maar hij is toch niet de landeigenaar? De man die het poppenhuis heeft gemaakt? Echt waar?'

'Ik weet niet welk stuk land van hem is, maar het is beslist Euan die in die cottage woont, en hij ziet er beslist zo uit als jij hem beschrijft. Hij is een goede vriend van Summer. Hij kwam in de voorjaarsvakantie naar de winkel met de tekeningen, toen Summer er toevallig een keer was. Hij had Darcey bij zich. Zij zit in Summers klas. Summer heeft daar wel eens gespeeld. En hij heeft ze ook een keer een dagje mee uit genomen. Ik heb hem te eten uitgenodigd om hem te bedanken, en toen kwam hij vorige week plotseling met het poppenhuis opdagen. Hij had er blijkbaar een voor Darcey gemaakt, en Summer was brutaal genoeg om te vragen of zij er ook een mocht. Je weet hoe ze iemand kan overhalen. Het is echt een aardige vent.'

'O ja?' zei Jude vertwijfeld, terwijl ze terugdacht aan de ruzie die ze hadden gehad.

'Ja. Het stond hem waarschijnlijk niet aan dat je hem van van alles beschuldigde.'

'Ik had daar een goede reden voor... Ik was geschrokken, dat is alles. O, verdorie, heb ik nou een figuur geslagen?'

'Ik denk dat hij het je wel vergeeft.'

Claire leek het geheel voor Euan op te nemen. Jude glimlachte en zei: 'En, getrouwd zeker?'

'Nee, gescheiden, volgens mij. Maar haal je maar niets in je hoofd,' zei Claire, stekelig als een braamstruik. En net zo onbenaderbaar.

Jude stak haar handen quasibeledigd op. 'Ik zou niet durven,' zei ze.

Het was lang geleden dat er een man in Claires leven was geweest. 'Ik ben te onafhankelijk. Ik schrik ze af,' had ze een jaar of twee geleden na een paar glazen wijn toegegeven. Ze had vaak kortstondige en vurige relaties. Jude had gezien dat ze zich te snel samen met een man in het diepe gooide en voor je het wist smeet ze bijna een steelpan naar zijn hoofd en was hij weer verdwenen. Niemand wist echt wie Summers vader was. Claire had dat nooit willen vertellen.

'Die popzanger die ze in het kunstcentrum heeft ontmoet,' was hun moeders overtuiging, en hoewel Claire het nooit had toegegeven, dacht Jude dat ze wel eens gelijk kon hebben. Hij heette Jon. Hij had een dikke, krullende haarbos en Summers grote, dromerige blauwe ogen. Claire had hem een keer uitgenodigd voor een kerstlunch bij hun moeder thuis omdat hij ruzie had met zijn vader. Het was voor de meisjes hun eerste Kerstmis sinds hun vader was overleden, en ze vonden het al moeilijk genoeg om vrolijk te zijn. Jon was laat aangekomen en Claire praatte nauwelijks met hem; hij liep om de haverklap naar buiten om vreemd ruikende shag te roken en ging vroeg weer weg. 'Zonder dat er ook maar een bedankje af kon,' fluisterde Valerie die avond kwaad tegen Jude en Mark tijdens het afwassen. Valerie en Claire hadden er ruzie over gemaakt waarop Claire naar bed was gestormd en de deur had dichtgesmeten, zoals ze dat op haar vijftiende wel vaker had gedaan. 'Je kunt nooit iets tegen haar zeggen zonder dat ze onmiddellijk op de kast zit,' had Valerie verbitterd gezegd.

'Misschien had je niet tegen haar moeten zeggen dat ze "voor de verandering eens met een normale jongen thuis moest komen",' merkte Jude zuchtend op. Ze moest er vaak aan denken dat Claire en haar moeder hetzelfde temperament hadden. Valerie kon humeurig zijn, voelde te vaak het juk van de verantwoordelijkheden van het moederschap, en begon dan regelmatig te vitten. Hun vader was degene geweest die kalm bleef en op wie iedereen kon bouwen. Ze misten hem allemaal vreselijk.

Jude had er altijd een hekel aan gehad om het voor Claire goed te maken. Vredelievend als ze was, was zij degene geweest die zich goed gedroeg, het kind dat haar best deed op school, naar de universiteit ging, een goede baan vond en trouwde. Claire was op haar beurt intelligent, maar opstandig op school, hopeloos in sport met haar manke been, en ze had het Jude kwalijk genomen dat ze zich plichtsgetrouw naar haar omgeving voegde. Ze liep op haar zeventiende van huis weg, maar elke keer dat ze uit de laatste van een reeks kamers en luidruchtige huizen die ze met anderen deelde werd gegooid, woonde ze weer een tijdje thuis.

Na die Kerstmis was Jon nooit meer ten tonele verschenen, en een paar weken later, toen Jude haar zus belde en voorzichtig naar hem informeerde, zei ze minachtend: 'O, hij.' Het duurde nog een paar maanden voordat ze met een soort grimmige vreugde aankondigde dat ze zwanger was.

Maar door Summer werd Claire plotseling volwassen.

'Hoe denk jij dat het met Summer gaat?' vroeg Claire terwijl ze borden in de oven deed om die voor te verwarmen. Jude kon haar gezicht niet zien, maar ze hoorde dat er ongerustheid in de luchtige toon doorklonk. Ze meende dat het niet overdreven was om te zeggen dat Claire haar leven voor Summer zou geven.

Toen de baby kwam, was het voor iedereen duidelijk dat Claire een doel in het leven had gevonden. Ze nam ontslag bij de tweedehandskledingkraam op de markt en zette haar eigen bedrijfje op met haar vriendin Linda; ze had gespaard voor een aanbetaling en dit lieflijke huisje gekocht, dat ze zo prachtig had ingericht. Ze begon haar familie meer op waarde te schatten, bracht hun grootmoeder regelmatig een bezoek, en steunde op Valerie – voor zover het heen-en-weer reizen van Valerie dat toeliet – om op Summer te passen en haar door oma te laten verwennen. Valeries verhuizing naar Spanje bleek een veel grotere klap voor Claire dan iemand had kunnen voozien. En dat was niet alleen vanwege het babysitten. Claire leek haar moeder oprecht te missen.

'Volgens mij is Summer in haar normale, vrolijke doen,' antwoordde Jude.

'Dat is ze meestal ook,' zei Claire, terwijl ze de koelkast opende.

'Daarom is het zo vreemd. Als de nachtmerries van de stress komen, dan laat ze dat op geen enkele andere manier blijken.'

Jude nam haar zus nauwlettend op, terwijl Claire op zoek naar de schaar in een keukenla rommelde, en vervolgens een pak met roze grapefruitsap openknipte. Ondanks haar zesendertig jaar was Claire nog steeds elfachtig knap en was haar blonde haar net zo mooi als dat van Summer, halflang geknipt in een uitwaaierend model dat haar spitse gezicht omlijstte. Ze droeg kleding, uit tweedehandszaken en maffe, bohemienachtige boetieks waar ze vakkkundig in rondneusde, waarin haar slanke lichaam altijd mooi uitkwam, met kleuren in tinten die bij haar Engelse huidskleur pasten. Hoe konden twee zussen zo van elkaar verschillen? vroeg Jude zich af, terwijl ze in de met schelpen afgezette spiegel boven de gootsteen een blik wierp op haar eigen ronde gezicht en dikke, rossige haar.

'Wanneer begonnen de nachtmerries?' vroeg ze.

'Ongeveer een maand geleden,' legde Claire uit. 'Tijdens de voorjaarsvakantie. Niet elke nacht. Maar toch wel om de drie.'

'Weet je, volgens mij is het dezelfde nachtmerrie die ik had toen ik klein was.'

'Echt waar? Dat was ik alweer bijna vergeten,' zei haar zus. 'Daarom wilde ik toen een eigen slaapkamer. Je zuchtte en steunde steeds in je slaap. Wanneer zijn ze opgehouden?'

Jude haalde haar schouders op. 'Dat kan ik me niet herinneren. Ik denk dat ik er gewoon overheen ben gegroeid.' Ze zei niets over de droom die ze onlangs nog had gehad; die scheen haar eenmalig toe.

'Misschien is het voor Summer dan een normale fase.'

Die gedachte leek Claire gerust te stellen.

'Zal ik even tafeldekken?' stelde Jude voor.

'Ja, graag. Er ligt een tafellaken in de bovenste lade. Hier, Summer vindt dit lekker.' Ze gaf Jude het glas met vruchtensap. 'Zullen we de fles wijn openmaken die je hebt meegenomen?'

Jude ruimde de boeken en papieren op van de eettafel, dekte die met een gingang tafellaken en zette twee stervormige kandelaars in het midden. Toen ze Claires laptop op de bijzettafel zag, moest ze aan Beecham denken, en de informatie die ze aan haar baas moest opsturen. Toen ze weer in de keuken terugkwam om glazen te halen, vroeg ze Claire: 'Heb je internetverbinding? Ik hoop dat je het goed vindt als ik vanavond nog even wat ga werken. Ik moet me nog voorbereiden op een vergadering voor maandag.'

'Natuurlijk,' zei Claire. 'Volgens mij staat-ie aan. Geef me die schaal voor de broccoli even aan, wil je? Ik breng dit vast naar binnen. Roep jij Summer even?'

'Mam heeft gisteravond gebeld,' zei Claire toen ze aan tafel zaten. 'Eindelijk. Het is daar blijkbaar ongelooflijk heet. Ik bedoel echt heet, bijna veertig graden. De airconditioning werkt niet en de aannemers hebben het loodgieterswerk verprutst, dus ze logeren bij vrienden terwijl Douglas het allemaal probeert op te lossen.'

'Wat een pech voor mam,' zei Jude.

'Wat een geluk voor mam,' antwoordde Claire sardonisch. 'Vergeet niet, ze heeft de goeie ouwe Douglas.'

Jude grinnikte. Na jarenlang de hulpeloze weduwe te zijn geweest, had hun moeder Latijns-Amerikaans dansen weer opgepakt en een nieuwe levenspartner leren kennen. Douglas Hopkirk, gepensioneerd verzekeringsagent, leek in sommige opzichten op hun vader: kalm, praktisch, geruststellend. 'Maar hij is zo saai,' had Claire geklaagd nadat ze voor het eerst aan hem waren voorgesteld, zo herinnerde Jude zich. 'Tegenwoordig is er niemand meer die zich als David Niven kleedt, "okidoki" zegt en Cinzano-vermout drinkt. Geen wonder dat z'n vrouw haar biezen heeft gepakt.'

'Maar wel pas na dertig jaar huwelijk,' had Jude geantwoord. 'Er moet dan toch íéts leuks aan hem zijn. Hij is erg aardig, hoor. Zolang je hem maar niets over golf vraagt. Hij ratelt tot vervelens toe door over handicaps.'

'Of die schildpadden van hem. Hij bleef de hele avond tegen me doorgaan over zijn ellendige schildpadden,' had Claire er instemmend aan toegevoegd.

'Wat hebben ze eigenlijk met de schildpadden gedaan?' vroeg Jude zich nu af. 'Mag je die meenemen in het vliegtuig?'

'Ze zijn bij zijn dochter, maar hij probeert ze op de een of andere manier naar Spanje te krijgen om ze te gaan fokken. Ik weet echt al veel meer dan je ooit zou willen weten over de paargewoonten van schildpadden.'

'Wat doen schildpadden dan?' vroeg Summer, die de champignons uit haar risotto aan het vissen was en die op een extra eetlepel opstapelde.

'Ze, eh, moeten behoorlijk hun best doen om babyschildpadjes te krijgen,' zei Jude snel.

'Meer dan mensen?'

'Soms is het ook moeilijk voor mensen,' zei ze zacht.

'Je hebt toch een papa nodig om baby's te maken?' vroeg Summer. 'Ik zei tegen Emmy's moeder dat ik geen vader had en ze zei dat ik dan wel een wonder moest zijn.'

'Je bent mijn kleine wonder,' zei Claire plechtig. 'We hebben geen papa nodig.'

'Tante Jude, als jij een baby wilt heb je een man nodig die papa moet zijn.' Summer was te jong om zich Mark nog te kunnen herinneren.

'Eet je risotto op, Summer,' mompelde Claire.

'Ja, dat klopt, Summer. Maar het is niet zo gemakkelijk om er een te vinden,' antwoordde Jude. Ze had het met Claire nog maar nauwelijks over Caspar gehad.

Summer keek haar met een ernstige blik aan en zei: 'Ik wou dat ik er een voor je kon vinden.'

'Dank je. Dat is heel lief van je.' Jude en Claire keken elkaar geamuseerd aan.

Claire, die de borden opstapelde, zei tegen haar dochter: 'Als je een talent ontwikkelt dat bij je past, lieverd, zul je altijd voor jezelf kunnen zorgen.'

Na het avondeten bracht Jude een uur achter haar laptop door, waarbij ze de deprimerende maandcijfers bestudeerde die Inigo haar had ge-e-maild, en geruststellende berichten aan het hoofd van de afdeling schreef. Ze beloofde maandagochtend vroeg op kantoor te zijn en deed enthousiast verslag van de Starbrough-collectie.

Ze had nog steeds niets van Caspar gehoord. Ze wist niet precies of ze dat wel erg vond. Ze dacht aan zijn geruststellende armen om haar heen en hoe ze ervan genoot met hem te worden gezien, en toen vond ze het wel erg. Het was fijn dat iemand haar weer wilde. Misschien had hij niets van zich laten horen omdat hij te druk was met voorbereidingen voor Parijs. Of was het vanwege het feestje van Tate en Yasmin van die avond? Nee, dat was de volgende dag. Hoe dan ook, ze was blij dat ze daar niet naartoe hoefde en nog meer mensen moest ontmoeten met wie ze niet echt veel gemeen had.

Als puntje bij paaltje kwam, was ze liever hier. Ze keek ernaar uit om weer in de bibliotheek te zitten en met Chantal te praten, door de boeken en papieren te bladeren, meer te weten te komen over Anthony Wickham, en de collectie voor Beecham binnen te slepen.

Wanneer ze klaar was, wat vermoedelijk vroeg in de middag zou zijn aangezien het zaterdag was en Claire in de winkel werkte, zou ze Summer bij haar vriendinnetje ophalen en haar ergens mee naartoe nemen. Als het mooi weer bleef, was het strand het aanlokkelijkst.

Ze wilde net haar laptop afsluiten toen ze aan Cecelia moest denken, die haar met de sterrenkundige instrumenten moest helpen. Ze vond haar e-mailadres en begon aan een nieuw bericht.

Hoi Cecelia,

Het spijt me dat ik zo lang niets van me heb laten horen. Ik vraag me af waar je tegenwoordig zit; nog steeds in Cambridge? Ik zou het leuk vinden om eens af te spreken en bij te praten, maar ik wilde je ook om deskundig advies vragen. Wanneer zou het jou uitkomen? Ik ga eind volgende week op vakantie, maar als er ook maar de kleinste kans bestaat dat je daarvóór nog kunt, zou dat fantastisch zijn. Een avondje uit eten of wat drinken?

Veel liefs, Jude

Jude werd in het pikkedonker wakker, volkomen gedesoriënteerd. Ze hoorde weer het gekreun dat haar had wakker gemaakt. Summer. Jude stond duizelig van haar matras op en liep struikelend in de richting van het geluid. Nu kon ze het gezicht van haar nichtje onderscheiden in het maanlicht dat onder de gordijnen door sijpelde. Summers ogen waren dicht maar ze had een gekwelde uitdrukking op haar gezicht. '*Maman, maman,*' fluisterde ze, 'waar ben je? *Maman!*' Het laatste woord klonk luider. Ze bewoog zich en werd met een gil wakker.

Jude zat op de rand van het bed, streek over Summers haar en fluisterde: 'Het is al goed, het is al goed, lieverd. Het was maar een droom. Alles is goed. Tante Jude is er.'

'Mama!' riep Summer uit. 'Mama.' Haar gezicht was bleek en klam.

'Mama slaapt, lieverd.'

'Nee, ik ben hier,' fluisterde Claire, die de deur openduwde. Het licht van de overloop viel op Summers bed. Jude stond op en stapte opzij; ze voelde zich overbodig nu Claire haar dochter troostte.

'Ik was bang, mama. Je was er niet. Ik kon je nergens vinden,' snikte het kleine meisje.

'Maak je geen zorgen, schat. Je bent nu wakker en ik ben er. Het was gewoon een nare droom. Hij is voorbij.'

Na een tijdje werd Summer rustiger, haar oogleden trilden en vielen dicht.

De vrouwen keken nog even naar haar, waarna Claire het dekbed over haar dochter heen trok en opstond.

'Ik kan haar in mijn eigen bed nemen,' fluisterde ze tegen Jude, 'maar dan slapen we allebei niet. Ze is een ontzettende draaikont.'

'Ik hou haar wel in de gaten,' beloofde Jude en ze gingen weer naar bed.

Jude lag voor haar gevoel urenlang wakker. Het was dezelfde droom die zij had gehad, daar was ze zeker van. Haar hart begon sneller te kloppen als ze eraan dacht. '*Maman!*' *Maman*, het Franse woord. Rennend in het donker, struikelend en vallend in de humus, onder de blauwe plekken, doodsbang en alleen. Als kind was ze vaak wakker geworden terwijl haar vader aan haar bed zat – niet haar moeder – en opgelucht geweest om zijn troostende armen om zich heen te voelen voordat hij haar weer instopte. Arme Summer. Waar kwam het vandaan? Kon een nachtmerrie in de familie zitten? Het leek onwaarschijnlijk, maar hoe viel het anders te verklaren?

Ze lag naar Summers rustige ademhaling te luisteren, piekerde en piekerde, totdat de eerste vogels begonnen te zingen en ze eindelijk weer in slaap viel.

7

Toen Jude de volgende ochtend de oprit van Starbrough Hall op reed, zag ze dat ze achter een Mercedes sportwagen zat die zilverachtig glinsterde in het zonlicht. Ze parkeerde ernaast op het voorterrein terwijl er een elegante, blonde vrouw uit de auto stapte. Terwijl ze haar auto afsloot, vroeg ze zich af of dit Alexia kon zijn, Roberts vrouw. Een snelle blik binnen in de Mercedes wees er echter op dat die gloednieuw was en er geen kinderzitjes achterin zaten. De vrouw zei haar op koele toon gedag en ze wisselden wat beleefdheden over het weer uit. Ze scheen niet te weten dat de voordeur niet werd gebruikt, en Jude, hoewel zelf ook niet helemaal zeker van haar zaak, stelde voor dat ze met haar meeliep onder de poort door.

Jude kende de meeste werknemers van Christie's en Sotheby's, en ze herkende dit ijskonijn zeker niet, maar ze kon het niet laten dat voor de zekerheid te controleren. 'Sorry dat ik het vraag, maar komt u toevallig voor de bibliotheek?' Tot haar opluchting zag ze dat de vrouw haar verbaasd aankeek.

'De bibliotheek? Hoezo?' Ze vertelde niet uit zichzelf wat de reden van haar bezoek was, dus Jude ging er verder niet op door.

'Laat maar. Het was zomaar een idee.'

Jude klopte op de achterdeur. Toen Robert die opende, sprongen de twee setters enthousiast blaffend naar buiten. Jude klopte ze op hun kop, maar de andere vrouw deinsde geschrokken achteruit, dus riep hij de honden weer naar binnen en sloot ze op in de bijkeuken.

'Kom binnen, dames.' Hij stelde Jude wat stijfjes aan de andere vrouw voor, Marcia Vane, en ging hen voor de hal in. Daar begeleidde hij Marcia naar wat op een kantoor leek en stelde hij Jude voor om alvast naar de bibliotheek te gaan.

'Mijn moeder wacht daar op je,' zei hij. 'Het spijt me dat ik weer zo druk ben. Mevrouw Vane belde een half uur geleden op met de vraag of ze langs kon komen.'

'Dat is prima,' zei Jude, 'echt.' Ze liep naar de bibliotheek, blij te zien dat Chantal daar net koffie aan het inschenken was. Voor haar gevoel had ze na die slapeloze nacht liters koffie nodig. Eerder die ochtend had Claire haar dochter bezorgd gadegeslagen. Summer leek echter in haar normale, vrolijke doen te zijn, terwijl ze druk bezig was met het inpakken van spulletjes voor haar modepop in haar roze rugzak, die ze naar haar vriendin zou meenemen.

'Wat een schitterende timing,' zei Chantal warm. 'Het spijt me dat ik alweer de enige ben die erbij kan zijn.'

'O, dat geeft echt niet,' zei Jude. 'Ik ben het gewend om in m'n eentje te werken, dus ik mag van geluk spreken dat jij zo goed voor me zorgt.'

'Dat ellendige mens. Negen uur 's ochtends op zaterdag. Heeft ze soms geen eigen leven?'

'Pardon?'

'Die Marcia.'

'Wie is zij?'

'De advocaat van John Farrell, de man die het stuk bos heeft gekocht.'

'John. Heet hij John?' Dus Euan is het in elk geval niet. Maar wat deed Euan dan helemaal bij de folly? Net als zij bevond hij zich op dat moment waarschijnlijk op verboden terrein.

'Ja, John Farrell. Een zakenman, hebben we gehoord. Marcia Vane bestookt Robert voortdurend met vragen over toegangs- en jachtrechten. Ik vraag me af wat ze vandaag weer wil. Ze hadden het allemaal moeten uitzoeken voor ze het land kochten, maar ze snapt de hint niet. Die vrouw heeft de huid van een olifant.'

'Daar zal ze wel voor betaald worden,' zei Jude, die dacht dat de vergelijking met die olifantshuid voor zo'n tot in de puntjes verzorgde, elegante vrouw als Marcia Vane alleen opging in de vorm van een prachtig afgewerkte tas van Hermès.

'Dat zal wel.'

Het kon zijn dat Jude de deur niet goed dicht had gedaan, want hij klikte plotseling open. Ze hoorden stemmen uit de hal komen – Robert met stemverheffing en geërgerd, Marcia zacht en resoluut. Daarna begonnen de honden te blaffen en werd er een deur dichtgeslagen. Niet veel later hoorden ze autobanden op het grind wegrijden en zagen ze de mooie Mercedes eerst achteruitrijden en toen de oprit af gaan.

Chantal keek Jude met opgetrokken wenkbrauwen aan. 'Nou, die is ook niet lang gebleven,' zei ze.

'Ze zag er bepaald niet blij uit.' Jude keek de snel wegrijdende auto na en dacht aan Marcia's norse gezicht achter de voorruit. Wat er ook aan de hand was, het waren haar zaken niet. Ze wendde zich van het raam af en reikte in haar tas naar het snoer van haar laptop.

Ze dacht aan de lijst boeken die ze de dag ervoor in haar computer had gezet, met de geschatte waarde, en ze vermoedde dat ze de meeste boeken nu had geïnventariseerd. Ze zou deze ochtend de rest afmaken en aan de kaarten, de observatieboeken en instrumenten besteden. Ze werd er al snel geheel door in beslag genomen, en merkte nauwelijks dat Chantal zich verexcuseerde en de hond ging uitlaten.

Ze typte de laatste paar bijzonderheden over de boeken in en begon aan de observatieboeken. Ze had geen idee of ze veel waard waren – dat hing af van wat erin stond – maar ze zouden een licht kunnen werpen op de rest van de collectie. Ze zou er snel doorheen bladeren en ze aan haar vriendin Cecelia laten zien.

Toen ze het laatste boek naast zich neerlegde, kwam Chantal terug. Haar gezicht stond bars en Jude vroeg: 'Gaat het wel?'

'Ik heb met Robert gesproken. Het komt door iets wat die vrouw heeft gezegd.' Haar uitdrukking was ijzig, maar ze zei er verder niets over.

Jude liep naar de boekenkasten om te controleren of ze niet iets over het hoofd had gezien. Zo te zien niet.

'Ik ben klaar, geloof ik. Ik maak alleen nog even een print van de cijfers. Alleen al de boeken en manuscripten kunnen zo'n vijftigduizend pond waard zijn. Het planetarium, de globe en de telescoop... nou, misschien ook nog vijftigduizend, maar daar moet ik advies over inwinnen. Kijk.' Ze gaf Chantal het vel papier dat haar miniprinter had uitgespuugd. 'Als Robert hier tevreden mee is en ermee door wil gaan, kan ik ervoor zorgen dat alles wordt opgehaald.'

Jude zag de ongelukkige uitdrukking over Chantals gezicht glijden toen ze besefte wat dit betekende. De collectie van Anthony Wickham zou binnenkort verdwenen zijn.

'Het spijt me,' fluisterde ze, en ze ging naast haar zitten. 'Het is verdrietig. Dat besef ik maar al te goed.'

'Ik weet dat ik me goed moet houden,' zei Chantal, die nauwelijks op het vel papier keek. 'Deze boeken en spullen hebben altijd deel uitgemaakt van mijn leven hier, van alles van Starbrough Hall waarvan ik hield, en nu William er niet meer is, is het alsof de wond opnieuw opengaat. Het onderstreept dat... ik hier niet meer thuishoor.'

'Niet meer thuishoor?' Jude kende deze vrouw nauwelijks maar wilde haar intuïtief troosten. 'Waarom zeg je dat? Je familie woont hier en je zegt zelf dat ze het heerlijk vinden dat je hier bent.'

'Dat weet ik. En je thuis is waar de mensen zijn van wie je houdt. Maar toch ben ik een buitenstaander. Weet je, ik heb erover gedacht om weer in Frankrijk te gaan wonen, maar... ach, er is in de familie bijna niemand meer over van mijn generatie. Mijn broer is overleden, en ik kan niet zo goed met zijn weduwe en kinderen overweg. Toch heb ik nog wel twee oude schoolvriendinnen in Parijs die ik graag vaker zou willen zien. Ik heb in een klooster vlak bij de Notre Dame op school gezeten. De nonnen waren heel streng maar niet onvriendelijk. O, wat lijkt het allemaal toch lang geleden. Een andere wereld.'

'Dat kan ik me voorstellen,' zei Jude, die blij was dat ze de schittering in Chantals ogen zag terugkomen nu ze aan het verleden terugdacht. Parijs in de jaren vijftig. Dat moest opwindend zijn geweest. Jude stelde zich de elegante haute couture voor, de intellectuelen aan de linkeroever van de Seine, de beau monde. Twee keurige rijen kloostermeisjes die langs de Seine liepen, zoals in de Madeleine-boeken... Jude vroeg zich af hoe Chantal in hemelsnaam in het landelijke Norfolk terecht was gekomen en of het moeilijk was geweest om zich hier aan te passen.

'Hoe heb je je echtgenoot leren kennen?' vroeg ze.

'O, via mijn tante Eloise. Zij trouwde met een Engelse legerofficier die ze aan het eind van de oorlog had ontmoet, en toen ik twintig was, ging ik een tijdje bij hen in hun strandhuis bij Wells-next-the-Sea logeren. Mijn nichtjes en neefjes waren nog jonge tieners en het was de bedoeling dat ik hen bezighield en ondertussen Engels leerde spreken.'

'Wij gingen vroeger altijd in Wells op vakantie,' herinnerde Jude zich. 'Ik ben dol op die mooie strandhuisjes.'

'Ik nu ook. Maar ik vond Norfolk in het begin maar niets. Het was zo deprimerend en kleurloos, en het leek er altijd koud te zijn en te regenen. Terwijl ik de stralende kleuren van de Rivièra op mijn *vacances* gewend was. Ik had zo'n heimwee en mijn nichtjes en neefjes waren de hele dag aan het kibbelen. Op een dag, ongeveer twee weken nadat ik was aangekomen, kneep ik ertussenuit, ging naar een strandcafé en barstte in huilen uit. En daar vond William me.

De arme man. Later heeft hij toegegeven dat hij zich die dag ook erg ongelukkig voelde. Hij was met de auto naar Wells gegaan, met een meisje dat hij heel leuk vond, en nog een andere vriend van hem. In de loop van de dag werd duidelijk dat het meisje zijn vriend leuker vond, en dus had hij zich verexcuseerd en hen alleen gelaten. Wat verbazingwekkend grootmoedig van hem was. Zo was hij altijd, heel bescheiden.

Nadat ik weer was opgevrolijkt hebben we zo'n heerlijke middag gehad, waarbij we alleen maar over het strand wandelden en de stad in gingen. En daarna liep hij met me mee naar huis en stelde ik hem aan tante Eloise voor – de lieve Eloise, wat mis ik haar. Nou ja, en zo was het allemaal begonnen. We hebben vierenzestig jaar samen doorgebracht. Ik weet dat we geluk hadden, Jude. Dat we elkaar geheel bij toeval waren tegengekomen en samen zo gelukkig waren.'

Ze staarde nu uit het raam en aaide de kleine hond naast haar op de bank. Toen keek ze Jude aan en schonk haar een lieve glimlach. 'Ik vind het vreselijk voor je dat jullie zo weinig tijd hebben gehad, jij en je echtgenoot. Het leven kan zo oneerlijk zijn.'

Jude probeerde haar stem onder controle te houden en zei: 'We zijn maar drie jaar getrouwd geweest, maar we kenden elkaar al veel langer. We hebben namelijk samen in Norwich op school gezeten.'

Chantal knikte. 'Voelden jullie je... meteen tot elkaar aangetrokken?'

'Volgens mij wel. Ik in elk geval zeker. En later zei hij dat hij me altijd al heel leuk vond maar dat hij zich dat niet onmiddellijk had gerealiseerd.'

Op dat moment ging de deur open en kwam Robert Wickham binnen. Hij nam het tafereel in zich op, de twee naast elkaar zittende vrouwen, Chantal die Judes hand vasthield, en hij zei: 'Sorry, ik stoor jullie. Ik hoorde dat de lunch klaarstaat.'

'Maak je alsjeblieft geen zorgen,' zei Jude, die van de bank opstond. 'Ik liet je moeder net de taxatiewaarden zien.'

Tijdens de lunch legde ze uit: 'Het zijn natuurlijk slechts schattingen. Ik heb jullie al gezegd dat ik nog wat meer onderzoek moet doen. Misschien komen we op een hoger bedrag uit, vooral als we er gericht publiciteit aan geven om de juiste bieders aan te trekken.' Ze bespraken dit aspect een tijdje, waarbij Jude uitlegde hoe ze gebruikmaakten van mailinglijsten, websites en artikelen in het bedrijfsmagazine om een campagne in de media op gang te zetten.

Robert leek tevreden met de cijfers en met Judes voorstellen en zei dat hij de zaak dit weekend nog goed wilde overdenken. Als ze maandag weer op kantoor was, zouden ze opnieuw contact met elkaar hebben.

'En dan, als je ermee akkoord gaat, kan ik ervoor zorgen dat alles opgehaald en gecatalogiseerd wordt,' zei ze. 'Maar zoals ik al zei, moet er nog met een deskundig oog naar de instrumenten worden gekeken, wat ik voor jullie zal regelen.'

'Dat zou fantastisch zijn,' stemde Robert in.

'Er is alleen wel iets wat ik nu graag mee wil nemen, als dat mag. De observatieboeken. Een vriendin van mij, een expert, kan wellicht meer zeggen over wat ze precies inhouden.'

'En ongetwijfeld ook over wat hun waarde is,' zei Robert. 'Ja, natuurlijk, neem ze maar mee. Ik zal iets pakken waar je ze in kunt doen.'

Jude reed na de lunch met een tevreden gevoel weg. Beecham zou verrukt zijn als deze klus doorging, zoals ze verwachtte – alleen al het feit dat de doos met de observatieboeken veilig en wel in de kofferbak lag, benadrukte dat. Ze zou genieten van het onderzoek naar de achtergrond van de collectie. Het was een van die dingen die ze het leukst vond van haar werk: de geschiedenis. Het zou ook fijn zijn om Chantal vaker te zien. Het was pijnlijk om met haar over Mark te praten, maar ze had het gevoel dat Chantal het als geen ander begreep, beter zelfs dan haar moeder, die zelf weduwe was.

Nu kon ze de herinneringen eindelijk laten komen.

Ze herinnerde zich de eerste keer dat ze elkaar zagen. Het was zestien, nee, bijna achttien jaar geleden, de tweede dag in de bovenbouw. Ze had hem een paar keer van een afstand gezien, de nieuwe jongen, lang, met boterkleurig geverfd haar in een trendy coupe en een prettig zelfverzekerde uitstraling.

Zij en Sophie liepen treuzelend de trap af na hun eerste les Engelse literatuur, en keken op hun roosters om te zien waar ze nu naartoe moesten. Mark, die van de andere kant aan kwam lopen, was stil blijven staan om met gefronst voorhoofd naar een gekreukt papiertje in zijn hand te kijken, en de meisjes moesten zich langs hem heen wurmen.

'Sorry,' zei hij. 'Weten jullie misschien waar 243 is?'

'Ja, daar moet ik ook naartoe,' zei Jude. 'Dan heb je dus ook aardrijkskunde. O,' riep ze uit toen ze naar zijn rooster keek, 'je houdt hem ondersteboven!'

Hij fronste weer en zag wat ze bedoelde. 'Wat stom van me.' Hij draaide het om en grijnsde schaapachtig naar haar.

Later zou dit een gevleugeld grapje worden. Mark, toekomstig aardrijkskundeleraar en onderzoeker, kon niet eens een simpel schoolrooster goed lezen. Zijn beste vriend, Andy, vertelde het verhaal op hun bruiloft nog eens, met een rake opmerking over wie in hun huwelijk de broek aan zou hebben.

Maar toen, terwijl ze haar best deed om er niet aan te denken dat Mark de blauwste ogen had die ze ooit had gezien, bloosde ze en mompelde: 'Hoe dan ook, je moet die andere trap nemen. Ik wijs je de weg wel.'

'Veel plezier,' zei Sophie lijzig. 'Tot de lunch, Jude.' En parmantig liep ze in de richting van de taallokalen.

Vanaf dat moment zaten Jude en Mark bij aardrijkskunde altijd naast elkaar. Ze leenden elkaars aantekeningen, vulpennen en rekenmachines. Ze kreunden wanneer meneer Bassett hun onmogelijk veel huiswerk gaf, zaten op schoolexcursies naast elkaar in de bus en waadden samen door beken om de kwaliteit van het water te controleren. Een keer viel ze op zijn schouder in slaap, aan het eind van een lange rit vanuit Peak District en werd ze wakker terwijl hij zijn arm om haar heen had geslagen. Ze nam aan dat hij haar vooral als een vriendin beschouwde. Aardrijkskunde was beslist de enige gelegenheid dat ze elkaar zagen. Buiten de les om hadden ze nauwelijks contact. Hij was de exacte kant op gegaan, zij had voor geschiedenis en Engels gekozen. Ze was dol op lezen en creatief schrijven, en speelde fluit in het schoolorkest; hij bracht zijn weekenden en vakanties buiten door, 's winters met skiën of wandelen en 's zomers met zeilen en kajakken.

In juni van het eerste jaar van de bovenbouw kwam ze hem op een verjaardagsfeestje tegen. Hij was met een sprankelend meisje met een atletisch figuur, dat hij voorstelde als Tina. Jude voelde zich onverklaarbaar verdrietig toen ze hen tijdens 'Lady in Red' verstrengeld op de dansvloer onder de draaiende lampen zag. Omdat hij haar op een gegeven moment alleen zag staan had de verlegen Rick Wansted die avond uiteindelijk de moed verzameld om haar ten dans te vragen. Wat kon het lot toch grillig zijn. Zij en de zachtaardige Rick zouden de hele bovenbouw een stel blijven, voordat het lot weer tussenbeide kwam.

Ergens rond Kerstmis vertelde een klasgenootje dat Mark en Tina uit elkaar waren. Jude dacht er verder weinig aan, in die tijd was ze half verliefd op Rick en zijn lenige lijf, en de slaperige, dromerige blik in zijn ogen met lange wimpers wanneer hij gitaar speelde.

Jude en Mark keken elkaars practicumopdrachten van aardrijkskunde na en wensten elkaar succes met het examen zelf. Toen ze tijdens dat examen langs de lange rijen tafels zijn blik ontmoette, knipoogde hij naar haar, waarna hij zich weer over zijn werk boog. Zijn haar viel zachtjes over zijn voorhoofd en onwillekeurig gebeurde er iets met haar. Even wist ze niet meer bij welke examenvraag ze was. Vanaf dat moment begon Rick zijn greep op haar te verliezen.

In juli was het eindexamenfeest. Het was een warme maar regenachtige avond, dus de meeste mensen stonden opeengepakt in de feesttent. Ze was met Rick, natuurlijk, maar ze waren met een grotere groep, en allemaal aan het dansen, lachen, praten of stonden te poseren voor de fotograaf. Zij en Rick groeiden uit elkaar, dat wisten ze allebei, en het leek verdrietig, maar ook weer niet het einde van de wereld. Rick had een vakantiebaantje, fruitplukken op de boerderij van zijn oom in Suffolk. Jude zou een maand in een boekwinkel in Norwich werken voordat ze met Sophie in Frankrijk en Italië ging backpacken. Daarna zouden ze, afhankelijk van de uitslagen van de examens, ieder in een ander deel van het land naar de universiteit gaan. Ze beseften allebei dat daar nieuwe vrienden zouden zijn, een nieuwe horizon, nieuwe liefdes. Geen van beiden wilde de ander vastleggen.

Rick stond met Sophie op Oasis te swingen toen Mark aan kwam lopen en met Jude wilde dansen. Nadat Oasis was afgelopen kwam Blur, en toen zette de dj 'Message in a Bottle' op.

'Niet om op te dansen,' riep Mark in haar oor, terwijl de anderen met de songtekst meebrulden. 'Laten we een drankje gaan halen.'

Ze namen hun flesje mee naar buiten. De regenwolken waren aan het wegtrekken. Jude, die een beetje huiverde in haar blote, zwarte jurk, trok haar sandalen met riempjes uit en deed een dansje om warm te blijven. Ze keek omhoog naar de hemel. Er was geen maan, maar tussen de wolken door waren de sterren te zien.

'Ah, Jude. Vrijheid! Ik kan het niet geloven. Weg van deze plek. Ik heb het gevoel dat het leven eindelijk gaat beginnen.'

'Je bent hier maar twee jaar geweest,' hielp Jude hem glimlachend in herinnering.

'Het lijkt wel een eeuwigheid. Geen schoolbellen meer, geen uniform meer, geen "meneer" meer hoeven zeggen tegen Sanderson.'

'Dat deed toch al niemand,' zei ze, lachend bij de gedachte dat hun vriendelijke schoolhoofd daar altijd zo'n hekel aan had, 'maar ik weet wat je bedoelt. Het is een fantastisch gevoel.'

'De wereld ligt aan onze voeten, klaar om te worden verkend. Er moeten zeeën worden bevaren, bergen worden beklommen.'

'In jouw geval letterlijk.'

'Absoluut. Waar zijn die lange vakanties op de universiteit anders voor bedoeld?'

'Eh... Studeren? Geld verdienen voor de huur?'

'Nou ja, oké. Maar ik zorg wel voor een sponsor,' zei hij vaag. 'En ik heb het helemaal uitgewerkt. Ik word na de universiteit aardrijkskundeleraar. Dan heb ik nog steeds van die lange vakanties.'

'Volgens mij hoort lesgeven een soort roeping te zijn,' zei ze plagend.

'Maar die heb ik ook,' zei hij simpelweg. En toen ze hem nieuwsgierig aankeek, zag ze dat hij het serieus meende. 'Ik ben er heel enthousiast over. Ze hebben goede docenten nodig, mensen die kinderen kunnen inspireren. Dat kan ik.'

Ze geloofde hem.

'Ik neem aan dat als je geschiedenis studeert, je ook wel zult gaan lesgeven.'

'Dat hoeft niet per se. Er zijn meer dan genoeg andere carrières mogelijk met een culturele universitaire graad. Dat zei mevrouw Eldridge in elk geval.'

'Verlies jezelf niet in het verleden,' waarschuwde hij.

'Maar daar houd ik juist van,' zei Jude onzeker. 'Leren begrijpen hoe het was, hoe het écht was, bedoel ik. Om in andermans schoenen te staan, te ervaren wat zij deden, om hun gezichtspunt te leren kennen.'

'Wat heeft dat voor zin? Het is juist het heden dat ertoe doet. De problemen van vandaag oplossen.'

'Het verleden helpt ons het heden te begrijpen.'

'We zijn zo verschillend, jij en ik,' zei Mark zacht. 'Maar we zijn toch vrienden.' Hij woelde door haar haar. 'Je bent bijzonder, wist je dat?'

'Jij ook,' zei ze en ze boog zich naar hem toe. Over zijn schouder zag ze dat Rick naar buiten was gekomen om haar te zoeken en ze trok zich terug. Mark scheen het niet erg te vinden.

'Ik hoop dat we nog steeds vrienden blijven,' zei hij. 'Als we thuis zijn, kunnen we afspreken.'

'Dat zou ik leuk vinden.'

'Beloofd?'

'Beloofd. Ik zweer het op die ster daarboven. Die heel heldere. Het kan niet eeuwigdurender worden dan dat.'

'Dat is waarschijnlijk een satelliet. Niet goed genoeg.'

'Oké, die dáár dan.'

Hij slaakte een plagerige zucht. 'Nou, vooruit. Maar er is een probleem met zweren op sterren.'

'Wat dan?'

'Nou, het duurt zo veel duizenden jaren voordat hun licht ons bereikt, dat de ster misschien niet meer bestaat tegen de tijd dat wij hem zien. Dus als je iets op een ster zweert, is dat eigenlijk heel kortstondig.' Hij lachte, maar Jude niet. Dat hij had gezegd dat ze vrienden en bijzonder voor elkaar waren, had haar diep geraakt. En nu leek hij daar weer iets aan af te doen. Het was verbijsterend. Na die avond zat een deel van haar altijd op Mark te wachten. Het was slechts een kwestie van tijd. Op een dag zou hij klaar voor haar zijn.

Kortstondig. Dat bleek het uiteindelijk ook te zijn. Het juiste moment was uiteindelijk gekomen, maar ze hadden zo weinig tijd met elkaar gehad. Toen ze op de universiteit zaten, hadden ze elkaar een paar keer gezien, wanneer ze toevallig allebei even in Norfolk terug waren. Mark was vol van de plekken die hij had gezien: langeafstandslopen in de Pennines, klimmen in Peru. Tijdens een kerstfeest had hij het over een expeditie naar het Himalayagebergte. Misschien zou hij op een dag de Mount Everest of de K2 beklimmen, zei hij met een schittering in zijn ogen. Geen van beiden had kunnen vermoeden dat hij die ambitie nooit zou kunnen waarmaken.

Jude behaalde de hoogste universitaire graad en een MA, ging naar de universiteit in Londen om een PhD te behalen in achttiende-eeuwse cultuur en maatschappij, en toen, in de zomer waarin ze reageerde op de advertentie voor een betaalde stage bij Beecham, hoorde ze dat Mark een vreselijk ongeluk had gehad.

Hij was met een vriend gaan fietsen in Zuid-Amerika. Toen ze op een smalle bergweg door een bocht reden, botsten ze tegen een tegemoetkomende vrachtwagen aan. Zijn vriend overleed. Mark brak zijn bekken. Door een combinatie van de verrassend snelle komst van een traumahelikopter, een kundige Argentijnse chirurg en het feit dat Mark daarna naar een Londens ziekenhuis werd overgeplaatst, had hij grote kans om volledig te herstellen, maar hij lag wekenlang in het ziekenhuis en liep nog maandenlang op krukken. Het verbaasde Jude niet toen ze ontdekte dat hij was veranderd. Hij was serieuzer; hij werd verteerd door schuldgevoel dat hij het had overleefd, en zijn vriend niet. Dat maakte hem cynisch, verbitterd zelfs. In de periode dat hij in het ziekenhuis lag ging Jude bijna elke dag op bezoek en gaandeweg verwachtte hij dat van haar en steunde hij op haar om hem uit zijn slechte buien te halen. Ze kwamen dichter tot elkaar en werden uiteindelijk verliefd.

'Ik heb altijd het gevoel gehad dat je bijzonder was,' mompelde hij op de avond dat ze hem het jawoord had gegeven. 'Vanaf het eerste moment dat ik je zag, en jij wist waar we naartoe moesten, in welk klaslokaal we moesten zijn. Jij bent mijn Leidster, dat is de ster die zeevaarders volgden, de Poolster die hen weer veilig naar hun thuishaven bracht.'

'Dan ben jij volgens mij een vallende ster,' lachte ze, ondanks de tederheid van het moment. 'Je slaat altijd een onverwachte weg in.'

En, als een vallende ster, was hij over de rand van de wereld verdwenen, waarbij hij al het licht met zich meenam en haar in een koude duisternis achterliet.

8

Summers schoolvriendin Emily woonde in een modern huis, een kleine kilometer bij Felbarton vandaan. Jude kon het vrij gemakkelijk vinden, raapte Summers tas met poppenspullen op en bedankte Emily's moeder, een bleke, stille vrouw met een baby op haar heup.

'Wat zullen we gaan doen?' vroeg Jude aan Summer toen ze naar de auto liepen. 'Naar het strand?'

Summer schudde haar hoofd. 'Naar Euan,' zei ze. 'Ik wil hem vragen of hij een Jude-pop voor me wil maken.'

'Echt waar?' Wat ontroerend.

'Ja, voor het poppenhuis.'

'Dat is lief van je. Maar we kunnen niet zomaar zonder te vragen bij hem langskomen.'

'Dat vindt hij niet erg.'

'Weet je dat zeker?'

'Ja.'

'Maar hij is er misschien niet.'

'Als hij er niet is, nou ja, dan kunnen we naar het strand.'

'Oké,' zei Jude, terwijl ze de achterdeur van de auto voor Summer opende, waar Claire de stoelverhoger had bevestigd. In werkelijkheid was ze niet zo zeker van deze onderneming. Bij de herinnering aan Euans ergernis bij de folly de dag ervoor en haar eigen lompe gedrag kreeg ze een blos op haar wangen. Aan de andere kant kon ze deze kans wellicht aangrijpen om haar excuses aan te bieden. Ze keerde de auto en ze reden de weg terug naar waar ze vandaan was gekomen, in de richting van Starbrough.

'Daar! Je rijdt er voorbij!'

Jude minderde vaart en nadat ze zorgvuldig in haar spiegels had gekeken, reed ze achteruit de smalle parkeerplaats op, voor een gedeukte stationcar. Nu begreep ze waarom het huis haar niet eerder was opgevallen. De oprit aan de overkant van de weg lag half verscholen achter een enorme heg, die langs de gehele lengte van het perceel liep. Op de oprit, die voor een houten garage lag, stond een betonmolen en lag een heuveltje zand. Aan de rechterkant van de garage kon ze een glimp van de topgevel van het huis opvangen. Jude keek omhoog en nam de natuurstenen muren in zich op, evenals het leien dak en de vierkante ramen met luiken, waarvan de kozijnen fris wit geschilderd waren. Dus dit was de cottage waar haar grootmoeder als kind had gewoond. Ze kreeg een vreemd gevoel toen dit tot haar doordrong. Ze vroeg zich af hoe oud het was – achttiende-eeuws, waarschijnlijk.

Ze wilde net het pad op lopen en op de deur kloppen toen Summer tot haar verbazing haar hand lostrok en langs de garage naar de tuin erachter rende.

'Summer! Ik denk niet dat je…'

'Tante Jude, je moet via deze kant naar binnen.'

Jude keek nog een keer verontrust naar de dichte deur en volgde Summers stem.

Achter het huisje lag een grof gemaaid grasveld dat was omringd door een haag. Summer verdween door een gat in de struiken. Ze keek nog even snel naar de ramen aan de achterkant van het huisje voor het geval iemand haar beschuldigend aankeek, en snelde toen achter haar aan. Toen ze bij het gat aankwam, bleef ze blij verrast staan.

Het kleine veld erachter lag beschut door een rij populieren aan de verste kant, hun bladeren fonkelden grijs en zilverachtig in de wind. Zo had Jude zich een mooi grasveld altijd voorgesteld: niet met kort, vochtig gras als in een koeienweide, maar broos, zoet ruikend met subtiele bloemen ertussen om te hooien. En verderop rende Summer dwars door de bloemen naar… het was een heuse zigeunerwoonwagen.

Ze wilde van ongeloof bijna in haar ogen wrijven, maar hij stond er echt, midden in het veld. Het houtwerk glansde, was kastanjebruin met witte versieringen, en het dak was vaalblauw en rond. De wagen kwam rechtstreeks uit een sprookjesboek. Zijn eigenaar zat boven aan de trap, met een krant op zijn knieën opengeslagen. Toen hij Summers uitbundige begroeting hoorde, vouwde hij hem snel op en kwam overeind. Hij was beslist de man die Jude de vorige dag had ontmoet.

'Euan, dit is mijn tante Jude.'

'Volgens mij hebben wij elkaar al eens ontmoet,' zei hij terwijl hij het trappetje af liep. Hij en Jude staarden elkaar aan, en Euan stak zijn hand uit. Na een korte aarzeling pakte ze die vast. Hij had een stevige, warme handdruk en hoewel hij niet glimlachte, voelde Jude de spanning uit zich wegtrekken. Hij liet haar hand los en deed een stap achteruit.

'Claires zus, hè? Als ik dat had geweten, was ik niet zo openhartig geweest.'

'Het spijt me van gisteren,' zei ze haastig. 'Ik heb mezelf behoorlijk voor gek gezet.'

Hij stak zijn handen in een geruststellend gebaar omhoog.

'Je was overstuur en had je bezeerd,' zei hij. 'Ik begrijp het wel. En ik was een idioot. In plaats van dat ik het fatsoenlijk uitlegde, maakte ik het nog erger. Ik was al wat van de kook vanwege het hert, snap je, en het was de druppel dat ik voor mijn goede daad door een volslagen vreemde werd uitgescholden.'

'Het spijt me,' zei ze weer. 'Ik was eigenlijk behoorlijk bang.'

'Door de geweerschoten, ja. Dat arme dier. Ik vond het verschrikkelijk om het te doen, maar soms moet dat nu eenmaal.'

Summer keek verward van de een naar de ander. Deze mensen hadden elkaar kennelijk al eerder ontmoet. 'Wat is er gebeurd?' vroeg ze.

Euan knielde neer zodat zijn gezicht op gelijke hoogte was met dat van haar. 'Er was gisteren een hert vlak bij de folly. Het had zich op de een of andere manier heel erg verwond aan het prikkeldraad. In plaats van dat het langzaam en pijnlijk doodging, moest ik het afmaken. En toen kwam je tante langs en kregen we er helaas ruzie over. Maar we hebben het nu goedgemaakt... toch?' Hij keek vragend naar Jude, die knikte.

Summer staarde hem met wijd open ogen aan, in een poging alles te begrijpen, en even maakte Jude zich zorgen, maar toen zei het meisje: 'Had het hert pijn toen het werd doodgemaakt?'

'Nee, geen greintje pijn,' zei Euan stellig. 'Het was heel snel voorbij. Hij ging rechtstreeks naar de dierenhemel.'

'Wel erg voor het hert.'

'Dat vind ik ook. Het werd achtervolgd en was erg bang. Daarom rende hij in het prikkeldraad.'

‘Wie achtervolgde hem dan?’

‘Dat weet ik niet.’ Euan stond op en zei tegen Jude: ‘Ik maak we al weken zorgen over wat daarboven gebeurt. Je hebt niemand gezien, toch?’

Jude schudde haar hoofd. ‘Ik ging ervan uit dat jij het was,’ zei ze. ‘Daarom was ik zo kwaad.’

‘Het spijt me. Zoals ik al zei, ik had het moeten uitleggen, maar…’ Hij keek zo zielig dat ze hem meteen onderbrak.

‘Je dacht dat ik toch niet zou luisteren. Daar had je waarschijnlijk ook gelijk in. Het was echt mijn schuld.’ En eindelijk glimlachten ze naar elkaar. Hij was werkelijk een aantrekkelijke man, dacht ze, en nu besefte ze dat hij helemaal niet op Caspar leek – op zijn lichaamsbouw na dan, en het donkere, golvende haar. Euans ogen waren donkerblauw terwijl die van Caspar bijna zwart waren, en Caspar had niet Euans langzame, geduldige manier van bewegen en zijn ietwat verlegen houding.

Ze werd zich ervan bewust dat Summer hen nadenkend gadesloeg.

‘Deze kleine hier heeft het wel eens over je, natuurlijk,’ zei Euan, die door Summers haar woelde, ‘maar ik wist niet dat je op bezoek was. Ben je hier alleen het weekend?’

‘Ja. Ik ga morgen terug. Ik heb op Starbrough Hall gewerkt.’

‘Dan ben je vast een veilingmeester.’

‘Ja. Boeken en manuscripten zijn mijn specialiteit. Claire vertelde me dat jij schrijft, en ik zag je tekeningen op haar muur. Ze zijn prachtig.’

‘Dank je. Ik doe het er eigenlijk alleen maar bij. Ik gebruik ze in mijn boeken.’

‘Werk je hier in de bossen? Gisteren ging ik ervan uit dat je de landeigenaar was maar ik heb gehoord dat hij John of zo heet…’ Ze zweeg, in verlegenheid gebracht, want ze herinnerde zich de arrogante Marcia Vane en Chantals uitbarsting over de nieuwe landheer. Ze zou het vreselijk vinden als Euan bij hem in dienst was.

‘Ik moet toegeven dat ik me ook op verboden terrein begaf. Aangezien ik een naturalist ben, sta ik het mezelf toe, waarschijnlijk onterecht, om te denken dat ik daar mag rondneuzen zolang ik maar niets verstoor. Ik dwaal altijd in het bos rond en het is zo’n vredige plek. Maar de laatste tijd…’

‘De Wickhams, van de Hall verderop, zijn niet erg te spreken over de nieuwe landeigenaar.’

‘Als hij degene is die maar lukraak op van alles loopt te schieten, verbaast me dat niets.’

'Die galg…' Ze viel stil, omdat ze zich ineens realiseerde dat Summer meeluisterde.

'Die heb ik gezien,' zei hij snel, en Jude veranderde van onderwerp.

'En jij schijnt hier dus te wonen? In de woonwagen, bedoel ik.'

'Alleen tijdelijk. Ik heb de cottage vorig jaar gekocht, maar er moet veel aan gebeuren, snap je, en met die nieuwe bedradingen, het stof en de ontzettende stank van chemicaliën is het veel prettiger om hier te zitten – zolang het warm genoeg is. Maar het huis zou in september klaar moeten zijn.'

'Het is vast heerlijk om zo buiten te slapen. Ik had nooit eerder een zigeunerwoonwagen gezien. Zeker niet zo'n mooie als deze.'

'Wil je binnen een kijkje nemen?'

'Dat zou ik leuk vinden. Jij ook, Summer?'

'Ik heb het al honderd keer gezien,' zei ze op hooghartige toon. 'En ik heb ook al op het fornuis gekookt. Het heet een koninginnenfornuis, wist je dat?'

'Dan is het dus geschikt voor een prinses,' zei Jude die haar best deed niet te lachen. Ze volgde Euan het trappetje op, en slaakte een verrukte kreet toen ze zag dat het dak aan de onderkant prachtig was beschilderd. 'Stel je voor dat je in slaap sukkelt terwijl je naar dit plafond kijkt.'

'Het is niet bepaald de Sixtijnse Kapel,' zei Euan.

'Nou, maar je mag waarschijnlijk ook niet in de Sixtijnse Kapel overnachten.' Jude keek naar het brede bed, de geschilderde kast en het kleine fornuis. Euan hield alles netjes en schoon. Er lag een stapel boeken bij het bed en er stond een stormlamp. Alleen aan de laptop op het bed kon je zien dat de wagen in de eenentwintigste eeuw vertoefde.

'Ik heb deze woonwagen van een neef kunnen lenen,' zei Euan. 'Hij had jaren in een schuur gestaan. Er hadden kippen in genesteld. We hebben er flink de bezem door gehaald, de buitenkant opnieuw geschilderd en hij is weer zo goed als nieuw.'

'Ik vind hem prachtig!'

'Ik wil erin slapen. Waarom mag dat nou niet?' mopperde Summer. Ze was het trappetje opgeklommen om ook te kijken.

'Dat vraagt ze elke keer,' zei Euan tegen Jude. 'Misschien een keertje als Darcey er is,' zei hij tegen Summer. 'Darcey is mijn nichtje. Ik pas soms op haar als mijn zus het druk heeft.'

Jude knikte en wist het weer.

'Ze zit ook bij mij op school. Euan, kunnen we tante Jude de slang laten zien?'

'Natuurlijk, juffrouw Wiebelkont,' zei hij. 'Jude, je hoeft niet zo geschrokken te kijken, hoor, het is maar een onschuldige ringslang.'

'Ik ben niet bepaald dol op slangen,' zei Jude met een grimas, 'maar zolang ik hem maar niet hoef aan te raken, is het oké.'

Summer ging hen voor door het gat in de heg en onder een doorzichtig, plastic dak van een grote carport naar de andere kant van het huis. Daar stond het vol kooien en glazen bakken. De ringslang lag lui opgerold op een steen in een van de bakken, waar hij zich in het zonnetje lag te koesteren. Summer staarde er gebiologeerd naar. Jude liep rond en wierp een vlugge blik in de andere kooien. Er zat een jong konijntje tussen met een poot die in het verband zat. 'Ik heb hem in een val gevonden,' legde Euan uit. 'De idioot die de val had uitgezet had niet de moeite genomen om te controleren of er iets in zat, dus het arme beest was catatonisch en bijna doodgehongerd.'

In een van de grotere kooien zaten twee donzige uilen die slaperig met hun ogen knipperden. Een van hen klakte verwachtingsvol met zijn bek bij het zien van Euan.

'Het is nog geen etenstijd, maat,' zei hij tegen de uil. 'Een buurman heeft deze gebracht. Ze waren uit het nest gevallen. Meestal is het 't beste om baby-uiltjes door hun ouders te laten redden, maar hun hond zou ze gegrepen hebben.'

Hij liet Jude een hoek van de tuin zien waar hij een kleine vijver had aangelegd. Tientallen jonge kikkers zwommen in het water of lagen in het gras. 'Kijk uit waar je loopt. Ik heb deze hier gekweekt en ik verplaats ze geleidelijk naar vijvers in de buurt waar dit voorjaar weinig uit is gekomen,' zei hij tegen haar terwijl hij een kikker oppakte.

'O, die is heel mooi,' zei ze verbaasd.

'Kijk eens wat een tere huid hij heeft. En deze prachtige tekeningen vormen een perfecte camouflage.'

Hij gaf haar de kleine kikker en met lichte tegenzin liet ze hem in haar handpalm zitten, waar hij haar onverstoorbaar aanstaarde, voordat hij van haar hand af sprong. 'O, mijn god!' riep ze uit, maar gelukkig landde hij in het water. Ze keek toe hoe Euan een andere redde die op zijn rug terecht was gekomen en ze verbaasde zich erover dat ze ooit had kunnen denken dat deze man wreed was.

Euan liep het huis in om thee te zetten, en toen hij terugkwam vond ze het leuk om te zien dat hij kennelijk een voorraad grapefruitsap voor Summer bewaarde. Summer beschouwde dit eerbetoon als een geschikt moment om haar verzoek te doen.

'Wil jij een tante-Judepop voor me maken voor het poppenhuis?' Jude vond haar toon een tikje dwingend klinken, maar Euan stemde onmiddellijk toe.

'Een tante-Judepop? Natuurlijk, waarom niet?' zei hij, terwijl hij Jude van top tot teen bekeek alsof hij wilde onthouden hoe ze eruitzag, wat haar een vreemd gevoel gaf. 'Dat kost me een dag of twee.'

'Dat is erg aardig van je,' zei Jude. 'Toch, Summer?'

'Dank je wel, Euan,' riep Summer, op de toon van een verveelde prinses.

Brutale aap, dacht Jude, maar Euan scheen het wel grappig te vinden om door een bijna zevenjarig meisje gecommandeerd te worden.

'Met alle plezier,' zei hij, en hij maakte geamuseerd een buiging.

'Ik ben erg in je cottage geïnteresseerd,' zei Jude. 'Vooral omdat volgens mij mijn grootmoeder hier als kind heeft gewoond. Hoort het nog steeds bij het Starbrough-landgoed?'

'Nee,' zei hij. 'Ik heb het gekocht van Steve Gunn, de boer van hiernaast. Zijn vader had het ooit van de Wickhams gekocht, samen met de boerderij. Ik vermoedde al dat het op de een of andere manier met je familie verband hield. Claire heeft het wel eens over jullie oma gehad. Wil je even binnen rondkijken?'

'Graag,' zei Jude, en met haar theekopje in de hand volgde ze Euan en Summer naar binnen.

'De keuken is, zoals je kunt zien, nog in een, eh... overgangsfase.' Dit was een eufemistische term voor het feit dat alle oude onderdelen eruit waren gesloopt en er nog niets voor in de plaats was gezet. Op een verweerde tafel stond een oude fluitketel op een dubbele gaspit die aangesloten was op een lelijke, blauwe gasfles die eronder stond. 'Daar is een bijkeuken waar een koelbox staat voor het eten. Ik leer in vooroorlogse omstandigheden te leven.'

'Zoals met mijn oma's familie het geval moet zijn geweest,' merkte Jude op.

In de grote woonkamer stonden een keukenstoel en een radio, en het rook er sterk naar pleisterwerk. 'Nergens aankomen, Summer,' zei hij, 'het is nog aan het drogen en ik wil geen handafdrukken op de muren, zelfs niet die van jou.'

Op de bovenverdieping was de situatie al niet anders, waar drie slaapkamers waren en een kleinere ruimte waarvan een badkamer werd gemaakt. 'De douche doet het nu tenminste wel,' zei Euan, en hij liet Summer de wasbakkranen testen. De slaapkamers waren opnieuw gestuukt, de elektriciteitsdraden waren opnieuw getrokken, en in een van de slaapkamers stonden een eenpersoonsbed, een bureau met een laserprinter en iets wat eruitzag als een van Euans tekeningen in de maak. 'Ik heb hierboven nu in elk geval elektriciteit,' zei hij. 'Ik slaap hier als het buiten echt heel koud is.'

'Het is vast prachtig als het klaar is,' zei Jude, 'maar je hebt vast het gevoel alsof je permanent aan het kamperen bent.' Toen ze de slaapkamer uit liep, viel haar blik op een stapeltje boeken op een plank bij de deur. Het waren meerdere exemplaren met dezelfde titel. *Het pad door het woud*. Het kwam haar bekend voor en toen ze de naam van de auteur erop zag staan, Euan Robinson, ging er een belletje bij haar rinkelen.

'Dat ben jij!' riep ze uit, ze pakte er een op en bewonderde de omslag, een houtsnede van bomen. 'Claire zei al dat je schrijver was, maar niet dat je een beroemde bent. Ik heb hierover nog geen week geleden een recensie gelezen. Een lovende.'

'Fijn om te horen,' zei hij met een schittering in zijn ogen. 'En ik ben niet beroemd, dat kan ik je verzekeren.'

'O, maar jij hebt *De eenzame weg* toch geschreven? Ik was weg van dat boek.' Het ging over het leven in de Norfolkse zoutmoerassen en was heel mooi en lyrisch geschreven. Hij schreef non-fictie, deels over biologie, deels biografisch, en zijn beschrijvingen waren prachtig.

'O ja?' zei hij met een tevreden uitdrukking. 'We woonden toen vlak bij Clay. Het was een prachtige plek buiten het seizoen, en een fantastisch boek om te schrijven.'

Jude merkte het 'we' op en herinnerde zich dat Claire had gezegd dat hij gescheiden was. Euan draaide zich om en mompelde iets over waar Summer was. Ze legde het boek terug op de stapel en met een laatste blik door zijn spartaanse slaapkamer volgde ze hem naar beneden.

Summer, die zich was gaan vervelen, was de tuin weer in gelopen om naar de dieren te kijken. Jude en Euan keken naar haar door het keukenraam en Euan zei: 'Ik zal je de folly eens laten zien, zoals ik had beloofd, maar ik neem Summer liever niet mee.'

'Dat begrijp ik wel, ja,' zei ze instemmend.

'Inderdaad, vanwege de geweerschoten,' zei hij. 'Zoals ik al zei, die zijn een paar weken geleden begonnen; het moet zo rond die keer zijn geweest dat ik haar meenaam om de folly vanbuiten te bekijken. Fiona, mijn zus, had Darcey voor de middag langsgebracht en ik dacht dat het leuk was om Summer mee te vragen. We gingen wandelen. Ik zou ze nooit toestaan om de folly in te gaan, natuurlijk, maar het is een indrukwekkend gezicht. Het merkwaardige is dat ze er niets aan vonden. Ze vonden het een griezelige plek. Summer zag behoorlijk bleek.'

'Wat vreemd. Waar waren ze dan bang voor, denk je?'

'Dat weet ik niet. Er hangt wel een bepaalde atmosfeer, maar ik vond het nooit bedreigend.'

'Heb je het aan Claire verteld?'

'Nee, dat ben ik eerlijk gezegd vergeten. Tegen de tijd dat we hier weer terugkwamen hadden de kinderen nergens meer last van. Dus, geen folly. Tenzij je morgen nog in de buurt bent.'

'Dat zou ik wel willen. Maar ik moet 's ochtends vroeg weer weg,' zei ze met een spijtige blik. 'Ik moet naar een doopplechtigheid. Ik word voor de derde keer peettante.'

'Gefeliciteerd!' zei Euan. 'Nou, misschien kom je nog een keer terug?'

'Dat hoop ik wel,' zei Jude. 'Zeker als de zaken op Starbrough Hall doorgaan, dan ben ik hier vrij snel weer terug.'

'Mooi,' zei hij. Het klonk alsof hij het meende.

Op dat moment stampte Summer kwaad binnen. 'Een van de uilen pikte naar me. Kunnen we nu naar het strand?'

'Ik dacht dat je dat niet wilde, grappenmaker,' zei Jude, die Summers niet-gewonde vinger onderzocht. 'Maar ja, natuurlijk.'

'Ga je ook mee, Euan?' vroeg Summer, maar Euan schudde zijn hoofd.

'Nee, ik moet nog van alles doen. Ga jij nou maar lekker met je tante op pad,' antwoordde hij.

Jude en Summer brachten een paar heel plezierige uren door op het strand van Wells-next-the-Sea. Summer was bevriend geraakt met een jongetje dat daar met zijn grootouders was. De kinderen speelden samen in een ondiepe lagune, probeerden kleine vissen in de val te lokken en bouwden een zandkasteel, dat ze met stenen versierden.

Het was alsof de kracht van de zeewind, het weidse uitzicht op het strand en het gekrijs van de zeevogels alle problemen uit je hoofd konden blazen, zo voelde het althans voor Jude. Caspar, Mark, werk: ze waren allemaal mijlenver weg, en deden er niet toe nu ze op dit uitgestrekte strand was. Hoog boven haar dreven slierten wolken naar het zuiden, en lieten een helderblauwe hemel achter. Het opkomend tij drong de lagune binnen en de kinderen renden quasiangstig gillend bij het kasteel vandaan. Op de terugweg viel Summer in de auto in slaap.

In de achteruitkijkspiegel ving ze een glimp op van haar vredige gezichtje en Jude moest weer aan die vreemde dromen denken. Wat Euan had gezegd was interessant. Dat Summer het niet leuk had gevonden bij de folly een paar weken geleden. Dat kon wel eens in de voorjaarsvakantie zijn geweest. Claire had het erover gehad dat de nachtmerries in die vakantieperiode waren begonnen. Was het bezoek aan de folly puur toeval geweest of had iets op die plek haar veel angst aangejaagd?

Die nacht werd Jude wakker van Summers gemompel in haar slaap, en bleef bezorgd luisteren, maar het meisje werd niet wakker en na een paar minuten kwam ze weer tot rust. Toch kon Jude niet slapen, en ze maakte zich nog meer zorgen. Misschien lag het antwoord bij de folly? Misschien had ze tijd om er morgenochtend vroeg naartoe te gaan, op weg naar St Alban's. Nadat ze dit had besloten, werd ze kalmer en viel weer in slaap.

9

Ze stapte over het prikkeldraad heen en liep naar de open plek, wat voelde alsof ze een soort magische cirkel doorbrak. Het vroege zonlicht sijpelde tussen de bladeren door en vormde strepen op het gras. De dauw was bijna verdwenen en de lucht rook heerlijk naar aarde, hout en begroeiing. Jude stond er weer van versteld dat het net leek alsof de toren als een boom uit de grond groeide, want de losse stenen en bakstenen die om zijn omvangrijke voet heen lagen leken op wortels, en de muren waren bedekt met klimop.

Het VERBODEN TERREIN-bord was naast een krakkemikkige deur neergezet. Als er een sleutelgat in had gezeten was die lang geleden weggerot, maar tot haar teleurstelling zag ze een ijzeren ketting met een roestig hangslot eraan. Ze had moeten weten dat het wellicht op slot zou zijn. Misschien had Euan een sleutel. Gefrustreerd trok ze aan het hangslot en tot haar vreugde sprong het mechanisme open. De hoop dat haar een avontuur wachtte leefde in haar op. Ze keek snel om zich heen. Er was niemand die haar erop kon betrappen dat ze zich op verboden terrein bevond. Niets en niemand, slechts het getwinkeleer van vogels en het geruis van de wind door de bladeren.

Het slot ging gemakkelijk open, maar toen Jude aan de deur trok, gaf die niet mee, en ze zag dat het bovenste scharnier afgebroken was. Ze tilde de deur op waardoor ze die opzij kon schuiven en stapte uiteindelijk de toren in.

Ze had geen duidelijk beeld van wat ze kon verwachten, maar dat was wel mooier dan wat ze nu zag. Binnen bestond de vloer uit brokken baksteen die in de kale grond in een visgraatpatroon waren gelegd. De vloer was vochtig en oneffen waardoor ze in het halfduister struikelde en bijna viel. Het stonk er verschrikkelijk: vochtig, schimmelig, aardachtig en oud. Buiten de schaduwen stond een stenen wenteltrap die naar de koude duisternis omhoog leidde. Een bleke vinger zonlicht viel op de onderste trede, en liet zien dat die was afgebrokkeld en met mos was bedekt. Bovenin hoorde ze een fladderend geluid. 'Hallo?' riep ze omhoog, terwijl ze niet echt antwoord verwachtte. Ze wachtte. De toren wachtte. Er was niets dan stilte. Natuurlijk was er niemand, zei ze kwaad tegen zichzelf. Jude legde een hand op zowel de linker- als rechtermuur van de trap en zette aarzelend een voet op de eerste trede. Hij hield het, dus zette ze nog een stap. Ze zou stoppen als het er gevaarlijk uitzag, zei ze tegen zichzelf.

Naarmate ze hoger kwam, werd het steeds donkerder en haar huid tintelde. Ze verplaatste haar handen naar de treden boven haar en liep als een dier op handen en voeten verder. Ze verloor haar gevoel voor evenwicht zodat ze om de paar passen het gevoel had dat ze naar achteren viel. Ze telde de treden, negen, tien, elf. Ze waren aangenaam breed en niet te hoog. Vijftien, zestien. Ze liep langs een kleine vlek licht die door een raam viel dat wel een schietgat leek. Ze tuurde naar buiten, maar het enige wat ze kon zien was het licht dat op het gebladerte viel. Ze liep weer verder en haar hart sloeg een slag over toen haar hand misgreep – er ontbrak een steen. Ze schoof voorzichtig met haar voet om het gat heen. Negenentwintig, dertig. Waarom was ze aan deze dwaasheid begonnen? Negenendertig, veertig. Nu scheen er een vaal, somber licht. Ze moest er bijna zijn. Vijfenveertig, zesenveertig, zevenenveertig. Ze had het koud en huiverde nerveus. Nog tien treden. Ze moest al bijna bij de top zijn. En plotseling was ze in een kleine, ronde kamer. Ze ging trillend op de vloer zitten, probeerde te kalmeren en de omgeving in zich op te nemen.

De vloer was net als de rest van de folly van steen. Aan de muren hingen houten planken en er stonden kasten, sommige gebarsten en verrot. Er waren vier kleine ramen, die zich op gelijke afstand van elkaar rondom de ruimte bevonden – een voor elke windstreek, dacht ze – en er stond een ladder in het midden die naar iets leidde wat leek op een klein valluik. Ooit had er misschien glas in de ramen gezeten, maar nu hadden de elementen er vrij spel. Door een van de ramen stroomde zonlicht naar binnen en uit het bos om de toren heen was opgetogen vogelgezang te horen. Onder het zonnige raam stonden een tafel en een stoel, beide moderne, opklapbare meubels. Iemand had hier zitten werken, want er waren een paar vellen papier en een schrijfblok achtergelaten. Ze kwam overeind, boog zich voorover en zag dat het krantenartikelen waren die van internet waren gehaald, en die verhaalden over een aankomende meteorietenregen. Het schrijfblok stond vol met slordig opgeschreven aantekeningen en diagrammen. En plotseling had ze het gevoel dat ze zich niet alleen op verboden terrein bevond, maar dat ze ook op een persoonlijker vlak bij anderen binnendrong, bij hun werk. Dit was de plek waar Anthony Wickham tweehonderd jaar geleden werkte. Nu kwam hier iemand anders naar boven om over de sterren na te denken. Het was alsof ze de aanwezigheid van die mensen kon voelen. Ze voelde zich niet op haar gemak, alsof ze zich moest verontschuldigen en moest vertrekken.

Terwijl ze naar de trap terugliep, liep ze langs de spullen die op de planken stonden. Er lagen een paar paperbacks, omgekruld door het vocht, een pennenbak met een paar stoffige potloden erin. Er stonden ook vreemdere dingen. Een groot, afgebroken stuk vuursteen. Ze meende dat het een deel van een bijl of een ander stuk gereedschap was, en ze pakte het op en bekeek het nauwkeuriger. Ze werd ondertussen aangestaard door een mannenbril, waarvan het gevlekte montuur versleten en dof was. De oude verrekijker die aan een spijker vlakbij hing bleek onweerstaanbaar. Ze liep ermee langs de ramen, een voor een, op zoek naar een mooi uitzicht. Slechts door één raam kon ze meer zien dan alleen bomen. Tot haar verrassing bood dit raam uitzicht op Starbrough Hall, als een poppenhuis in de verte. Ze wreef de groezelige lenzen met wat speeksel en de zoom van haar shirt schoon, en toen ze weer keek kon ze de bibliotheek zien en de kleine gestalte van Robert die bij zijn auto vandaan en onder de poort door liep. Het verbaasde haar dat ze het huis vanuit de toren kon zien, maar de toren niet vanuit het huis. Ze vroeg zich af of dit altijd zo was geweest of dat het kwam doordat de bomen door de tijd heen waren gegroeid.

Ze hing de verrekijker terug aan de spijker en wierp een nieuwsgierige blik op het valluik. Ze wist wat haar grenzen waren: het zou dwaas zijn om in haar eentje omhoog te klimmen en het luik te openen. Stel dat ze viel? Maar ze wilde heel graag weten wat zich aan de andere kant bevond: de openlucht, misschien, of nog een kamer als deze? Berouwvol liet ze zich weer van de trap glijden, als een zeeman die een scheepsladder afdaalt. Ze zou een andere keer met Euan moeten terugkomen. Dat was een prettige gedachte.

Terwijl ze, huiverend en stoffig, beneden in de folly aankwam, hees ze de deur achter zich dicht, deed de ketting eromheen en hing het slot precies zoals ze het had aangetroffen, niet op slot maar wel zodanig dat het eruitzag alsof het op slot was. Het zou verstandig zijn om het slot dicht te klikken, maar daar zou wie het ook zo had achtergelaten niet blij mee zijn. Plotseling kwam er een beeld in haar op van een kind dat de deur opentrok en de trap op liep, waardoor ze van gedachten veranderde, maar toen ze het hangslot dicht wilde klikken, bleef het niet zitten. Ze liet het zo. Meer kon ze niet doen.

Ze draaide zich om en wilde naar het pad teruglopen, zich ervan bewust dat de tijd verstreek, maar iets trok haar blik, een hoopje verse aarde aan de rand van de open plek. Het was te groot voor een molshoop. Ze liep ernaartoe, begreep het even niet, maar besefte toen dat het de plek moest zijn waar Euan de muntjak had begraven. De aarde was donkerbruin, rijk aan klei. Er stak iets geelachtigs uit de hoop. Ze trok het eruit. Het was een gebroken bot, zo dik als een brandslang, wat bewees dat dit al langer dood was dan het hert. Ze liet het vallen en stond er verder niet meer bij stil.

Ze stond op, keek om zich heen, en had het akelige gevoel dat ze werd bekeken, maar zag niemand.

En toen, terwijl ze net bij de bosrand aankwam, hoorde ze het geluid van een automotor op het pad. Het hield vrij abrupt weer op en er werden deuren dichtgeslagen. Haar angst voor de geweerschoten van die vrijdag laaide weer op. Ze glipte het pad af en liep naar een dichtbegroeide bosschage van hazelaar en doornstruiken, en verborg zich erachter. Ze bevond zich op verboden terrein, en het kon degene met het geweer zijn. Goddank was ze zo behoedzaam geweest om haar eigen auto langs de weg te parkeren, en zou de nieuwkomer niet naar haar op zoek zijn.

Al snel hoorde ze een vrouwenstem en vervolgens de lagere tonen van een man. Meer dan één persoon, dus. Vanuit haar gebladerde schuilplaats zag ze hen naderen, en haar ogen schoten wijd open van verbazing. Het was Marcia Vane, in een strakke, witte spijkerbroek en een shirtje met lage hals. Ze werd vergezeld door een lange, breedgeschouderde man van rond de veertig, die eerder gekleed leek voor de golfbaan dan voor een wandeling in de natuur. Wat deden zij hier op dit tijdstip op zondagochtend?

Ze liepen langs Judes schuilplek en ze zag dat ze bij het gat in het hek van prikkeldraad stil bleven staan. De man slaakte een geërgerde brom en ging op zijn hurken zitten om het gebroken draad te bekijken. Toen hij opstond en tegen Marcia sprak, kon Jude slechts flarden van hun gesprek opvangen.

'... absoluut door iemand doorgeknipt... ze kunnen het niet hierheen drijven.' De man spreidde zijn armen, duidend op de open plek. '... een paar bomen, vermoed ik.' Nu staarden ze allebei omhoog naar de toren. De man liep erheen en schopte met zijn gepoetste schoen onderzoekend tegen de deur.

'Een hels karwei, John...' zei Marcia lijzig. Dus dat was Marcia's cliënt, John Farrell. Of, oordeelde Jude aan de intieme manier waarop ze de arm van de man pakte, iets meer dan dat.

Nu ze met hun rug naar haar toe stonden, greep Jude de kans aan om door de bomen naar het pad terug te glippen. Ze voerden overduidelijk iets in hun schild, en ze voelde dat het beter was als ze niet wisten dat zij er getuige van was.

10

Jude kwam die avond om negen uur thuis in Greenwich, uitgeput, maar moest zich nog voorbereiden op een vroeg begin de volgende dag. De doopplechtigheid, in de kerk vlak bij St Alban's, was voorafgegaan aan een groot drankfestijn dat de hele middag had geduurd. Toen ze rond zes uur vertrok, kwam iedereen door het weekendverkeer op de snelweg stil te staan, en nadat ze haar afslag had genomen ging het op een slakkengangetje door Oost-Londen.

Ze pakte haar tas uit en maakte haar favoriete troostmaaltijd klaar – toast met kaas – en bekeek onder het eten haar e-mail. Er was antwoord van Cecelia, en dat las ze als eerste.

> Hey Jude (wat heerlijk om dat op te schrijven!)
>
> Wat goed iets van je te horen. Het lijkt me heel leuk om af te spreken. Jude, het is echt ongelooflijk toevallig, maar ik werk tijdelijk bij de Royal Observatory bij jou in de straat! Is het misschien een idee als we daar na het werk een keer afspreken en dan in Greenwich wat gaan drinken of een hapje eten? Ik heb vrij veel tijd – Danny zit in Boston – dus kies maar een dag uit!
>
> Veel liefs, Cecelia

Ze stuurde een e-mail terug, waarin ze de situatie uitlegde en wellicht wat optimistisch voorstelde om de volgende dag af te spreken, maandag, en logde net uit toen haar BlackBerry ging. Nu was het dan toch eindelijk Caspar.

'We hebben de hele dag moeten vergaderen,' zei hij. 'En we zijn net uit eten geweest in een geweldig restaurent met de andere jongens. Hoe was het in Norfolk?'

'Prima, dank je,' zei Jude zo kil als ze kon. Hij had helemaal niet meer gebeld sinds... donderdag, dacht ze. Maar zij had hem ook niet gebeld. Wat zei dit over hen beiden?

'Hoe waren de sterrenboeken?'

'Zeker het reisje waard.' Haar blik viel op de doos met de observatieverslagen die de hele dag ietwat riskant uit het zicht in haar kofferbak had gelegen.

'Mooi... mooi... En je zus en iedereen...? Hé, je gelooft nooit wie we in het restaurant zagen zitten. Johnny Depp.'

'Nee!' Ze vergat haar kilheid.

'Ja. Met zijn vrouw en nog wat kerels.'

'Echt waar? Hoe ziet hij er in het echt uit?'

'Redelijk gewoontjes, vind ik. Met een mooi op maat gemaakt pak komt iedereen een heel eind.'

'O, Caspar! Je bent gewoon jaloers. Heb je hem gesproken?'

'Waar zie je me voor aan? Natuurlijk niet.' Nee, Caspar had een te groot ego om het risico te lopen dat hij werd weggestuurd. 'Daar hebben ze vast een bloedhekel aan, die sterren. Mensen die op hen afkomen en ze als publiek bezit behandelen.'

'Nou, door dat publiek zijn ze wel beroemd.'

'Dat is waar. En nu over volgende week. De vakantie. Jude, Ik heb een heel speciaal verzoek. Vind je het erg als ik dinsdag pas naar de villa kom?'

'Wat, moet ik daar alleen naartoe? O, Caspar.' Jude was er echt ontdaan van. 'Waarom?'

'De zaken hier,' zei hij mysterieus. 'Uit wat die mensen vanavond hebben verteld, blijkt dat we zo snel mogelijk met de Britse campagne aan de slag moeten. Ik verwacht dat ik dinsdag rond lunchtijd vrij ben. Kijk, je hoeft er niet naartoe te rijden. Ik kan de ferry annuleren en je kunt naar Bordeaux vliegen waar Luke je kan ophalen. Op mijn kosten.'

Jude voelde zich plotseling erg moe. 'Caspar, nee. Dat is niet eerlijk.' Het was haar enige echte vakantie dit jaar. Ze was er toch al niet zo zeker van, en nu bedierf hij het ook nog. Plotseling werd ze kwaad. 'Het is daar zonder jou niet hetzelfde. Ik ken je vrienden niet en zij kennen mij niet. Ik ging alleen maar mee omdat jij ging.'

'Maar ik kom ook. Alleen een paar dagen later. Je redt je wel. De anderen zijn ontzettend relaxed. Ik bel Luke en Marney meteen na dit gesprek. We regelen het wel.'

'Nee, "we" regelen het niet, zoals jij het stelt, Caspar. Je speelt een spelletje met me.'

'Je bent boos, hè? Wees alsjeblieft niet boos.'

'Vind je het gek? Eerst bel je me dagenlang niet en dan vertel je me dat je werk belangrijker is dan onze vakantie. Wat moet ik er anders van denken?'

Er viel een stilte aan de andere kant van de lijn. Toen hoorde ze het gerinkel van ijsklontjes in een glas. Casper nam een slok van zijn drankje en zei nederig: 'Het spijt me heel erg. Ik ben denk ik zo erg opgegaan in waar ik nu mee bezig ben dat ik me erdoor heb laten meeslepen. Het probleem is dat ik de jongens heb beloofd dat we het doen. Jack is er helemaal klaar voor. Ik kan hem niet in de kou laten staan. Wil je erover nadenken dan?'

'Ja, ik zal erover nadenken,' zei Jude mat. Ze was te moe en overstuur om op dat moment helder te kunnen denken. 'Bellen we morgen weer even?'

'Natuurlijk, natuurlijk. Ik heb de hele dag vergaderingen, maar we hebben wel ergens contact.'

We hebben wel ergens contact. Als kometen en schepen die elkaar in de nacht passeren. Zat hun relatie zo in elkaar? vroeg Jude zich af toen ze die nacht wakker lag, te moe en nerveus om te slapen. Zij en Caspar hadden elkaar niet echt nodig. Ze gingen nu drie of vier maanden met elkaar en ze kon niet zeggen dat ze hem goed kende. Ze had hem natuurlijk over Mark verteld, en hij had enorm meegeleefd, geschokt door de dood van iemand die zo jong en energiek was, maar ze hadden er niet diepgaand over gepraat. Hij had haar daar ook niet toe aangemoedigd, en ze had hem niet willen vervelen of afschrikken door er te veel over te praten. Dat stelde hun relatie bepaald niet in een gunstig daglicht, nu ze erover nadacht.

En weer thuiskomen, dat gevoel dat ze naar binnen loopt in wat haar en Mark toebehoorde – die herinneringen waren zo troostend als de kaas op haar toast. Ze had Caspar nooit in haar huis laten slapen, had er altijd voor gezorgd dat ze in de stad aten en dan naar zijn huis gingen, of dat het een zondag was, en hij 's avonds naar huis wilde om alvast wat zaken voor de komende week voor te bereiden. Maar misschien moest ze wel doorploeteren met deze relatie, erin investeren en wachten tot het goed kwam. Misschien zou ze wel nooit meer met dezelfde intense passie, en met het gevoel dat het klopte, kunnen liefhebben zoals bij Mark het geval was geweest. Terwijl ze daar in het halfduister lag miste ze Mark weer verschrikkelijk, en dacht aan alle nachten wanneer ze zich omdraaide en tegen hem aan kroop en hij, zelfs in zijn slaap, een beschermende arm over haar heen had geslagen.

Wat moest ze doen?

11

Op maandagmorgen hing er een geladen sfeer op kantoor. Het was pas half negen toen Jude naar binnen liep met haar koffertje waar de kostbare boeken in zaten, maar Suri zat al aan haar bureau. Ze zat met het hoofd gebogen over een stapel stoffige boeken, ellebogen in haar zij gedrukt als een doodsbang dier, in een poging zich zo klein en onzichtbaar mogelijk te maken. Ze keek op toen Jude binnenkwam, vormde het woord 'hallo' met haar mond, sloeg haar ogen ten hemel en trok een waarschuwende grimas. Het geluid van de harde stemmen die uit Klaus' kantoor kwamen vertelde de rest van het verhaal. Juist op dat moment kwam Inigo tevoorschijn, met een tragische uitdrukking op zijn gezicht waar een Shakespeare-acteur trots op zou zijn. Hij trok de broek van zijn belachelijke pak op voordat hij aan zijn bureau ging zitten, en begon verwoed op zijn toetsenbord te typen, waarbij hij Judes begroeting compleet negeerde. Klaus stond in de deuropening van zijn kantoor, zijn vingers om het kozijn gehaakt als een enorme, knokige aasvogel, en keek Jude met een kwade blik aan.

'Wat is er aan de hand?' vroeg ze, en ze keek beurtelings van de een naar de ander. Klaus gebaarde naar haar met een bruuske beweging van zijn hoofd en ze volgde hem naar binnen.

'Klaus? Wat is er aan de hand?'

Hij negeerde haar vraag.

'Ja. Goedemorgen, Jude. Hoe was het in Norfolk? Ik heb je e-mails gelezen, waarvoor hartelijk dank. We hebben de collectie toch binnengehaald, hè? Dat zou een hoop uitmaken voor het bedrijf. Ik ben zo vrij geweest om nog wat bedragen toe te voegen aan de herziene begroting die ik vanmorgen naar boven heb gestuurd...'

'O?' onderbrak Jude hem een beetje verontrust. 'Ik ben er vrij zeker van dat we de collectie binnen hebben. Maar ik moet er vanmiddag nog contact over opnemen met Robert Wickham.'

'Uitstekend,' zei hij en hij wreef zijn vingertoppen tegen elkaar. 'Je kunt maar beter even naar de cijfers kijken van het afgelopen jaar tot vandaag.' Hij greep naar een doorzichtig plastic mapje en gaf het over het bureau aan.

Het kostte haar een paar seconden om de lijst cijfers tot zich door te laten dringen. Wat haar opviel waren de totaalbedragen onderaan. De werkelijke tegenover de begrote verkoopcijfers van het afgelopen half jaar. Het was een schok. Ze wist dat de afdeling Schilderijen en Meubilair in de huidige omstandigheden problemen had, maar de afdeling Boeken had ook bijna een miljoen pond minder omgezet dan was begroot. Klaus nam plaats in zijn stoel en gebaarde naar Jude dat ze tegenover hem moest gaan zitten.

'We hadden de collectie van Lord Madingsfield echt nodig,' zei hij met krakende stem, en hij streek met zijn vingers door zijn slap hangende, grijzende haar. 'Vooral die vogelmanuscripten van Audubon.' Hij staarde door de glazen muur van zijn kantoor naar de ineengedoken gestalte van de goede, oude Inigo. Dus daar was de ruzie over gegaan.

'Het was niet Inigo's schuld,' zei Jude, in een moeizame poging om eerlijk te zijn. 'Dat heeft hij je verteld. Madingsfield heeft een neef bij Sotheby's...'

'Ik heb net al aan Inigo verteld... Ik had Madingsfield dit weekend uitgenodigd om langs te komen,' onderbrak Klaus haar snel, en hij pakte een ivoren briefopener van zijn bureau en liet zijn duim langs het lemmet gaan. 'Om hem te zeggen hoe teleurgesteld we waren. Hij vertelde een iets ander verhaal. Hij zei op die afschuwelijke gladde toon van hem dat hij niet het idee had dat Beecham "passend enthousiast" was over zijn collectie. Ik weet niet wat Inigo tegen hem heeft gezegd, maar hij heeft te weinig druk op de man uitgeoefend.'

'Maar dat is typisch Madingsfield. Dat hij ons de schuld ervan geeft,' riep Jude. 'Hij kon moeilijk openlijk toegeven dat hij vriendjespolitiek bedreef, nietwaar? Kom op, Klaus, we kennen hem langer dan vandaag.'

'Misschien wel, misschien niet,' snauwde Klaus, en hij smeet de briefopener op het bureau waardoor Jude opschrok. 'Het punt is dat Inigo niet hard genoeg z'n best heeft gedaan.'

'Maar je hebt ons gezegd dat we in het huidige handelsklimaat geen onrealistische beloftes mogen doen,' zei Jude verward.

De telefoon rinkelde en Klaus greep naar de hoorn. 'Clive?' zijn stem klonk nu eerbiedig, zelfs nerveus. 'Je bent er klaar voor. Vijf minuten? Ja, ja. Heb je alle papieren die ik naar boven heb gestuurd? Ja, dat begrijp ik volkomen. Heel belangrijk. Goed.'

De tollende gedachten in Judes hoofd kwamen tot bedaren. Klaus moest onder een enorme druk staan van het hogere management. Hij wilde, net als Lord Madingsfield, wanhopig graag de schuld verdelen. Vandaag lag Inigo in de vuurlinie. Morgen kon zij dat zijn.

Klaus legde de hoorn op de haak en reikte naar zijn jasje en papieren. Zijn lange gezicht stond gespannen, ellendig.

'Bereid je maar voor op een moeilijke vergadering,' was het enige wat hij zei.

Jude liep weg om haar spullen te pakken.

'Inigo, ben je klaar? Suri, let jij op de telefoon?' vroeg Klaus terwijl hij zijn jasje aantrok.

Inigo ontweek Judes blik. Oké, dacht ze, gekwetst, als dat de manier is waarop je het wilt spelen. Het was hun beiden duidelijk dat de rollen waren omgedraaid. Inigo lag uit de gratie en Jude lag er vandaag stevig in.

Toen ze in de vergaderzaal met de algemeen directeur en de financieel directeur aan tafel gingen zitten, viel haar blik op een hand-out die voor haar lag en waarop VOORSTELLEN OM HET TEKORT OP TE VANGEN stond, en haar maag draaide zich om. Het eerste punt was, in dikgedrukte letters, DE STARBROUGH-COLLECTIE, waar '£ 150.000' naast stond geschreven. Ze keek Klaus kwaad aan, maar in plaats van dat hij in zijn stoel ineenkromp, legde hij haar met een dreigende blik een gehoorzaam zwijgen op.

Clive Worthington, algemeen directeur van de Britse tak van Beecham, informeerde hen kort en bondig dat hij beurtelings met het management van alle verschillende afdelingen in gesprek was, om een verbijsterende omzetdaling van de recente veilingen te ondervangen.

'Jouw afdeling is er niet het ergst aan toe,' zei hij terwijl hij Klaus over het randje van zijn leesbril streng aankeek, 'maar het is essentieel dat je alle registers opentrekt om je geraamde cijfers te halen. Wat is de laatste aanwinst? Starbrough? Daar hoor ik nu voor het eerst van.'

'Jude zal het uitleggen,' zei Klaus, en Jude, met een droge mond van de zenuwen, beschreef de collectie boeken en intrumenten die ze het weekend had geïnspecteerd.

'En is het in kannen en kruiken?' vroeg Clive snauwend. 'Dat we die collectie binnen hebben?'

Maar voordat Jude haar mond kon openen om in alle eerlijkheid te zeggen dat ze er bíjna zeker van was, kwam Klaus tussenbeide.

'Jude heeft me beloofd dat ze de klus klaart,' zei hij zachtjes. 'We denken dat de cijfers een goed streefdoel zijn.'

Ja hoor, sleur mij er maar weer in mee, schoft, dacht ze.

'Je had me kunnen waarschuwen,' zei ze na de vergadering tegen hem. 'De verkoop is nog niet eens rond. En ik heb tegen Wickham slechts honderdduizend gezegd.'

'Volgens jouw beschrijving van de collectie zie ik niet in waarom het niet voor meer kan,' zei Klaus op vleiende toon. 'Het is belangrijk om je tanden te laten zien.'

'Met deze markt? Er heeft nog niet eens iemand naar de globen en de instrumenten gekeken.'

'Er is veel interesse op dit gebied. Hoe dan ook, het helpt Clive om onze positie ten opzichte van New York te verdedigen. Dit is politiek, Jude. New York wil dat we banen gaan schrappen.' Zijn ogen glinsterden. 'Vertrouw me nou maar.'

Ze zuchtte. Hij was, zoals gewoonlijk, onmogelijk. Als het hem lukte, zou hij met de eer gaan strijken; als het allemaal misliep, zou zij er de schuld van krijgen. Dáár vertrouwde ze wel op.

'Als je deze deal vanmorgen rond kunt krijgen, bespreken we hoe we de zaak aanpakken. We gaan met de Starbrough-collectie groot uitpakken en er veel publiciteit aan geven.' Hij liep zijn kantoor weer in.

Jude ging zitten en staarde blind naar Wickhams observatieboeken die ze op haar bureau had gelegd. Laat er in vredesnaam een verhaal in zitten dat zo groot is dat het wezenlijk iets uitmaakt, dacht ze. Zich ervan bewust dat Klaus waarschijnlijk vanuit zijn kantoor meeluisterde – hij had de deur opengelaten – pakte ze de telefoon en belde het nummer van Starbrough Hall.

'Goedemorgen, ik hoop dat ik niet te vroeg bel,' zei ze nadat Robert had opgenomen. 'Ik vroeg me af of jullie een beslissing hebben kunnen nemen. Het team hier is erg enthousiast bij het vooruitzicht om de verkoop van de collectie af te handelen.' Bedrijfsblabla. Ze had er een hekel aan.

'En wij zouden het geweldig vinden,' luidde Roberts antwoord.

Ze veerde bijna op in haar stoel van opluchting. In plaats daarvan grijnsde ze breed naar Klaus, die meeluisterde vanuit de deuropening van zijn kantoor. Hij knikte naar haar terug en vormde met zijn mond de woorden 'goed werk'.

Maar ondanks haar blijdschap over haar succes, zag ze plotseling het beeld voor zich van Chantal die in die prachtige, halflege bibliotheek stond met een wanhopig verdrietige uitdrukking op haar gezicht.

De rest van de ochtend besteedde ze voornamelijk aan het opstellen van een bevestigingsbrief, en e-mailde ze Robert de voorwaarden ter goedkeuring. Vroeg in de middag gaf hij antwoord, waarin hij schreef met alle voorwaarden akkoord te gaan. Hij beëindigde zijn e-mailtje met een PS: 'Mocht je meer tijd met de collectie willen doorbrengen, dan ben je van harte welkom om hier te logeren.' Dat was aardig van hem.

Klaus riep haar en Bridget van de afdeling Publiciteit onmiddellijk bij zich in zijn kantoor om de verkoop te plannen en aan te kondigen. Bridget was zeven maanden zwanger en wilde maar wat graag haar deadlines in orde maken.

'Als het november wordt, moeten we er begin augustus een groot artikel over plaatsen in de herfstuitgave van de *Collector*. Drieduizend woorden, denk ik,' zei Bridget. 'Wil jij dat doen, Jude?' *The Beecham's Collector*, een gratis kwartaalblad, werd naar klanten, de media en andere relevante relaties gestuurd. 'We zullen het artikel als uitgangspunt gebruiken om de aandacht van de algemene media te trekken.' Jude begreep dat dit een grotere groep potentiële kopers zou moeten lokken dan alleen de gebruikelijke klanten.

'Jude, zit er een beetje een verhaal achter die collectie?' vroeg Klaus terwijl hij aantekeningen maakte.

'Dat zou heel goed kunnen; dat weet ik nog niet.' Ze beschreef de observatieboeken en de kaarten. 'Ik ga de rapporten aan een vriendin laten zien die een expert is op dat gebied.' Cecelia had ge-e-maild dat de komende avond haar prima uitkwam.

'Het zou fantastisch zijn,' zei Bridget snel, 'als een ontdekking van de man onder de aandacht wordt gebracht. Weten we iets van hem als astronoom?'

'Hij is geen beroemdheid, ben ik bang,' zei Jude. 'Hoewel dat niet is wat je wilt horen, ik weet het. Ik zou erg graag de kans krijgen om meer onderzoek naar hem te doen.'

'Uiteraard,' zei Klaus, als altijd ongeduldig. 'Laat dan alles hiernaartoe komen om gefotografeerd te worden.'

'Het zou goed zijn om ook het huis en de bibliotheek te fotograferen, als de eigenaar daarmee akkoord gaat,' zei Bridget.

'Uitstekend. Misschien kun jij dat uitzoeken. En, Jude, dat verhaal. Als dat er is, vind het dan.' Zijn toon klonk scherp.

'Yes, sir,' zei Jude binnensmonds. Toen ze Klaus' kantoor uit liep was ze zich maar al te bewust van Inigo die ineengedoken en met een mistroostige gezichtsuitdrukking achter zijn bureau zat.

Om vijf uur verliet ze het kantoor en baande zich door de zijstraten van Mayfair een weg naar de metro van Bond Street. Maar bij station Greenwich liep ze in plaats van rechtsaf naar huis, in de richting van het park en de heuvel op naar het Royal Observatory.

'Wat geweldig om je weer te zien! Het is veel te lang geleden!' Bij de receptie begroette Cecelia Downham Jude met een omhelzing en ging haar voor naar beneden, naar een benauwd kantoor in de kelder, dat was volgestouwd met boeken en papieren.

'Wat een fantastische plek,' zei Jude die alles om zich heen in zich opnam. 'Komt zo uit een boek van Dickens.'

'Is het niet schitterend? Ik werk mee aan een tentoonstelling over de geschiedenis van het observatorium, dus ik leen dit voor een paar weken terwijl het vriendje op vakantie is. Hier, ga zitten. Het spijt me, het is hier net een rommelmarkt.'

'Nou, daar ga je met het papierloze kantoor,' zei Jude terwijl Cecelia een stapel tijdschriften van een oude stoel haalde en met een minuscuul electrisch keteltje voor hen beiden muntthee zette. Cecelia was een lange, prachtige blondine met een accent van de oostkust, en was voor een onderzoekster een onwaarschijnlijk glamoureuze verschijning. Behalve dat ze een uitstekende wetenschapper was, was ze enthousiast over haar onderzoeksgebied en stak haar vakkennis niet onder stoelen of banken. Bovendien was ze een goede vriendin, hoewel zij en Jude elkaar niet meer zo vaak zagen.

'Waar slaap je? Je gaat toch niet elke avond terug naar Cambridge, hè?' vroeg Jude.

'Danny heeft een vriend met een appartement in de Barbican.'

Cecelia's vriend, met wie ze al lange tijd omging, was ook een academicus, maar het lukte hen nooit om een baan in dezelfde plaats te vinden. Hoewel Danny uit Dublin kwam, was hij tegenwoordig professor Engels in Boston, dus een van hen moest altijd met het vliegtuig reizen.

'Je had bij mij kunnen logeren,' riep Jude. 'De volgende keer doe je dat, dat moet je me beloven.'

Ze praatten een tijdje over wat er allemaal was gebeurd sinds Jude vorig jaar voor het laatst bij Cecelia op bezoek was geweest in haar studentenkamer in Cambridge.

'Nou, en wat zit daarin?' vroeg Cecelia, die naar het koffertje knikte dat Jude had meegenomen.

'Het is jouw periode, Cece, eind achttiende eeuw,' zei Jude, die de pakjes eruit haalde, de observatieboeken uitpakte en ze aanreikte. 'Kijk,' zei ze en ze pelde het plastic van de laatste af en bladerde erdoorheen om het haar vriendin te laten zien. 'Hier verandert het handschrift. Er zijn hier absoluut twee mensen aan het werk geweest. Ik moet erachter zien te komen of dit voor verzamelaars interessant is. Ik bedoel, kunnen we zeggen dat Wickham in die periode een bijdrage, welke dan ook, heeft geleverd aan de astronomie? O, mijn god, ik ben aan het ratelen. Sorry. Ik sta nogal onder druk om hier een grote veiling van te maken en ik heb een verhaal nodig. Het is trouwens geen probleem om je te betalen voor het onderzoek.' Ze nipte van haar kokend hete thee terwijl Cecelia door het eerste rapport bladerde.

Na een tijdje fronste Cecelia haar wenkbrauwen en zei: 'Ik ga er uiteraard nog goed naar kijken, Jude, maar ik kan geen verhaal uit de lucht grijpen.'

'Nee, natuurlijk niet,' zei Jude haastig. 'Het spijt me. Ik bedoelde niet dat je de feiten moet verdraaien of zo.'

'Sinds je mailtje van gisteravond heb ik geprobeerd om iets, wat dan ook, te weten te komen over die Anthony Wickham van je,' vervolgde Cecelia. 'Ik had nog nooit van hem gehoord. Ik probeerde uit te vinden of er door andere astronomen naar hem werd verwezen. Eerlijk gezegd heb ik nog niets kunnen vinden. Maar ik blijf zoeken.'

'Dank je wel,' zei Jude. 'Dat zou fantastisch zijn. Ik doe zelf natuurlijk ook nog wat onderzoek.'

'O, en ik heb iemand gevonden om naar de globes te kijken.' Ze gaf de naam op van een antiquair in Oxford. 'Maar ik zou ze zelf ook heel graag willen zien.'

'En dat zal ook gebeuren zodra ze aankomen,' zei Jude, die het e-mailadres overschreef dat Cecelia haar liet zien. 'Maar dat kan pas na mijn vakantie.'

'Waar ga je naartoe?'

'Naar Frankrijk. Althans, dat denk ik.'

'Met je vriend?' vroeg Cecelia, die, zoals de meeste vrienden van Jude, Caspar nog niet had ontmoet maar via via wel over hem had gehoord.

'Ja,' zei Jude onzeker, en ze draaide het theezakje in haar mok aan het labeltje rond. 'Ik kijk er niet heel erg naar uit.' In werkelijkheid zag ze nu steeds wanneer ze aan de Franse vakantie dacht het beeld voor zich van een groot blok beton dat het licht buitensloot.

'Waarom in hemelsnaam niet?'

Ze legde Caspars gewijzigde plannen uit.

'Het is nogal wat, hè, om met iemand op vakantie te gaan.' Ze keek met een gekwelde uitdrukking op haar gezicht naar Cecelia op. 'Ik weet niet zeker of ik er klaar voor ben. Mark...'

'Jude,' zei Cecelia zacht, en ze raakte haar hand even aan. 'Het is lang geleden sinds Mark. Vier jaar.'

'Ik weet het, ik weet het. Cecelia, denk je dat er iets mis is met me? Misschien kan je hart zo volledig breken dat het nooit meer geneest.'

'O, Jude, lieverd, doe niet zo dramatisch. Natuurlijk is er niets mis met je. Misschien is Caspar gewoon de verkeerde man voor je,' zei ze. Er viel een stilte. Ze sloeg haar hand voor haar mond. 'O, god, dat was wel heel tactloos van me, hè?'

'Maak je alsjeblieft geen zorgen,' zei Jude ellendig. 'Ik was alleen even stil omdat ik bedacht dat je wel eens gelijk kon hebben.'

Jude was nog steeds met deze openbaring aan het worstelen toen Caspar die avond belde. Ze was voor de televisie gaan zitten om het tienuurjournaal te zien, omdat ze het beu was om op zijn telefoontje te wachten. Ze zette het geluid van de tv uit en zag op het beeld een aantal TE KOOP-borden van makelaars voorbijkomen, in een documentaire over het wel en wee van de huizenmarkt. Ze moest er niet aan denken welke complicaties dit klimaat voor antiquarische boeken kon hebben.

‘Hoe ging je vergadering vandaag?’ vroeg ze beleefd.

‘Ja, die ging wel goed. Heb je al iets besloten over Frankrijk? Ga je zaterdag of kom je met mij mee op dinsdag?’ Het klonk alsof hij het over een zakelijke deal had in plaats van een liefdesrelatie.

‘Eigenlijk, Caspar…’ Ze sloot haar ogen en gooide het hoge woord eruit. ‘Zou je het heel erg vinden als ik helemaal niet meeging?’

‘Jude! Je moet mee. Zeg dat nou niet. Luister, als het komt doordat ik de plannen in de war heb geschopt…’

Ze ademde diep in. ‘Nee, echt waar, Caspar, ik denk dat het alles bij elkaar genomen niet goed is.’ En plotseling zei ze meer dan ze oorspronkelijk van plan was. ‘Ik denk niet dat wíj goed zijn.’

‘Zeg dat nou niet. Ik kom wel terug. Ik kan voor morgen een vlucht regelen, rond lunchtijd waarschijnlijk. Ik kan naar je werk toe komen. Dan komen we er wel uit.’ Ze verbaasde zich erover dat hij zo overstuur klonk, maar nu kon ze niet meer terug.

‘Nee, Caspar. Zo eenvoudig ligt het niet. Ik… denk dat onze hele relatie niet goed is. Ik neem aan dat het aan mij ligt. Ik vind het heel moeilijk. Om over Mark heen te komen, bedoel ik.’

‘Mark? Je echtgenoot? Jee, Jude, ik weet dat het vreselijk moet zijn geweest, maar dat is nu al wat jaartjes geleden…’

‘Vier,’ antwoordde ze. ‘Ja, dat blijft iedereen maar tegen me zeggen.’

‘Ik neem aan dat ik… het niet begrijp. Maar geef me een kans. Ik ben… dol op je. Echt waar. We kunnen er samen…’

‘Caspar, nee. Het spijt me.’ Ze was verbaasd te horen dat zijn stem brak en had niet verwacht dat het zo veel voor hem betekende. ‘Het spijt me,’ fluisterde ze.

Ze lag die nacht heel lang wakker. Ze had de juiste beslissing genomen over Caspar, zei ze tegen zichzelf. Een deel van haar had verdriet om hem, maar ze had ook verdriet om zichzelf. Terwijl ze daar zo alleen lag, miste ze Mark nog het meest van alles. In het donkerste deel van de nacht, het uur voor zonsopgang, had ze zichzelf ervan overtuigd dat ze nooit in staat zou zijn om hem te vergeten, nooit iemand zou vinden die zo goed bij haar paste als hij. Ze zou alleen sterven. Uiteindelijk viel ze in slaap. Ze droomde dat ze op de wenteltrap van een toren de duisternis in liep.

12

Toen ze de volgende ochtend wakker werd, voelde ze zich uitgeput, gespannen. Ergens diep vanbinnen wist ze dat ze de juiste beslissing had genomen wat betreft zichzelf en Caspar, maar het had haar al haar energie gekost. Ze kwam laat op kantoor aan, ging achter haar bureau zitten, en probeerde zichzelf aan het werk te zetten. Er was zo veel te doen. Ze had die twee weken vakantie al geboekt, maar eigenlijk zou het beter zijn om de dagen niet op te nemen, gezien Bridgets deadline. Toch had ze even rust nodig. Terwijl ze haar aantekeningen over de Starbrough-collectie bekeek, de feiten en cijfers doornam, overwoog ze wat ze het best kon doen. Wat ze wilde doen, moest doen, zowel vanwege haar werk als wat haar familie betrof, was teruggaan naar Norfolk. Voornamelijk omdat ze met Summer kon helpen en ook omdat haar nichtje over ongeveer een week vakantie had. Het klonk allemaal zo eenvoudig. Aan de andere kant zou het nauwelijks een vakantie zijn als ze de helft van de tijd op Starbrough Hall aan het werk was, en ze het bovendien niet langer dan een nacht of twee uithield op een bobbelig matras op Summers vloer.

Ze herinnerde zich Roberts uitnodiging in zijn PS om op de Hall te logeren en langzaam vormde zich een plan. Als de uitnodiging oprecht was, en als Roberts vrouw Alexia er geen bezwaar tegen had, kwam het haar in alle opzichten goed uit om de uitnodiging aan te nemen. Niet in het minst omdat het vrij logisch was om daar ter plaatse te zijn als ze hun collectie onder de loep nam, catalogiseerde en voorbereidde op de verkoop, en als ze daar was, kon ze oma, Claire en Summer heel vaak zien. Toch was het belangrijk dat ze ook vakantie nam. Ze besloot er met Klaus over te praten.

Klaus had, met het oog op zijn eigen belang, het antwoord onmiddellijk paraat. 'Waarom ga je er niet drie weken in plaats van twee weken naartoe? Je kunt een deel van de tijd werken, en de rest van de tijd vakantie vieren. Je weet dat ik je vertrouw. Het zal redelijk rustig zijn op kantoor. Ja, het idee staat me wel aan. Je kunt je op de Starbrough-collectie concentreren, en dat is op dit moment van essentieel belang. Doe de rest van de tijd lekker wat je zelf wilt. En schrijf de hele zaak op als, zeg, tien dagen vakantie. Voilà!'

Jude dacht erover na. Het was fijn dat Klaus zo flexibel was, hoewel het een vreemd soort vakantie zou zijn. Maar als ze dacht aan de alternatieven, op kantoor blijven, in haar eentje in Greenwich rondhangen of bezoekjes aan vrienden plannen, dan leek Norfolk immens verleidelijk. Ze zou de Wickhams niet alle drie de weken met haar aanwezigheid opzadelen, maar misschien mocht ze er voor een deel van die periode logeren. Ze pakte de hoorn op en belde het nummer dat ze al uit haar hoofd kende.

Chantal nam op.

'Jude, lieverd, hoe gaat het met je?' vroeg ze enthousiast, maar toen dacht ze waarschijnlijk aan het doel van het telefoontje, want ze bond wat in. 'Het spijt me, maar Robert is er nu niet. Kan ik ergens mee helpen?'

'Ik wilde alleen... de volgende fase in het proces bespreken... Het spijt me, Chantal, ik weet dat het moeilijk voor je is om de boeken te verliezen...' eindigde ze.

'Maak je alsjeblieft geen zorgen,' antwoordde Chantal met een zucht. 'Het is natuurlijk ook je werk. Ik zal Robert zeggen dat je hebt gebeld.'

'Dank je wel. En, Chantal, ik heb nog niet met mijn zus gesproken, maar je kunt Robert vertellen dat ik heel binnenkort weer naar Norfolk wil komen. Eerlijk gezegd is mijn vakantie naar het buitenland in het water gevallen en ik zou bij jullie kunnen langskomen om de boeken beter te kunnen inspecteren.' Ze legde uit dat ze Cecelia de observatieboeken had gegeven en zei: 'Ik zou met catalogiseren kunnen beginnen. Het is beter om dat daar te doen dan alles eerst hierheen te halen. Tenzij dat ongelegen komt...'

'Dat is een geweldig idee. Maar als je naar je zus gaat, moet je weer op de grond slapen. Nee, nee,' zei Chantal vurig. 'Je moet hier komen logeren. We hebben meer dan genoeg ruimte, dat weet je, en het zou leuk zijn om je te zien. Ik zal het Alexia vragen. Zij en de kinderen zijn gisteravond namelijk thuisgekomen.'

'Ik kan jullie allemaal onmogelijk met mijn aanwezigheid opzadelen.' Jude kruiste bij die leugen haar vingers onder het bureau.

'O, maar dat doe je niet. Robert mag je erg graag en ik weet dat hij graag wil dat je een paar weken komt logeren. En je kunt je eigen tijd invullen, je bent niet van ons afhankelijk. Je kunt werken of naar je zus of je grootmoeder gaan, wat je maar wilt.'

'Dat is ontzettend aardig van je.' Jude dacht verlangend aan de prachtige bibliotheek en de gesprekken die ze had gevoerd met deze hartelijke vrouw. 'Het zou heerlijk zijn. Als je zeker weet dat Robert en Alexia er geen bezwaar tegen hebben.'

'Ik spreek ze zodra ze terugkomen, maar ik kan je nu al verzekeren dat het geen probleem is.'

Nadat Jude het gesprek had beëindigd, voelde ze zich erg opgelucht en wist ze dat het goed was. Norfolk was de plek waar ze moest zijn.

Deel II

13

'Het spijt me, Caspar,' fluisterde ze terwijl de laatste droomflarden vervlogen, alweer vergeten. Ze opende haar ogen.

Ze lag in een groot tweepersoonsbed tussen zachte, witte lakens en de kamer werd overgoten met zonlicht. In een flits wist ze weer waar ze was. Het was verrukkelijk stil in Starbrough Hall. Als ze luisterde kon ze overal vogels horen zingen, misschien was er een ver gezoem van een langsrijdende auto, maar verder was er geen geluid te horen. Ze rolde zich om en keek op het klokje op het nachtkastje. Acht uur. Niet al te schandelijk laat.

De kamer was perfect om tijdens een zomervakantie in wakker te worden; hij lag op een hoek, niet al te dicht bij de slaapkamers van de familie, met aan twee kanten ramen die de ochtendzon binnenlieten. 'Je wilt echt niet dat die lieve Max en Georgie je om zes uur 's ochtends komen lastigvallen,' had Alexia haar de vorige avond opgewekt gezegd. 'En je hebt de badkamer ernaast helemaal voor jezelf.'

Opgewekt was precies het juiste woord voor Alexia. Ze had een lichte, vrolijke stem, was aantrekkelijk op een verzorgde, gezonde manier en had een heldere oogopslag. Ze ging kalm en bemoedigend met de driejarige tweeling om, wat ze iets aanpaste wanneer ze haar man op zijn gemak stelde, die, zag Jude, van zijn routines hield. Als plattelandsvrouw, ze was de dochter van Yorkshire-boeren, zorgde ze met hetzelfde gemak voor de huishouding, de honden als haar rouwende schoonmoeder. Ze had er kennelijk totaal geen probleem mee om onderdak te bieden aan een onverwachte gast.

Jude was blij dat haar badkamer zo afgelegen lag; toen ze het water in het grote bad met de klauwpoten liet stromen, rammelden en kreunden de leidingen zo erg dat ze anders bang zou zijn geweest dat ze de rest van het huis stoorde.

Ze stapte uit bad, haar geest net zo bevrijd en verfrist als haar lichaam. Eigenlijk kon ze het nog maar moeilijk geloven dat ze gisteravond warm en stoffig was aangekomen. Vanwege het drukke vrijdagmiddagverkeer had haar reis een uur langer geduurd dan normaal. Na een nacht goed slapen en vanwege de diepe stilte van de plek was ze nu echter weer de oude. Het trauma van Caspar en de stress van kantoor waren al behoorlijk weggeëbd.

Beneden was het ontbijt in volle gang. De mollige, goudharige Georgie schonk net zo veel melk op de houten tafel als op haar cornflakes, en kwebbelde aan één stuk door; Max, keurig netjes en met hetzelfde donkere haar als zijn grootmoeder, schreeuwde tegen zijn zus omdat ze morste op zijn dinosaurusboek dat opengeslagen naast zijn kom lag. Alexia begroette haar opgewekt; Chantals kleine spaniël, Miffy, schuifelde naar haar toe om aan haar voeten te snuffelen, terwijl hij met zijn vaandelachtige staart kwispelde. Van de andere huisgenoten was geen spoor te bekennen.

'Ga zitten. Goed geslapen?' vroeg Alexia, die met een hand de melk opveegde en met de andere vuile kommen opstapelde. 'De thee is vers gezet.'

'Ik heb heerlijk geslapen, dank je,' antwoordde Jude, die zich thee inschonk.

'Neem maar wat je wilt,' zei Alexia. 'Wij gaan zo zwemmen, hè, kinders? Trekken jullie je schoenen aan? Robert is ergens buiten met de honden,' legde ze Jude uit, 'en ik denk niet dat Chantal al op is. Ze is vaak tot in de kleine uurtjes wakker, de arme vrouw.'

Terwijl ze haar cornflakes at, luisterde Jude naar het geluid van de tweeling die de trap op en af rende, jassen en plastic rugzakken bij elkaar zocht, en met hun vrolijke stemmetjes kibbelden over duikbrillen en handdoeken. Daarna hoorde ze de voordeur dichtslaan, de auto wegrijden en heerste er weer een serene stilte.

Ze zette haar kom in de vaatwasmachine en pakte een stuk toast en wat koffie, en terwijl ze die opdronk dacht ze na over haar plannen. Drie hele weken in Norfolk! Ze kon het nauwelijks bevatten. Toen Robert haar op kantoor had gebeld en Chantals enthousiaste uitnodiging herhaalde om bij hen te komen logeren, had ze toegegeven dat ze misschien al die tijd in de provincie zou blijven.

'Je moet zo lang blijven als je wilt,' zei hij. 'Dat is per slot van rekening in ons eigen belang. En mijn moeder lijkt erg op je gesteld te zijn. Het zou leuk voor haar zijn om eens iemand anders in de buurt te hebben. Haar leven stelt niet veel voor, het arme mens.'

Vanochtend zou ze eerst aan de slag gaan; Claire had haar gisteren gebeld en gevraagd of ze 's avonds bij haar kwam eten. Jude had dit al tegen Alexia gezegd, en eraan toegevoegd: 'Als ik hier ben, wil ik graag af en toe voor jullie koken. Zie het maar als mijn bijdrage aan de huishouding.'

'O, maar dat hoeft helemaal niet,' antwoordde Alexia, maar ze leek blij dat Jude het had aangeboden.

Jude nam haar koffie en haar laptop mee naar de bibliotheek. Daar was niets veranderd, op de observatieboeken na, die nu bij Cecelia waren, maar niet lang meer, dacht Jude bedroefd. Al snel zouden de planken met Anthony Wickhams boeken leeg zijn en de globe en het planetarium zouden de kamer niet langer opluisteren. Maar er zou weer een stevig dak op de Hall zitten. Robert, zo had ze de vorige avond tijdens het eten gehoord, had een of ander raadselachtig import/exportbedrijf, maar dat had te lijden onder de recessie. Dit verklaarde ook waarom hij zo vaak thuis was, en waarom er geen geld was voor het onderhoud van de Hall.

Ze tuurde uit het raam over het landgoed en haar blik werd weer naar de rij bomen op de heuvel getrokken. Het was grappig dat je de folly vanuit het huis niet kon zien, maar het huis vanuit de folly wel. Ze vroeg zich weer af of dat ook het geval was toen de folly werd gebouwd. Het leek vreemd dat je hem niet kon zien, terwijl folly's toch ter decoratie bedoeld waren.

Er lag een tiental opgerolde kaarten in de kast en ze ging op haar hurken zitten om ze er een voor een uit te halen. Er verstreek een uur waarin ze helemaal opging in proberen wijs te worden uit Wickhams in kaart gebrachte dubbele sterren of objecten waarvan hij dacht dat het kometen waren. In haar aantekenschrift schreef ze alles op wat haar voor de catalogus eventueel interessant leek.

Tot haar verbazing vond ze, onder de laatste bundel kaarten, iets wat leek op nog een deel van de observatieboeken, dat ze duidelijk over het hoofd had gezien. Ze sloeg het open en bladerde erdoorheen. Het was helaas flink beschadigd. Ongeveer een derde van de bladzijden was uit de rug gescheurd. De rest was volledig in het nieuwe handschrift geschreven, en toen ze naar de eerste bladzijde keek, besefte ze dat het eerste hoofdstuk op 10 maart 1778 was geschreven. Dit boek kwam dus na de andere, in chronologische volgorde. Hoe was het mogelijk dat ze het boek eerder niet had opgemerkt? Ze begon het met stijgende verbazing te lezen.

Vader wil dat ik doorga met het in kaart brengen van nieuwe nebulae en dubbele sterren, nu hij dat zelf niet meer kan. Dat is een zware verantwoordelijkheid, maar ik zal alles in het werk stellen om met alle bekwaamheid en kennis die hij me heeft bijgebracht zijn wens ten uitvoer te brengen. Ik zal hem niet teleurstellen, ofschoon de nachten eenzaam en koud zijn, en hij ten minste mij nog had om hem te helpen. Ik heb niemand en moet vaak een atlas raadplegen, dus dat is al verloren tijd.

4.30 uur 's ochtends, terwijl de maan de horizon in Ursa Major nadert, zag ik Bode's Nebula, rond met een compacte, stralender kern.

Jude stopte met lezen om erover na te denken. 'Mijn vader...' Dus de tweede auteur was Wickhams zoon. Wie was dat? Ze zou het Chantal moeten vragen. Was Wickham overleden of was hij weg of niet in staat om te werken? Dat moest ze allemaal voor de catalogus uitzoeken. Ze las verder.

24 maart

Vroeg in de avond, geen maan en het is windstil. In Taurus vlak bij Tau Tauri op 15 minuten afstand een nieuwe sterrenwolk of misschien een komeet.

De schrijver noemde dit nieuwe object in nog verscheidene latere observaties, en concludeerde dat het in beweging was. Begin april concludeerde hij: 'Gezien op vergroting 278, helder en duidelijk zichtbaar. Mogelijk een komeet. Geen eerdere vermelding van gevonden in de aantekeningen van mijn vader.'

Uiteindelijk, zo leek het, noteerde hij het als een komeet, hoewel hij zijn twijfels leek te hebben.

Hierop volgden lange tijdsintervallen tussen observatieaantekeningen en stukjes tekst van persoonlijke aard. De observator noemde een gedeeltelijke maansverduistering, de toevoeging van een nieuwe nevel en, met opmerkelijk enthousiasme, een mogelijke dubbele ster waar Wickham senior al een aantal jaren de baan van had gevolgd.

Jude maakte geen aantekeningen meer en legde het boek in de kast terug juist op het moment dat Chantal binnenkwam.

'Let maar niet op mij,' zei ze. 'Ik wilde alleen even kijken of alles goed ging.'

'Hier gaat het helemaal prima, en jij bent net degene die ik zocht,' zei Jude tegen haar. 'Ik heb nog een observatieboek gevonden – kijk – en ik wilde Anthony Wickhams data even met je controleren. En die van zijn kinderen.'

'Natuurlijk,' zei Chantal, en ze pakte het boek en bestudeerde het. 'Wat jammer dat het beschadigd is. Ik ben benieuwd wie dat heeft gedaan. Ja, ik zal de data die je nodig hebt opzoeken. Maar ik kan je meteen vertellen dat hij geen kinderen had, voor zover we weten althans. Hij is zelfs niet getrouwd geweest. Zijn neef heeft zijn landgoed namelijk geërfd. Ene Pilkington die zijn naam in Wickham heeft veranderd.'

Jude keek haar verward aan. 'Wie is dan degene in dit boek die Anthony Wickham "vader" noemt?'

'Ik heb geen idee. Ik zal boven de stamboom opzoeken, als je het niet erg vindt om even te wachten. Ik moet nu snel de deur uit. Gisteravond had ik zo'n kiespijn…'

'O, wat vervelend.'

'De tandarts zei dat ik meteen moest komen. Vind je het erg om hier een paar uur alleen te zijn?'

'Maak je alsjeblieft geen zorgen over mij,' zei Jude. 'Er is meer dan genoeg te doen, dat kan ik je verzekeren. Sterkte bij de tandarts.'

Nadat Chantal vertrokken was, zette Jude zich weer aan het werk. Ze was inmiddels onder aan de kast gekomen en was omringd door perkamentrollen en boeken. Ze boog zich voorover en keek recht tegen de achterkant van de onderste plank aan, voor het geval ze iets over het hoofd had gezien. De kast was niet erg netjes geconstrueerd, zag ze. Er ontbrak een stuk hout achterin en ze kon het afbrokkelende gips erachter zien zitten. Maar was het wel gips? Er lag hoe dan ook iets. Ze stopte haar hand in het gat achter in de kast en voelde papier. Ze pakte het beet en trok er voorzichtig aan, maar het zat vast. Ze verschoof een beetje en probeerde haar andere hand ook in het gat te krijgen, om erachter te komen waardoor het vastzat. Ze voelde nog meer papier. Er leek wel een hele berg te liggen. Ze pakte het vast en trok er nogmaals aan. Deze keer gaf het mee, en ze friemelde de vellen papier door het gat naar buiten.

Het bleek een dik, beduimeld pak papier te zijn waarop een verbleekt handschrift te zien was, hetzelfde handschrift, besefte ze snel, als in het boek waarin ze net had gelezen. Ze opende het boek op de laatste bladzijde, legde de losse pagina's tegen de losgescheurde boekband aan en zag tot haar verbazing dat ze de ontbrekende bladzijden had gevonden.

Wat opmerkelijk. Maar waarom waren ze eruit gescheurd? Ze probeerde de pagina's die ze had gevonden voorzichtig glad te strijken, bang dat ze het papier nog meer zou beschadigen, maar ze krulden telkens weer op. In elk geval waren ze niet vochtig, wat werkelijk een geluk was, gezien de plek waar ze verborgen hadden gelegen. Maar het handschrift was erg vervaagd en moeilijk leesbaar. Vol verwachting nam ze haar vondst mee naar het bureau, deed daar de lamp aan en probeerde de eerste regel te ontcijferen. Het was een titel. Ze dacht dat er stond 'Een verslag van Esther Wickham'. Die naam had ze niet eerder gehoord. Ze begon, met grote moeite, de eerste paar regels te lezen. 'Ik was...' en toen nog iets – 'acht', misschien. In hemelsnaam, zou het hele document zo onleesbaar zijn als dit? Maar toen ze het eerste vel papier omsloeg om dat na te gaan, zag ze dat het handschrift op de volgende bladzijde donkerder en gemakkelijker te lezen was. Ze vatte moed, ging weer naar de eerste pagina en begon de vervaagde letters te ontcijferen. De stijl was eerst wat vreemd met een ingewikkelde zinsbouw, maar het ging al snel vloeiender.

Een verslag van Esther Wickham

Ik was acht jaar oud toen ik mijn vader voor het eerst leerde kennen. Hoe dat mogelijk was, ik sliep immers van kinds af aan onder zijn dak, at zijn voedsel en werd door zijn bedienden verzorgd, zal misschien moeilijk te begrijpen zijn, maar als u eenmaal op de hoogte bent van de feiten, als u Anthony Wickham leert begrijpen zoals ik hem ken en zijn buitengewoon scherpe geest leert waarderen, evenals zijn – zoals sommigen beweren – on-

natuurlijke toewijding aan één enkele passie, dan wordt het allemaal duidelijk.

In het allereerste begin was hij mijn vader helemaal niet. Wij begonnen pas laat naar de familieband te zoeken en smeedden die samen. Dit druist in tegen de normale gang van zaken, waarbij de dochter de naam van de vader krijgt, bij de geboorte, waarna ze later dichter naar elkaar toe groeien. In ons geval duurde het een aantal jaren voordat ons werd meegedeeld dat hij zijn advocaat had opgedragen om wat we in werkelijkheid al in praktijk brachten, officieel te maken: kortom, hij adopteerde me en ik werd zijn eigen kind.

Veel hiervan heeft hij me pas verteld toen ik veertien jaar werd, aangezien hij het niet passend vond om een kind met de problemen van zijn ouders te belasten. Het volstaat te zeggen dat ik ben opgegroeid in de overtuiging, zodra ik me van die dingen bewust was, dat ik zijn kind was, vlees van zijn vlees, bloed van zijn bloed. Daarvan wilde Susan, mijn kindermeisje, mij met klem overtuigen. Haar gedachtegang, heb ik later leren begrijpen, was als volgt: aangezien ik onder zijn dak leefde en zonder een eigen familienaam zou opgroeien, moest er een waardig pantser rond mij worden opgetrokken. Hij had verordonneerd dat ik 'Esther' zou worden genoemd, vernoemd naar de vroegere vrouw des huizes, zijn moeder, dus ze droeg de andere bedienden op om me Esther Wickham te noemen. Terwijl ik opgroeide ving ik wel eens half gemompelde geruchten onder de bedienden op, en opmerkingen van mijn tante Pilkington, over wie ik later meer zal vertellen, dat ik geen recht had op de naam Wickham; dat ik een wees was, of een bastaard van een of andere vrouw die hij op een van zijn zeldzame reizen naar London of Bristol had ontmoet, waar hij met andere sterrenkijkers gedachten uitwisselde en waarvandaan hij beladen met wetenschappelijke boeken terugkeerde, en spiegels om lenzen voor nieuwe telescopen van te slijpen. Deze geruchten maakten me ongerust en ik verwonderde me over hen, maar Susan droeg me op ze af te doen als kletspraat.

Zoals ik al zei, kende ik de waarheid niet totdat ik ouder was. Maar misschien had Susan gelijk om aan haar versie vast te houden, aangezien het me zo lang ik klein was houvast bood. Ik was een nerveus kind, had nachtmerries en onverklaarbare kwaaltjes. Ik hing aan Susan alsof ze mijn moeder was, en zij aan mij, aangezien zij niet was gezegend met een eigen kind, nee, noch een man, want wie zou haar willen? Het heeft onze Schepper be-

haagd om haar een huiselijk uiterlijk te schenken, met een enorm lichaam en een scheel oog, waardoor het arme schepsel zich in het bijzijn van het andere geslacht verlegen en onbeholpen gedraagt. Maar voor mij was ze de lieftalligste vrouw op Gods aarde, aangezien ze me alles gaf wat ik als kind nodig had en ik wilde geen andere moeder.

Het was Susan die me 's nachts troostte als ik huilend uit mijn nachtmerrie ontwaakte. Het was altijd dezelfde droom, dat ik verdwaald en alleen in de duisternis ronddoolde, waar de scherpe klauwen van de bomen naar mijn gezicht grepen of me op de grond wierpen. Om me heen zwol het gekrijs van beesten aan, de geur van rottende klei vulde mijn neusgaten. De nachten dat ik die droom had, was ik bang om weer te gaan slapen, en dan schoof Susan met haar massieve lichaam naast mij en drukte me tegen haar zachte boezem totdat ik kalmeerde, terwijl ik half werd verstikt. Ik kan me niet voorstellen dat ze veel heeft geslapen in de periodes dat mijn demonen langskwamen, maar ze klaagde nooit.

Jude las dit deel nog eens over met een merkwaardig, onwerkelijk gevoel. De nachtmerrie van het meisje was dezelfde als die van haar en Summer. Hoe was dat mogelijk? Ze dacht erover na. Misschien had het iets met Starbrough te maken. Om de folly hing een soort betovering – als je in dat soort dingen geloofde – maar dat verklaarde Judes dromen niet. Voor zover ze wist was ze pas deze zomer voor het eerst bij de folly geweest. Misschien was het puur toeval: nachtmerries over rennen door een donker bos en om je moeder roepen vormden immers een belangrijk onderdeel van sprookjes; en je hoefde maar aan Sneeuwwitje of Roodkapje te denken. Misschien zijn ze heel lang geleden, nadat de mens het land ging bewerken, bang geworden voor de donkere bossen waaruit ze zelf tevoorschijn gekomen waren. Dat had ze ergens gelezen. Ze zocht op het vervaagde papier waar ze was gebleven en las verder.

In die dagen bestond mijn wereld uit de kinderkamer, de keuken en de tuinen rondom het huis. Ik moest het niet wagen om voorbij de grenzen van het landgoed te komen. Soms speelde ik met de kinderen van de tuinman, Sam en Matt, die klommen en rondrenden zoals jongens dat graag doen, en dus leerde ik ook klimmen en rondrennen, en als hun spel me niet beviel, ging ik in m'n eentje nesten maken van gras en sprokkelhout. Ik deed dan net alsof de stokken en stukjes bot mensen en dieren waren. Een keer gaf Susan me een paar poppen die van wasknijpers waren gemaakt en met stukjes stof bekleed, die ze van een zigeunervrouw had gekocht.

Op de eenentwintigste juli 1768, mijn zesde verjaardag, schudde Susan me vroeg wakker, ongewoon opgewonden, en ik kwam overeind en zag bij mijn raam een schitterend poppenhuis staan, met uitgelezen meubelstukken erin. 'Van je vader,' vertelde Susan me met eerbiedige stem. Ze legde uit dat hij door het raam een glimp van mij had opgevangen, toen ik buiten speelde met mijn stokken en gras, en hij had het poppenhuis helemaal uit Londen laten komen, compleet met kleine poppetjes en prachtig vervaardigde meubels; de ramen hadden zelfs gordijntjes, heel mooi afgewerkt met dunne koordjes, en de bedden hadden schitterende spreien. Mijn vader kwam niet naar de kinderkamer om me te feliciteren. Later die dag hielp Susan me de letters van mijn naam op een bedankbriefje te schrijven. Hij gaf daar geen antwoord op. 'Je vader is een drukbezet man,' legde Susan uit, 'die belangrijke zaken moet doen. Hij heeft geen tijd voor kleine meisjes. Maar zoals je ziet denkt hij wel aan je.'

Hij was erg druk bezig met het ontwerp en de bouw van een toren die hij wellicht ging gebruiken om de sterren te bestuderen. Er werd in de keukens veel over deze toren gepraat en het klonk mij als een verbazingwekkend ding in de oren. 'De folly', noemden de bedienden het. Er bestond nog zo'n bouwwerk. De neef van mevrouw Godstone, onze huishoudster, werkte als lakei in een groot huis vlak bij Norwich en hij vertelde haar dat zijn meester er op zijn landgoed een in de vorm van een heidense tempel had laten neerzetten. 'Nergens goed voor,' had de neef van mevrouw Godstone, de lakei, gezegd. 'Maar wel zo voornaam dat de edele dames en heren zich eraan vergapen en zich in Rome of Arcadië wanen.'

Meneer Trotwood, mijn vaders rentmeester, was absoluut niet blij met dit plan. Mijn vader, die nauwelijks interesse toonde voor zijn landgoed, liet Trotwood Starbrough beheren zoals het hem goeddunkte, en Trotwood deed dat inmiddels op een achterbakse en intimiderende manier. Toch had hij nu opdracht gekregen om complexe bevelen uit te voeren omwille van een dwaze toren, zoals het aanschaffen van grote hoeveelheden van de mooiste bakstenen, terwijl zijn meester zich er voortdurend mee bemoeide en de plaatselijke werklui die waren aangesteld zich aanmatigend gedroegen. Ze hadden een hekel aan Trotwood, die zich in het dorp veel problemen op de hals had gehaald met zijn hervormingsplannen. Een knaap van zestien liet hij afvoeren omdat hij op stropen was betrapt. Hij zette twee ge-

zinnen uit hun huis omdat ze de nieuwe huursom niet konden betalen. Er heerste ook angst onder de dorpelingen, vanwege de plek van het gebouw, op de heuvel op een open plek waarover het gerucht ging dat daar een oude begraafplaats was. Tijdens de bouw van de funderingen stuitten de arbeiders op menselijke botten. Hierna legden ze hun werktuigen neer en weigerden nog aan het werk te gaan. Trotwood was gedwongen om arme sloebers uit de Norwich-gevangenis te halen om het werk af te maken, aangezien de meester erop stond dat het project werd doorgezet. Niemand wist wat er met de botten is gebeurd, want de predikant wilde ze niet op zijn kerkhof hebben. Sommigen zeggen dat Trotwood ze op een maanloze nacht zelf tussen de funderingen heeft herbegraven.

Ik was zeven toen dit drama zich afspeelde, en ik herinner me dat ik vaak onder de tafel zat in het dienstbodenvertrek, waar ik mijn lievelingsspelletje met mijn zelfgemaakte poppen speelde en deed alsof ik een prinses was die van haar ouders was gestolen, of ik plaagde een kat met een stukje wol, en dan luisterde ik stiekem naar de bedienden die tijdens hun werk over de toren aan het roddelen waren. Een keer was er veel opschudding, omdat een van de gevangenen was ontsnapt. Dagenlang schrokken de vrouwen op als er een vreemde voor de deur stond, en ze weigerden om 's avonds alleen naar buiten te gaan, zelfs niet om de koetsier te vertellen dat het eten klaar was, of om aardappelen uit de schuur te halen, maar er was geen spoor van de vluchteling te vinden. Uiteindelijk werd gezegd dat hij naar Great Yarmouth had kunnen vluchten en op een schip naar Nederland was gevaren, en toen keerde de rust weer terug. Een andere keer beweerde een van de gevangenen dat hij een geest had gezien waarvan men geloofde dat de oude botten van hem waren geweest, en legden de mannen het werk neer. Trotwood kwam in een boze bui bij het huis aan, en eiste de meester te spreken, die uiteindelijk in zijn werkplaats op het stalerf werd opgespoord, en die de kwestie onmiddellijk oploste door hun loon te verhogen.

Wat deed mijn vader in zijn werkplaats? Daar maakte hij zijn verrekijkers, zo werd me verteld, door het slijpen van optische lenzen en spiegels.

Vaak, vooral in de winter, wanneer de nachten vanwege de vorst helder en bijtend waren, zag hij nooit daglicht, omdat hij de lange uren van duisternis buiten in het ijskoude park met zijn telescopen doorbracht, waar hij het met sterren bezaaide firmament observeerde en aantekeningen maakte in een groot boek. Dan sliep hij van zonsopgang tot zonsondergang. Soms werd hij ziek van dit slopende ritme en lag hij dagenlang in bed. Dan kwam de dokter langs om hem te aderlaten, en bracht Betty de werkster grote hoeveelheden kalfssoep en gin op een dienblad naar boven.

Op een herfstavond liep de jachtopziener met een koppel hazen de keuken in met het nieuws dat de folly af was, en dat die ook heel mooi was, maar alleen Jan, de koetsier, was dapper genoeg om de heuvel op te klimmen en te gaan kijken. Hij was dertig meter hoog, meldde hij, 'zo hoog als de kathedraal van Norwich', en met een kamer bovenin, en, weer daarboven, een ommuurd platform met een afdak, waaronder meneer Wickham droog en uit de wind kon zitten, het firmament afspeurend met zijn telescoop.

En dat bleef hij doen. Op verschillende ochtenden klaagde mevrouw Godstone tegen Susan dat hij om middernacht voedsel naar boven gebracht wilde hebben, dus moesten ze proberen om Jan of een van de staljongens over te halen wakker te blijven om die taak uit te voeren. Uiteindelijk, nadat Jan dreigde elders in dienst te gaan, tekende mevrouw Godstone protest aan, en daarna nam mijn vader als hij 's avonds wegging een pakje brood en koud vlees mee, of een kapoen die ze na het avondeten voor hem inpakte. En zo was het evenwicht enigszins hersteld.

En ik spitste elke keer als de folly werd genoemd aandachtig mijn oren, aangezien ik er steeds meer door gefascineerd raakte, door het idee van die toren in het bos, en ik hunkerde ernaar hem te zien.

'Wil jij me erheen brengen, Susan?' vroeg ik haar een paar keer, maar ze schudde altijd haar hoofd, en een keer riep ze de naam van de Heer aan.

'Het bos is een godverlaten plek,' zei ze tegen me, 'vol met woeste beesten en wraakzuchtige geesten. Je mag daar nooit naartoe gaan, en al helemaal niet alleen, want als de geesten of de beesten je niet te pakken krijgen, doen de zigeuners dat zeker.' Ik was toentertijd verbaasd dat ze zo fel uithaalde Later, veel later, begreep ik het.

Maar, zoals de Verleider aan het werk gaat wanneer iets verboden is, zo groeide het idee binnen in me dat ik die folly moest zien. Ik beschouwde mezelf echter als te jong en onbeduidend om een volwassene over te halen om me mee te nemen. Toen, in de zomer dat ik acht werd, sprak ik erover met Matt, de jongste zoon van de tuinman.

Ik zei eerder al dat ik niet het landgoed af mocht. Maar ik was in het voorgaande jaar al naar de kleine school in het dorp gestuurd, die werd geleid door de vrouw van de predikant en hun ongetrouwde dochter. Deze nieuwe ontwikkeling was op de volgende manier tot stand gekomen: mevrouw Godstone had met de landheer gesproken over de aanschaf van nieuwe jurken voor mij, en hij had gevraagd hoe het met me ging. Mevrouw Godstone bekende dat ik geen onderwijs genoot, hoewel Susan me het alfabet had leren schrijven op een schrijfbordje.

De school, die in een zaal naast de kerk was gevestigd, telde in totaal niet meer dan dertig kinderen. Er waren slechts een paar kinderen ouder dan tien of elf, omdat ze daarna thuis werden gehouden om in het gezin te helpen met de zorg voor het vee of het wegjagen van vogels van de pas ingezaaide velden. Matt zat nog op school, maar Sam, zijn broer, hielp al mee met zijn vader. Ik zag hem vaak wanneer hij de keukentuin wiedde bij Starbrough Hall. Ik was niet het enige kind met goede kleding. Hugh Brundall, de zoon van dr. Jonathan Brundall, zat ook op school, en twee fragiel uitziende dochters van de weduwe van een admiraal zaten samen op het bankje voor in de klas, en wisten altijd het antwoord op elke vraag die miss Greengage bedacht.

Miss Greengage was een bleke goedzak van een vrouw, met een aarzelende manier van spreken die de jongens achter haar rug om nadeden. Ze bezat echter een groot enthousiasme voor kennis uit boeken, en zo af en toe trakteerde ze ons op iets interessants waarvan zelfs de stoere George Benson verrukt rechtop ging zitten in plaats van onderuitgezakt in zijn stoel te hangen en uit het raam te staren. Een van die momenten was een les over hoe de aarde zich door het firmament bewoog. Miss Greengage legde de namen uit van de andere hemellichamen die, samen met de aarde, hun baan om de zon vervolgden, en hoe God de Schepper ons allemaal in een perfect, mechanisch patroon houdt, waaruit zijn glorie duidelijk blijkt. In bepaalde nachten, legde ze uit, konden we die medereizigers bekijken, waarvan je sommige als heldere sterren aan de hemel kon zien. Ze tekende een schets van dit complexe patroon op haar lei, maar er waren zo veel verwarde gezichten dat ze achter haar hoge bureau vandaan stapte en haar omslagdoek pakte. Het was zo'n mooie, heldere dag, zei ze, dat we best naar buiten konden gaan en ons eigen planetarium maken.

Uiteraard ontstond er veel opwinding over deze ongewone gebeurtenis en we stroomden de klas uit en renden over het kerkhof naar het grasveld, waar miss Greengage ons opstelde in het patroon van het planetaire stelsel.

George Benson was de zon, herinner ik me; het was een verstandige keuze, want hij was groot, rond en vrolijk, en kon lange tijd bewegingloos blijven staan. Matt, de jongste zoon van de tuinman, was van nature een Mercurius, klein en rusteloos. 'Esther, wil jij Venus zijn, de godin van de schoonheid en de tweede planeet van de zon?' vroeg miss Greengage me, en ik nam trots mijn plaats in het planetarium in, tussen Matt en de meisjes van de admiraal, die elkaars hand vasthielden als de aarde en zijn maan. Hugh symboliseerde de hooghartige Mars, god van de oorlog, en andere kinderen die ik ben vergeten namen de rol op zich van Jupiter en de geringde Saturnus. De kleintjes die overbleven werden als sterren of kometen neergezet, en terwijl miss Greengage op opgewonden toon instructies gaf, bewogen we ons in een statige dans, maar de maan en de aarde kwamen steeds met elkaar in botsing, wat bij de kleine zussen een hoop vrolijkheid veroorzaakte.

'Prachtig,' zei miss Greengage. Ze was zo opgetogen dat ze bijna mooi werd, terwijl ze haar handen onder haar spitse kin tegen elkaar aan drukte, en we cirkelden in onze baan rond tot we duizelig werden en de vrouw van de predikant de bel luidde.

'Als jullie vanavond de hemel bestuderen,' zei onze lerares, 'kunnen jullie Mars en Venus zien, de Heer en Vrouwe van de Nacht, die als lampen laag aan de horizon hangen. Zorg dat jullie kijken, kinders. Bepaal zoals ik heb uitgelegd hun positie ten opzichte van de zon, waar die in het westen ondergaat.' Als betoverd zette ik mezelf diezelfde avond nog aan de opdracht, en inderdaad, ik zag de twee heldere sterren boven de heuveltop, precies zoals ze had gezegd. Op dat moment ontstond mijn liefde voor het sterrenkijken. En des te meer groeide mijn verlangen om mijn vaders folly te zien.

Jude werd tijdens het lezen onderbroken door het geluid van een auto op de oprit. Ze wierp een blik op haar horloge en zag tot haar verbazing dat er een uur was verstreken sinds Chantal was weggegaan. Niet veel later kwam zij met een perkamentrol de bibliotheek binnen.

'Ik voel me een stuk beter,' antwoordde ze toen Jude ernaar informeerde. 'Hij heeft me een tijdelijke vulling gegeven. Nou, ik wist weer waar ik de stamboom had gelaten,' zei ze en ze rolde het vel papier uit op het bureau zodat Jude het kon bekijken. 'Kijk, Anthony overleed eind 1778 en er wordt geen melding gemaakt van een kind.' Ze zag de bladzijden die Jude aan het lezen was geweest. 'Wat heb je daar?'

Toen Jude haar de bladzijden liet zien die ze achter de kast had gevonden, stond Chantal versteld. 'Ik heb nooit geweten dat ze bestonden,' zei ze en ze bestudeerde de papieren. 'Waar zei je dat je ze had gevonden?'

'Hierachter.' Jude liet haar het gat in het hout zien, achter in de boekenkast, en met wat moeite bukte Chantal zich om eraan te voelen.

'Kon je er met je hand helemaal bij?' vroeg ze. 'Ik heb er nooit aan gedacht om dat te doen. Ik denk dat alles op een gegeven moment zo'n warboel was dat de bladzijden er gewoon doorheen zijn geglipt.'

'Maar waarom zijn ze uit het boek gescheurd?' vroeg Jude peinzend.

'Ik heb geen idee. Maar het moet allemaal lang geleden zijn gebeurd, anders zou ik het gemerkt hebben.'

'In elk geval geven ze antwoord op mijn eerdere vraag,' zei Jude zacht. 'Ik had je gevraagd of Anthony een zoon had, en je had gelijk, die had hij niet, maar hij had wel een geadopteerde dochter. Ze heette Esther, en ze beschrijft de bouw van de folly.'

Chantal dacht hierover na. 'Esther. Ik heb nooit van die naam gehoord. Misschien werden geadopteerde kinderen niet in de stamboom genoteerd. Wordt er iets gezegd over waar ze vandaan komt?'

Jude zocht de plek in het dagboek terug. '"... was een wees... of een bastaardkind..." Het is eigenlijk een beetje een raadsel. Arm kind, dat ze het niet wist. En ze speelde altijd dat ze een prinses was, staat er later, dus het zat haar duidelijk dwars.'

Vroeg in de middag mailde ze Cecelia over haar nieuwe vondst, beloofde het gescheurde dagboek maandag naar haar toe te sturen en vertelde over de toegetakelde bladzijden die er kennelijk uit gescheurd waren.

> Ik moet die bladzijden eerst zelf nog lezen – het is fantastisch voor mijn artikel – en ik laat je weten wat erin staat. Het lijkt me verstandig als ik er tegelijk een transcriptie van maak, zodat iedere geïnteresseerde het kan lezen. Ondertussen moeten we zo veel mogelijk te weten zien te komen over Esther Wickham, evenals over Anthony.

Ze sloot haar laptop, voelde zich moe en had wat hoofdpijn, en met een doffe, waarschuwende pijn in haar onderbuik ging ze een tijdje op bed liggen. Ze dacht aan Esthers manuscript. Een transcriptie was een briljant idee. Misschien kon ze elke dag een beetje op haar laptop doen.

Maar deze middag niet. Ze moest straks naar Claire. Maar voorlopig was hier blijven liggen verleidelijk. Ze nam een paar pijnstillers en viel na een tijdje in slaap.

Toen ze een half uur later wakker werd, voelde ze zich beter en besloot ze een wandeling te maken. Ze had het terrein rondom de Hall nog niet goed gezien.

Chantal was nergens te bekennen, maar Alexia, die aan het opruimen was terwijl de kinderen een middagdutje deden, stelde voor dat ze de tuinen achter het huis zou bekijken. 'Er valt niet zo heel veel te zien, ben ik bang,' zei ze, 'maar je kunt om de stal en de broeikassen heen lopen en je een voorstelling maken van hoe het er vroeger heeft uitgezien. En daar is ook Roberts geliefde moestuin. Sla die vooral niet over, want hij is er erg trots op.'

Jude verkende de bloementuinen en bewonderde de nette groentebedden in de keukentuin, stak toen door naar het park, sprong over een droge sloot en vervolgde haar weg over het ruige grasveld naar het bos. Toen ze dichterbij kwam, zag ze een ijzeren hek dat in een natuurstenen muur zat en het park van het bos scheidde. Zoals ze al vreesde bleek er een hangslot op te zitten. Ze greep de tralies als een gevangene beet en tuurde erachter naar een verleidelijk pad dat tussen de bomen verdween. Waarschijnlijk leidde het naar de folly. Ze draaide zich om en liep weer in de richting van de weg, en bedacht dat ze een kort rondje langs de buitenrand zou maken voordat ze terug naar het huis zou gaan.

Toen ze bij de weg aankwam, vond ze het fijn om even op de lage muur onder de fluisterende bomen te zitten, het was immers zo'n perfecte, dromerige middag. Op de velden aan de overkant stonden kastanjebruine koeien te grazen. Een licht briesje verkoelde haar huid.

Vierhonderd meter verder op de weg kon ze een glimp van Euans auto opvangen, en op datzelfde moment kwam hij van de oprijlaan en haalde iets tevoorschijn wat leek op een stuk hout, voordat hij naar het huis terugliep.

Ze vroeg zich af of hij net thuiskwam of op het punt stond om te vertrekken. Hij was thuisgekomen, besloot ze, toen er na een paar minuten niets meer gebeurde. Ze glipte van het muurtje en liep de weg op.

14

Euan zat op zijn hurken bij een open hok in de oude carport, en toen hij overeind kwam zag ze dat hij een konijn in zijn armen hield. 'Jude, wat leuk om je te zien. Ik wist niet dat je er weer was.' Hij glimlachte hartelijk naar haar.

'Deze keer ben ik hier voor een paar weken,' legde ze uit, en ze liep naar hem toe om het konijn te aaien. Dat probeerde zich bij haar vandaan te worstelen. 'O, ik heb hem bang gemaakt,' zei ze. 'Ik hoop niet dat je het erg vindt dat ik nu weer zo onaangekondigd kom aanwaaien.'

'Verre van dat,' zei hij en hij stelde het konijn gerust. 'Kom op, jongen, het is al goed.' Ze stonden erg dicht bij elkaar en het konijn werd rustiger; het wachtte, trillend, terwijl Jude met haar vingers over zijn rug streek.

'Heb je dit in de val gevonden?' Ze zag dat het geen verband meer om had.

'Ja, kijk, zijn pootje is al bijna genezen. Ik vraag me af wanneer ik hem weer los moet laten.'

Ze aaide het dier over zijn oren, die plat achterover lagen, en haar vingers streken langs Euans shirt, wat haar een verrassend intiem gevoel gaf. Het dier wroette zich dieper in het shirt dan zij zou durven, alsof het duidelijk wilde maken dat hij hier de baas was. Ze zei: 'Volgens mij loopt hij je simpelweg weer achterna naar huis.'

Hij keek bezorgd. 'In dat geval moet ik iemand vinden die een huisdier wil. Ik kan ze onmogelijk allemaal houden. En zeker niet als ik langer dan een paar dagen weg ben. Jij logeert zeker weer bij Claire? Ik ben daar een dag of twee geleden langs geweest met de kleine pop die Summer wilde, maar er was niemand thuis, dus heb ik hem bij de voordeur achtergelaten. Ik hoop dat ze hem heeft gevonden.'

Bij het noemen van Claires naam was het alsof er een koude luchtstroom tussen hen door blies. Jude aaide het konijn niet langer en deed een stap achteruit.

'Ik heb ze nog niet gezien, maar ik weet zeker dat ze er blij mee is. Ik logeer momenteel op de Hall. Claires huis is zo klein dat ik dat niet van haar kan vragen, en de Wickhams waren behoorlijk vasthoudend. Maar ik ga later vandaag naar Blacksmith's Cottage, dus ik zal het ze vragen.'

'Fijn,' zei hij. Hij keek haar wat verlegen aan. 'Hé, het komt goed uit dat je er bent. Ik kan wel wat hulp gebruiken, als je tijd hebt. Je bent toch niet bang voor paarden?'

'Niet echt,' zei ze, op haar hoede.

'Er komen vanmiddag een paar mannen om het grasland te maaien, en ik moet de woonwagen verplaatsen. Het boerenpaard, Robin, is het gewend om voor de kar te staan, en Steve had gezegd dat ik hem mocht lenen om de wagen weg te zetten. Ik heb echter voor de zekerheid nog even gebeld en hij is niet thuis. Maar de maaiers komen al over een half uur.'

'Wat moet ik dan doen?' vroeg Jude een beetje beduusd. Ze had nooit meer iets met paarden gedaan sinds haar tienertijd, toen ze een paar maanden op zaterdagochtend rijles kreeg, nadat ze naar Norwich waren verhuisd.

'Het belangrijkste is dat je Robin in bedwang houdt terwijl ik hem aan de disselboom bevestig,' legde hij uit. 'Kom, ik zet deze kleine kerel terug, dan zal ik je aan hem voorstellen.'

De daaropvolgende tien minuten was Jude zachtjes tegen het oude trekpaard aan het praten en voerde ze hem suikerklontjes terwijl Euan zijn tuig omdeed. Daarna leidden ze hem de weg op, het grasveld over en spanden het paard op de een of andere manier tussen de lamoenstokken van de woonwagen in.

'Waar moet hij naartoe?' vroeg Jude terwijl Euan de riemen controleerde.

'Daar onder de bomen, niet ver van hier,' zei Euan met een knikje.

Toen het zover was, was Robin meer geïnteresseerd in knabbelen aan het zoete gras dan in trekken. De wielen van de wagen waren tijdens de regenachtige junimaand wat in de zachte grond weggezakt, dus er moesten nog meer suikerklontjes aan te pas komen, evenals een raadselachtig ritueel waarbij Euan in de ogen van het paard staarde en in zijn neusgaten blies, om hem weer in beweging te krijgen. Uiteindelijk kwam de woonwagen schuddend van zijn plek, en met Euan bij Robins hoofd begon hij knarsend en slingerend in een langzame, wijde cirkel aan zijn weg totdat ze onder de populieren bij de verste rand van het grasveld stilstonden. Ze waren net het paard aan het uitspannen toen ze een vrachtwagen bij het huis tot stilstand hoorden komen. Er klonk een alarmerend gekletter en geknars van metaal op steen, waarna er een kleine maaimachine, die werd bestuurd door een jonge man met een pet op, door het gat in de heg drong. Een stevige, oudere man volgde hem hijgend te voet, zwaar ademend, zijn gezicht rood van de inspanning.

'Goedemiddag, meneer Robinson. Je hebt een mooie dag uitgekozen,' riep hij. Hij gebaarde naar de jongere man die de motor van de maaimachine uitzette.

'Ja, hè, Jim? Jude, dit is Jim Devlin, en dat is zijn zoon Adrian. Zullen we ze maar hun gang laten gaan? Als jullie klaar zijn, staat de koffie klaar,' zei hij tegen hen.

'Maak daar maar thee van, als je dat hebt, meneer Robinson,' zei Jim. 'Zo sterk dat een muis ervan gaat stuiteren, graag, en met twee klontjes suiker.'

'Sterke thee zal het zijn.'

'Voor mij graag koffie, Euan,' zei Jude haastig.

Jude volgde Euan naar binnen, en ze hoorden de maaimachine weer brullend in actie komen.

'Wat gebeurt er met het hooi?' vroeg Jude aan Euan terwijl ze wachtten tot het water kookte.

'Wanneer het droog is,' zei Euan, die koffie in de cafetière schepte, 'is het perfect voedsel voor dieren. Een deel ervan houd ik zelf, en een deel verkoop ik aan de plaatselijke dierenwinkel.' Hij haalde vier mokken van de vensterbank, veegde ze af, deed in twee ervan een theezakje en zette ze apart voor wanneer Jim en Adrian klaar waren met grasmaaien. 'En wat kom jij hier doen, "tante Jude"? Weer stoffige boeken bestuderen?'

'Inderdaad. Mijn baas heeft geconcludeerd dat die collectie het bedrijf dit jaar moet redden, dus ik ben hier om mijn huiswerk te doen.'

Ze vertelde over de observatieboeken en over Esther, en het artikel dat ze erover moest schrijven.

'Fascinerend,' zei hij. Hij haalde een pak melk uit een koelbox in zijn geïmproviseerde melkschuur en merkte op: 'Je wilt de folly vast nog eens goed bekijken.'

'Euan,' zei ze, en ze voelde zich een beetje schuldig. 'Ik weet dat je hebt gezegd dat het niet veilig was, maar ik ben bang dat ik uiteindelijk toch zelf de folly in ben gegaan. Afgelopen zondag, op de terugweg.'

'Echt waar?' zei hij vriendelijk, terwijl hij de zuiger door de percolator duwde.

'Ja. Ik heb er nog over gedacht om hierlangs te gaan om te vragen of je met me mee wilde, maar het was ontzettend vroeg.'

'Dat geeft niet. Je bent een volwassen vrouw.' Hij keek niet op toen hij de koffie inschonk. 'Ik wil niet dat iemand gewond raakt, daarom had ik het je afgeraden.' Toch klonk hij een beetje kortaf.

'Maar jij gaat er ook naartoe, Euan. In feite had ik het gevoel dat ik er binnendrong. Zijn die spullen daarboven van jou? De boeken en de papieren?'

'Ja, het is voor mijn volgende boek.' Hij fleurde wat op. 'Ik schrijf over de sterren.'

'Echt waar? Wat toevallig. Ik bedoel, ik doe onderzoek naar een sterrenkijker, Anthony Wickham, de man die de folly heeft laten bouwen. Zijn geadopteerde dochter heette Esther.'

'Ah, dat kan wel eens van pas komen voor mijn boek.'

'Is het non-fictie, zoals je andere boeken? Over welke aspecten van de sterren ben je aan het schrijven?'

'O, niet over het technische gedeelte, ik ben geen natuurkundige, het is algemene leesstof, in de stijl van de andere boeken eigenlijk. Het gaat over de culturele betekenis van astronomie. De noodzaak van sterren voor ons als mens is een passie van me. Doordat we in steden wonen, met zo veel kunstmatig licht om ons heen, lopen we het risico om onze relatie met de nachtelijke hemel te verliezen, de verwondering over het universum en de plaats die wij erin innemen. Dat alles wil ik voor het gewone publiek toegankelijk maken, weet je, en er zo voor zorgen dat ze af en toe omhoogkijken. Ik denk dat het impliciet een doel van al mijn boeken is dat mensen weer verliefd worden op de natuur.'

Het viel Jude op dat hij er zo stralend en bezield over sprak. 'Dank je,' zei ze toen hij haar haar koffie aangaf. 'Het klinkt fantastisch, echt een boek dat ik graag zou lezen. Dus je observeert de sterren vanuit de folly? Ik zag het valluik in het plafond...'

'In hemelsnaam, ik hoop niet dat je daar naar boven bent gegaan...'

Hij keek nu geschrokken en Jude zei snel: 'Nee, nee, zo dom ben ik nou ook weer niet. Maak je geen zorgen.'

'Ik weet namelijk hoe het werkt,' legde hij uit. 'Het valluik kan maar op één bepaalde manier open, en die ladder is niet bepaald veilig terwijl je erop staat te wankelen en dat probeert uit te vogelen. Ja, ik ga net als Anthony Wickham de toren in om naar de sterren te kijken, maar ook om na te denken en aantekeningen te maken. Klaarblijkelijk krijg ik goede ideeën in dat kamertje,' zei hij. Hij sloeg zijn armen over elkaar en keek haar indringend aan. 'Het heeft iets met de atmosfeer daar te maken. Hoewel niet iedereen het er prettig vindt.'

'Heb je het over Summer? Ik weet wat je bedoelt met die atmosfeer,' zei ze met een ernstige blik. 'Ik kreeg daar een sterk historisch besef, maar daar ligt mijn interesse dan ook. Je voelt er ook absoluut een... nou ja, een aanwezigheid. Ik moest aan Anthony Wickham denken, daarboven met zijn telescopen, die daar eenzame nachten doorbracht. Hoewel ik niet zeker weet of ik een echo van hem ontwaarde. Het zag er niet uit alsof veel daar van hem was geweest. Niet dat ik heb rondgeneusd, natuurlijk,' voegde ze eraan toe.

'Je hebt net zo veel recht om er rond te neuzen als ik,' zei hij, en hij leunde met zijn kop koffie tegen de deurpost. 'Maar ik heb er wel een paar dingen gevonden, en... dat doet me eraan denken...'

Hij zette zijn koffie neer en liep naar een oude ladekast tegen de achterste muur, die het als enige van het oude keukenmeubilair had overleefd. Hij pakte iets van een plank en gaf het aan haar. 'Wat denk je?' vroeg hij.

'Het is een munt, uiteraard,' zei ze, en ze draaide het zware stuk zwartige metaal om. 'Misschien een penny.' Ze liep ermee naar het daglicht en bestudeerde het. 'Het hoofd van een koning. Een van de Georges, misschien, maar ik kan niet lezen welke.'

'Volgens mij is het George de Eerste,' zei hij. 'Koning van Groot-Brittanië van 1714 tot 1727. Ik heb hem op internet opgezocht. Ik vond de munt toen ik de muntjak aan het begraven was. Ik veronderstel dat ik hem aan John Farrell moet geven, aangezien hij de landeigenaar is, maar op de website waar ik de munt vond stond niet dat hij veel waard was en eigenlijk verwacht ik niet dat hij een gewetensvol verzamelaarstype is.'

Jude zag plotseling een beeld voor zich van Esthers meneer Trotwood, die midden in de nacht de oude botten opnieuw begroef, en de penny die ongemerkt in het gat viel. Waar dat idee vandaan kwam, wist ze niet. Er had een klein stuk bot uit de aarde gestoken waar Euan had gegraven. Ze huiverde. 'Ik vraag me af of daar ooit goed archeologisch onderzoek is verricht,' zei ze. Toen herinnerde ze zich dat iemand anders de hoop aarde had gezien.

'O, Euan, er was nog iets vreemds aan de hand. Ben jij ooit een vrouw tegengekomen die Marcia Vane heet?' Hij schudde zijn hoofd, dus ging ze haastig verder. 'Ze is de advocaat van de nieuwe landeigenaar, althans, meer dan zijn advocaat, vermoed ik.' Ze moest denken aan de achteloze manier waarop Marcia haar hand op John Farrells arm had gelegd. 'Ik heb haar ontmoet toen ze een keer bij Robert Wickham langskwam. Ik kon vorige week nog net voorkomen dat zij en een man die Farrell had kunnen zijn me zagen, wat gênant zou zijn geweest. Ik dook weg achter een boom en ze hebben me niet gezien. Ik kon niet echt goed verstaan waar ze het over hadden. Farrell was overduidelijk geïrriteerd dat het prikkeldraad stuk was gesneden.'

'Toevallig heb ik dat niet gedaan. Ik had het alleen een beetje omgebogen zodat ik eroverheen kon stappen.'

'Ik ben benieuwd wie het dan wel heeft gedaan.'

Ze keek weer naar de munt en het profiel van de eerste Duitse koning van Engeland, die nooit goed Engels had leren spreken, en ze probeerde wijs te worden uit de versleten letters. De folly, Anthony Wickham, Esthers verhaal, de munt. Alles was terug te voeren op het verleden. Ze keek de keuken rond en was zich plotseling bewust van het buitengewone feit, dat nog niet echt tot haar was doorgedrongen, dat haar grootmoeders familie in dit huis had gewoond. Er was zo weinig over van wat er oorspronkelijk had gestaan. De ladekast was misschien wel van haar overgrootouders geweest, bedacht ze. Ze zou het oma moeten vragen. Ze zou oma een heleboel moeten vragen. Grappig dat ze over dat zigeunermeisje van vroeger was begonnen. Hoe heette ze ook alweer? Tamsin, dat was het. Maar dat zou in de jaren twintig en dertig van de twintigste eeuw moeten zijn geweest. En Judes overgrootouders waren in de jaren vijftig overleden.

‘Wie woonde hier vlak voordat jij er introk?’ vroeg ze aan Euan.

‘Een ouder echtpaar dat Herbert heette, geloof ik,’ zei hij. ‘Ze hadden hier sinds de jaren zestig gewoond, toen de man hier als jachtopziener in dienst was. Tegen de tijd dat meneer Herbert overleed hadden de Wickhams dit stuk land aan de boer verkocht. Hij realiseerde zich dat er zo veel aan moest gebeuren dat hij besloot het meteen weer door te verkopen, en op dat moment kwam ik om de hoek kijken. Het huis was helemaal ontruimd voordat ik er introk, voor het geval je mocht denken dat ik iets heb gevonden wat van je familie geweest kon zijn.’

‘Dat deed ik vaag. Ik probeerde me een beeld te vormen van deze plek zoals die moet zijn geweest toen zij hier woonden.’

Ze woog de munt, die warm en zwaar aanvoelde in haar hand. ‘Hoe is het daarboven?’ vroeg ze. ‘Helemaal boven in de toren, bedoel ik. Zit je daar in de openlucht?’ In Esthers dagboek had gestaan dat er een afdak was om Anthony Wickham tegen de elementen te beschermen.

‘Je kunt een keer met me mee op een heldere nacht,’ zei hij.

‘Dat zou ik geweldig vinden,’ zei ze onmiddellijk. Het kwam geen moment bij haar op dat dat voor problemen kon zorgen.

Toen ze op Starbrough Hall terug was, ging ze rechtstreeks naar haar kamer om zich klaar te maken voor haar bezoek aan Claire en Summer. Ze zette even haar laptop aan en zag dat Cecelia al had geantwoord.

> Ik zou absoluut graag naar Esther Wickhams spullen willen kijken. Wat intrigerend, een dochter die uit de stamboom is weggepoetst. Ik ben heel benieuwd naar haar verhaal. Nou, ik ben flink in de weer geweest. Ik heb Anthony Wickhams naam door de catalogus van het archief van het Royal Observatory gehaald. Klik op deze link om te zien wat ik heb gevonden! Wat een triestigheid dat we allebei in het weekend werken!
> Oké, hou je taai,
> xC

Jude klikte onmiddellijk op de link van de website die Cecelia haar had gestuurd. Op de pagina die werd geopend stond een beschrijving van een verzameling brieven tussen een achttiende-eeuwse slijper van optische lenzen en een amateurastronoom, een Londenaar die Josiah Bellingham heette. Een stuk of tien waren volgens de website door Anthony Wickham aan Bellingham gestuurd, en dateerden allemaal uit de jaren zeventig van de achttiende eeuw. Ze klikte nogmaals om de lijst brieven te lezen en kon haar ogen niet geloven.

Snel ging ze weer naar Cecelia's mailtje en drukte op 'beantwoorden'.

> Cecelia, als je fotokopieën van die brieven voor me zou kunnen regelen, zou dat fantastisch zijn. Ik denk dat we hier iets op het spoor zijn. Heb je gezien dat de laatste zes brieven van *Esther* Wickham afkomstig zijn? Ze heeft écht bestaan! Het mysterie wordt gecompliceerder!

15

'Míj heeft hij nooit gevraagd om naar de sterren te gaan kijken,' merkte Claire gemelijk op terwijl ze een reclamefolder tussen de post vandaan haalde en die in tweeën scheurde. Sterrenkijken klonk uit haar mond als een eufemisme voor een of ander louche afspraakje, meende Jude, maar ze weerhield zichzelf ervan dat hardop te zeggen. Dat zou het alleen maar erger maken.

Ze was vóór het avondeten bij Blacksmith's Cottage aangekomen en trof haar zus aan, die nog niet zo lang thuis was. Ze was haar vermoeidheid en irritatie van een razend drukke zaterdag in de winkel op een onschuldige stapel post aan het afreageren. *Roesj,* daar ging een creditcardfolder.

'Sorry, hoor,' zei Jude, die er bijna spijt van had dat ze over haar bezoekje aan Euan had verteld. Maar als ze er niets over had gezegd en Claire er later achter was gekomen, was ze nog verder van huis geweest. 'Ik weet zeker dat hij het je zou vragen als hij wist dat je er graag heen wilde. Ik denk dat het kwam door al die Anthony Wickham-spullen. Hij begrijpt dat het voor me van pas kan komen.'

'En ben ík niet degene die de winkel met de naam Stár Bureau runt?' snauwde Claire toen ze het plastic van een tijdschrift afscheurde, die ze daarna op tafel smeet.

Ziel en Lot, las Jude. Een van de koppen luidde HEB JIJ EERDER GELEEFD? Ik hoop van niet, dacht ze, één leven is al moeilijk genoeg.

Claire wierp een blik op haar horloge. Ze moest zo meteen Summer ophalen van een verjaardagsfeestje verderop in de straat.

'Ik ga heus niet sterrenkijken als je er een probleem mee hebt,' zei Jude met een zucht.

'Waarom zou ik er een probleem mee hebben?' antwoordde Claire.

'Op een of andere manier denk ik dat je hem leuk vindt.'

'Verdorie. Alwéér een nieuwe termijn voor de brand- en inboedelverzekering?' riep Claire uit terwijl ze een andere envelop oppakte en die openscheurde. 'Rekeningen, rekeningen, rekeningen. Wat zei je net?'

'We hadden het over Euan,' zei Jude. 'Claire, ik doe mijn best om nergens tussen te komen.'

'Er valt nergens tussen te komen,' antwoordde ze. 'Hij is een aantrekkelijke man. Volgens mij probeert Summer ons te koppelen.'

'Alleen Summer?' zei Jude vleiend, maar Claire ontweek de vraag.

'Ze mist een vader, Jude.'

'Maar je zei dat jullie met z'n tweetjes zo gelukkig zijn.'

'Ja, nou, maar ze mag hem zo graag. Je zou ze samen moeten zien.'

'Dat heb ik. En ik begrijp wat je bedoelt. Maar jij dan?'

'O, ik denk niet dat hij in mij geïnteresseerd is,' zei Claire en ze scheurde een flyer van een meubeluitverkoop aan flarden en liet ze in de recyclebak dwarrelen. 'Hoe dan ook, naar wat ik heb gehoord is alles waar hij aan begint te serieus. Hij speelt niet buiten de deur. Darceys moeder, Fiona, zei...'

Precies op dat interessante moment ging de telefoon en griste Claire naar de hoorn. Jude bedacht dat ze zorgvuldig met Euan om moest gaan. Ze wilde haar zus niet overstuur maken door hem op bepaalde gedachten te brengen. Ze moest alles strikt vriendschappelijk houden.

'Hallo? Hallo?' zei Claire door de telefoon. 'Spreek ik soms weer met die mensen van de dubbele beglazing, ik heb al gezegd dat ik niet... O, oma, hallo! Hoe gaat het? Alles goed?'

Haar blik kruiste die van Jude. Beide vrouwen waren meteen alert op een mogelijke crisis.

'O, het gaat goed met u. Mooi zo. Ja, Jude is hier,' zei Claire, die zichtbaar ontspande. 'Wilt u haar spreken?' Ze gaf de hoorn aan haar zus. 'Ik moet Summer ophalen,' fluisterde ze tegen Jude, die knikte.

Jude wachtte totdat de voordeur met een klap was dichtgeslagen – Claire trok een deur nooit gewoon achter zich dicht – voordat ze zei: 'Oma, hallo, met Jude. Hoe gaat het met u?'

'Ik leef nog, dank je, Jude. Het feit dat ik opbel betekent niet meteen dat ik op sterven lig.' Oma was ongewoon kortaf. 'Ik wil dat je bij me langskomt. Ik heb iets voor je.'

'O, wat dan?'

'Daar kom je vanzelf wel achter als je hier bent. Ik was er al naar op zoek sinds je hier voor het laatst was.'

'Wat geheimzinnig!' Jude herinnerde zich plotseling dat toen ze daar ruim een week geleden had gelogeerd, ze haar grootmoeder in laden had horen rommelen nadat ze naar bed waren gegaan.

'Het was een idiote plek om het op te bergen,' mompelde haar oma in zichzelf.

'Oma? Hoort u me nog?'

'Natuurlijk hoor ik je nog.'

'Ben je morgen de hele dag vrij?' Ze was voor de zondagse lunch uitgenodigd op Starbrough Hall, maar ze kon er daarna tussenuit knijpen.

'Vrij? Waar zou ik naartoe moeten?'

'Ik kan aan het eind van de middag langskomen, als dat schikt. Zal ik Claire en Summer meenemen?'

'Nee, alleen jij. Zeg maar tegen Claire dat ik het heel leuk zou vinden om ze een ander keertje weer te zien.'

Wat was er aan de hand met oma? dacht Jude. Ze hoopte vurig dat Claire zich niet buitengesloten zou voelen.

'Het is... prachtig.' Jude hield de halsketting omhoog zodat het avondlicht op de rij gouden sterren schitterde die bezet waren met iets wat leek op diamanten, maar dat leek haar niet waarschijnlijk. Het waren er zes. 'O, wat jammer, er mist er een.' Aan een kant van de rij was een verbindingsstukje beschadigd, alsof er een zevende vanaf was getrokken.

'Tamsin heeft nooit geweten wanneer dat is gebeurd,' zei Jessie. 'Ze vertelde me dat hij altijd al zo was geweest.'

'Zeven voor de zeven sterren aan de hemel,' mompelde Jude, die zich het aftelrijmpje herinnerde dat haar grootvader altijd zong. De halsketting was zo verfijnd. 'Deze zijn toch niet echt, die stenen? Het lijken wel zirkonen of zoiets.'

Oma keek haar verontwaardigd aan. 'Natuurlijk zijn ze echt. Dat heeft zíj me verteld. Ik wist dat ik hem ergens veilig had opgeborgen, maar ik wist niet meer waar. Ik heb hem verstopt toen die nieuwe loodgieter kwam, maar hij lag niet in een van de normale laden, dus ben ik aan het opruimen geslagen. Ik heb alle zakken van mijn oude jassen doorzocht, en dat namaakblik dat ik in de kast heb staan – o, al die plekken waar ik het ooit had verstopt wanneer ik mannen over de vloer kreeg – en toen ik vanmorgen wakker werd, schoot het me te binnen. Hiernaast was er een paar weken geleden ingebroken en toen was ik een beetje in paniek geraakt. Ik had hem ergens gelegd waar geen inbreker ooit zou kijken.'

Jude, die het allemaal probeerde te volgen, glimlachte slechts en schudde haar hoofd.

'Onder het tapijt in de logeerkamer,' zei haar oma triomfantelijk. 'In de hoek, zodat niemand erop kon gaan staan.'

Jude lachte. Hoewel het een warrig verhaal was, leek oma vandaag meer bij de tijd. Misschien kwam het doordat ze eraan terugdacht hoe ze al die arme, ongetwijfeld onschuldige handelsmannen te slim af wilde zijn, en door de opwinding van de vondst.

'Heb je hem geërfd?' vroeg ze, en ze bestudeerde de vijfpuntige sterren. Ze zag nu dat op de achterkant van één ervan het merkteken van een goudsmid was gegraveerd. Het was goud, hoewel het teken erg versleten was. Er was een specialist voor nodig om er wijs uit te kunnen worden.

'O, nee, hij is absoluut niet van mij. Dat is juist het probleem.' Jude keek haar grootmoeder nieuwsgierig aan, die vervolgde: 'Hij is van het wilde meisje. Het meisje over wie ik je heb verteld. Ik heb het al die jaren in mijn bezit gehad.'

Jude was verbijsterd. 'Het wilde meisje? Bedoel je Tamsin?'

'Ja, dat heb ik je al verteld, dat ik iets van haar had afgepakt.'

'Maar… een diamanten halsketting?!'

De uitdrukking op haar grootmoeders gezicht verhardde. Ze strekte haar hand uit naar de halsketting en Jude gaf hem aan haar. 'Ze had het achtergelaten, Jude. Het voelde op dat moment niet als stelen. We hadden er een verstopplek voor, zie je, in de folly. En toen ze die laatste keer wegging en niet meer terugkwam, vond ik hem. Ik zei tegen mezelf dat ik er voor haar op paste. Ik zou hem hebben teruggegeven als ze terug was gekomen en ernaar had gevraagd, maar dat heeft ze nooit gedaan. Hij was zo mooi. Ik wilde hem al hebben vanaf de eerste keer dat ze hem mij liet zien. Dus legde ik hem in een kleine doos onder de vloerplanken in mijn slaapkamer en daar liet ik hem liggen. Zelfs mijn zus Sarah wist er niets van.'

Jude dacht aan de geboende vloerplanken in de cottage van de vroegere jachtopziener. Oma's verstopplek zou nu weg zijn geweest, dichtgespijkerd en met zand bedekt. 'Ik was daar gisteren, oma,' zei ze terwijl ze zorgvuldig op de reactie van de oude vrouw lette. 'In uw oude huis.'

'Er woont nu een jongeman in,' zei oma. 'Ik weet ervan. Claire heeft het me verteld.'

'Wat heeft ze gezegd?' vroeg Jude, in de hoop meer inzicht te krijgen in Claires mening over Euan, maar Jessie dacht alleen maar aan het huis uit haar jeugd.

'Ik hoop dat hij er iets moois van maakt.' Er lag een ongelukkige uitdrukking op haar gezicht. Het doet haar verdriet, besefte Jude. Natuurlijk deed het haar verdriet, als ze zich voorstelde dat haar oude huis op de schop was gegaan en opnieuw was ingericht om aan de moderne eisen te voldoen.

'Maar bent u er nooit meer geweest?'

Haar oma schudde haar hoofd. 'Niet meer sinds mijn ouders zijn overleden. Ik zou het ook niet willen. Het is beter om me het te herinneren zoals het was. Het waren voornamelijk gelukkige tijden, o ja, en ik denk er graag aan terug. Totdat...' Ze zweeg. Een moment lang speelde ze met de halsketting, hield hem omhoog om hem nog eens te bewonderen. Toen pakte ze de hand van haar kleindochter vast en legde de halsketting in haar handpalm. 'Houd jij hem maar,' zei ze, en ze sloot Judes vingers eromheen. 'Ik wil dat je uitzoekt wat er met Tamsin is gebeurd.'

'Oma,' zei Jude zacht. 'Ze zou nu erg oud zijn en het is nog maar de vraag of ze niet al...'

Jessie viel haar in de rede. 'Ja, natuurlijk, ze is waarschijnlijk al overleden. Denk maar niet dat ik daar niet aan heb gedacht. Maar er is nog een kans, toch? Bovendien heeft ze misschien kinderen.'

'Er is nog een kans,' stemde Jude in, hoewel ze zelf meende dat die klein was. En eventuele kinderen zouden nu zelf ook al oud worden. 'Maar ik moet dan wel meer over haar te weten komen. Wat was haar achternaam?'

Haar grootmoeder dacht even na en zei: 'Lovall. Ze moet even oud zijn geweest als ik, hoewel ze niet precies wist wanneer ze jarig was. Ze zat bij mij in de klas bij Starbrough, dat had ik je al verteld. Ze was zo zachtaardig en stil, maar bij biologie wist ze alle namen van de dieren en de bloemen, maar soms waren die niet goed, maar gebruikte ze de zigeunernamen.'

Een naam, een school, en ruwweg een geboortedatum – oma was geboren in 1923. Dat was alles wat Jessie kon vertellen over een meisje dat ze bijna tachtig jaar geleden in een bos was tegengekomen. Een zigeunermeisje zonder vast woonadres, wier naam waarschijnlijk door een huwelijk was veranderd, en hoogstwaarschijnlijk overleden was. Ach, nou ja.

Jude wikkelde de halsketting in een zakdoek en borg het pakketje veilig in haar tas op. 'Ik kan niets beloven, oma, maar ik zal het proberen.' Het was het enige wat ze kon zeggen, maar alleen al de opluchting in haar grootmoeders ogen maakte het de moeite waard.

16

Het is alweer half juli, realiseerde Jude zich op maandagochtend toen ze een briefje schreef dat ze bij het jammerlijk beschadigde laatste deel van de observatieboeken voegde. Ze pakte het in en reed naar Holt, waar ze het bij het postkantoor opstuurde naar Cecelia, naar haar huisadres. Aangezien ze de volgende dag met Claire in haar winkel had afgesproken, struinde ze daarna een uur door een aantal andere antiekwinkeltjes en kunstgalerieën. Er was een prachtig aquarelzeegezicht met schepen, dat ze kocht als cadeau voor de Wickham-familie als bedankje wanneer ze uiteindelijk weer vertrok. In de boekwinkel vond ze een exemplaar van Euans nieuwste boek. Daarna liep ze door de kronkelige straten naar het parkeerterrein, en zag een kleine openbare bibliotheek. Op een poster op de deur stond: ONTDEK DE GESCHIEDENIS VAN JE WOONPLAATS. Ze besloot om precies dat te doen en liep naar binnen.

'Pardon, waar staan jullie boeken over de omgeving hier?' vroeg ze aan een vrouw van rond de vijftig die foto's op een bord aan het prikken was.

'Deze kant op,' antwoordde de vrouw en ze ging Jude voor naar de boekenplanken. 'Bent u op zoek naar iets in het bijzonder?'

'Hebt u iets over het plaatsje Starbrough of over Starbrough Hall?' vroeg Jude.

'Niet een boek over louter Starbrough,' antwoordde de bibliothecaresse. 'Maar hier staat misschien iets over Norfolk en Holt.'

'Dank u, ik kijk wel even rond,' zei Jude met een glimlach, en de bibliothecaresse ging weer terug naar haar prikbord.

Jude pakte een boek van Pevsner over de architectuurgeschiedenis van de omgeving uit de kast en bladerde naar de inhoudsopgave. Er stond een oppervlakkige verwijzing naar Starbrough Hall in en er was geen foto bij, dus legde ze het boek terug. Een geschiedenis van de omgeving, gepubliceerd in 1998, bleek meer op te leveren. Anderhalve pagina ervan weidde uit over de informatie die ze al in het boek *Great Houses* op kantoor had gelezen. Het huis dateerde uit 1720, toen Edward Wickham, waarschijnlijk Anthony's grootvader, het had laten bouwen op de plek van Starbrough Manor, die tien jaar eerder door een brand was verwoest. Dat was slechts twee jaar na de rampzalige brand van 1708 die het grootste deel van Holt in de as had gelegd. Edward, zo bleek, kwam oorspronkelijk uit de omgeving en was daar stil gaan leven nadat hij een fortuin had vergaard als koopman van de Oost-Indische Compagnie. 'Edwards kleinzoon Anthony heeft de toren in 1769 gebouwd,' las ze, nu ineens meer geïnteresseerd. De rest van de informatie was haar voor het merendeel echter al bekend.

> De ligging, op een heuvel in het bos dat bij het huis hoorde, was controversieel, niet in de laatste plaats omdat altijd werd aangenomen dat zich daar een begraafplaats bevond, die uit de pre-Romeinse tijd stamde. In tegenstelling tot veel andere achttiende-eeuwse folly's, was het niet enkel gebouwd voor decoratieve doeleinden. Vermeldingen in Anthony Wickhams eigen aantekeningen duidden erop dat hij het gebruikte om de nachtelijke hemel te observeren.

Maar toen kwam er iets nieuws.

> In de jaren twintig van de twintigste eeuw was er een poging gedaan om het gebied om de toren heen uit te graven. Daarbij werd een aantal interessante objecten uit verschillende perioden aangetroffen, inclusief Keltische juwelen, die zich nu in het Castle Museum in Norwich bevinden. De Hall en de bossen eromheen zijn nog steeds in het bezit van de familie Wickham, maar de landbouwgrond is begin jaren zestig verkocht.

Dus er had wel degelijk archeologisch onderzoek plaatsgevonden.

Ze liep naar de bibliothecaresse en vroeg aan haar: 'Hebt u toevallig meer informatie over die opgraving?' Ze liet haar de passage uit het boek zien.

De vrouw zocht een paar minuten op een computerterminal en zei toen: 'Zo te zien niet, ben ik bang. Waarom neemt u geen contact op met het museum in Norwich? Ik heb daar een vriendin en u kunt het best bij haar beginnen. Ze heet Megan Macromber.'

'Dank u, dat zal ik doen,' zei Jude, die de naam in haar notitieboekje opschreef. Het had geen onmiddellijke prioriteit, maar het zou van pas kunnen komen om erachter te komen wat er in de jaren twintig was opgegraven.

Ze ging terug naar Starbrough Hall, waar ze in de bibliotheek een paar stille uurtjes aan de veilingcatalogus werkte, en begon toen ijverig aan de tijdrovende taak om Esthers autobiografie over te schrijven. De sectie die ze al gelezen had, ging haar gemakkelijk af, maar toen ze bij het volgende deel aankwam, kostte dat meer tijd, niet in de laatste plaats omdat ze regelmatig pauzeerde om na te denken over het verhaal dat zich onder haar hand ontvouwde. Esthers stijl, in het begin timide en formeel, won aan kracht en zelfvertrouwen naarmate ze verder schreef.

Voor mijn achtste verjaardag gaf mijn vader me een handgeschilderd boek met plaatjes van vogels, bloemen en dieren in ons koninkrijk. Ik heb vele uren in het boek gekeken, fluisterde de namen in mezelf en verwonderde me over de verfijnde kleuren. Ik had het aan Sam laten zien, die me de volksnamen had geleerd van de bloemen, melkmuil, gevlekte aronskelk en hoe je het verschil kon zien tussen een mannetjes- en vrouwtjes-Vlaamse gaai, maar hij schudde zijn hoofd bij de Latijnse woorden in mijn boek en vond ze maar koud en doods. 'Wat zegt dat woord "veronica" over het blauw van een ereprijs?' zei hij met al het gezag van zijn tien jaar. 'En "erinacea" is niet zo mooi als stekelvarken. Bedenk eens hoe grappig die eruitzien als ze op hun tenen lopen.' Maar ook al begreep ik wat hij bedoelde, ik hield nog steeds van de vreemde klanken van die nieuwe woorden, en was blij dat ik nu wist waarom 'vulpine' vosachtige betekende, zoals miss Greengage ons had verteld, terwijl het woord klonk alsof het eigenlijk wolfachtige zou moeten betekenen, wat in plaats daarvan 'lupine' was. Door-

dat ik 'vulpus' onder een plaatje van een vos en 'lupus' onder een woest uitziende wolf zag staan, werd het me allemaal duidelijk.

Er volgden een serie lange, hete dagen afgewisseld door korte, koude nachten met veel bewolking. Terwijl we buiten speelden, al laat op de avond, verbaasden Matt en ik ons over de hemel die van het diepst denkbare lazuurblauw veranderde in een prachtig met goud overgoten indigoblauw, waarin sterren begonnen te twinkelen. En altijd op dat moment, uitgerekend op dat adembenemende moment wanneer de geheimen van het ondersteboven gekeerde amfitheater van de nachtlucht zich verleidelijk begonnen te onthullen, stuurde Susan me naar bed. Dus op een van die avonden bespraken we de laatste details van ons avontuur.

We zouden het halverwege augustus doen. Voor het geval we honger zouden krijgen, stal ik brood en koude ham uit de provisiekast toen mevrouw Godstone met haar rug naar me toe stond. Ik wikkelde die in een wasdoek en verborg ze in een aardewerken pot in de koelste uithoek van de melkschuur. Rond bedtijd stopte ik warme kleding onder mijn kussen. Nadat Susan de kaars had uitgeblazen en ik het gekraak hoorde dat haar linkerschoen altijd maakte wanneer ze door de gang wegliep, stapte ik uit bed en trok mijn jurk en jas aan. In de schemering ging ik stilletjes met mijn poppen spelen totdat het overal in huis stil werd. Daarna telde ik langzaam tot zestig, dertig keer, voor de zekerheid. Toen ik uit mijn kamer glipte, klikte de deur achter me dicht, en ik wachtte even om te luisteren of iemand het had gehoord voordat ik de trap af vloog, door de keuken naar de melkschuur, waar ik mijn pakje ophaalde, en een raam uit glipte dat ik stiekem open had laten staan. Een deel van de ham gooide ik naar de honden om ze stil te houden. Ik luisterde hoe ze eraan snuffelden, terwijl hun kettingen rinkelden in de verstilde lucht. Ik haastte me over het betegelde erf naar het park, waar de hemel zich voor me uitstrekte en de maan glanzend voortgleed te midden van de sterren. Ik bleef even staan en stelde me voor dat het de gekromde ruggengraat van een dromende vis was in een wonderbaarlijke, met licht bespikkelde, donkere poel.

Matt zat op me te wachten, verborgen in de droge sloot, zoals hij had beloofd. We liepen samen door het uitgestrekte park en over het pad door het bos, en hadden het gevoel dat we de enige mensen op de hele wereld waren. Onze ogen begonnen geleidelijk aan de duisternis te wennen en we bewogen ons net zo zeker voort als de andere nachtwezens. Matt wist de weg omdat hij zijn vader ernaar had gevraagd, maar op zo'n slimme manier dat die geen argwaan kreeg. 'Ik deed net alsof ik geïnteresseerd was in de orchideeën,' legde hij uit.

Het pad door het bos was eerst smal en vol doornstruiken, maar toen het breder en minder dichtbegroeid werd – met beuken, eiken en kastanjebomen – kwamen we gemakkelijker vooruit. Maar mijn angstige voorgevoel nam toe. Met elke stap die ik zette werd de druk op mijn borst groter. Ik klampte me vast aan Matts arm, niet wetend waar die angst vandaan kwam.

'Esther,' fluisterde hij. 'Hou op, je doet me pijn.'

'Ik vind het hier maar niks,' kon ik nog net uitbrengen.

'Je hoeft hier nergens bang voor te zijn.' Maar hij klampte zich ook aan mij vast, en ik zag dat ik hem nerveus maakte. 'Kom op,' zei hij met samengeknepen stem. 'Volgens mij zijn we er al bijna. Vader zei... O!'

Verderop werd een open plek zichtbaar, en in het midden viel het maanlicht op wat in eerste instantie op een gigantische boom leek die voor ons opdoemde, hoger dan ik ooit had gezien. Het was de folly: onheilspellend, vreemd, kwaadaardig, intens eenzaam. Hij was zo ontzagwekkend dat we ons een ogenblik lang niet konden bewegen, en toen trok Matt aan mijn arm en stapten we uit de beschutting van de bomen.

Toen we er later over praatten, wisten we dat het slechts een vleermuis moest zijn geweest, maar als je de doodsangst op ons gezicht had gezien toen het ding vanuit de duisternis op ons af kwam vliegen, had hij net zo goed de duivel zelf kunnen zijn geweest. Ik gilde het uit en rende zonder om te kijken weg. 'Essie, kom terug,' hoorde ik Matt zeggen, maar ik struikelde en kwam hard op mijn hoofd terecht, waarna er even alleen maar duisternis en verwarring was, en Matts stem die riep: 'Word wakker! Er komt iemand aan.'

Toen hoorden we een deur dichtslaan en een verbaasde, boze mannenstem. Matt riep: 'Rennen, Essie', hoewel ik dat overduidelijk niet kon. Ik voelde een hand op mijn hoofd, die zachtjes over mijn haar streek, en ik hoorde mijn vaders stem, dat wist ik: 'Verdomme, het is het kind.' Ik durfde me niet te verroeren maar voelde dat hij met zijn vingers naar mijn pols zocht om een hartslag te voelen, waarna hij me voorzichtig omrolde totdat mijn hoofd in de holte van zijn arm rustte. Ik opende mijn ogen en al snel kwamen de schimmige contouren van zijn gelaat scherp in beeld. 'Heb je ergens pijn?' vroeg hij, en hij moet mijn gefluisterde 'nee' gehoord hebben, want hij zette me voorzichtig overeind. Maar mijn hoofd bonsde en ik wankelde, dus hield hij me vast en even later voelde ik me weer wat beter.

'Waarom laten ze jullie in godsnaam midden in de nacht over het terrein zwerven?' zei hij, bijna tegen zichzelf. 'Hebben ze je soms met een boodschap gestuurd?' vroeg hij. 'Is er iemand ziek, of erger?'

'Een boodschap? Nee,' stotterde ik verward, en toen herinnerde ik me onze ham, dankbaar dat ik een excuus had. 'Hoewel... ik heb wat avondeten voor u meegenomen.' Ik haalde mijn in een wasdoek gewikkelde pakketje tevoorschijn, dat nu een beetje geplet was. Hij keek er onzeker naar, maar stopte het in zijn zak. Ik keek om me heen maar van Matt zag ik geen spoor. Ik bad dat hij veilig was en overtuigde mezelf ervan dat hij naar huis moest zijn gerend.

'Waarom zouden ze het kind sturen?' zei mijn vader tegen zichzelf, maar ik kon zien dat zijn gedachten afdwaalden. Hij voelde in zijn jas, haalde er een zakhorloge uit en hield die schuin totdat er zo veel licht op viel dat hij de wijzers kon zien. 'Kom,' zei hij en hij stopte zijn klokje weg. Hij nam mijn koude hand in zijn warme hand, en leidde me in de richting van de folly. Nu ik bij hem was, was ik niet meer bang.

'Ik breng je naar huis, maar eerst moet ik nog wat metingen verrichten.'

Hij leidde me door de deur aan de voet van de toren en onmiddellijk waren we in een koude duisternis gehuld. 'Wacht hier,' zei hij en zijn stem klonk merkwaardig hol op die plek. Er klonk een schrapend geluid van vuursteen en er vlamden vonken op. Ik zag dat hij een kleine lantaarn aanstak en keek verwonderd naar de dansende golven van licht en donker op de muren. Een fraaie, stenen wenteltrap rees voor ons op en hij gebaarde dat ik als eerste naar boven moest. Dus daar ging ik, zocht op handen en voeten mijn weg naar boven, mijn vingers als ijs door de kou en angst. Ik klom voor wat wel een eeuwigheid leek verder, toen we plotseling in een ronde kamer uitkwamen met aan alle kanten ramen. Er stond een tafel bij een muur, waar een andere lantaarn op brandde, en bij dat licht zag ik voor het eerst de wereld van de kamer waarin ik nu zit.

Het was er, zo stelde ik het me toen en nog steeds voor, zoals in een hut van een groot schip. Ik werd ook wat misselijk, wat me ook was overkomen toen ik in een grote beukenboom was geklommen om Matt uit te dagen en ik de boom in de wind heen en weer voelde zwiepen. Er liep een houten ladder naar het plafond, waar een vierkant, vaag licht te zien was. 'Nog één trap,' hoorde ik mijn vaders stem achter me, en omdat ik graag indruk op hem wilde maken, overwon ik mijn tegenzin en legde mijn handen op de ladder. 'Ik zorg ervoor dat je niet valt,' zei hij zachtaardig, mijn angst aanvoelend, en zo klom ik omhoog, blij met zijn beschermende aanwezigheid achter me.

We kwamen uit op een klein, stenen platform met een lage balustrade eromheen en een afdak erboven, en daar... o, wonderbaarlijk! Hij had het canvas naar achteren gerold zodat een telescoop die langer was dan een hooivork en dikker dan een mannelijke dij de lucht in kon wijzen.

'Ga zitten,' beval hij, en hij wees op een bankje, waar ik dankbaar op neerzeeg omdat ik zo draaierig was. Ik zag dat hij plaatsnam op een hoge kruk terwijl hij de kijker van de telescoop vastpakte en tegen zijn oog drukte. Er gingen zo een paar minuten voorbij, waarin hij door de kijker tuurde en ik steeds heimelijk om me heen gluurde. Achter de rand van de toren zuchtten de boomtoppen en zwaaiden ze onophoudelijk in de wind. Een uil riep, een andere antwoordde. Heel in de verte blafte een wijfjesvos, een akelig geluid. Er stond een kleine tafel naast mijn vader, waarop een groot aantekenboek voor zijn observaties lag, evenals zijn zakhorloge en een aantal vreemd gevormde instrumenten, en ik zag dat hij er daar een van oppakte, het in de lucht omhooghield en hardop een paar cijfers ervan aflas. Toen schreef hij snel iets met een pen in zijn boek. Dit herhaalde hij nog een paar keer.

'Ik ben klaar,' zei hij uiteindelijk. Hij raadpleegde zijn horloge en legde de pen terug in het bakje. Hij stapte van zijn kruk af en maakte aanstalten om het canvas op zijn plaats te doen. Op dat moment werd ik overweldigd door een enorm verlangen.

'O, mag ik eerst nog even kijken?' flapte ik eruit, mijn verlegenheid helemaal vergetend.

Hij keek me nadenkend aan, weer met die verwarde uitdrukking op zijn gezicht, haalde toen zijn schouders op en zei: 'Waarom ook niet?' Ik moest op zijn kruk staan terwijl hij me bij mijn middel vasthield. Toen ik mijn oog tegen het glas legde, was alles eerst onscherp, en mijn geest moest de truc hebben begrepen, want ik zag een heldere, blauwachtige lichtvlek. Het gedetailleerde beeld van een ster. Onwillekeurig slaakte ik een kreet.

'Wat zie je?' vroeg mijn vader en terwijl hij de telescoop stilhield, keek hij waarnaar ik had gekeken. 'Wega,' mompelde hij. 'Een van de helderste sterren aan de hemel. Hij maakt deel uit van het sterrenbeeld Lier.'

'De magische lier van Orpheus,' verzuchtte ik. Miss Greengage had ons

een verhaal voorgelezen over Orpheus in de onderwereld, op zoek naar zijn geliefde Eurydice.

'Ken je dat verhaal?' Hij was verbaasd.

Ik knikte. 'Zijn vader Apollo had die aan hem gegeven en zijn spel betoverde zowel de mens als de wilde beesten.'

Dit vond mijn vader om een of andere reden vermakelijk. Hij stelde de telescoop bij. 'Kijk,' zei hij en hij wees naar de lucht. 'Een rij van vier sterren, en daar links een rij van zes. Een doos gemaakt van vier sterren. Zie je hem?'

'Volgens mij wel.' Hij noodde me om weer door de telescoop te kijken om de nevel van Hercules te zien.

'Hercules. Ken je het verhaal van Hercules?'

Dat kende ik niet. Miss Greengages moeder had er bij haar op aangedrongen dat ze ons de afgelopen maanden uit de Bijbel zou voorlezen. Ik kende het verhaal van Noach en zijn grote ark en Job die onder de zweren zat. Ik vroeg: 'Is er een ark van Noach in de lucht?'

Hij keek verrast, realiseerde zich toen dat mijn vraag oprecht was en zei: 'Nee, deze sterrennamen zijn veel ouder dan Noach. Hercules de Sterke was door zijn vader Jupiter naar de hemel gehaald ter ere van zijn twaalf werken.' Hij trok het canvas over het draagstel van de telescoop, ontmantelde zijn verrekijker en begon zijn instrumenten te verzamelen. 'Neem het boek mee, wil je?' vroeg hij en ik hield het met mijn vrije arm stevig tegen mijn borst terwijl ik achter hem aan de trap af liep. Ik hielp hem zijn werkinstrumenten op het bureau in de torenkamer neer te leggen, waarna hij een van de lantaarns doofde en de andere omhooghield om onze weg naar beneden en naar buiten te verlichten.

'Noemen ze je Esther, zoals ik heb gevraagd?' vroeg hij terwijl hij een grote, ijzeren sleutel in de deur omdraaide.

'Soms Essie, meneer,' zei ik.

'Ik heb liever dat ze je Esther noemen. Naar mijn moeder,' zei hij. 'Het was de naam van een prachtige, joodse vrouw.'

Ik bezwoer dat ik nooit meer zomaar Essie zou zijn, maar altijd Esther.

We liepen samen door het bos terug, en hij wist ondanks de duisternis precies de weg. In zijn gezelschap merkte ik geen spoortje meer van mijn eerdere angsten, maar tegen de tijd dat we bij het park kwamen, had ik het koud en was ik hongerig en uitgeput. Terwijl de poort achter ons dichtviel, dreigde ik flauw te vallen. 'Hier,' zei hij en hij bood me een sterk drankje aan uit een veldfles, maar ik verslikte me en spuugde het uit, dus tilde hij me in zijn armen op en droeg me naar huis. Daarna herinnerde ik me niets meer. Toen ik wakker werd, lag ik in mijn eigen bed, stroomde het zonlicht door de open gordijnen en keek Susan bezorgd op me neer. 'Hè, je bent al aangekleed,' merkte ze op. 'Waarom ben je weer naar bed gegaan? Ben je soms ziek?' Ik liet haar in de waan en sliep het grootste deel van de ochtend.

De rest van die dag liep ik als in een roes rond. Een deel van me was bang dat ik het de afgelopen nacht allemaal had gedroomd. 'Wega,' fluisterde ik tegen mezelf. 'Lier. Hercules.' Die namen waren reëel genoeg en ik klampte me eraan vast.

's Middags ging ik op zoek naar Matt, maar vond alleen Sam, die de lage struiken in de kruidentuin aan het snoeien was. 'Mam kreeg hem vanmorgen zijn bed niet uit. Hij heeft kou gevat, zei ze.' Ik hoopte vurig dat hij snel weer beter werd. Ik wist in elk geval dat hij veilig thuis was gekomen.

Toen Jude bij deze natuurlijke onderbreking in de tekst was aanbeland, noteerde ze waar ze was gebleven en sloot het boek, haar geest vervuld van Esthers stem. Anthony Wickham leek haar zo'n intrigerende man: eenzaam, of in elk geval alleen, maar teder en lief, en duidelijk geobsedeerd door de sterren. Ze was benieuwd of hij echt Esthers vader was. Op de een of andere manier wekte Esthers beschrijving van hem niet de indruk dat het een schuldbewuste Lothario was die een geheim bastaardkind verborg. En als hij haar vader inderdaad niet was, waar kwam ze dan vandaan en waarom had hij haar in huis genomen?

17

'De maan heeft een gezicht als de klok in de hal.' Die versregel uit een gedicht uit haar jeugd kwam de volgende dag bij Jude naar boven, toen ze stond te wachten totdat Claire met de laatste klant klaar was. Ze zouden samen gaan lunchen voordat ze naar hun grootmoeder in Blakeney zouden gaan. Jude bestudeerde de klok op de verste muur van Star Bureau. De voorkant vormde een grote, volle maan, met de gelaatstrekken als van een biggetje dat quasiverbaasd keek. Hij keek neer op de vijf bezoekers die door de uitgestalde spulletjes struinden, alsof hij wilde zeggen: 'Hoor eens even, wie denken jullie wel niet dat jullie zijn?' Hij was levendig, geestig en – hoewel klanten dat wel vaak wilden – niet te koop. En terwijl ze ernaar keek, kon ze haar zus vanuit haar ooghoeken in de gaten houden.

Jude had zelden de gelegenheid om de winkel te bezoeken, maar als ze dat wel deed, vond ze het altijd heerlijk om door de sterrenschatten te struinen. Die varieerden van subtiele, zilveren zonnestelsels tot kitscherige filmster T-shirts en goedkoop plastic speelgoed. En het verbaasde haar nog steeds, maar ze genoot er ook van om Claire op haar werk mee te maken: efficiënt en effectief in plaats van prikkelbaar en lastig. Op dat moment legde ze kalm en enthousiast aan een jonge vrouw in een minijurk en legging uit waarom het zo geweldig was om een hemelster een naam te geven. 'Het is een schitterend teken van jouw liefde voor iemand die voor jou speciaal is. Ik heb het voor mijn dochter, mijn moeder en grootmoeder gedaan, en ze waren allemaal zeer ontroerd.' Claire geloofde daadwerkelijk wat ze zei, elk woord. Voor mij heeft ze dat niet gedaan, bedacht Jude, Claire heeft nooit een ster naar mij vernoemd. En die akelige gedachte benadrukte eens te meer de afstand die tussen hen bestond.

Ze was dol op haar zus, daar bestond geen twijfel over, en ze nam aan dat haar zus hetzelfde voor haar voelde, maar ze had altijd het vage idee dat haar zus wrok jegens haar koesterde. Het ging om meer, veel meer dan het simpele, biologische gegeven dat toen zij vierendertig jaar geleden werd geboren, het prinsesje Claire van haar troon werd gestoten. Het ging om meer dan een normale rivaliteit tussen twee zussen die succes wilden hebben en om hun ouders' goedkeuring streden. Claire had immers altijd geweigerd om daaraan mee te doen. Het had vast deels te maken met Claires handicap, maar aangezien Claire door haar beschadigde been juist meer zorg en aandacht van haar ouders kreeg dan haar gezonde, jongere zus, zou Jude toch degene moeten zijn die wrok koesterde. Er was hier iets anders aan de hand, en Jude had er nooit precies de vinger op kunnen leggen.

Ze draaide zich om en pakte afwezig een delicate, porseleinen mok op waarop Van Goghs beroemde schilderij van een straatcafé onder een met sterren bezaaide hemel stond afgebeeld. Het schoot haar te binnen dat ze nog iets moest kopen voor Suri's verjaardag volgende week. Maar niet deze mok. Ze keek om zich heen. Een mooi koord met toverlichtjes? Nee, te kerstachtig. Haar blik viel op een gegraveerde, zilveren armband, precies het soort sieraad dat Suri zou dragen. Het zou prachtig afsteken tegen haar getaande huid. Ze keek op het prijskaartje en terwijl ze haar portemonnee uit haar handtas haalde luisterde ze weer naar Claire.

'Je krijgt er een mooi geschenkdoosje bij,' vertelde Claire aan het meisje, 'met een uniek certificaat.'

'O, wat een prachtig handschrift,' riep het meisje uit. 'Heb jij dat geschreven?'

'Ja, de *personal touch* is belangrijk,' zei Claire, die zichzelf als tiener kalligrafie had geleerd. 'Hier komt de naam van je ster te staan. En hier is een kaart van de nachtelijke hemel zodat je kunt zien waar jouw ster staat. We nemen altijd sterren die op het noordelijk halfrond zichtbaar zijn, dus je geliefde kan hem dan ook daadwerkelijk zien, met een telescoop. Hier schrijven we de coördinaten op, zodat je hem kunt vinden. En dit is een boekje over het bestuderen van de hemel bij nacht… o, en mijn gedicht.'

'En dat kost samen twintig pond? Ja, ik doe het. Mijn oma wordt zestig dus de ster zal Trixie Tonkins heten.'

Jude, die in de rij stond om de armband te betalen, proestte het bijna uit van het lachen maar wist het met een kuchje te maskeren. Het idee dat een edel hemellichaam Trixie Tonkins zou gaan heten vond het meisje zelf ook duidelijk eigenaardig, want ze vroeg ongerust: 'Denk je dat ze dat zullen accepteren?'

Claire wist haar gezicht prijzenswaardig in de plooi te houden. 'Natuurlijk. Astronomen gebruiken toch al liever getallen in plaats van namen, dus het maakt ze niet uit wat wij doen. Het Star Bureau brengt nu en dan een register uit waarin de namen worden gepubliceerd en, dat moet ik er wel bij zeggen, er zijn nog andere bedrijven die dit doen, maar aangezien er meer dan vijftig miljoen erkende sterren zijn, zijn er meer dan genoeg voor iedereen die er een wil.'

Jude had hierover eens een discussie met Claire gevoerd. 'Vind je niet dat je mensen een beetje belazert? De sterren worden immers nooit officieel naar die namen genoemd waar de mensen voor betalen. Is het wel legaal?'

'Ik leg het ze altijd uit,' had Claire fel geantwoord. 'Maar de mensen willen het kennelijk toch. Het gaat meer om het symbolische gebaar, toch? Je doet iets bijzonders voor iemand, iets persoonlijks. Het kan de klanten niet schelen of een of andere nerd bij de NASA die naam ook echt gebruikt.'

'Met geld kun je geen liefde kopen… of sterren,' mompelde Jude.

'Summer is dol op haar ster,' zei Claire. 'Ze weet waar ze ernaar moet zoeken en wijst er opgewonden naar als ze denkt dat ze hem heeft gevonden. In werkelijkheid kan ze hem niet met het blote oog zien, maar je kent Summer – die denkt dat zij het beter weet.'

Misschien is dat de reden dat Claire me nooit een ster heeft gegeven, besefte Jude plotseling. Ze vindt dat ik er een beetje cynisch over doe. Maar Claire zat er in werkelijkheid naast, want Jude begreep wel degelijk wat Claire bedoelde.

'Geef haar die armband met personeelskorting, Lol. Twintig procent,' zei Claires zakenpartner Linda tegen Lola bij de kassa. Linda's gemanicuurde vinger vloog snel over de toetsen. 'Dat is dan twaalf pond.'

'Wil je er een geschenkdoosje bij?' vroeg het verlegen meisje, dat verlangend naar de armband keek. 'Hij is echt heel mooi, hè?'

'Ja, graag. O, wacht even.' Haar blik viel op een sprookjesboek in een rek voor de toonbank. Ze pakte het eruit, en bedacht dat ze zo'n bundel nooit in Summers boekenkast had zien staan. De illustratie op de voorkant van het boek was prachtig: een snoezig uitziende wolf die zich om een kordaat uitziende Roodkapje had gekruld. Ze bladerde er snel doorheen. Assepoester in haar koets, Sneeuwwitje die uit haar vergiftigde slaap ontwaakt, Jaap die zijn bonenstaak beklimt. Ja, ze wist zeker dat Summer deze plaatjes prachtig zou vinden; de figuren leken van de bladzijden te springen. De naam van de schrijver herkende ze vaag. Ze zag dat het bij Little Star Books was uitgegeven en daarom lag het in het Star Bureau. Ze glimlachte. Het was vals spelen, maar waarom ook niet.

'Ik kon het niet weerstaan om die in te kopen,' merkte Linda op, alsof ze haar gedachten kon lezen. 'Het heeft niet speciaal iets met sterren te maken, maar we hebben er een paar van verkocht.'

De vrouw die achter haar in de rij stond slaakte een ongeduldige zucht.

'Zoiets laat je niet liggen,' antwoordde Jude, en ze hakte de knoop door. 'Ik wil deze ook graag, alsjeblieft. Sorry dat je het nu opnieuw moet afrekenen.'

Tegen de tijd dat Jude haar creditcard weer had opgeborgen, was Claire klaar. Ze hadden afgesproken om samen te gaan lunchen in een klein restaurant dat Claire kende, daarna ieder met hun eigen auto naar oma te rijden, waarbij Claire Summer onderweg van school zou halen. Jude had zich schuldig gevoeld dat ze zondag zonder hen bij hun grootmoeder was geweest, dus had ze voorgesteld om vandaag met z'n allen te gaan.

'Ik trakteer jullie op de lunch,' zei Jude resoluut terwijl ze wachtten om de weg over te kunnen steken.

'Oké.' Claire haalde haar schouders op alsof ze daar de hele tijd al van uit was gegaan. Dat ergerde Jude, maar ze was eraan gewend.

In het restaurant werden ze bediend door de eigenaar zelf, die Claire hartelijk begroette en haar op beide wangen kuste. Het was een joviale man van in de zestig, met een glimlach die rimpeltjes trok in de verweerde huid rond zijn blauwe ogen. Claire flirtte met hem terwijl hij de menukaarten aangaf.

'Wat kan ik voor de meisjes inschenken?' vroeg hij. 'Stel je me niet voor aan je vriendin, Claire?'

'Ze is niet mijn vriendin, maar mijn zus,' zei Claire en zag toen de pijn in Judes ogen. 'God, wat kwam dat er ongelukkig uit. Jude, dit is Joe, de lieve Joe, Linda's zwager.'

Joe keek van de ene vrouw naar de andere, even verward, maar toen klaarde zijn gezicht op en knikte hij. 'Ik kan zien dat jullie op elkaar lijken,' zei hij.

'O ja?' reageerde Jude. 'Iedereen zegt dat we heel verschillend zijn.'

'Dezelfde gezichtsuitdrukking, dezelfde handen, jullie strijken op dezelfde manier je haar naar achteren,' somde hij op. De zussen keken elkaar ongelovig aan. 'Er is een scherp oog voor nodig, dat wel. Goed, ik raad de boerenlunch aan. Of heet die tegenwoordig boerinnenlunch? De kaas komt uit de streek. Dan is er nog de groentetaart...'

'Die neem ik, Joe, dank je,' zei Claire met een knipoog naar hem, en Jude nam de boerenlunch.

Nadat Joe weg was, zei Claire: 'En, wat heb je gekocht in de winkel?'

'O, deze, voor een collega,' zei Jude en ze haalde het doosje met de armband tevoorschijn.

'Die is erg mooi.'

'En toen bedacht ik dat Summer deze verhalen misschien wel leuk vindt, aangezien ze een magische ster voor lezen heeft gehaald.' Ze reikte het boek over de tafel aan en Claire keek naar de titel zonder het boek open te slaan.

'Dat is lief van je.' Claire keek een beetje bezorgd.

'Vind je het niks? Je hebt het zelf ingekocht,' bracht Jude naar voren.

'Het boek ziet er prachtig uit. Ik lees Summer alleen nooit sprookjes voor. Volgens haar leraren vinden kinderen ze soms eng.'

'O,' zei Jude, die niet goed wist wat ze daarop moest zeggen. 'Ik vond ze zelf altijd geweldig. Deze zien er niet erg eng uit.'

'Nee, dat is waar,' zei Claire en ze keek naar het plaatje van Assepoester in haar koets. 'Ach, waarom ook niet. Het is heel lief van je,' herhaalde ze. 'Ik weet zeker dat ze het leuk zal vinden.' Toch bleef Jude zitten met het gevoel dat haar cadeau niet erg welkom was.

Hun drankjes werden gebracht. Haar zus nam een slokje van een troebele, biologische appelsap. 'En hoe is het nou om zo'n luxe leventje te leiden op de Hall? Wel wat meer ruimte dan in Blacksmith's Cottage, kan ik me zo voorstellen.'

'Maar niet zo gezellig. Werkelijk, Claire, het is onrustbarend groot. Ik ben er niet aan gewend om door kilometers gang te moeten lopen voordat ik kan ontbijten.'

'En hoe doen ze dat dan allemaal?'

'Hoe bedoel je?'

'Wie doet het huishouden en lapt de ramen? Het lijkt me allemaal erg onpraktisch.'

'Er is een kok en een schoonmaakster, geloof ik. En Alexia is zelf ook altijd druk bezig.'

'Dan zou je toch denken dat ze erin verzuipen.'

'Dat is ook wel een beetje zo. En jarenlang hebben alleen Chantal en haar man William er gewoond.'

'Dat is ook raar. Dat het gezin van je zoon in het huis trekt en je er zelf blijft wonen.'

'Dat vind ik ook. Vroeger verhuisde een voorname weduwe naar een weduwehuisje, toch? In de slechte, oude tijd, bedoel ik.'

'Een weduwehuisje... voor een douairière?'

'Ja, weduwgeld.' Gelukkig waren dat de enig overgebleven woorden van het oude gebruik dat een vrouw zo veel waard was als het geld en landgoed dat ze in het huwelijk inbracht. 'Maar daar is geen weduwehuisje. Chantal vertelde me dat ze had aangeboden om een huis voor zichzelf in het dorp te zoeken, maar daar wilden ze niets van weten.' Ze overwoog de implicaties hiervan. Hoe geweldig Chantal ook was, ze moest eraan gewend zijn dat alles in huis op een bepaalde manier was geregeld en georganiseerd. Als Alexia niet zo'n gemakkelijke schoondochter was geweest, konden er problemen zijn ontstaan.

Alexia had amper iets in huis veranderd, besefte ze nu. Ze dacht aan de zitkamer met de plechtige meubels, de zwart-witfoto's van al lang gestorven familieleden op de piano en het bureau. Iemand die minder tactvol was geweest dan Alexia had wellicht de binnenhuisarchitecten laten aanrukken. Volgens haar was het niet slechts een kwestie van geldgebrek. Zelfs het dressoir in de ontbijtkamer stond vol Chantals herinneringen, hoewel aan de muur ernaast een modern prikbord hing, bezaaid met slordig opgehangen papiertjes die bij een druk, jong gezin hoorden: uitnodigingen voor feestjes, schema's voor wie wanneer de auto nodig had, digitale kiekjes. Ze vroeg zich af wat Alexia diep vanbinnen van de situatie vond. Ze had nog niet echt de kans gehad om daar iets van te weten te komen.

Hun lunch werd gebracht en een tijdje concentreerden ze zich op het eten. Toen zei Claire: 'Je hebt eigenlijk nooit verteld waarom je niet naar Frankrijk bent gegaan. Volgens mij ben je gek, dat je zo'n kans aan je neus voorbij laat gaan. Ik ben al niet meer op vakantie geweest sinds... lang geleden.'

'We zouden eens samen moeten gaan, met z'n drieën,' zei Jude impulsief. 'Misschien naar mam en Douglas in Spanje, zodra hun huis klaar is.' Maar Claire leek daar niet erg enthousiast over.

'Ik kan niet bepaald van de zaak weg, hè?'

'O nee? Jij en Linda hebben nu toch hulp?'

'Lola? Ja, die is prima. En een van de moeders van school, Jackie, helpt doordeweeks soms mee met de internetbestellingen en de administratie, maar we kunnen het ons niet veroorloven om nog iemand fulltime in dienst te nemen en Linda is het wel eens beu, vooral in de schoolvakanties wanneer ik vaak vrij neem.'

'Linda heeft geen kinderen, toch?'

'Nee, maar haar ouders zijn nu behoorlijk op leeftijd en haar moeder heeft alzheimer.'

'Stel dat je extra hulp in de winkel had, zou je dan wel gaan?'

'Misschien. Summer zou het volgens mij geweldig vinden.' Jude begreep daaruit dat Claire dat niet vond. Nu ze erover nadacht, zou het voor Claire lastig zijn om een paar weken met hun moeder opgezadeld te zitten, zelfs nu ze beter met elkaar overweg konden. De twee zussen zaten even zwijgend tegenover elkaar, toen Claire zei: 'En waarom ben je nou niet met die Caspar naar Frankrijk gegaan? Ik dacht dat je dol op hem was.'

Ze was aan het vissen, realiseerde Jude zich plotseling, en ze las de gedachten van haar zus. Als Jude nog steeds met Caspar was, zou ze het veiliger vinden om Jude alleen te laten met Euan. Jude smeerde geconcentreerd chutney op haar kaas, en herinnerde zich hoe van streek ze was geweest omdat Caspar Claire niet had willen ontmoeten. Dat, zag ze nu in, was een van de redenen dat er een alarmbel over hem was gaan rinkelen. 'Hij is de eerste man met wie ik sinds Mark echt ben omgegaan en...' Ze keek naar haar voeten en had geen trek meer. Plotseling besloot ze haar zus in vertrouwen te nemen. 'Claire, ik heb het met hem uitgemaakt. Ik ben bang dat ik niet meer weet hoe ik met iemand samen moet zijn. Elke keer dat ik bij hem was, vergeleek ik de situatie met

Mark. En we hadden niet dezelfde intimiteit. Ik voelde me niet op m'n gemak bij Caspar. Ik vroeg me altijd af waar hij aan dacht en of hij me begreep.'

Claire keek haar kalm aan en merkte op: 'Mark was niet perfect, weet je. Jij schijnt te denken van wel.'

Wat vreemd om zoiets te zeggen. 'Voor mij wás hij dat ook.'

'Het probleem is dat je hem op een voetstuk hebt geplaatst, alsof hij nooit iets verkeerd kon doen. En vervolgens vergelijk je ieder ander met dit perfecte beeld en kunnen zij niet aan hem tippen. Hoe zouden ze dat ook kunnen? Je geeft ze geen kans.'

'Hoor wie het zegt,' kaatste Jude terug.

'Dat is wat anders. Ik ben niet naar iemand op zoek,' zei Claire fel. 'Summer en ik, wij hebben genoeg aan elkaar. Iemand moet wel heel speciaal zijn om daar verandering in te brengen.'

'Dus Euan niet?' zei Jude. 'Kennelijk vertrouw je hem wel met haar.'

'Dat doe ik ook,' zei Claire, nu met zachtere stem. 'Jij niet dan?'

Jude dacht eraan hoe zachtaardig hij met elk levend wezen omging en knikte. Ze had absoluut de indruk gekregen dat Claire in Euan geïnteresseerd was, ook al beweerde ze bij hoog en bij laag dat ze het in haar eentje wilde rooien. Maar als het om Summer ging, zat haar wel iets dwars.

'Claire, wist je dat Euan Summer een keer heeft meegenomen naar de folly? Blijkbaar vond ze het maar niets.'

Claire keek licht verbaasd, en zei toen met een vreemde stem: 'O, waarom niet?'

'Dat weet ik niet. Euan zei dat ze ergens bang voor werd. Sorry dat ik je dit niet eerder heb verteld.'

'Ze heeft er nooit iets over gezegd.'

'Nou, dan is het misschien gewoon toeval.'

'Wat is toeval?'

'Nou, ik dacht alleen… volgens mij was het in de periode dat haar nachtmerries begonnen.'

Claire staarde haar aan met een onzekere uitdrukking op haar gezicht. Toen zei ze: 'Mam durft er niet naartoe, wist je dat?'

'Naar de folly? Je had gezegd dat jullie daar een keer bijna naartoe waren gegaan.'

'Ik had haar opgehaald om op Summer te passen. Herinner je je die keer nog dat ze niet kon rijden vanwege haar knie?'

'Een paar jaar geleden, toch?'

'Ja, het was vlak na kerst. Nou, ik nam een kortere weg langs Starbrough Hall, en ik weet nog dat het licht heel vreemd was; het was zo'n winterse zonsondergang wanneer de zon zo'n enge, rode bal is. Ik dacht dat mam zich niet zo lekker voelde want ze was niet zo aan het kwebbelen als anders, maar ze staarde slechts uit het raam naar buiten. Ik vroeg: "Gaat het wel met je?" en ze zei: "Oma's vroegere huis moet hier ergens zijn. Daar was ik naar op zoek." Ik had Euan toen nog niet ontmoet dus ik wist niet waar het was. We moeten er straal langs zijn gereden.'

'Met die enorme heg is dat ook niet zo moeilijk.'

'Hoe dan ook, we reden naar de top van de heuvel, en je kent dat paadje toch wel, dat daar naar rechts loopt? Euan noemt het Foxhole Lane.'

'Het is het pad naar de folly. Ik wist niet dat het een naam had.'

'Nou, mam zei tegen me dat ik dat weggetje moest inslaan en de auto stil moest zetten. Het werd al donker en we konden toch al weinig zien vanwege de bomen. Ze zei dat ze de toren zocht. Ze bedoelde natuurlijk de folly. "Waarom?" vroeg ik en ze zei iets heel vreemds. "Ik wilde zien of het er nog steeds hetzelfde uitziet."'

'Hetzelfde als wat?' vroeg Jude die zich verder naar Claire toe boog.

'Dat wilde ik ook weten maar ze gaf geen antwoord, keek alleen verward, dus ik zei: "Dan moeten we uitstappen en een stukje lopen." Ik hielp haar de auto uit en we kwamen tot de bosrand, maar toen veranderde ze van gedachten en besloot ze dat we terug moesten gaan.'

'Misschien had ze last van haar knie.'

'Ja, maar Jude, dat was niet het enige. Het leek wel alsof ze de moed had verloren. Ik ging er verder niet op in en ik raakte eigenlijk ook wat geïrriteerd. We waren op weg om Summer op te halen en het leek me niet echt een goed idee om tegen het vallen van de avond met mam met haar been in het bos rond te dwalen. Hoe dan ook, ze leek op te vrolijken toen we weer wegreden, dus ik heb niet meer aan het voorval gedacht. Tot wat je me net vertelde.'

'Ik wist niet eens dat ze überhaupt iets van de folly wist. Misschien is ze daar een keer met oma geweest. Waarom leek ze zo bezorgd?'

'Dat weet ik niet. Misschien was het net als met Summer. Ze vond het... eng. Er doen vreemde verhalen de ronde over die plek. Hoewel mam niet het type is dat zich daar iets van aantrekt, toch?'

Jude dacht erover na of dit inderdaad zo was. Nee, Valerie kon behoorlijk nuchter zijn. Ze was niet religieus en lachte om mensen die zich druk maakten over gebroken spiegels en zwarte katten. 'Ze vindt horoscopen wel leuk,' zei ze, terwijl ze eraan terugdacht dat haar moeder in het plaatselijke blaadje altijd de voorspellingen voor Maagd las. Ze vond het leuk om ze met haar eigen situatie te vergelijken. 'Goed nieuws op het werk' betekende niet een loonsverhoging of een promotie bij de afdeling chirurgie waar ze als receptioniste werkte, maar eerder de chagrijnige arts die voor de verandering eens glimlachte of dat een van de verpleegsters op haar verjaardag op chocoladetaart trakteerde. Maar normaal gesproken geloofde ze niet in geesten of vreemde gewaarwordingen.

'Waarom wilde oma eigenlijk dat je zondag langskwam?' vroeg Claire.

Jude legde haar mes neer en reikte naar haar handtas. Ze haalde het pakketje eruit en maakte het open.

'Ze gaf me dit.'

Zelfs opgevouwen in het papier zag de halsketting er prachtig uit. Claire raakte hem niet aan, noch deed ze een poging de verbaasde en daarna jaloerse uitdrukking op haar gezicht te verbergen.

'Ik bedoel niet dat ze het echt aan me heeft gegéven, Claire,' ging Jude snel verder. 'Ze heeft het bij me in bewaring gegeven. Ze wil dat ik degene vind van wie het is.'

'Degene... Wie dan?'

'Ik sta voor net zo'n raadsel als jij. Een meisje, nou ja, ze moet inmiddels een oude vrouw zijn, die Tamsin Lovall heet. Kijk me niet zo aan. Ik weet zeker dat ze het mij alleen maar heeft gevraagd omdat ik gewend ben onderzoek te doen.'

'Daar dacht ik niet aan, Jude. Ik probeer er gewoon wijs uit te worden. Wisten wij dat ze dit had? Ze kan soms heel geheimzinnig zijn.'

'Dat weet ik. Ze heeft het vast al langer dan zeventig jaar. En voor zover wij weten heeft ze er nooit met een woord over gerept.'

'Denk je dat mam ervan weet?' Uiteindelijk pakte Claire de halsketting op en hield hem omhoog. Ze zag meteen dat hij beschadigd was. 'Wat jammer dat hij kapot is.'

Jude haalde haar schouders op. 'Als je nagaat hoe mam en oma met elkaar omgaan, durf ik te wedden van niet. Wanneer hebben ze het nou ooit over een heikel onderwerp?'

'Waar begin je aan? Als je die Tamsin gaat zoeken, bedoel ik.'

'Weet jij het, Claire? Ik heb geen flauw idee.'

'De naam Lovall opzoeken in het telefoonboek?'

'Ja, maar ik durf te wedden dat er daar heel veel van zijn. En misschien heet ze inmiddels geen Lovall meer.'

Later, bij Jessie thuis, gaf Jude het boek dat ze had gekocht aan Summer.

Summer wurmde zich op de bank tussen haar moeder en Jude in en sloeg de bladzijden om. 'Vind je het mooi?' vroeg Jude.

'Mmm,' zei Summer en ze knikte. 'Kun je deze voorlezen, Assepoester?'

Dat deed Jude, en ze luisterden allemaal mee. Het verhaal was prachtig verteld. Toen wilde Summer Sneeuwwitje horen.

'Je had gelijk, Jude,' zei Claire toen het verhaal was afgelopen. 'Je vindt je nieuwe boek leuk, toch, schat?'

'Nog één?' smeekte Summer. 'Wil je dat? Alsjeblieft?'

'Nog eentje dan,' zei Jude. 'Welke wil je horen?'

Summer sloeg de bladzijden om totdat ze een plaatje zag van twee mollige peuters, een jongen en een meisje, die opgekruld onder een boom sliepen. '*Babes in The Woods*,' zei ze nadrukkelijk.

'O, die niet!' riep Claire plotseling uit. 'Die is zo zielig.'

'Wel een beetje, hè?' antwoordde Jude.

'Dat wil ik,' beval Summer, dus begon Jude, die Claire een bezorgde blik toewierp, te lezen.

'Er was eens een man wiens vrouw gestorven was en hem met twee prachtige kleine kinderen had achtergelaten. Helaas werd de man ziek en hij zou gaan sterven, dus smeekte hij zijn broer om de kinderen na zijn dood in huis te nemen en voor ze te zorgen alsof ze van hemzelf waren. Daarna stierf hij en werden de kinderen wezen. Maar de oom was in zijn hart een gemene vent en hij bedacht een plan om de kinderen te laten doden zodat hij de rijkdom van hun vader in bezit kreeg. Hij betaalde twee schurken om ze diep in het donkere bos te brengen en ze te doden. Nu kreeg een van de schurken last van het kleine beetje geweten dat hij nog had en hij kon het niet over zijn hart verkrijgen om deze onschuldige kindjes te vermoorden. Hij kreeg ruzie met de andere man en vermoordde hem in plaats van de kinderen. Daarna vluchtte hij weg met het aan hen betaalde geld en werd nooit meer gezien. De arme kindjes waren verdwaald en aan hun lot overgelaten. Ze doolden door de afschrikwekkende duisternis tot ze, verzwakt van de kou en de honger, op de grond onder een boom bewusteloos ineenzakten. En daar, in de donkerste slapeloze uren van de nacht, nam de zachte dood hen tot zich. De dieren en vogels uit het bos kregen, te laat, medelijden en dekten ze toe met bladeren. Toen de dorpelingen naar ze op zoek gingen en ze werden gevonden, leek het alsof ze helemaal niet dood waren, maar dat ze alleen maar sliepen.'

'Wat vreselijk,' zei Summer, die het boek pakte en naar het plaatje keek van de kinderen, die eruitzagen alsof ze sliepen maar in werkelijkheid dood waren. 'Dat vind ik helemaal geen leuk verhaal.'

'Laten we thee gaan drinken, goed?' stelde oma opgewekt voor, en terwijl Claire wegliep om het water op te zetten, merkte ze op: 'Tamsin heeft me laten zien dat het bos geen angstaanjagende plek was. Haar familie moest ervan leven, wist je dat?'

Ze leunde in haar stoel naar achteren en kreeg een afwezige blik in haar ogen, alsof het verleden zich voor haar ogen afspeelde.

'Heb je die ontmoet, oma? Haar familie, bedoel ik?'

'O ja, heel vaak. Ze hadden hun kamp bij Foxhole Lane opgeslagen, niet ver van waar wij woonden.'

'Dat weet ik. Het is vlak bij de folly.'

'Dat klopt, lieverd. Er stonden drie, soms vier woonwagens. Het leek erop dat Tamsin geen moeder had. Volgens mij was die overleden. Tamsin deelde een woonwagen met haar grootmoeder, Nadya, en haar overgrootmoeder – ik weet niet meer hoe zij heette. Ze sprak niet goed Engels en zag er precies uit zoals jij je een echte zigeunerin zou voorstellen, Jude, met grote, gouden oorringen en een gerimpeld, donkerbruin gezicht, en ze rookte een stenen pijp, net als de mannen.'

Summer staarde Jessie indringend aan. 'Droeg ze ook zo'n sjaal om haar hoofd?' vroeg ze.

'Ja, schat, die had ze ook,' zei haar overgrootmoeder geamuseerd. 'Net als Tamsins oma, Nadya. Maar in die tijd droeg iedereen een sjaal om zijn hoofd, een hoofddoek of hoed als ze naar buiten gingen. Als je dat niet deed, had je het gevoel dat je niet fatsoenlijk gekleed ging.'

Summer knikte en begon weer in haar boek te bladeren. Jude wilde het meisje vragen of ze op school iets over zigeuners had geleerd, maar Jessie praatte verder. 'Ze nodigden me niet uit in de woonwagen – voor mijn gevoel was dat hun eigen, speciale plekje – maar Nadya was erg hartelijk. Als ik daar na schooltijd naartoe ging, gaf ze me een kop thee met heel veel suiker en een dik soort cake. Haar overgrootmoeder maakte manden en ik zat graag bij haar om te kijken wat ze deed; ze was zo snel en behendig met haar handen. Net zoals wanneer mijn moeder kantkloste. Nadya kwam tijdens het voorjaar een keer bij onze cottage langs, en leurde met manden waarin sleutelbloemen waren verwerkt, en mijn moeder heeft er uit vriendelijkheid een gekocht van het geld dat ze met haar kantwerk had verdiend. Toen ze waren uitgebloeid, plantte mijn moeder de sleutelbloemen in de tuin en mocht ik de mand houden.'

'Ik denk dat ze brandhout uit het bos haalden en op kleine dieren jaagden,' zei Jude tegen Summer, zich herinnerend hoe oma op dit onderwerp was gekomen.

'Dat klopt, lieverd, konijnen en zelfs egels, en natuurlijk wisten ze alles over de planten, en welke paddenstoelen je kon eten en welke bladeren geschikt waren als geneesmiddel. Nadya wilde me een keer een van haar brouwsels geven toen ik een nare hoest had, maar het rook vreemd en ik wilde het niet drinken. Ik ben bang dat Tamsin dat onbeleefd van me vond. Soms lagen we op die manier met elkaar overhoop omdat onze levens zo verschillend waren. Maar meestal speelden we heel leuk samen. Ze was zo sierlijk en mooi en ze had zo veel interessants te vertellen.'

'Wat zei ze dan, oma?' vroeg Summer. Claire stond nu in de deuropening van de keuken te wachten tot het water kookte.

'Nou, op een keer vertelde ze me dat ze drie verschillende namen had. Tamsin was alleen maar haar algemene naam. Ze wilde me niet vertellen hoe haar familie haar noemde, maar ik smeekte en smeekte, en zelfs zij wist haar derde naam niet. Het was haar toegefluisterd toen ze net was geboren, zei ze, en op een dag, als ze groot was, zou ze erachter komen.'

'Maar ik heb ook drie namen,' zei Summer triomfantelijk. 'Summer Claire Keating. Mijn vriendinnetje Darcey heeft er vier.'

'Tamsin moest op school Tamsin Lovall hebben geheten, dus ik veronderstel dat zij er ook vier had,' zei Jude met een glimlach. 'Oma, vond Tamsin het vervelend om naar school te gaan? Moest ze er van de autoriteiten naartoe?'

'Ik had het idee dat Nadya Tamsin een kans wilde geven. Ze kon zelf niet lezen of schrijven, maar ze was er trots op dat Tamsin dat wel kon. Ik moest Tamsin helpen met haar huiswerk als ze iets niet begreep, want haar familie kon dat niet. Ze kwam nooit ons huis binnen, zelfs niet als ik het haar vroeg, en ik denk niet dat ma dat vervelend zou hebben gevonden. Zo was ze niet, onze mama, maar sommige vrouwen in het dorp wel. De andere kinderen riepen Tamsin zo'n vreselijk versje toe. Het ging zo: "Mijn moeder zei me dat ik nooit / mocht spelen met de zigeuners in het woud." Natuurlijk kregen ze van onze leraren wel een standje als ze het ooit hoorden, maar, nou ja, je kunt kinderen nou eenmaal niet tegenhouden, wel?'

Summer keek op uit haar boek en zei: 'Dat is een vreselijk rijmpje. Ik zou dat nooit zeggen.'

'Maar op school wilde ik niet dat ze zagen dat ik met Tamsin speelde, o nee,' vervolgde oma. 'Dat was niet erg dapper van me, hè?'

'Nee,' zei Summer een beetje onzeker.

'Ze konden zo wreed zijn, de andere kinderen. Er was vooral één jongen...' Oma begon aan haar gehoorapparaat te morrelen, dat een waarschuwend gepiep liet horen.

'Wie dan, oma?' vroeg Jude snel.

'Verdraaid apparaat. Wie? O, laat maar, het is niet belangrijk.' Jude had het gevoel dat dat waarschijnlijk wel zo was, maar vroeg in plaats daarvan tactvol: 'Vertel eens over die halsketting. Waar bewaarde Tamsin die?'

'Nou, dat is interessant. Ze zou hem natuurlijk nooit naar school dragen, maar een paar keer droeg ze hem wel in hun kamp. Het was hetzelfde als bij haar overgrootmoeder en met de oorbellen. Als ze hun kostbaarheden droegen, konden ze niet gestolen worden, toch?'

'Nee, dat lijkt me ook niet,' zei Jude. Maar uiteindelijk is dat nou net met Tamsins halsketting gebeurd. Jessie had hem gestolen. Bij het zien van de weemoedige uitdrukking op Jessies gezicht wist ze dat haar grootmoeder precies hetzelfde dacht.

'Ik was dol op die halsketting. Ze liet hem mij ook wel eens dragen, en dan zeiden we dat degene die hem droeg de prinses was en mocht kiezen wat we die dag gingen doen. Toen het een keer mijn beurt was, zei ik dat ik naar de folly wilde. Als kind speelden we vaak bij de folly. Onze vader had gezegd dat we er niet naartoe mochten, maar soms deden we het stiekem toch.'

Er viel een stilte toen Claire met het theeblad en de petitfours binnenkwam.

'Dank je, lieverd. We vonden de folly allemaal maar niets. Het was er vochtig en ontzettend donker.' Ze keek toe hoe Summer het papiertje van haar petitfour afpelde voordat ze verder sprak. 'Hoe dan ook, we klommen die dag naar die kamer bovenin, Tamsin en ik, en we speelden daar, o, iets onzinnigs over feeën, en Tamsin vond een kleine verstopplek achter een loszittende steen. Daarna gebruikten we die soms om boodschappen voor elkaar achter te laten, en cadeautjes. Gewoon, malle dingen als een plak cake of bloemen. Een keer had ze iets voor me achtergelaten wat een van haar ooms had gemaakt: twee houten poppen van wasknijpers die aan elkaar waren vastgebonden zodat het eruitzag alsof ze aan het worstelen waren wanneer je aan de touwtjes trok. Je moet weten dat ze soms niet op school kwam opdagen of dat haar familie had besloten om verder te reizen, en dan ging ik kijken of ze iets voor me had achtergelaten.'

Jude vond dat allerliefst, en Claire zei: 'Wat een prachtig idee.'

'Ik weet niet meer wanneer we die plek voor het eerst voor de halsketting gebruikten. Niet lang daarna. Tamsin wilde het niet, maar ik haalde haar over. Ik mocht van haar de halsketting mee naar huis nemen, maar ik heb hem niet aan mijn moeder laten zien; dan had ik hem van haar onmiddellijk terug moeten geven. Ik zei tegen Tamsin dat als ik haar de volgende dag niet zou zien, ik hem op de verstopplek zou terugleggen. En dat heb ik ook gedaan. Nu ik er zo op terugkijk was het allemaal een beetje onnozel. Ieder ander had hem kunnen vinden als hij had geweten waar ze hij moest zoeken. Maar het leek toen zo romantisch en ik haalde me van alles in mijn hoofd, want dat doen jonge meisjes nou eenmaal.'

'Hoe oud was je toen, oma?' vroeg Claire.

'O, ik geloof dat ik elf of twaalf was toen we die verstopplek vonden.'

Na de thee viel oma in haar stoel in slaap en liep Jude gearmd met Claire naar Blakeney Point, terwijl Summer voor hen uit danste. De lucht voelde sprankelend, magisch aan. Het licht bij de moerassen was in de zomer heel bijzonder, vond Jude; nu er geen wind stond, was het er verstild, en dit, in combinatie met oma's verhalen, bracht in haar een vreemd verlangen teweeg.

Ze stonden op een kleine landtong, keken uit over het eenzame, laatste huis op de punt van het schiereiland en luisterden naar een paar opgewonden leeuweriken ergens hoog in de lucht. Jude voelde zich op dat moment en op die plek sterk verbonden met Claire en kon vergeten dat ze had gezegd 'Jude is niet mijn vriendin, maar mijn zus'. Maar het was slechts een enkel, op zichzelf staand moment.

Toen ze naar oma's huisje terugliepen, kreeg Jude een sms'je. Summer was als eerste bij haar tantes handtas.

'Het is van Euan!' riep ze, en ze gaf de telefoon aan Jude, die vluchtig las wat er op het schermpje stond.

'Het gaat over sterrenkijken,' legde ze aan Claire uit en ze keek naar haar kleine, verbitterde gezicht. 'Hij zegt dat vanavond goed is. Ik moet om middernacht bij hem zijn. Ik wilde dat je ook kon komen.'

'Nou, dat kan niet, of wel soms?' snauwde Claire, die een blik op Summer wierp. En het was op dat moment alsof er tussen hen een wijde kloof gaapte.

18

Kwaad op Claire, en zichzelf voorhoudend dat ze voor haar onderzoek werkelijk moest ervaren hoe het was om in de folly naar de sterren te kijken, besloot Jude ernaartoe te gaan, maar dat was bepaald geen moeilijke beslissing. Ze verlangde er nu al naar om Euan weer te zien.

Het was een paar minuten na middernacht toen ze uit de bomen bij de folly tevoorschijn kwam. Er scheen een driekwart maan en het ontbrekende deel was als een spookachtige tekening. Ze was laat omdat ze helemaal in beslag was genomen door Euans laatste boek, dus had ze moeten rijden in plaats van lopen, en toen ze op Foxhole Lane de auto uit stapte, had haar zaklamp het begeven.

Er stapte een lange gestalte uit de schaduwen bij de toren. Even sloeg haar hart een slag over, maar toen zei de gestalte met een bekende stem: 'Jude, ik was al bang dat je was verdwaald.'

'Sorry. Dat was ook bijna gebeurd. Die ellendige zaklamp ook.'

Hij deed een stap achteruit om Jude eerst de toren in te laten, terwijl hij met zijn eigen zaklamp op de trap scheen, die in een rode gloed werd ondergedompeld. 'Rood licht is beter als je naar de sterren gaat kijken,' legde hij uit terwijl ze naar boven liepen. 'Het bederft je nachtzicht niet.'

Ze liep dit keer zelfverzekerder naar boven, met het licht en Euan geruststellend achter haar, en het leek niet erg lang te duren voordat ze in de kleine torenkamer waren. Ze keek om zich heen, met ergens in haar achterhoofd de verstopplek van oma en Tamsin, maar daarvoor was het nu niet het juiste moment. Een vierkant van maanlicht op de vloer kondigde aan dat het valluik open was.

'Klim vooral rustig die ladder op,' zei Euan, 'en pas op je hoofd als je boven bent.'

Ze was verbaasd dat het zo krap was op de top van de toren – misschien een diameter van vier meter – en ondanks het halfhoge muurtje eromheen voelde ze zich duizelig worden. Ze moest zichzelf dwingen om van de ladder af te stappen, en ging boven op het dak zitten om aan haar omgeving te wennen. De vloer was van het afbrokkelende steen dat hier overal te vinden was en ze wist zeker dat de toren in het lichte briesje heen en weer ging, waardoor ze misselijk werd. Ze sloot haar ogen maar het gevoel werd daardoor erger dus opende ze ze maar weer, en merkte dat Euan bezorgd naast haar was komen zitten, dichtbij, maar hij raakte haar niet aan. In het donker kon ze de warmte van zijn lichaam voelen en ze greep zijn arm voor houvast beet.

'Gaat het wel?'

Ze knikte.

'Ik vond het de eerste keer ook een beetje griezelig. Het gaat beter als je eraan gewend raakt. Kijk eens omhoog!'

Dat deed ze en haar adem stokte in haar keel van verbazing.

'We zitten bijna tussen de sterren! Ik heb er nog nooit zo veel gezien.'

'Het is zelfs nog mooier als er geen maan is.'

Hoewel dit platform vroeger een afdak had gehad, waren er alleen nog een paar steunberen over, dus zaten ze in de openlucht. En wat voor een lucht. Zo boven de bomen was het alsof ze in een sprankelend, flakkerend koepeldak werden geduwd.

'Hier krijg je echt het gevoel dat we op een planeet zitten en in de ruimte ronddraaien, toch?' mompelde Euan. 'Vooral wanneer de maan er als een bol uitziet, en geen platte schijf is.'

'Het lijkt wel alsof de sterren leven en in vuur en vlam staan.'

'Dat is bij de meeste ook het geval. Je weet vast wel dat we ze zien zoals ze in het verleden waren, omdat ze miljoenen lichtjaren bij ons vandaan zijn. Sommige bestaan misschien niet meer en nu zien we alleen nog hun schimmen.'

'Het is voor ons te veel om helemaal te kunnen bevatten, hè?' antwoordde ze. Haar stem klonk hees in de koude lucht.

Ze kon voor het eerst goed het mistige lint van de Melkweg zien, die, wist ze, uit honderden miljarden sterren bestond, allemaal een eeuwigheid aan lichtjaren weg. Reusachtige woorden als eeuwigheid en oneindigheid die mensen dagelijks te pas en te onpas in de mond namen, namen plotseling voor haar een fysieke vorm aan. Alsof het gisteren was gebeurd – wat in termen van de Melkweg ook het geval was, een fractie van gisteren zelfs – stond ze blootsvoets met Mark op het schoolveld, en ze deden beloftes die, uiteindelijk – aangezien mensen nietige moleculen in een gigantisch universum zijn – te onbeduidend en krachteloos waren om je er ooit aan te kunnen houden, en toen ze dat begreep, moest ze bijna huilen.

Ze keek naar omlaag, naar de eenvoudige, geruststellende realiteit van haar oude spijkerbroek en sportschoenen, en werd zich intens bewust van deze andere man, bijna een vreemde in een sjofele anorak, die zwijgend op het baksteen naast haar zat, met zijn handen op zijn knieën. Toen ze naar die handen keek, en door de gedachte aan hoe sterk en zachtaardig die waren, werd ze teruggeworpen in de wereld die ze kende, het kleine wereldje waarin ze kon geloven dat ze er iets toe deed.

'Gaat het weer?' vroeg hij zacht. 'Je hebt in geen eeuwen meer iets gezegd.'

'Ja,' antwoordde ze. 'Volgens mij gaat het wel weer.'

'Kom.' Euan kwam met een soepele beweging overeind, hielp haar opstaan en liep naar de telescoop die hij op een statief aan een kant van het platform had gezet.

'Is het wel veilig?' vroeg Jude, die naar het statief keek.

'Ik denk het wel, maar ik zou voor de zekerheid niet op de zijkant leunen,' zei hij afwezig, helemaal in beslag genomen door wat hij ook door de lens zag.

Ze schoof voorzichtig zijn kant op, maar alleen al een snelle blik naar de bomen beneden zich vond ze al meer dan onrustbarend. Ze bleef staan en moest het beangstigende beeld van Summer die hierboven was van zich afzetten. Maar hij was toch niet met haar naar boven gegaan? Ze herinnerde zich wat Chantal had gezegd over het ongeluk dat hier veertig jaar geleden had plaatsgevonden. Je kon hier gemakkelijk vallen, zeker als je dronken of onder invloed van drugs was. De gedachte eraan alleen al maakte haar duizelig en ze ging weer op de grond zitten.

Euan zei streng: 'Kom hier, want je moet dit zien.' Hij hielp haar weer overeind en hield haar bij de schouders vast terwijl ze door de lens keek.

'Ik kan niets zien. Ik ben te bang. O, wacht eens even.'

Ze zag iets wat leek op een topaaskleurige constellatie in een hemelse krans van mist en licht.

'O, mijn god. Wat is dat?' zei ze met ingehouden adem.

'Icarus,' antwoordde hij. 'De beschermer van de Grote Beer. Hij is een van de heldere sterren van het firmament die het dichtst bij ons staan. Probeer er eens met het blote oog naar te kijken. Daar.' Jude kneep haar ogen tot spleetjes en keek naar waar hij wees. 'Zie je die vorm van een vlieger? Icarus staat onder aan dat sterrenbeeld, dat Boötes heet, de Herder.'

'Wat is die halve cirkel daar links?' Het ging goed zolang ze niet naar beneden keek, en hij hield haar stevig vast. Ze voelde zijn adem in haar haar.

'In het noordoosten, bedoel je? Corona Borealis. De Grieken beweerden dat het de kroon van Ariadne was, de dochter van de koning van Kreta.'

'Die van de Minotaurus?'

'Ja. De grootste ster in de corona is een omgekeerde nova. Elke honderd jaar of zo vervaagt hij plotseling, en komt dan weer terug. Dat komt doordat er een donkere substantie in uitbarst. Ik weet niet veel over astrofysica dus vraag me niet wat voor donkere substantie het precies is.'

'Is dat niet belangrijk voor je boek? Ik geniet trouwens erg van je laatste boek.'

'Dank je. Het is maar tot op zekere hoogte belangrijk. Ik ben erin geïnteresseerd, maar zoals ik al vertelde concentreer ik me op onze culturele respons op de sterren door de eeuwen heen: waarom we sterrenkijken en waarom we het zo belangrijk vinden om de kosmos te begrijpen. Het is waarschijnlijk de oudste tak van het wetenschappelijke onderzoek, hoewel onze verre voorouders ons concept van wetenschap niet hadden begrepen.'

'Door naar de sterren te kijken, word je bescheiden,' fluisterde Jude. Waar ze zich even daarvoor nog zo duizelig en angstig had gevoeld, ervoer ze nu een aangenaam soort gevoel van ontzag. Nu hij haar vasthield was ze niet zo nerveus meer; ze genoot ervan om wijs te worden uit de massa dansende lichtjes boven haar.

Ze keken nog ongeveer een half uur naar de sterren, en toen hij zag dat ze het koud kreeg, zei Euan dat hij beneden een thermosfles koffie had staan. 'Vind je het erg om hier even alleen te blijven?' vroeg hij.

'Nee, hoor, ik heb mijn sterrenkijkbenen gevonden,' zei ze, en dat was ook zo. Ze was hier nu heel gelukkig, zo hoog boven de bomen. En hoewel het al na enen moest zijn, was ze helemaal niet moe.

Ze stond naar het grote, koepelvormige sterrendak te turen, observeerde de voortgang van de maan door de lucht en bedacht hoe stil het was. Ze probeerde zich Anthony Wickham voor te stellen, die hier in zijn eentje in de ijskoude nacht de bewegingen van de hemellichamen zat te berekenen. Wat hoopte hij te ontdekken? Cecelia was niet veel over hem te weten gekomen, en ook niet of zijn bevindingen iets hadden bijgedragen aan de grote hoeveelheid kennis die over de sterren was opgebouwd. Wat had hem gedreven? Ze wist het niet. Hoewel ze nu wel de aantrekkingskracht van de nachtelijke hemel begon te begrijpen.

Euan kwam weer tevoorschijn. 'Hier, dat zal je goeddoen,' zei hij en hij vulde een beker tot de rand. Hij deed suiker in de koffie en ze was blij met de zoetigheid. Ze nam een paar slokken en gaf de beker aan Euan, die er wat van dronk.

'Kom je hier bijna elke avond?' vroeg ze.

'Alleen af en toe, als de lucht helder is. Ik heb deze plek al snel nadat ik hierheen was verhuisd ontdekt, toen ik naarstig op zoek was naar een idee voor een nieuw boek. Ik ben hier op net zo'n nacht als deze naar boven geklommen en kreeg onmiddellijk inspiratie. Ik wist al redelijk wat van de sterren af, en het hele idee voor het boek kwam praktisch kant-en-klaar in me op. Zoiets gebeurt maar zelden. En mijn uitgever was er natuurlijk weg van. Het is een magisch boek om te schrijven en er onderzoek voor te doen.'

'Het is heerlijk als je werk ook je hobby is. Zo is het voor mij ook een beetje. Althans, dat zou het zijn zonder alle politieke spelletjes en de druk om geld te verdienen.'

Ze zag zijn tanden even wit opflitsen. 'Nou ja, dat hebben we toch allemaal? Eten, hypotheek...'

'Vertel me eens hoe je ertoe bent gekomen om te gaan schrijven en de natuur te bestuderen. Ik heb een beeld van jou als een jongetje met een snotneus dat insecten in luciferdoosjes vangt en hagedissen in de toilettafel kweekt.'

Hij lachte. 'Zo was het ook wel een beetje. Je kunt wel zeggen dat ik in mijn jeugd vooral buiten ben geweest. Ik reed elke dag op m'n fiets rond, en had een heel inspirerende leraar die de biologieclub leidde. Ik had op de universiteit over zoölogie gelezen en werd min of meer een labrat – je weet wel, research – maar dat paste niet echt bij me. Dus verhuisde ik hiernaartoe terug en nam een baan bij natuurbehoud.' Hij zweeg even. 'En vanaf dat moment is het balletje eigenlijk gaan rollen.'

Zijn woorden verstomden en ze merkte dat hij op moeilijk terrein was aangekomen. Als hij haar over het schrijven van zijn eerste boek vertelde, betekende dat misschien dat hij over zijn huwelijk moest praten. Hij was geen man die je gemakkelijk leerde kennen. Hij was vriendelijk en open, en ze voelde zich bij hem zeer ontspannen en op haar gemak, maar er was nog steeds een deel van hem dat hij niet gemakkelijk prijsgaf. Daar had ze respect voor. Iedereen koos daar zijn eigen tijd voor. Zij in elk geval wel.

En dat was ook het geval bij sterrenkijken in de nacht. Er dreef een wolk voor de maan. Ze dronk het laatste beetje koffie op en was plotseling heel moe. 'Ik moest maar weer eens gaan.'

'Ja, natuurlijk,' zei hij. 'Nou, ik hoop in elk geval dat je ervan hebt genoten.'

'O, ja,' zei Jude vurig, en ze keek toe hoe hij de telescoop uit elkaar haalde en in een tas stopte.

'Mooi,' zei hij, en weer flitste die glimlach in de duisternis op. Hij bracht haar naar de ladder, klom vervolgens zelf naar beneden en deed de deur van het valluik achter zich dicht.

'Je moet nog een keer komen,' zei hij, en zijn stem weergalmde terwijl ze de trap af liepen. 'Je bent leuk sterrenkijkgezelschap.'

'Dank je. Ik kan wel aantekeningen voor je maken, als dat helpt.' Hoe kwam ze erbij om dat voor te stellen? Het leek wel een echo van Anthony en Esther.

'Dat is nog eens aardig. Blijf je lang in Norfolk?'

'Los van de paar dagen dat ik in Londen moet zijn... o, nog een paar weken.'

Eigenlijk heel kort, dacht ze toen ze naar de Hall terugreed. Ze moest de volgende dag verder gaan met kopiëren. En ze moest een opzet maken voor het artikel voor Bridget. En iets doen aan die halsketting in haar handtas.

19

De volgende ochtend belde Cecelia na het ontbijt. 'Ik heb die dagboeken eens doorgelezen,' zei ze. 'Jude, het zijn echt fascinerende aantekeningen van eigentijdse astronomische observaties. Wickhams belangrijkste bijdrage zijn die nieuwe telescopen die hij heeft gemaakt. Daardoor was hij in staat om de sterren aanzienlijk uit te vergroten en beter te bekijken. Ik kan je ook vertellen dat hij een zeer nauwkeurige, objectieve observator was. Je krijgt echt een indruk van hoe de wetenschappelijke werkwijze zich heeft ontwikkeld.'

'Dat klinkt bemoedigend,' zei Jude weifelend.

'Maar als het om daadwerkelijke ontdekkingen gaat, dat "verhaal" waarnaar je op zoek bent om de verkoop een duwtje in de rug te geven, dan weet ik het niet. Hij heeft zeker een aantal van die zogenaamde dubbele sterren ontdekt, maar dat klinkt niet al te spannend, hè? Volgens mij is het interessanter wat er gebeurt wanneer de dochter, Esther, het stokje van hem overneemt. Haar aantekeningen zijn weliswaar nauwkeurig, maar veel enthousiaster en gepassioneerder. Ze spreekt over de hemel als "een oceaan van sterren". Een prachtige beeldspraak, vind je niet? En hier zegt ze... wacht even... dat ze zich voelt als een "reiziger te midden van de sterren". Je krijgt echt een duidelijk beeld van haar. Maar er is nog iets. Moet je horen. Ze heeft het over een of ander object dat ze in de lucht heeft gezien, in de buurt van het sterrenbeeld Tweelingen. "Het is er vanavond weer. Bij een vergroting van 460 kan ik zien dat het geen staart heeft dus ik zet mijn vraagtekens bij mijn vaders observaties. Het is geen komeet. Ik denk oprecht dat het iets nieuws is."'

'Dat heb ik gelezen. Wat was het?'

'Ik heb zo mijn vermoedens. Als die juist blijken, nou, dan is het verbazingwekkend. Maar ik moet het nog helemaal uitlezen en het een en ander controleren voordat ik er meer over kan zeggen, en daar ben ik nog wel een paar dagen mee bezig. Danny komt voor een week terug uit Boston en we hebben onszelf een uitstapje naar Parijs beloofd.'

Jude was teleurgesteld, maar wist toch op hartelijke toon uit te brengen: 'Stelletje geluksvogels!' Ze meende het ook nog. Bij het horen van Parijs moest ze aan Caspar denken, maar ze voelde geen greintje spijt. Merkwaardig dat die paar maanden samen met hem nu al een eeuwigheid geleden leken.

Ze bedankte Cecelia en ze hingen op.

Met hernieuwd enthousiasme begon ze weer aan Esthers aantekeningen. Ze werd al snel weer meegesleept door het verhaal van het jonge meisje.

Het was al bijna kerst in het jaar onzes Heren 1772. Op een ijskoude middag vermaakte ik me in mijn kamer met het poppenhuis, toen ik bij het horen van hoefgetrappel een blik uit het raam wierp. Ik zag een rijtuig met tweespan de oprijlaan op komen, terwijl de adem van de paarden in de ijzige lucht golfde. Het rijtuig hield stil voor het huis en een jongeman sprong eraf om de paarden tot rust te manen. De koetsier hielp eerst een lange, hoekige dame met een hoed vol veren uit het rijtuig, en toen een magere jongen die misschien een jaar of twee ouder was dan mijn tien zomers. De dame keek met een dreigende blik naar het huis, alsof ze het inspecteerde op tekortkomingen. Ik was daar een van, leek het wel. Even verzachtte haar gezichtsuitdrukking, alsof iets in de ondiepe zandstenen groeven haar geruststelde. Toen ving haar venijnige blik door het raam heen mijn nieuwsgierige ogen en haar hele lichaam verstijfde. Ik deinsde als door de bliksem getroffen achteruit en deed een stap opzij. Toen ik weer naar buiten keek had ze haar rok iets opgetrokken en liep ze naar de trap, met de jongen vlak achter haar aan.

Plotseling hoorde ik dat beneden de hele huishouding in rep en roer was. Mevrouw Godstone gilde om Susan; meneer Corbett, de butler, beval een livreiknecht: 'Breng onmiddellijk de bagage binnen, man!' Ik sloop de kinderkamer uit, zo stiekem als een kakkerlak, en ongetwijfeld net zo welkom, naar mijn verstopplek boven aan de trap. Beneden vlogen deuren open en sloegen weer dicht, schoenspijkers knarsten op de marmeren vloer en een bitse vrouwenstem weergalmde door het marmeren atrium: 'Breng me onmiddellijk naar mijn broer. En steek de haard aan in mijn gebruikelijke kamer, wil je?' De zus van mijn vader was gearriveerd.

Ze was natuurlijk vaker langs geweest, maar zelden langer dan een dag of twee. Deze keer had Alicia Pilkington, de tweede vrouw van de weledelgeboren heer Adolphus Pilkington, herenboer van Lincolnshire, hun volgzame, elfjarige zoon meegenomen, Augustus, over wie ze het publiekelijk had als mijn vaders erfgenaam. Ze bleven de langste week die ik me kan herinneren. En in die tijd wisten ze de huishouding van Starbrough Hall op haar reumatische knieën te krijgen.

Haar vrijgezelle broer, benadrukte Alicia met onverholen minachting, wist niets van het bestieren van een groot huis. Het was haar zusterlijke plicht, kondigde ze bij mevrouw Godstone aan, om een onderzoek in te stellen naar de huishoudelijke gang van zaken en de financiën, en om te bekijken hoe dik de laag stof was onder het bed in haar kamer, waarin ze als kind had geslapen en die om die reden altijd gereed voor gebruik moest zijn. Met een precisie die 's konings generaals in hun kwartiermeester zouden bewonderen, inspecteerde ze de linnenkasten, de provisiekasten, de vliering, de laarzenkamer, de kelders, de latrines – maar niet de voorraadkamer van meneer Corbett, de kamerdeur die hij beschermde als een in het nauw gedreven wild zwijn. Ze velde een oordeel over het minste of geringste aspect van de huishouding, van het ingemaakte voedsel tot de pispotten – en het duurde niet lang voordat die venijnige blik mij in het oog kreeg.

'Waarom maakt dit kind de kinderkamer van de familie onveilig?' vroeg ze aan Susan terwijl ik ongelukkig in de buurt rondhing. 'Kan ze niet bij jou en Betsy op de kamer, net als iedere andere dienstbodesnotaap?'

'De meester beschouwt haar niet als een bediende, mevrouw,' barstte Susan los, terwijl ze tegelijk eerbiedig een knicks maakte. 'Meer als een... een verwant.'

'Verwant? Hoezo een verwant? Ze zeggen dat ze een of andere bastaard is van een armoedzaaier. Ik heb nooit begrepen waarom hij de kerk niet voor haar laat zorgen.' Deze nieuwe kijk op mijn herkomst, en de blik die ze me tegelijkertijd toewierp die impliceerde dat hij me maar het beste voor dood in een greppel had moeten achterlaten, deed het bloed in mijn aderen stollen.

'Zit me niet zo aan te gapen, brutale vlegel,' gilde ze. 'Luister, Susan, je kunt haar maar beter meenemen naar jouw bed. En breng haar in godsnaam wat manieren bij.'

En dus sliep ik een nacht op een dun stromatras tussen Susan en Betsy in, op hun zolderkamer, en ik zeg wel 'sliep', maar 'rilde' was er een beter woord voor, ook al deed Susan nog zo haar best om me warm te houden met de dunne deken die ze kon missen. 'Is het echt waar?' vroeg ik aan haar. 'Ben ik echt een bastaardkind van een armoedzaaier?' Maar ze ontkende dat ten stelligste, en vertelde opnieuw dat Anthony Wickham mijn vader wel moest zijn. Hij had me op een zomeravond meegebracht en verklaard dat ik moest worden behandeld als was ik zijn eigen kind. Ik keek daar onmiddellijk doorheen; het kon betekenen dat ik daadwerkelijk zijn dochter was, of niet. 'Ik wist dat je van goede komaf was,' voegde Susan eraan toe terwijl ze de deken instopte, 'want hoewel je smerig was en in lompen gekleed, was je huid zo zacht als een bloemblad en waren die lompen van zijde.' Ik piekerde over dat mysterie terwijl ik mezelf zo warm probeerde te krijgen dat ik in slaap zou vallen. Misschien was ik dan toch een prinses, maar ik wilde nog steeds graag dat Anthony mijn vader was. De volgende ochtend perste Susan haar lippen als twee muffinhelften op elkaar en stelde mijn vader op de hoogte van hoe zijn zus mij had behandeld.

De volgende avond mocht ik weer terug naar de kinderkamer, maar mijn vader had er beter aan gedaan om te wachten tot zijn zus weg was, aangezien ze mij toen voor het eerst ging zien als een sta-in-de-weg bij haar ambities. Hoewel ze mij met geen vinger durfde aanraken, gaf ze Susan een klap in haar gezicht omdat ze haar gezag had genegeerd. Een grotere fout had ze bij mij niet kunnen maken, want als iemand Susan kwaad deed, kon ik diegene dat niet vergeven. Daarna waren Alicia Pilkington en ik gezworen vijanden. Die week heb ik haar zulke subtiele streken geleverd, zo sluw dat ze niet kon bewijzen dat de ongelukjes die haar overkwamen iets anders waren dan toevalligheden, hoewel ze zo haar vermoedens moest hebben gehad.

Ik legde groene takken tussen haar haardvuur zodat het ging roken en haar kleren gingen stinken; in een gat in haar matras had ik zaadjes gestopt van een kruid dat vreselijke jeuk veroorzaakte, dat had Sam me een keer verteld, waarna ze klaagde dat haar huid onder de muggenbeten zat. Maar de manier waarop ik de arme Augustus behandelde, dat God me vergeve, was nog het ergst van al.

Magere, bleke 'Gussie' zorgde voor nog meer problemen in de huishouding doordat hij op de derde dag van hun verblijf koorts kreeg. Het was zulk guur weer dat er elke nacht ijsbloemen aan de binnenkant van mijn raam prijkten, en 's ochtends moest ik het ijs in mijn lampetkan stukbreken voor-

dat ik me kon wassen. In de kamer van Augustus werd het vuur echter de hele nacht flink opgestookt totdat de zweetdruppels over zijn gezicht stroomden en zijn beddengoed doorweekt was van het zweet. Er verstreken zo twee nachten eer de crisis voorbij was. Toen zijn moeder de huishouding op de huid begon te zitten, werd mij opgedragen de zieke te vermaken, en dat deed ik door hem verhalen te vertellen. Gruwelijke verhalen over de begraafplaats op de heuvel, de afschuwelijke schimmen die door het bos dwaalden en zich, zo verzekerde ik hem, zelfs in het park waagden. 'Als de maan schijnt durf ik niet uit mijn raam te kijken,' fluisterde ik dan met rollende ogen, 'uit angst dat ik zulke verschrikkingen zie dat ik in steen verander.' Augustus staarde me dan met donkere, wijd open mond aan, in een gezicht dat door zijn ziekte al spierwit was. Hij wilde niet meer alleen slapen en tot mijn verdriet moest ik toen bij hem in zijn kamer slapen. Bij elk vreemd geluidje – het trillen van het glas in het raamkozijn of het gekraak van een vloerplank – schoot hij overeind en greep hij de lakens met zijn lange, meisjesachtige vingers beet. Maar na verloop van tijd werd ik milder. Ik had akelige bedoelingen met hem gehad – om wraak te nemen op zijn moeder – maar geleidelijk aan werden we vrienden. Hij nam me in vertrouwen over wat zijn moeder verwachtte, dat hij de Hall van zijn oom Anthony zou erven, aangezien zijn vader, Adolphus, nog een oudere zoon had die de landerijen van Lincolnshire zou erven. Ik zocht er toentertijd niets achter. Hij is een onschuldige jongen, mijn adoptiefneef, die meer op zijn studieuze oom leek dan op zijn kwaadaardige moeder of zijn vader, de welgedane landheer, die ik bij een latere gelegenheid ontmoette.

Los van die keer dat hij omwille van mij had ingegrepen, had mijn vader die week zijn deur voor alle opschudding vergrendeld. Hij zat ofwel in zijn kamer ofwel in zijn werkruimte en zijn maaltijden werden door Betsy op een dienblad naar hem toe gebracht. Zelfs voor hem was het te koud om naar de folly te gaan, hoewel de sterren die ik in die vrieskoude nachten vanuit mijn raam kon zien hem in de verleiding moesten hebben gebracht; reusachtig, leken ze wel, en ze glommen in al hun kleurenpracht, Icarus romig en Betelgeuze rozerood. Want ja, ik had over de nachtelijke hemel gelezen in een boek dat ik in de salon had gevonden.

Twee dagen na het vertrek van tante Pilkington stormde Susan met wijd open ogen en buiten adem mijn kamer binnen. Ze hijgde dat ik me buitengewoon moest haasten, want mijn vader wilde dat ik onmiddellijk bij hem kwam. Ze kamde mijn haar en deed mijn kraag goed, liep toen met me mee naar beneden naar zijn werkruimte bij de stallen, waar ze me door de deuropening heen duwde en achterliet.

Mijn vader zat aan een bureau en was druk bezig met het poetsen van een grote, zilveren schijf die op een dienblad leek. Dit, zei hij tegen me zonder me aan te kijken, was een spiegel voor een nieuwe verrekijker, die op deze manier urenlang moest worden opgepoetst met tinoxide, net zo lang tot hij het evenbeeld van de astronomische goden kon weerspiegelen. Hij had me laten komen om hem daarbij te helpen, wat ik maar wat graag deed. Ik haalde de benodigdheden waar hij om vroeg en zette de theemaaltijd bij hem neer die Betsy kort tevoren had gebracht. Ondertussen gaf ik stamelend antwoord op de vele vragen die hij me stelde over wat ik op school had geleerd en welke boeken ik had bestudeerd. Vervolgens droeg hij me op om een passage aan hem voor te lezen uit een boek dat opengeslagen naast zijn elleboog lag.

Dat deed ik met trillende stem. Het boek bevatte een vreemde veronderstelling, namelijk dat er in het hele universum wellicht vele sterren als onze zon zijn, en ook veel planeten, allemaal bewoond door Gods vreemde schepselen, die we nog nooit zijn tegengekomen. Ik struikelde over de onbekende woorden en al snel, niet onvriendelijk, vroeg hij me op te houden met voorlezen, en in plaats daarvan te vertellen wat ik van de ideeën vond die erin stonden. Nou, er zijn vreemde, wilde beesten op aarde die ik nog nooit heb gezien, zei ik tegen hem, onzeker over het antwoord dat hij van mij verlangde. 'Er zijn mensen die geloven dat er een onbekend ras op de maan woont,' zei hij ernstig. Ik knikte, aangezien ik vele nachten naar de maan heb getuurd en dacht dat ik op zijn oppervlak gebouwen en bossen zag. 'Als dat het geval is,' voegde hij eraan toe, 'welke andere planeten zijn er dan buiten ons gezichtsveld, en wat voor soort wezens zouden er leven?'

Later, toen hij klaar was met poetsen, nam hij me mee naar zijn bibliotheek. Hij liet de banen van de planeten van ons zonnestelsel zien op een ingenieuze constructie die hij in navolging van de grote Lord Boyle had gemaakt, die een planetarium heette, waardoor ik moest denken aan het spel dat we op school hadden gedaan. Saturnus met zijn ringen kwam me het vreemdst voor.

'Er draaien zes planeten om onze zon,' zei hij tegen me, 'maar sommigen zeggen dat het er meer kunnen zijn.'

'Ik zou het leuk vinden om nog een planeet te vinden,' antwoordde ik.

Mijn schuchterheid was inmiddels verdwenen. 'Daar streef ik naar.' Hij was een zwijgzame man, mijn vader, vaak stil, alleen met zijn gedachten. Ik sprak graag met hem, want hoewel hij me 'kind' noemde, stelde hij me vragen alsof ik zijn gelijke was. Hij lachte nooit om mijn antwoorden en verwierp ze nooit als kinderachtig. Hij had iemand nodig om over zijn interesses te praten, en ik mocht graag denken dat ik hem op een bescheiden manier van pas kwam.

Na die dag veranderde mijn leven en ik geloof dat van hem ook. Ik ging nog steeds naar school, sliep in de kinderkamer en at met Susan en de andere bedienden, maar soms werd ik geroepen en stuurde Susan me naar zijn werkruimte of studeerkamer. Ik was degene die zijn nieuwe telescoop vasthield wanneer hij de spiegel en de lens in de lange, houten kijker op hun plaats zette. Ik was erbij op de warme septembernacht toen de mannen hem in de folly installeerden. Het was het mijn taak om mijn vaders aantekenboeken te dragen en daarna stilletjes in de torenkamer te wachten, terwijl ik naar zijn ongeduldige instructies luisterde en zij zwoegden om de telescoop op het platform erboven te installeren. Nadat die taak volbracht was, brachten hij en ik samen kostbare uren door, totdat de duisternis inviel en over de door hem getekende sterrenkaarten sijpelde. Dan onderrichtte hij me in zijn theorieën over de banen van de planeten, de aard van de sterren en kometen, totdat de motten door het dakraam fladderden, aangetrokken door het licht van onze lantaarn, en we de sterren tevoorschijn zagen komen. Het was tijd om de ladder te beklimmen en door zijn nieuwe telescoop naar de hemel te kijken.

In het begin kon ik maar weinig zien. 'Oefening baart kunst,' zei mijn vader lachend, toen hij zag dat ik een pruillip van frustratie trok. Na die nacht nam hij me zo nu en dan mee naar de folly, hoewel Susan klaagde over mijn onregelmatige uren. 'Het kind is te moe om naar school te gaan, meneer,' viel ze tegen hem uit. Omdat hij mij aan haar had toevertrouwd, was hij het daarmee eens en nam hij me minder vaak mee, ondanks al mijn smeekbedes.

De nieuwe telescoop was een wonder en onthulde een lucht vol sterren waar hij nog nooit van had gedroomd. Mijn vader ging steeds meer op in zijn werk en sliep vaak een gat in de dag nadat hij een hele nacht naar de sterren had gekeken. Wanneer de lucht een week lang helder was, werd ik nog maar heel zelden bij hem geroepen. Maar er waren ook bewolkte perioden, en het jaar daarop was de winter zo koud dat de vogels bevroren uit de lucht vielen. En hij nodigde me uit in zijn studeerkamer waar hij bij het haardvuur in elkaar gedoken zat en me over wiskunde en filosofie onderwees, en hoe ik mijn observaties moest opschrijven – allemaal hulpmiddelen, zo legde hij uit, ten behoeve van de astronomie.

Ik kon in het begin niet goed wijs worden uit de wiskundige symbolen, en dat duurde ook nog een hele tijd, maar ik nam zijn gepassioneerde wens om de geheimen van de hemelen te ontsluieren over en hield vol. Door zijn lessen leerde ik ook veel over de mythische monsters en tragische godenkinderen die in de oudheid aan de nachtelijke hemel werden herdacht. Vandaaruit was het slechts één stap verder om me Grieks en Latijn te onderwijzen, zodat ik de oude kaarten kon lezen, en een deel van de wonderlijke nieuwe kennis over optica en de geheime eigenschappen van licht.

En zo ontstond het patroon van ons nieuwe leven samen. Mijn elfde verjaardag naderde, en ik herinner me die dag nog goed omdat de kat van de tuinman jonkies had gekregen, en hij bracht me een zwart-witte die ik helemaal zelf mocht houden en Thomas noemde.

Soms liet hij vrij abrupt het rijtuig voorrijden en ging hij met koffers en kisten vol naar Norwich of Londen. Hij ontmoette daar waarschijnlijk andere sterrenkijkers of bezocht handelaars in optische instrumenten, aangezien hij vaak terugkwam met een kist vol verfijnde lenzen of spiegels, waarna hij zich dagen achtereen in zijn werkruimte opsloot om te experimenteren en te poetsen.

Bij zo'n gelegenheid, aan het eind van de herfst in 1773, was hij bijna een week weg geweest, toen een koopvrouw op een middag voor de keukendeur stond, die pinnen en linten en dergelijke verkocht. Betsy was gecharmeerd van een kanten kapje, waarop ze aan het afdingen was, en Susan smeekte bij mevrouw Godstone of ze voor mij een paar linten mocht kopen. Ik hield me afzijdig, hield mijn kleine kat Thomas stevig vast, maar was gefascineerd door de zongebruinde huid van de jonge vrouw, haar mooie, buitenlandse ogen en de levendige bewegingen van haar sterke, magere lichaam terwijl ze op haar hurken ging zitten om in haar mand te zoeken naar een bepaalde hemelsblauwe kleur die Susan voor mijn blonde haar wilde hebben. En toen Susan gebaarde dat ik naar voren moest komen om de kleuren uit te proberen, leek de vrouw op haar hoede en ze bestudeerde me nieuwsgierig, terwijl ze wachtte totdat Susan een keuze had gemaakt. Toen ze weer afscheid van ons nam, rustte haar blik als laatste op mij, alsof ze mij in haar geheugen wilde prenten, en daar schrok ik van.

Later die dag zat ik in de bediendenkamer terwijl Susan mijn nieuwe linten omzoomde, en luisterde ik naar hun roddels.

'De boer zei dat ze weer terug zijn,' kondigde meneer Corbett aan terwijl hij het vuur opstookte. 'Hij zet 's nachts iemand op wacht totdat ze weer zijn vertrokken.'

'Ik durf te wedden dat de vorige keer die zwervers zijn vogels hebben gejat, niet de zigeuners,' zei mevrouw Godstone. 'Ik had ze die keer uit het aardappelveld gejaagd, weet je nog?'

'Nah, maar hij wil het risico niet nemen.'

'Waar wonen ze, die zigeuners?' vroeg ik. Ik had daarvoor zo weinig gezegd dat ze verbaasd opkeken.

'Overal en nergens,' zei Susan tegen me. 'Volgens mij hebben ze hun kamp opgeslagen op een open plek naast Foxhole Lane.' Foxhole Lane liep langs de folly.

Wat geweldig, dacht ik, om met een woonwagen te reizen en in het bos een kamp op te slaan. Maar het leek me minder aangenaam om geen huis te hebben waar ik 's ochtends naartoe terug kon. Toch was ik nieuwsgierig naar dat kamp en toen ik Matt er de daaropvolgende ochtend over vertelde, zei hij meteen dat we ernaartoe moesten.

In plaats van dat we na school naar huis gingen, sloegen hij en ik de weg in naast de cottage van de jachtopziener, en liepen we het hele pad heuvelopwaarts naar Foxhole Lane. Daar verborgen we ons tussen de bomen en kropen verder als wilde beesten die een hert beslopen, dicht langs de rand van het pad. De geur van rook bereikte ons het eerst, toen het geknetter van hun kampvuur, en stemmen in een vreemde, muzikale taal en ruw gelach. We groeven ons in het kreupelhout in en tuurden naar het eigenaardige tafereel.

Drie tenten en twee open woonwagens, ooit glanzend in de verf maar nu vuil en gehavend, stonden her en der verspreid rondom een pas aangestoken kampvuur. Twee vrouwen – geen van beiden de vrouw die bij ons aan de deur was geweest – zaten op een krukje bij het vuur groenten te snijden en deden die in een grote kookpot die op de grond tussen hen in stond. Een mager meisje van een jaar of tien, elf legde takken op het vuur uit een takkenbos die ze vasthield. Terwijl we toekeken zagen we vlakbij een pezige man met kromme benen tussen de bomen tevoorschijn komen, die een paar konijnen naast de kookpot op het gras gooide. Daarop slaakte de oudere vrouw een schorre, tevreden kreet, greep er onmiddellijk een beet en begon hem te villen, waar ze af en toe mee ophield om stukjes van de dampende ingewanden naar een borstelig hondje te gooien en om het bloed van haar vingers te likken.

Het meisje veegde het vuil van haar handen en riep naar iemand in de dichtstbijzijnde tent. De tentflap werd opzijgeschoven en twee jongere kinderen, een jongetje met zwart haar van een jaar of vijf, zes en een knap meisje, twee of drie jaar jonger dan ik, met een klaproosrode hoofddoek om, glipten naar buiten en liepen haar achterna om brandhout te gaan sprokkelen. Alle drie hadden ze donkere ogen en een zongebruinde huid, maar de meisjes zagen er in elk geval verzorgd uit, en hun jurken waren, hoewel afgedragen, netjes versteld.

We zaten daar slechts een paar minuten toen Matt met zijn voet achter een boomwortel bleef steken en een tak vastgreep om zich overeind te houden. Bij het weerklinken van dat geluid kwam de hond blaffend op ons afgerend. Matt kalmeerde hem op die natuurlijke manier die hij met alle dieren heeft, en de hond snelde weer terug naar waar de konijnen werden gevild, maar de man met de kromme benen was het pad al op gelopen en kwam onze kant uit. Heel even ontmoette zijn blik die van mij. 'Hé,' riep hij verrast. Matt en ik worstelden ons uit het kreupelhout en zetten het op een lopen alsof de zwarte hellehond Cerberus ons op de hielen zat. Een tijdlang hoorden we de man achter ons aan denderen, maar toen stierf dat geluid weg en tegen de tijd dat we de weg bij de cottage hadden bereikt, had hij de achtervolging gestaakt.

'Verdomde zigeuners,' schold Matt, toen hij weer op adem was, en hij spuugde vrijelijk op de modderige grond. Glimmend van trots vanwege ons avontuur paradeerden we naar huis, waar een woedende Susan beval dat ik alleen brood met een dun laagje boter voor het avondeten mocht omdat mijn kleren waren gescheurd.

Ik zag haar weer, het meisje met de klaproosrode hoofddoek, twee dagen later. Mijn vader was terug van zijn laatste uitstapje en had een pakket bij zich waarin twee boeken zaten die nieuw roken, en met nieuws over een komeet. Ik smeekte hem om me die avond mee te nemen naar de folly om ernaar te gaan zoeken. Het was schemerdonker toen we er aankwamen. Nadat we naar het platform waren geklommen kwam vader erachter dat hij een astrolabium was vergeten dat hij dringend nodig had, en werd ik weggestuurd om het op te halen. Toen ik onder aan de toren de deur uit vloog, betrapte ik haar, terwijl ze daar gewoon stond, met wijd open ogen van angst, klaar om te vluchten.

Even staarden we elkaar aan in de schemering, het meisje en ik. Ze was dunner dan ik en misschien zeven of acht jaar oud. 'Wees maar niet bang,' fluisterde ik. Die woorden waren echter al te veel, en ze pakte haar rok beet en rende naar de bomen, hoewel ze één keer even stil bleef staan om naar me achterom te kijken. Ik zwaaide wanhopig, vriendelijk, naar ik hoopte, maar ze vluchtte weg.

Ik moest aan haar denken terwijl ik half liep, half rende naar de Hall, nu niet meer zenuwachtig omdat ik het bos en de weg goed kende. Iets aan haar gezicht kwam me bekend voor, en of dat nu kwam doordat het hartvormig was, door de dunne bovenlip of de smalle, rechte neus, dat wist ik niet. Maar het verbaasde me dat haar ogen helemaal niet bruin waren, zoals ik had gedacht toen ik haar bij het kamp had gezien, maar blauw. Dat was ongebruikelijk met die zongebruinde huid en het zwarte haar, maar wat wist ik nou van zigeuners?

Toen ik een half uur later in de invallende duisternis terugkwam, buiten adem maar met het astrolabium stevig vast, en vol van de opwinding dat we de komeet gingen zoeken, was ik haar volkomen vergeten.

Een paar dagen later kwam Thomas, mijn zwart-witte kat, niet opdagen voor zijn ontbijt. De rest van de dag zag ik hem ook niet, hoewel ik hem zocht en riep. De volgende ochtend, op een zondag, was ik heel ongerust, en voor ze me te pakken zouden krijgen en me in mijn gehate zondagse kleren zouden steken voor de dienst in de kerk van Starbrough, kneep ik ertussenuit, naar het park en het bos om naar hem op zoek te gaan. Ook al was Thomas nog jong, hij bleek een goede muizenvanger en zwierf graag rond. Misschien was hij tijdens zijn nachtelijke jachttochtje in een van de vallen van de jachtopziener terechtgekomen, waar hij vaak van terugkwam om een rij vette lijken op de drempel van de keukendeur te leggen. Ik geef toe dat de kans klein was dat hij zo ver was afgedwaald, maar Sam, Matt en ik hadden in de schuren en de stallen al naar hem gezocht, en hun vader had beloofd naar hem uit te kijken tijdens zijn werk. Het leek wel of niemand de goeie ouwe Thomas had gezien, dood of levend.

Eerst nam ik ons gebruikelijke pad, dat aan de rand van het park begon en door het struikgewas tot aan de bomenrij omhoog kronkelde. Ik bleef Thomas telkens roepen, bleef staan bij de plekken waarvan ik wist dat de jachtopziener er zijn vallen uitzette, maar daar was geen spoor van hem te bekennen. Ik was al bijna bij de folly toen mijn aandacht werd getrokken door een plukje witte vacht, dat aan de rand van het pad tussen gevallen bladeren lag. Ik bukte en pakte het op. Het was zo zacht als distelpluis – of kattenvacht – en terwijl ik over wat doornstruiken heen stapte naar een kleine, open plek werd mijn grootste angst bewaarheid. Er lag een half opgegeten lijkje van een klein dier tussen samengeklitte bosjes zwart-witte vacht. Ik kroop naast wat er van de arme Thomas over was, en de tranen stroomden over mijn wangen. Het moest een vos zijn geweest. Een snelle dood, bad ik. In elk geval beter dan gewond weg te kwijnen in een val. Het wilde bos had mijn katje tot zich genomen. Ik huilde.

Terwijl ik mijn betraande gezicht met mijn mouw afveegde, werd ik me bewust van iemand die vlakbij stond en keek ik op. Het was het zigeunermeisje, haar ogen dit keer wijd open van medelijden. Ze kwam dichterbij en bukte bij het arme kadavertje, en een ogenblik lang leek ze ondanks de felgekleurde hoofddoek zelf op een klein dier, de botten broos onder haar gebruinde huid. Toen ze haar gezicht ophief om me aan te kijken, waren er geen tranen, maar slechts dat kalme medelijden. Ze stond op om takjes, bladeren en handenvol vochtige bosaarde op te pakken, en legde die over de arme Thomas heen. Ik ging haar snel helpen, terwijl ik al die tijd bleef huilen. Toen we klaar waren, pakte ze mijn hand en stonden we samen naar het grafheuveltje te kijken. Ik dacht aan Thomas, aan hoe vader hem voor me uit het nest had gepakt voordat Matts vader de rest verdronk, aan hoe Thomas zich als kitten een weg in de gordijnen klauwde en dol was op een likje boter als traktatie.

'Arme kat,' fluisterde ze. Het was alsof ze mijn gedachten had gehoord toen ze eraan toevoegde: 'Je vindt wel weer een andere.' Ik keek haar verbaasd en behoorlijk woedend aan, maar haar hartvormige gezichtje stond ernstig. 'Echt waar.'

En ze kreeg gelijk.

Toen ik een uur later met het vreselijke nieuws thuiskwam, werd ik door de hele huishouding getroost. Thomas was een goede kat geweest, zeiden ze, maar hij had de gevaarlijke neiging om rond te dolen. Een paar dagen later kwam meneer Corbett terug uit het dorp met een klein poesje in een mand. Op aanraden van mijn vader noemde ik haar Luna, omdat ze met haar grijze en zilveren kleur zo mooi was als de maan, en net als de maan bleef ze onveranderlijk in haar baan. Ze hield er niet van om het erf af te gaan.

Wat het zigeunermeisje betreft, ik zag haar die herfst nog twee keer. De eerste keer was de week erop, toen ze brandhout sprokkelde in de buurt van de folly, en ze verlegen naar me zwaaide, maar toen ik naar haar toe liep om met haar te praten, verdween ze als een hertje de schaduwen in. De tweede keer was ik op een namiddag in de schemering de torenkamer in geklommen omdat ik ergens naar op zoek was. Ik voelde mijn huid prikkelen, draaide me om en schrok toen ik haar achter me zag staan. 'Hoe ben je...?' begon ik, maar zweeg toen ze de kamer rondkeek en angst en nieuwsgierigheid elkaar afwisselden op haar gezicht.

'Ben je hier eerder geweest?' vroeg ik haar. Dat leek me echter onmiddellijk onwaarschijnlijk omdat mijn vader de toren altijd afsloot. Ze schudde haar hoofd en deed alsof iemand haar sloeg. 'Is je dat verboden?' raadde ik, en ze knikte.

'We komen hier om naar de sterren te kijken,' vertelde ik haar en ik liet haar een van mijn vaders kaarten zien. Ze sperde haar ogen open terwijl ze met een vinger over de kaart streek alsof die een mysterieuze betekenis voor haar had. Ik probeerde haar over te halen om de ladder op te klimmen, maar ze zei: 'Nee.' Ze glimlachte, waarna ze weer de trap af liep. Ik bleef achter, staarde naar de kaart en vroeg me af wat ze erin had gezien.

Een dag of twee later kwam mijn vaders rentmeester, meneer Trotwood, langs om zijn meester te spreken en bracht met akelig genoegen het nieuws dat de zigeuners weer verder waren getrokken. Hij liet doorschemeren dat hij daar de hand in had gehad. Ik was kwaad op hem. Het idee dat ik het meisje wellicht niet meer zou zien deed me verdriet, en voor zover ik dat kon overzien, hadden we geen ruzie met die mensen. Hun enige zonde, zo scheen het mij toe, was dat ze anders waren.

Jude was klaar met typen, las de hele passage nog een keer door, terwijl ze Esthers stem luid en duidelijk in haar hoofd kon horen. Haar herkomst was nog steeds in mysteriën gehuld, maar Alicia Pilkington had iets anders geopperd, namelijk dat Esther was achtergelaten door een moeder die te arm was om voor haar te zorgen en dat ze een 'bastaardkind van een armoedzaaier' was. Maar eigenlijk sloeg dat nergens op. Niet als ze lompen van zijde had gedragen. Maar 'lompen'? Als ze van goede komaf was, waarom had ze dan lompen gedragen? Had haar moeder haar aan haar lot overgelaten of een of ander ongeluk gehad? Toch had Susan haar goed opgevoed; ze leek als mens zeker van zichzelf, trouw aan degenen van wie ze hield, en kwam flink voor zichzelf op tegen mensen als Alicia, die vijandig tegen haar waren. Haar verhouding met de man die ze 'vader' noemde was ontroerend. Hij leek zijn jonge pupil steeds meer te gaan waarderen, en zelfs vaderlijke genegenheid voor haar te tonen. Misschien kwam het doordat ze elkaar gevonden hadden, omdat zij ook gefascineerd was door de sterren.

Ze keek op naar het portret boven de open haard. Als hij, zoals Chantal zei, tweeëntwintig was geweest toen het in 1745 was geschilderd, dan zou hij in 1765 tweeënveertig zijn geweest toen Esther naar de Hall kwam, een kinderloze, alleenstaande man van middelbare leeftijd. Maar de zachtaardige wijsheid in zijn gezichtsuitdrukking en het boek dat hij vasthield om aan te geven dat hij een geleerde was, illustreerden zijn persoonlijkheid duidelijk. Volgens Esthers beschrijving was hij een fantastische leraar, en hij wilde dolgraag dat zij bij hem in de leer ging in een tijd waarin velen haar zouden hebben afgewezen omdat ze een meisje was en vanwege haar obscure afkomst. Ondanks het feit dat ze de naam Esther Wickham droeg, leek het erop dat het meisje in die tijd officieel niet bestond, en eigenlijk een naamloos kind was. En totdat dit dagboek vanonder de stoffige achterkant van deze boekenkast tevoorschijn was gekomen, was Esther Wickham in de geschiedenis verloren gegaan. Jude kreeg steeds meer de behoefte om dit terug te draaien.

Ze had geprobeerd Esthers spelling intact te laten, had vierkante haakjes gebruikt waar ze het gevoel had dat een woord voor de moderne lezer extra toelichting behoefde, en ze controleerde alles nogmaals op tikfouten. Vervolgens e-mailde ze de passage naar Cecelia, en realiseerde zich dat ze waarschijnlijk niet binnen een paar dagen antwoord zou krijgen, omdat ze in Parijs was. Ze kon bijna niet wachten. Ondertussen zou ze een uitdraai maken van wat ze tot nu toe had gedaan en die aan Robert en Chantal laten zien.

20

De volgende ochtend, donderdag, kregen ze een schok. De post kwam net toen iedereen klaar was met het ontbijt. Robert opende de officieel uitziende envelop en zei: 'Goeie god.' Vervolgens zei hij: 'Moeder, ik zei toch al dat ze iets in hun schild voerden.'

'Wie? Toch niet Farrell?' vroeg Chantal. Haar gezicht stond plotseling vermoeid en gespannen.

'Wat is er aan de hand?' vroeg Alexia, die met verse toast de keuken uit kwam.

De brief was afkomstig van de ambtenaar van ruimtelijke ordening en bevatte de details van de aanvraag die John Farrells bedrijf had ingediend met betrekking tot de bouwplannen van Starbrough Woods.

'Daarom vroeg dat mens Vane naar de toegangsweg. Ze willen er zo'n verdomd vakantiepark van maken.'

'Wat?' riepen Chantal en Alexia gelijktijdig.

'Dat mag vast niet, niet als het altijd al een bos is geweest,' zei Jude.

'Oké, niet echt een vakantiepark. Maar luister...' Robert tikte met een ongeduldige hand op de brief. 'Hier... "Het bouwen van twaalf bungalowtjes aan de westkant van de weg die Foxhole Lane heet, ten behoeve van het verhuren van een vakantieaccommodatie, evenals een gebouwtje van een verdieping dat als kantoor dienstdoet. Verfraaiing van het omringende bos wordt wenselijk geacht, evenals" – mijn god, nee – "de sloop van de toren, ook wel bekend als Starbrough Folly." Volgens mij beroepen ze zich op het precedent dat er al eerder op die grond is gebouwd.'

'Maar het gebouw staat op de monumentenlijst!' riep Chantal uit, die half uit haar stoel opstond. 'Dat hebben we al eens uitgezocht. Nee, *tu ne peut pas* – dat herinner jij je niet meer, je was toen pas drie.' Jude kon geen wijs worden uit wat ze zei. 'Robert, het staat op de monumentenlijst. Er zijn *les obligations.* Je moet ze terugschrijven en vertellen hoe...'

'Je hebt gelijk, moeder, maar zij voeren aan dat de constructie gevaarlijk is en niet meer kan worden gerenoveerd. Hij is... waar staat het... hier! "Van geen duidelijk historische of architecturale waarde".'

'Maar dat is het wel!' riep Jude. 'Dat is wat ik nu aan het uitzoeken ben. Het is de plek waar Anthony Wickham en zijn dochter naar de sterren keken.'

'Ik denk niet dat zij dat weten, Jude,' zei Robert, die de brief aan Alexia doorgaf.

'Dan moeten we ze dat vertellen,' zei Chantal.

Niet veel later belde Euan Robert op om te zeggen dat hij dezelfde brief ook had ontvangen. Ze spraken een tijdje over de zaak, en toen vroeg Euan Jude aan de lijn.

'Het is van essentieel belang dat het bos bewaard blijft,' zei hij, 'en Robert vertelde me dat de folly op de monumentenlijst staat. Dat is in elk geval een opluchting om te weten.'

'Ik denk niet dat het zo simpel ligt,' antwoordde ze, en ze legde uit dat de constructie van de toren gevaarlijk is. 'Hoe denk jij daarover?'

'Die is niet zo gevaarlijk dat hij gesloopt moet worden,' zei hij. 'Absoluut niet. Ik weet dat ik er altijd wat moeilijk over doe, maar, eerlijk waar, ik zou daar niet naar boven gaan als ik geloofde dat hij elk moment onder m'n voeten kon instorten. Er moeten alleen een paar dingen worden gerepareerd. De trap moet worden hersteld, en de ruimte op het dak moet veilig worden gemaakt.'

'Nou, je zou met Robert om de tafel moeten gaan zitten en een verweerschrift moeten opstellen,' zei Jude. 'En als ik zo veel mogelijk te weten kan komen over de geschiedenis van de toren, kan dat jullie zaak versterken.'

'Ik wil daar geen vakantiehuisjes, Jude, maar ik zou het 't ergst vinden als we de toren kwijtraken.'

De telefoon bleef die ochtend maar rinkelen. Andere mensen in het dorp hadden de brief ook ontvangen of het nieuws van een ander te horen gekregen, en plotseling voerde Robert een groep aan die Starbrough wilde behoeden voor een ontwikkeling waar ze tegen waren. Het had tot voor kort immers tot het landgoed van Starbrough behoord, en Robert, zo bleek, was voorzitter van de gemeenteraad.

'Het is niet zo dat we de extra inkomsten niet op prijs stellen,' zei Steve Gunn, de boer van Starbrough Farm, die liever in zijn rubberlaarzen naar de Hall kwam dan de telefoon te pakken, 'maar het verkeer zou een verdomde overlast veroorzaken. Ze willen een extra weg aanleggen, toch? En het bos is het bos. Dat is in allerlei opzichten belangrijk. Je kent me, Robert, ik ben het dan wel niet altijd eens met al die biologische mensen, maar we hebben de balans nodig. Ze kunnen niet zomaar het landschap in stukken opdelen en denken dat het niets uitmaakt.'

'Dat ben ik met je eens, Steve,' zei Robert.

'Dus hebben we de gemeenteraad nodig om er iets aan te doen. En dat ben jij, Robert. Aangezien je de voorzitter bent en zo.'

'Ik zal dan ook een spoedvergadering beleggen,' zei Robert.

's Middags wandelden Jude en Chantal in de tuinen, waarlangs bloembedden van late pioenrozen en bloeiende heesters lagen en die Chantals domein leken te vormen. Chantal was nog steeds van streek door het schokkende nieuws van die ochtend.

'Ik had nooit gedacht dat zoiets kon gebeuren. Als arme William had vermoed dat een man als meneer Farrell de hand op het land zou weten te leggen, had hij het sowieso nooit verkocht. Volgens mij is het onze schuld. Misschien waren we wel te naïef. En nu hebben we het bos en de folly in gevaar gebracht. O, Jude, het glipt me allemaal door de vingers, alle dingen die belangrijk voor me zijn geweest: dit huis, het bewaken van de erfenis. Robert ziet het anders dan ik...'

'Maar Chantal, je zei dat jij en je echtgenoot een deel van het bos moesten verkopen om de rekeningen te kunnen betalen. En Robert gaat tegen het ontwikkelingsplan in beroep. Het is maar een plan. Ik kan niet geloven dat de autoriteiten dit zullen goedkeuren. Zomaar even een oeroud bos kappen.'

'Nee, maar ik heb nu gezien hoe die dingen gaan. Dan komen ze met een ander plan en nog weer met een ander, totdat iedereen het beu is en het wordt goedgekeurd. En wie springt er voor de folly in de bres? Ik denk niet dat de boer er echt iets om geeft.'

'Misschien niet, maar Euan wel, en ik weet zeker dat veel dorpelingen er ook om geven. Het is een historisch monument, iets waar het dorp om bekendstaat.' Hoewel het niet op de toeristenkaart had gestaan, herinnerde ze zich. 'En Robert lijkt vastbesloten...'

'Robert is een goede jongen, maar het is zoals ik zeg. Ik herken zijn vader in hem. Hij heeft niet hetzelfde gevoel voor het verleden als ik – en jij, Jude.'

Ze bleven staan zodat Chantal wat onkruid weg kon trekken tussen een groepje zachte, witte bloemen.

'Zo, nu kunnen die floxen weer ademen,' zei Chantal, die zich door Jude overeind liet helpen en de aarde van haar knokige vingers afveegde. Ze leek te zijn gekalmeerd.

Ze stonden een tijdje zwijgend naast elkaar en genoten van de zingende vogels en de zonneschijn. De warmte van de lucht en de geuren van de tuin veroorzaakten een tijdloos gevoel. Alles wat de mens deed kwam uiteindelijk hierop neer: de eindeloze cyclus van opgroeien, sterven en weer één te worden met de aarde.

'Hier ging ik altijd naartoe in de zomer dat William overleed,' zei Chantal. 'Het was een tijdje het enige waartoe ik in staat was. Dingen laten groeien. Hier kon ik aan het werk zijn en mijn geest laten dwalen. Het was heel therapeutisch. Toen het winter werd, zat ik bij het haardvuur in de bibliotheek en probeerde ik Anthony's verslagen te lezen.'

'Ik heb niet bepaald groene vingers,' bekende Jude. 'Mijn werk heeft mij gered.' Ze herinnerde zich die eerste afschuwelijke weken na Marks overlijden. Al dat bureaucratische gedoe om zijn lichaam uit Frankrijk terug te krijgen, en toen de lijkschouwing in Londen en de begrafenis. De niet-aflatende stroom condoleancebrieven, de aanhoudende telefoontjes. Ze was een tijdje naar huis in Norfolk gegaan. Haar moeder, die zelf nog om Judes vader rouwde, kon echter weinig troost bieden en Claire had het druk met een peuter en een nieuwe zaak. Judes oude vriendin Sophie was een godsgeschenk; ze hielp met alle praktische zaken en hield Jude gewoon vast wanneer ze huilde. Maar Jude wist dat het enige wat haar erbovenop kon helpen structuur in haar leven was. Na drie weken ging ze weer aan het werk en daar was het gemakkelijker.

Inigo werkte toen nog niet bij Beecham; in plaats daarvan was Gordon er, een zachtaardige man, bijna met pensioen. Hij en Klaus waren beiden van de oude stempel waar het de dood betrof – ze gaven klopjes op haar hand en vonden dat ze zich flink moest houden. Sommige mensen zouden dat kil hebben gevonden, maar voor Jude was het op kantoor alsof ze zichzelf in een keurig vakje opsloot: ze wist waar alles was en hoe ze zich moest gedragen. Ze kon boeken catalogiseren, collecties taxeren en in de gebruikelijke routines opgaan. Haar andere collega's toonden daar over het algemeen begrip voor. Jilly van de receptie gaf haar een stevige, emotionele omhelzing toen ze terugkwam, en een paar medewerkers hadden haar samen een bos bloemen gegeven, maar daarna respecteerden ze haar pogingen om zich goed te houden en verder te gaan. Af en toe had ze het wel te kwaad, bijvoorbeeld wanneer een goed bedoelende kennis een meelevende opmerking maakte die dwars door haar hart ging. Dan haastte ze zich naar de veiligheid van de toiletten om weer op adem te komen. Want buiten de stukjes bescherming die ze om zich heen had opgebouwd, was de wereld een barre woestenij.

Uiteindelijk merkte ze dat het haar het best lukte om ermee om te gaan, door tot op bepaalde hoogte te doen alsof Mark er nog wel steeds was maar gewoon niet thuis was; dat hij ergens op een of andere expeditie was, een lange, waarbij hij geen beschikking had over internet of telefoon. En zo cultiveerde ze hun huis tot een veilige fantasiehaven: ze liet zijn foto's aan de muren hangen, zijn kleding in de kasten, alsof hij op een dag weer naar binnen zou lopen. Een therapeut zou waarschijnlijk zeggen dat dit een vreselijk slecht idee was, dat ze het rouwproces alleen maar uitstelde, maar dat kon Jude niets schelen.

Het was nog maar een jaar geleden dat Sophie, toen die even uit de Verenigde Staten over was, haar ervan had overtuigd dat ze het los moest laten. Tijdens een regenachtige paasweek hadden zij en Marks zus, Catherine, Jude kalm maar vastberaden geholpen met het opruimen van de laden en kasten. Catherine had met een wit weggetrokken gezicht een auto vol koffers en dozen met spullen weggereden, en naar een daklozencentrum en een kringloopwinkel in de buurt gebracht. Daarna was Jude met Sophie teruggevlogen naar New York waar ze een heerlijke week bij hen huis had doorgebracht, had gewinkeld tot ze erbij neerviel en ze elke avond uit eten waren geweest. Het was moeilijk toen ze daarna weer in Londen thuiskwam, en terwijl ze haar modieuze, nieuwe kleding in de kledingkast hing en een poster van de Frick-galerie in de hal ophing, had ze het gevoel dat ze eerder op een ander soort verdriet was overgestapt dan dat ze verder was gegaan, zoals iedereen zei dat ze moest doen.

Ze vertelde dit nu allemaal aan Chantal, in de wetenschap dat Chantal haar niet zou uitlachen of medelijden met haar zou krijgen, maar het zou begrijpen. En inderdaad luisterde de oude dame aandachtig en respecteerde ze Judes behoefte om te praten.

'Ik kende niemand die precies hetzelfde heeft doorgemaakt,' zei Jude. 'Wanneer iemand door een tragisch einde wordt getroffen, weten mensen oprecht niet wat ze moeten zeggen. We wisten allemaal dat het nooit had mogen gebeuren. Het was een ongeluk. Je kon niemand de schuld geven, behalve misschien Mark zelf omdat hij zulke gevaarlijke dingen deed. Hij kende de risico's. Dat commentaar hing dan ook altijd in de lucht. Maar wie had hem tegen kunnen houden? Ik niet. Niemand. Zijn avonturen betekenden zo veel voor hem.'

'Mensen moeten inderdaad zichzelf kunnen zijn,' zei Chantal. 'Hoewel het moeilijk voor je moet zijn geweest om met hem getrouwd te zijn. Elke keer dat hij weg was. De bezorgdheid. William vloog regelmatig in kleine vliegtuigen. Ik weigerde met hem mee te gaan, en ik had er een bloedhekel aan als hij ging, maar ik heb geleerd om me flink te houden.' Ze schudde haar hoofd.

'Het rare is dat ik me geen zorgen maakte als hij weg was,' zei Jude. 'Het klinkt aanmatigend, maar ik wist altijd dat hij weer terugkwam. Dat deed hij ook altijd.' En dat was ook zo. De kern van hun relatie was dat ze uit elkaar gingen en weer samenkwamen. Op school en de universiteit, en ook nog daarna, hadden ze andere relaties gehad, maar een deel van haar was altijd op hem blijven wachten. Omdat ze had geweten dat ze voor elkaar bestemd waren. En hij had haar nooit teleurgesteld. Alleen die ene keer, nadat ze zich hadden verloofd... een schaduw... maar het bleek eigenlijk een stom misverstand te zijn geweest. Waarom schoot haar dat incident nu ineens te binnen?

'Wat een perfecte zomerdag...' mompelde Chantal.

Zomer. Summer. Jude zag plots het beeld van haar nichtje voor zich. Ze was er ongerust over. Ja, ze maakte zich zorgen over Summer.

'Chantal, er is iets wat ik je nog wilde vertellen. Weet je nog dat ik over de droom van mijn nichtje vertelde? En over dat stuk in Esthers dagboek, van toen de werklui die aan de folly bouwden een graf of iets dergelijks hadden gevonden en een van hen dacht een geest te hebben gezien?'

'Ja, natuurlijk,' zei Chantal. 'En dat er in de jaren twintig van de vorige eeuw was gegraven, waarbij ze botten hadden aangetroffen en jij je afvroeg of die daarvan afkomstig waren. Hoezo, denk je dat het verband houdt met je nichtje? Vast niet.'

'Maar nadat zij op die plek was geweest, begon ze die nachtmerries te krijgen.'

'Nou, er gingen altijd al geruchten dat er op die plek een vreemde atmosfeer heerst. Ik geloof niet dat het iets bovennatuurlijks is. Ja, ik geef toe dat de toren een bepaald gevoel oproept; hij staat ook zo diep midden in het bos. En met die kamer bovenin, dat doet je denken aan de toren van Rapunzel uit het sprookje, nietwaar?'

'Daar had ik nog niet eens aan gedacht,' zei Jude. 'Het is een behoorlijk eng verhaal. Stel je voor dat je in een toren zonder deur wordt opgesloten. En dat iemand langs je haren omhoogklimt lijkt me bijzonder pijnlijk. Ik heb me altijd afgevraagd waarom ze haar vlecht niet afknipte en het als een touw gebruikte om te ontsnappen.'

'Ik neem aan dat het verhaal door een man is geschreven, lieverd,' zei Chantal. Jude glimlachte, hoewel ze wist dat het antwoord niet zo eenvoudig was.

'Maar de verhalen over de folly...' hield ze vol. 'Wat zeggen de dorpsbewoners erover? Dat het er spookt?'

'Engelse mensen houden van spookverhalen, nietwaar? Sommigen zeggen dat ze er het idee hebben dat ze worden bekeken. En Roberts grootvader is er altijd van overtuigd geweest dat hij er als jongen een vreemde gewaarwording heeft gehad. Hij zei dat hij een sterk gevoel had dat daar iets was wat hem gadesloeg. Meer niet. En iemand had het er tijdens de lijkschouwing van die jongeman over dat er een bepaalde sfeer hing. Ik heb je toch over dat ongeluk verteld?'

Jude herinnerde het zich. 'Wat was er precies gebeurd?'

'Het was in de zomer dat Robert drie jaar was; dat moet 1970 zijn geweest. We waren aan het zeilen bij Brancaster Staithe en we namen hem voor het eerst met ons mee op de boot. Toen we weg waren, braken een paar jongeren op een nacht in de folly in en hielden daar een feestje. Iemand viel naar beneden en overleed. Ze waren op dat moment allemaal onder invloed van drugs. Daar was de lijkschouwer heel duidelijk over. Het was een ongeluk en wij waren hoe dan ook niet aansprakelijk omdat de plek afgesloten was geweest en zij zich op verboden terrein bevonden. De familie van de jongeman wilde de toren daarna laten afbreken, maar anderen wilden dat niet omdat hij zo oud was en deel uitmaakt van de geschiedenis van de streek.'

'Wat een afschuwelijk ongeluk. Zeggen ze niet dat hij een van de geesten is, de jongeman die is gevallen?'

'Ik heb dat niemand horen zeggen, nee. Het was natuurlijk een vreselijk drama – hij was pas twintig – en afschuwelijk voor zijn familie. Maar jonge mensen doen zulke domme dingen nu eenmaal en je kunt ze niet altijd beschermen, zeker niet als er drank of drugs in het spel is.'

Jude dacht aan de risico's die Mark had genomen. Maar het waren altijd berekende risico's geweest; voor zover zij wist had hij zich altijd aan de regels gehouden. Op zijn fatale expeditie was er plotseling een rots onder zijn voeten afgebroken en was hij uitgegleden, waarbij hij de bergbeklimmer onder zich met zich meetrok. Ze waren niet meer dan zo'n zes meter naar beneden gevallen, maar Mark kwam ongelukkig terecht. Het was pure pech, hadden de reddingswerkers gezegd. Ze had het zich vele malen voorgesteld, geprobeerd de afschuw uit haar geest te bannen. De andere man was er met slechts een gebroken enkel en wat kneuzingen afgekomen.

Ze dacht aan de jonge feestvierder, en hoe het die eerste keer voelde toen ze met Euan op de top van de toren stond en naar beneden keek. Ze huiverde.

21

Die nacht droomde ze over de toren en dat ze de oneindige trap beklom, hoger en hoger, en nooit de top bereikte. Ze wist echter dat er bovenin iets belangrijks was waardoor ze moest blijven doorlopen. Ze werd de volgende ochtend wakker en wist zeker dat in de folly op de een of andere manier alle antwoorden te vinden waren. Op Summers dromen, op het raadsel van Esther. Alles was op de folly terug te voeren. En nu werd het bestaan van de folly bedreigd door meneer Farrell en zijn vreselijke plannen. Zij, Jude, moest de folly redden. Het duurde even voordat dit doelbewuste voornemen uit deze laatste flarden van haar droom oploste.

Ze was nog steeds moe en somber toen ze op haar inmiddels vertrouwde plek met haar laptop in de bibliotheek ging zitten, met de bedoeling om het volgende stuk uit Esthers dagboek over te typen. Maar door de pogingen om het handschrift te ontcijferen werd de scherpe pijn die achter haar ogen opkwam alleen maar erger, dus gaf ze het op.

In plaats daarvan nestelde ze zich op de bank en dacht na over de toren en alle gebeurtenissen die daar in de afgelopen eeuwen hadden plaatsgevonden. Door de bouw van de folly was een oeroude begraafplaats, die in een oeroud bos lag, verstoord. In zeker opzicht was dat net zozeer vandalisme als het voornemen van John Farrell om hem nu weer te slopen. Anthony Wickham had daar nachtenlang naar de sterren zitten kijken. Misschien Esther ook, en beiden hebben er met hun aanwezigheid hun stempel op gedrukt. Door de jaren heen hadden vast vele anderen de plek bezocht, vanwege het uitzicht op het huis of gewoonweg omdat de klim naar boven een uitdaging was. Net als geesten waren folly's iets typisch Engels en appelleerden ze aan het traditionele, excentrieke, amateuristische element. En een griezelige atmosfeer zou daar zonder twijfel aan bijdragen. Ze stelde zich voor hoe kinderen elkaar uitdaagden om naar boven te klimmen. En er waren nog andere dingen gebeurd. De archeologische opgraving had de oude begraafplaats overhoopgehaald. Het afschuwelijke sterfgeval in 1970... en dat waren dan nog de gebeurtenissen waar ze van wist. De plek had vast en zeker een veelbewogen geschiedenis.

Er was nog steeds zo veel wat ze uit moest zien te vinden. Het was moeilijk om de puzzelstukjes logisch in elkaar te passen. Om te beginnen zou ze misschien moeten uitzoeken welke pre-Romeinse stam zijn mensen daar had begraven. Ze zou Chantal vragen of ze dat wist. Dan moest ze contact opnemen met de vrouw van het museum in Norwich, wier naam – Megan nog iets – ze van de bibliotheek in Holt had gekregen, en bepalen wat de vondst bij de opgraving betekende. Ze moest zo veel mogelijk te weten zien te komen over Esther en haar mysterieuze herkomst. Was ze echt een vondeling geweest, of kon ze Anthony Wickhams onwettige kind zijn? En misschien waren er nog andere dingen gebeurd. O, ze had geen idee waar ze moest beginnen.

Misschien kon ze zo veel informatie verzamelen dat ze een zaak kon opbouwen waarmee de folly kon worden gered. Ze bedacht dat Euan daarbij kon helpen. Hij kon het belang van het bos naar voren brengen, maar hij wist ook veel van de toren. Hoewel ze zichzelf had beloofd niet te vaak naar hem toe te gaan, om wat Claire ervan zou denken, zei ze tegen zichzelf dat dit belangrijk was. Ze vond het een plezierig idee hem weer te zien, en daar voelde ze zich schuldig over.

Dat schudde ze echter van zich af en ze belde zijn nummer. Hij nam meteen op en haar hart maakte een sprongetje toen ze hoorde dat hij blij was dat ze belde. 'Kom vanmiddag even langs,' zei hij nadat ze alles had uitgelegd. 'De mannen van de boiler zijn hier nu, en bovendien probeer ik mijn aantal woorden voor vandaag te halen.'

'Vind je het erg als we weer even naar de folly wandelen? Volgens mij heb ik daar laatst een van mijn notitieboekjes laten liggen.'

'Dat wilde ik ook al voorstellen,' antwoordde Jude. 'Het helpt me misschien om me op mijn werk te concentreren. En we moeten helpen bij het opbouwen van een zaak om de folly te beschermen.'

Onderweg spraken ze over de strategie. 'Het zal van belang zijn dat iemand een bouwkundig ingenieur in de arm neemt,' zei Euan, 'maar ik weet zeker dat de toren in principe in orde is. Maar voor het overige heb je niet veel aan me als het erom gaat te bepalen van hoeveel waarde hij is. Dat is jouw specialiteit. Waar ik wel wat vanaf weet is de biologische aspecten van zijn historie. Er komen hier allerlei belangrijke soorten insecten en planten voor.'

Nadat ze naar de torenkamer waren geklommen, kon hij zijn notitieboek niet zo gauw vinden, dus wachtte Jude terwijl hij naar het platform klom. Ze kuierde langs de planken waarop hij een aantal boeken had gelegd en pakte er een van de stapel, een gids over Britse, wilde bloemen. Ze bladerde door het deel over orchideeën. Het intrigeerde haar dat de wilde soorten zo verschilden van de exotische, wasbleke schoonheid van die uit de winkel. Toen ze het boek op de stapel teruglegde, stootte ze het boek eronder er per ongeluk af en bleven er een paar bladzijden in een spleet in de muur erachter steken. Ze trok ze er voorzichtig uit, en schoof de boeken opzij om naar de muur te kijken. De baksteen erachter, zo zag ze meteen, zat los. Ze raadde onmiddellijk wat het was. Ze pakte een gedeukte, tinnen lepel van een plank en wrikte de steen ermee los. Toen ze zag dat de steen eronder ook loszat, trok ze die er ook uit, waarna er een kleine nis zichtbaar werd. De verstopplek van oma en Tamsin. Zo te zien was die leeg en waren er geen berichten of cadeautjes. De nis was daar met opzet gemaakt toen de toren werd gebouwd, concludeerde ze. Maar of die oorspronkelijk bedoeld was voor een kleine lantaarn of als opbergruimte, wist ze niet. Ze voelde met haar vingers binnenin en ontdekte dat de ruimte toch niet leeg was: er lag een dun, zwart pakje in. Ze schoof het er met haar nagels uit, bestudeerde het en zag dat het een heel oud stuk oliedoek was. Ze vroeg zich af of het iets met Tamsin te maken had, en probeerde het pakketje open te maken. 'Verdorie,' fluisterde ze toen het doek begon te scheuren.

'Euan,' zei ze toen ze hem van de ladder af hoorde komen.

'Ik heb het gevonden,' zei hij terwijl hij het valluik weer sloot. 'Maar een paar pagina's moeten worden gered. Die zijn een beetje doorweekt.' Hij klom naar beneden en liep naar haar toe. 'Wat heb je daar?'

Ze liet hem het gat zien en reikte hem het pakketje aan. 'Het is misschien wel niets,' zei ze. 'Ik denk dat dit de verstopplek is die mijn oma gebruikte toen ze klein was.'

'Het zou wel iets kunnen zijn,' antwoordde hij. Hij pakte het van haar aan en keek ernaar. 'Wat merkwaardig.'

Het was inderdaad iets, maar het was veel ouder dan de jaren dertig van de twintigste eeuw. Toen ze terug waren bij Euans cottage legde hij het pakje op zijn nieuwe en op zonne-energie werkende watertank om het warm te laten worden, en daarna ging het gemakkelijker open. Binnenin zat een opgevouwen stuk velijnpapier, dat, toen Euan het met zijn zakmes voorzichtig lostrok, twee doormidden gescheurde helften bleken te zijn. Naast elkaar zouden de twee velletjes papier op een ansichtkaart passen. Er was een complex diagram op getekend met verbleekte, sepiakleurige inkt.

'Wat is het?' vroeg Euan.

Jude pakte een helft op en keek naar de tekens rondom de cirkel en de lijnen die erdoorheen liepen, de kleine, gekrabbelde symbolen. 'Het is een horoscoop,' zei ze ten slotte, en ze kneep haar ogen tot spleetjes. 'Kijk, dat symbool moet Vissen voorstellen – het sterrenbeeld – en de kronkelige lijnen moeten Waterman voorstellen. Maar ik zou niet weten wat het betekent.' Ze bestudeerde het stuk papier nog wat langer en zei: 'Er staat een datum op, kijk, naast de scheur. Zeventienhonderdzestig nog iets. Juli... Wat? De eenentwintigste? Ik ben benieuwd of mijn oma wist dat het in die nis lag.'

'Eens kijken.' Nu was het Euans beurt om naar het papiertje te turen. Hij schudde zijn hoofd.

'1760 is absoluut de periode waarin Wickham leefde.'

'Kan dit van Esther zijn?' vroeg Euan plotseling.

Jude dacht erover na. 'Het zou mooi zijn als dat zo was, maar niemand schijnt haar geboortedag te weten.'

'Fascinerend, hè?' zei Euan. 'Ik ben benieuwd wat het voorspelt.'

'Claire is de expert,' zei Jude. 'Ze heeft eens een horoscoop voor me getrokken. Het is een beschrijving van de sterren en planeten van een bepaalde datum, meestal je geboortedatum. Maar wat hij precies betekent, hangt af van de interpretatie. Uit die van mij kon ik nooit wijs worden.'

'Je bedoelt dat ik ernaar zou kunnen kijken, maar dan nog niet in staat ben om te voorspellen hoeveel kinderen die persoon gaat krijgen?'

'Zo specifiek is het zeer zeker niet. Het heeft meer te maken met het voorspellende karakter. Je weet wel, wanneer de zon in Ram staat, bijvoorbeeld, die het hoofd bestuurt, betekent dat dat je een overwegend rationeel mens bent. Ik kan het meenemen en aan Claire laten zien, als je daar geen bezwaar tegen hebt.'

'Nee, natuurlijk niet, jij hebt het gevonden. Ik kan me voorstellen dat John Farrell er wel in geïnteresseerd zal zijn.'

'Wat er ook gebeurt, hij krijgt het niet,' zei Jude resoluut.

Later las ze het eerste gedeelte van Esthers dagboek nogmaals door, en vroeg zich af of de astrologische kaart iets met haar te maken had. Dat moest wel! De familie had 21 juli als haar verjaardag aangehouden en het leek erop dat dat de dag was waarop Anthony haar naar Starbrough had meegenomen en niet de dag waarop ze was geboren. Maar niemand zou toch zo zeker van de datum zijn geweest dat ze een horoscoop konden trekken?

Die avond zou ze bij Claire en Summer gaan eten. Het was vrijdag en daarom mocht Summers vriendin Emily van verderop in de straat bij hen komen logeren. Zo bleek en stilletjes als Emily's moeder was, zo stevig was Emily, met een donkerder huidskleur, lang voor haar leeftijd en wat boers, met dik, zwart en golvend haar dat in een paardenstaart boven op haar hoofd zat. Ze had de gewoonte om mensen recht aan te staren alsof ze hen de maat nam.

Toen de kinderen veilig buiten gehoorsafstand waren en met een of ander balspel in de tuin bezig waren, kwam Claire met twee mokken thee binnen en legde Jude de twee helften van de horoscoop op de salontafel. 'Wat denk jij hiervan?' vroeg ze. Ze legde uit waar ze het had gevonden, en toen ze opmerkte dat Euan er ook bij was geweest, viel Claire met een norse blik stil. Maar de kaart intrigeerde haar.

Ze zat er een tijdje overheen gebogen en zei toen: 'Ik weet het niet helemaal zeker. Hij is anders dan alle kaarten die ik ooit heb gezien. Hoe oud denk je dat hij is?'

'Ergens uit de jaren zestig van de achttiende eeuw. Kijk, het staat hier.'

'We kunnen er een paar van mijn boeken op naslaan, als je wilt. Ik heb er een waarin ook wat historische informatie staat.'

Jude liep naar de smalle boekenkast. Er stonden veel kookboeken, boeken over tuinieren, binnenhuisarchitectuur, zag ze, en op de bovenste planken stonden een gids van de sterrenhemel, het eerste boek van Euan en een aantal paperbacks, overwegend populaire, over astronomie. Ze pakte er een gewichtig boek met harde kaft uit dat over de geschiedenis van de astrologie ging en liet haar vinger over de inhoudsopgave glijden. 'Astrologie sinds 1700' was de titel van het eerste hoofdstuk.

'Bedoel je deze?' zei ze, en ze liet het aan Claire zien.

'Ja. Die heb ik van papa gekregen.'

'O ja? Dat was ik vergeten.' Jude keek naar het titelblad, waarop in zijn mooie, schuine hoofdletters stond: VOOR DE VERJAARDAG VAN MIJN LIEVE CLAIRE, SEPTEMBER 1997. 'Die goeie ouwe pa,' zei ze.

'Geef 'm eens. Dank je. Hij was inderdaad een goeie ouwe pa. Volgens mij vond hij het stiekem allemaal onzin. Maar hij gaf me desondanks dit boek omdat hij wist dat ik het leuk vond.'

'Ik mis hem nog steeds vreselijk,' zei Jude somber.

'Ik ook.' Claire wendde haar hoofd af om naar Summer en Emily te kijken, die nu op de trampoline aan het springen waren. 'Ik reed laatst langs die nachtclub in Norwich waar ik vroeger werkte en herinnerde me dat ik maar hoefde te bellen of hij kwam me met de auto ophalen, soms om wel een of twee uur 's nachts. Alleen maar om er zeker van te zijn dat ik veilig thuiskwam. Het was vreselijk toen hij overleed. Ik had het gevoel alsof iemand... ik weet het niet, alsof iemand de grond onder m'n voeten vandaan had getrokken.'

Jude probeerde zich dat eerste, afschuwelijke moment te herinneren, vóór dat andere verschrikkelijke ogenblik, toen Mark overleed. Toen hun vader die fatale hartaanval had gekregen, stonden zij en Mark op het punt om te gaan trouwen; er was toch nog steeds zo veel in het leven om dankbaar voor te zijn. Maar Claire, Claire was als altijd doelloos geweest, zwierf tussen banen en mannen in, en zat nu te dicht op de lip van een moeder die het allemaal niet aankon, terwijl ze elkaar het leven zuur maakten.

Jude wachtte totdat Claire verderging. Ze spraken zelden zo met elkaar – over diepe gevoelens. Claire gooide er meestal scherpe opmerkingen uit, van het soort 'Mam praat vaker met jou dan met mij', in plaats van kalm haar bezorgdheid uit te spreken. En daardoor draaiden hun discussies vaak uit op onenigheden waarbij met de vinger werd gewezen en er verwijten werden gemaakt. Jude kon zich geen discussie herinneren waarbij Claire niet een gespannen kleine bal van woede en frustratie was geweest. Het bitse kind was veranderd in een knappe en eigenzinnige tiener, jaloers op Judes solide successen, terwijl ze die tegelijk minachtte. Nu realiseerden ze zich beiden wat een anker hun vader in Claires leven was geweest; hij was het soort geduldige man dat deze wilde pony tot bedaren bracht, maar haar nooit probeerde te breken. Niemand had dat ooit willen doen. Claire had uiteindelijk geleerd hoe ze zich moest beheersen doordat ze de verantwoordelijkheid kreeg voor een eigen kind.

Jude had nooit kunnen voorspellen dat Mark dood zou gaan en haar achter zou laten, dat zij en Claire, zoals nu, samen in de zonovergoten woonkamer van een kleine cottage zouden zitten, terwijl ze naar Claires dierbare dochter keken, van wie ze allebei zo verschrikkelijk veel hielden...

Op dat moment kwam Summer met haar vriendin de kamer in gestormd, en verklaarde: 'We gaan boven spelen.'

'Nog een kwartier,' riep Claire ze na. 'Dan is het bedtijd.' Ze bladerde door het astrologieboek en vond een pagina met illustraties. 'Hier staan een paar tekeningen die misschien behulpzaam kunnen zijn. Wil je dat ik er later nog wat beter naar kijk?'

'Ja, graag,' zei Jude. 'Alles wat je eruit kunt halen kan goed van pas komen.'

'Ik zal m'n best doen.'

'Ik moest zo maar eens gaan,' zei Jude. 'Dank je wel voor het eten.'

'Graag gedaan,' zei Claire.

'Ik ga boven even gedag zeggen,' zei Jude. Ze stond op, liep langzaam de trap op en bewonderde onderweg de tekeningen van Euan. Het was geen geweldige kunst, dat moest ze toegeven, maar ze waren wel heel mooi. Hij had zo slim gebruikgemaakt van de glanzend witte boomschors dat het eruitzag alsof er twee bomen stonden in plaats van één boom, en de maan en sterren staken tussen hun winterse takken in goud- en zilverkleurige inkt af tegen een prachtige, donkere kobaltblauwe lucht. Ze was benieuwd in welk boek hij die tekening had gebruikt.

'O, nee, wat vreselijk...' Summers stem dreef haar kant op. Jude spitste onmiddellijk haar oren. Maar ze ontspande. Summer leek een of ander verhaal te vertellen, iets over een ongeluk. Jude liep de laatste paar treden van de trap op en keek om de hoek naar binnen. Emily lag op bed, sloeg de bladzijden om van een prentenboek, maar Summer zat op de vloer bij haar poppenhuis. Ze had de Jude-pop en de Claire-pop ergens tegenaan op het tapijt gezet.

'Arme Thomas,' zei Summer, haar stem klonk bijna snikkend. 'Hij is dood. Hoe kan ik ooit zonder hem leven?'

Jude duwde de deur open om beter te kunnen kijken.

Summer keek op en het verdriet was duidelijk van haar gezicht te lezen. En toen zag Jude waar de poppen op neerkeken. Het was de zwartwitte kat, Pandora, die languit op de vloer lag.

Ze probeerde haar gedachten snel te ordenen. Summer had vast geen Thomas gezegd; zo had Esthers kat geheten. Haar geest speelde een spelletje met haar.

'Wat is er aan de hand?' vroeg ze kalm, en ze wees naar het kleine tafereel op de vloer.

'Een vos heeft de kat van het meisje te pakken gekregen en hem doodgemaakt,' zei Summer. 'Het andere meisje helpt haar om hem te begraven.'

'O, Summer, wat een verdrietig verhaal,' stotterde Jude. Dit moest wel een of ander buitengewoon toeval zijn. Summer kon het verhaal van Esthers kat niet kennen. Had ze het aan Claire verteld? Of aan Euan? Misschien aan Euan. Dat was het, en Euan had het weer aan Claire of Summer verteld. Ze probeerde zich te herinneren of ze Euan iets had gezegd over het laatste deel van Esthers dagboek, maar haar geest leek als verlamd.

'Het is niet zo heel erg,' zei Summer, die haar tantes angstige uitdrukking verkeerd interpreteerde. 'Ze krijgt een andere kat en dan is ze weer blij.'

'Maar hoe kom je aan dit vreselijke verhaal?'

'Ik werd wakker en toen zat het in mijn hoofd,' antwoordde Summer.

'Ze is altijd verhalen aan het vertellen,' zei Emily zonder van haar boek op te kijken. 'Ze is zo'n leugenaar.'

'Niet waar!' riep Summer verontwaardigd. 'Ik werd gewoon wakker en wist dat ze echt waren gebeurd.'

'Wist dat ze echt waren gebeurd,' echode Jude, en haar ongerustheid nam toe.

'Ja, ze zijn echt gebeurd.' Summer stak haar onderlip naar voren.

Jude haalde wat speelgoed van een stoel en ging zitten, plotseling uitgeput.

'Alles oké?' Claire stond in de deuropening, met haar armen over elkaar en een wenkbrauw opgetrokken.

'Ja, natuurlijk,' zei Jude. Ze wierp een blik op Summer, die Pandora nu wakker had gemaakt om te spelen. Het meisje leek absoluut nergens overstuur van te zijn.

'Claire, kan ik je even spreken?'

'Best.'

Jude volgde haar naar beneden en trok haar zus mee de tuin in. Ze gingen samen op een bank zitten onder een vlinderstruik die boordevol paarse bloemen zat. Eerder op de dag hadden de vlinders eromheen gefladderd. Het was een vredige, goudkleurige avond, de lucht rijk aan bloemgeuren, een avond waarop het bijna mogelijk was om te denken dat alles in orde was. Maar het was niet in orde. Die wetenschap drukte zwaar op Judes borst.

'Wat is er aan de hand?' Claire keek nu bezorgd.

'Misschien niets. Het is alleen... Nou, je kent Summers droom, toch?'

'Ja. Dat wilde ik je nog vertellen. Ik heb weer een afspraak voor haar gemaakt bij de dokter. Morgen. Ze hebben op zaterdagochtend spreekuur. Ik moet eerst Emily thuis afzetten, en ben dan wat later op m'n werk.'

'O, ja? Dat is vast een goed idee.' Maar wat zou een dokter van deze nieuwe ontwikkeling denken? Jude haalde diep adem.

'Claire, volgens mij droomt ze over dingen die in het verleden hebben plaatsgevonden. Niet in haar verleden, maar in dat van iemand anders. In dat van Esther. Dingen waarover ik in een dagboek heb gelezen dat ik op Starbrough Hall heb gevonden.'

'Esther? Bedoel je de dochter van de sterrenkijker? Maar dat is flauwekul. Wat heeft Summer met Esther te maken? Dat was een paar honderd jaar geleden.'

'Dat weet ik. Het klinkt ook als flauwekul. Maar luister. Ze was net een gebeurtenis met haar poppen aan het naspelen, iets wat ik in Esthers dagboek heb gelezen. Het ging over een kat die doodging en een zigeunermeisje dat haar te hulp schoot. En Summer vertelde dat ze wakker werd met dat verhaal in haar hoofd. Hoe kon ze dat weten, Claire?'

'Als dat alles is,' zei Claire bruusk, en ze veegde een bloemblad van haar katoenen broek af, 'dan moet je het haar zelf hebben verteld. Of ze heeft over zoiets gelezen. Haar hoofd zit vol met verhalen, en dit verhaal klinkt niet zo ongewoon.'

Ze is zo'n leugenaar. Dat had Emily gezegd. Jude wist dat Summer een heel oprecht kind was. Ze dacht vast dat die dromen niet zomaar verhalen waren, maar dat ze echt waren gebeurd.

'Claire,' zei ze indringend.

'Wat?' Claire klonk ongeduldig.

Jude zag dat Claire gewoon wilde dat alles in orde was. Nou, dat wilde Jude ook. Maar het was niet in orde. Dat voelde ze heel sterk. Het kwam deels doordat Jude dezelfde nachtmerrie had gehad, waarin ze verdwaald was. Dat was gewoon te toevallig.

'Mag ik er met haar over praten?'

Claire keek nu geïrriteerd. 'En haar dan allerlei onnozele verhalen op de mouw spelden? Wat wil je nou zeggen, Jude? Dat ze ergens door bezeten is, of een eerder leven heeft gehad? Dat klinkt achterlijk en ik geloof er niets van.'

Je gelooft in al die andere dingen, dan kan er toch nog wel eentje bij? wilde Jude bijna zeggen, maar ze hield haar mond.

In plaats daarvan slaakte ze een zucht. 'Ik weet het. Meestal zeg ik tegen jou dat je wat rationeler moet zijn.'

'En nu is het de omgekeerde wereld? Maar we hebben het hier over Summer, Jude. Je nichtje, weet je nog? Niet iets om grapjes over te maken.'

Claires gezicht was roze en haar ogen glommen. Hoe zijn we in deze stomme situatie verzeild geraakt? dacht Jude verontrust.

'Natuurlijk niet,' zei ze en ze probeerde het recht te breien. 'Daarom is het juist zo belangrijk. Daarom gaat het me juist zo aan het hart.' Maar het was al te laat.

'Je komt hier met je geklets over dromen en geheimen uit het verleden en maakt overal een toestand van. Je kunt me ook niet gewoon met rust laten, hè? Summer is het enige wat ik heb. Ik heb eindelijk mijn eigen leven opgebouwd. Ik ben gelukkig, en nu kom jij hier roet in het eten gooien door met al die belachelijke dingen op de proppen te komen.'

'Ik heb geen roet in het eten gegooid,' zei Jude hulpeloos, maar in zo'n bui denderde Claire maar door.

'Wel waar,' schreeuwde ze bijna. 'Dat doe je altijd. Het is jou altijd voor de wind gegaan.' Hoe vaak had Claire dat wel niet tijdens hun jeugd gezegd, op precies diezelfde zeurderige toon. Ze leek het te beseffen, want ze zweeg en fluisterde: 'Het spijt me. Dat was natuurlijk niet zo.'

Mark.

'Nu, ja. Dat is nog iets waar ik genoeg van heb, Jude. Je moet ophouden met zo te jeremiëren over Mark.'

'Dat kan ik niet,' fluisterde Jude. 'Ik weet niet waarom, maar ik kan het niet. Ik heb het geprobeerd, weet je.'

'Jude, ik heb het al vaker gezegd, Mark was niet perfect. Hij was een man. Er zijn andere mannen.'

'Hij kwam anders behoorlijk in de buurt van perfect,' mompelde Jude. 'Voor mij, althans.'

Claire schudde haar hoofd en zei zacht: 'Nee, dat was hij niet. Hij was een doodgewone vent met alle doodgewone tekortkomingen.'

Jude keek naar haar zus en weer waaide in haar geheugen even een gordijn op. Toen was het weg.

'Kom,' zuchtte Claire, en ze stond op. 'Ik moet die twee in bed zien te krijgen. Je mag als je wilt een keer met Summer praten, maar sommige onderwerpen laat je erbuiten. Ik heb over dat gedoe over teruggrijpen op vorige levens gelezen in een tijdschrift waarop ik geabonneerd ben. Het is niet goed, Jude. Het gebeurt te vaak dat een therapeut ideeën in het hoofd van een patiënt plant door hem met zijn vragen een bepaalde kant op te sturen. Op die manier kun je iemand echt in de war brengen.'

'Dat weet ik,' zei Jude gedwee. 'En dat zal met Summer niet gebeuren. Het is een goed idee om naar de dokter te gaan. Laat me weten wat hij ervan denkt.' Ze volgde Claire naar binnen en pakte haar handtas. 'Ik ben bekaf, Claire. En ik vind het vreselijk dat we ruzie hebben gemaakt.'

'Maak je geen zorgen,' zei Claire, die haar even omhelsde, hoewel niet echt hartelijk. 'Meiden, Jude gaat ervandoor!' riep ze naar boven.

Jude werd zo in beslag genomen door deze nieuwe zorg dat ze nauwelijks op haar omgeving lette toen ze naar huis reed. Alles wat er was gebeurd maalde en maalde in haar hoofd. Esther. Oma. Summer. Tamsin. De folly. Euan. Ze reed langs Euans huis, en dwong zichzelf er niet naar te kijken.

22

Op zaterdagochtend was Jude moe, lusteloos en bezorgd. Ze zag de halsketting van haar grootmoeder in de bovenste la liggen toen ze haar make-uptasje eruit haalde en voelde zich schuldig dat ze nog niets over Tamsin had uitgezocht. Ze volgde Claires achteloze opmerking op, en vroeg Alexia of ze het telefoonboek van de Hall mocht lenen om Lovall op te zoeken. Zoals voorspeld waren er tientallen Lovalls in de omgeving. Ook al leefde Tamsin nog, het was heel waarschijnlijk dat ze was getrouwd en haar naam had veranderd, maar om haar bereidheid te tonen belde ze een voor een drie T. Lovalls in Noord-Norfolk op. Ze werd er niets wijzer van. De eerste Lovall die opnam was een vrouw die getrouwd was met meneer Timothy Lovall. Ze dacht dat Jude haar iets probeerde te verkopen en legde de hoorn op de haak. De tweede was behoorlijk doof en verkeerde duidelijk in de veronderstelling dat Jude wat gestoord was, en de derde, een vriendelijk klinkende Tom Lovall met een landelijk accent, dacht na over Judes vraag maar moest bekennen dat hij haar het antwoord schuldig moest blijven. Neerslachtig gaf ze het op. Alleen om te zien wat er zou gebeuren, typte ze 'Tamsin Lovall' in op een zoekmachine op internet en vond een Australische, beroemde volleybalster, een onwaarschijnlijk aanknopingspunt voor een vijfentachtigjarige vrouw, dacht ze, en ze grinnikte in zichzelf. Ze probeerde haar zoektocht te verbreden door te bedenken wie wellicht nog meer wist of Tamsin nog in leven was. Oma was de enige van de Bennett-kinderen die nog steeds leefde. Misschien was er een schoolvriendin die meer wist. Oma had het laatst over iemand gehad... een jongen. Wie was hij?

Ze belde haar grootmoeders nummer. De telefoon ging lang over, en Jude wilde net ophangen toen een beverige, afwezige stem opnam. 'Hallo?'

'Oma, met Jude. Hoe gaat het? Je klinkt een beetje zwakjes.'

'Nee, nee, het gaat prima met me.' Haar oma klonk wat versuft.

'Niet meer duizelig?'

'Vandaag lijkt het goed te gaan. Wat kan ik voor je doen?'

'Ik heb je verborgen plekje in de folly ontdekt. Het lag achter twee stenen, klopt dat?'

'O, slimme meid!' Haar oma klonk opgetogen. 'Lag er iets in?'

'Een pakje met oliedoek eromheen.'

'O, dat herinner ik me nog. Dat hebben we daar laten liggen.'

'Er zat een astrologische kaart in, oma, wist je dat?'

'O ja, lieverd?'

Een pakketje van oliedoek was voor de twee jonge meisjes duidelijk niet interessant genoeg geweest. Jude veranderde van onderwerp.

'Ik kom niet echt veel verder met mijn onderzoek naar Tamsin.' Ze vertelde over de telefoontjes die ze had gepleegd. 'Ken je toevallig nog iemand anders die nog in leven is en haar heeft gekend? Iemand van school, bijvoorbeeld?'

Er viel een korte stilte. 'Ik kan niemand bedenken. De meesten ben ik uit het oog verloren, snap je, toen ik ging trouwen. Betty Morton is dood, net als Joan... zij was mijn bruidsmeisje.'

'Je had het laatst over een jongen.'

'O, ja? Wie zou dat geweest kunnen zijn?'

'Ja, hij was niet zo aardig.'

Er viel weer een stilte.

'Dicky Edwards,' fluisterde haar oma. 'Ik denk niet dat Dicky... Ik wil hem niet meer zien, Judith. Ik denk niet dat hij ons verder kan helpen.'

'Oma?' Het was moeilijk om haar te peilen door de telefoon, maar Jude vermoedde dat ze een gevoelige snaar had geraakt. Ze keek op haar horloge. Het was pas elf uur en ze zou de rest van de dag toch niet veel meer doen. 'Oma, als je niet al te druk bent vanmiddag, zou je het dan leuk vinden als ik bij je langskom?'

Oma bleef nog lang nadat Jude had opgehangen met de hoorn in haar hand staan. Dicky. Hij was jarenlang een soort donkere schaduw achter in haar geest geweest, niet iets waar ze een vorm of naam aan had willen geven. Maar doordat ze laatst met Jude over Tamsin had gesproken, herinnerde ze zich hem weer in een flits, en nu kon ze hem helder voor de geest halen. Hij was altijd al groot geweest, lang voor zijn leeftijd en mollig, maar toen hij dertien of veertien werd en zijn vader op de boerderij ging helpen, veranderde het vet in spieren. Boer Edwards stond erom bekend dat hij een schreeuwlelijk en branieschopper was. Geen wonder dat zijn vrouw er altijd angstig en broos uitzag, en dat zijn zoons een stel bullebakken werden.

Ze legde de hoorn weer op de haak en liet zich in de dichtstbijzijnde stoel zakken. Met een stroom pijnlijke beelden kwam het nu weer allemaal boven. En de sluier tussen het verleden en heden was te dun om ze tegen te houden.

In 1937 was Jessie veertien toen Tamsin na een maandenlange afwezigheid op school terugkwam; op een mistige ochtend in februari dook ze ineens onaangekondigd op de speelplaats op en stond verlegen in haar eentje. Ze was veranderd. Het meisje was nu langer, gracieus als een hinde, met een prachtig gevormd gezicht en grote, glanzend bruine ogen. Jessie, nog steeds klein en met platte boezem, was jaloers op haar hoge, puntige borsten, haar fijne polsen en enkels. Tamsin groeide op. Jessies schoolmaatjes, die voornamelijk uitgroeiden tot klungelige jongvolwassenen met een vettige huid, merkten het ook op, en behandelden haar met het respect dat kinderen vaak voor schoonheid hebben. Dicky, al breedgeschouderd en met de baard in de keel, staarde haar het meest van iedereen aan, met een verwarde mengeling van afkeer en verlangen op zijn gezicht.

Deze keer voelde Jessie zich zelfverzekerd genoeg om aan het einde van de dag met Tamsin terug te lopen, en samen slenterden ze over de weg achter Jessies broer en zus aan.

'Zeg tegen ma dat ik bij een vriendin ben,' riep ze tegen Sarah, en ze gooide haar schooltas naar haar zus over het tuinhek, waarna ze met Tamsin de heuvel op liep naar het zigeunerkamp. Ze wisten niet dat ze werden gevolgd.

Tamsin familie verwelkomde haar hartelijk: Nadya, de overgrootmoeder en de vier mannen, van wie een nu met een zwangere vrouw, Kezia. Nadya kneep Jessie teder in de wang, en gaf de meisjes thee en cake. Ze aaiden de vastgebonden paarden en plaagden het vossenjong dat door Tamsins jongste oom was gevangen. Hij zat aan een boom vastgebonden en deed hongerige uitvallen naar de schriele kippen die net buiten het bereik van het touw op de grond naar insecten pikten.

'Wat gaat hij ermee doen?' vroeg ze aan Tamsin. Die haalde haar schouders op en zei: 'Geen idee. Hij zei dat hij ons afval aan het afstropen was en toen heeft hij hem gevangen. Jacko!' riep ze naar de jonge man, die een stuk hout met een mes aan het bewerken was. 'Je moet hem loslaten anders komt de moeder op hem af, en die eet de kippen zeker weten op.' Maar Jacko gaf de dichtstbijzijnde kip slechts een schop met zijn voet en lachte onverschillig.

Toen het ging schemeren zaten ze allemaal om het vuur en aten ze een rijk gevulde, donkerkleurige stoofpot die Nadya uit een grote kampeerpot lepelde, en een soort plat brood dat je erin kon dopen. De mannen hadden het over ik weet niet wat met hun keelklanken, lachten en keken dan weer nors, en Nadya zat zachtjes in zichzelf te zingen. Niemand vroeg Jessie ook maar iets over haar leven, maar dat vond ze niet erg. Ze zat dicht bij Tamsin, en ze lazen samen bij het schijnsel van het vuur in haar Engelse schoolboek, fluisterden met elkaar en luisterden naar de mannen. Jessie was gebiologeerd door het vreemde tafereel, voelde zich er deel van maar ook weer niet, en probeerde geen acht te slaan op haar geweten, dat haar ingaf dat ze naar huis moest gaan.

De avond viel snel en het vossenjong ging om zijn moeder zitten janken, een hartverscheurend, onafgebroken geluid, maar de mannen schreeuwden er alleen maar tegen. De oudste van de mannen pakte een viool en probeerde het geluid na te bootsen. Het vossenjong bleef janken dus de violist haalde zijn schouders op en zette een danswijsje in, eerst aarzelend, maar toen sneller en ritmischer totdat een aantal met hun tenen gingen tikken en ze in hun handen klapten. Nadya stond op om te gaan dansen. Jessie had nog nooit iemand zo expressief zien dansen, zo wild en zorgeloos. Ze klapte mee op het ritme en keek naar de schitteringen van de gouden sieraden in het schijnsel van het vuur en de vonken die omhoogvlogen, en dacht dat ze nog nooit van haar leven zoiets bijzonders had meegemaakt.

Toen klonk er plotseling een luide knal.

Het vossenjong slaakte een laatste gil, rolde toen om en bleef roerloos liggen. De paarden begonnen te bokken en angstig te hinniken.

Een fractie van een seconde stond iedereen als aan de grond genageld. Toen was iedereen in rep en roer: de mannen haastten zich om de paarden te kalmeren, de vrouwen duwden elkaar de woonwagens in.

Tussen het hinniken en de kreten door hoorden ze iemand door het kreupelhout rennen, daarna klonk er nog een geweerschot en een man die lachend in de verte verdween. Jacko en zijn oom, Ted, pakten allebei een tak van het kampvuur en zetten rennend de achtervolging in, maar Jessie wist dat ze al te laat waren.

Iets aan die lach deed haar ergens aan denken, maar op dat moment dacht ze daar niet verder over na.

'En wat deed je toen, oma?' riep Jude, nadat Jessie haar dat die middag allemaal had verteld.

'Ik was ontzettend bang, lieverd. Ik krabbelde overeind en rende zonder ook maar gedag te zeggen naar huis. Ik kende de weg als mijn broekzak, zelfs in het donker. Ik rende terug over Foxhole Lane, en toen de hele weg de heuvel af. Toen ik terugkwam was ik behoorlijk overstuur, dat kan ik je wel vertellen.'

Ze herinnerde zich haar gezicht, waarvan ze een glimp in de badkamerspiegel opving, en dat onder de zwarte strepen van de tranen zat. Haar kleding stonk naar rook en vreemd eten. Haar ouders waren opgelucht dat ze veilig thuis was, maar ook woedend. Hoe haalde ze het in haar hoofd om in het donker het bos in te gaan? En dan nog naar 'die zigeuners'. Maar ze dacht dat ze niets tegen zigeuners hadden. Nou, maar er waren grenzen, ja, en zij had die kilometers overschreden. Er had van alles met haar kunnen gebeuren, ze had wel dood of nog erger kunnen zijn. Geschrokken van een geweerschot? Dan heb je je lesje wel geleerd.

Ze werd huilend naar bed gestuurd.

Terwijl ze wakker lag en luisterde naar het treurende gejank van de moedervos buiten en nadacht over de gebeurtenissen van die avond, herinnerde Jessie zich die lach.

'Het was Dicky,' zei ze tegen Jude. 'Hij heeft ons vast samen de heuvel op zien gaan. Hij had het geweer van zijn pa gehaald.'

'Wat is er met hem gebeurd, oma?' vroeg Jude, geboeid door dit dramatische verhaal. 'Heeft hij straf gekregen?'

'Nee, toen niet. Ik heb er in die tijd tegen niemand iets over gezegd,' zei haar oma ten slotte. 'Ik wist dat het Dicky was geweest, en Dicky wist dat ik het wist. Ik zag het in zijn ogen op school de volgende dag, in die uitdagende blik. En wat dacht je eraan te doen? zei die blik. Ik was bang voor hem. Hij had ook een eigen bende. Die zou voor hem in de bres springen, liegen dat hij die avond bij een van hen was geweest. En ik kon niets bewijzen – niemand had hem daadwerkelijk gezien – dus wat had het voor zin om het te vertellen? Later had ik er spijt van dat ik niets had gezegd. Maar je vergeet gemakkelijk hoe het was om zo jong te zijn en hoe zwak en dwaas je je kunt voelen. Dingen die voor volwassenen rationeel verklaarbaar en gemakkelijk lijken, worden door kinderen heel anders beleefd.'

'Maar hielp Tamsin niet...?'

'Tamsin kwam de volgende dag niet op school. En daarna ook niet meer. Ik had mijn broer Charlie naar Foxhole Lane gestuurd om haar te zoeken. Hij kwam terug en zei dat ze weg waren.'

'Dus dat was de laatste keer dat je haar hebt gezien?'

'O, nee, de zigeuners kwamen nog wel naar Foxhole Lane, maar later pas weer en toen vertelde Tamsin me dat ze van school was.'

'En wanneer vertrok ze voorgoed en heb jij de halsketting meegenomen?'

Jessies gezicht verhardde plotseling en Jude wenste dat ze dat er niet zo uit had geflapt.

'Daar kom ik op terug als ik zover ben.' Jessie maakte een ongeduldig gebaar en Jude wist dat er voor die dag een einde aan het gesprek was gekomen.

Jude keerde terug naar Starbrough Hall met een papiertje met daarop geschreven: DICKY, WAARSCHIJNLIJK RICHARD, EDWARDS. Ze wist echter dat haar oma niet geloofde dat dat iets zou opleveren. En eigenlijk geloofde Jude dat ook niet. Als Dicky nog leefde, zou hij waarschijnlijk toch niet willen helpen. Maar ze had nog steeds zo veel vragen voor haar grootmoeder. Zoals: wanneer heeft Tamsin de halsketting uiteindelijk verstopt – vermoedelijk in de folly – en waarom? Ze hadden afgesproken dat ze maandagmiddag weer langs zou komen.

Na het avondeten op Starbrough Hall belde ze Claire op, want ze vond het nog steeds vervelend dat ze ruzie hadden gehad.

'Het spijt me van gisteravond,' zei ze tegen haar zus. 'Ik wilde je vragen hoe het bij de dokter was gegaan.'

'Het spijt mij ook,' zei Claire. 'Je joeg me de stuipen op het lijf, dat was alles. De dokter denkt dat Summer prima in orde is, dus ik doe mijn best om hem te geloven.'

'Nou, gelukkig maar,' zei Jude, maar ergens waren ze allebei onzeker. Ze geloofde niet dat alles in orde was, en ze dacht ook niet dat Claire dat geloofde, maar dat wilde ze niet zeggen, want Claire was al zo snel uit balans.

'O, ik heb die astrologische kaart meegenomen en Linda ernaar laten kijken toen het even rustig was in de zaak,' zei ze tegen Jude. 'Zij denkt ook dat hij heel oud is. Ze vond een boek dat we in de winkel verkopen en heeft het opgezocht. Het is geen leuke horoscoop, Jude. Er staat veel in over verlies en droevige gebeurtenissen, en kracht om moeilijke tijden door te komen. Ik zou me zorgen maken als mijn kind zo'n horoscoop kreeg. Ik zal het je de volgende keer dat je er bent precies uitleggen.'

'Dank je. Hoewel ik niet goed weet waar het goed voor is. We weten niet van wie hij is geweest, hè?'

'Van jouw Esther, dat dacht je toch?'

'Dat zou kunnen. Als het inderdaad in de jaren zestig van de achttiende eeuw is geweest. Bij jouw interpretatie hoeven we geen gelukkig einde van haar verhaal te verwachten.'

'Ik denk het niet, nee.'

'Zeg, ik heb 't morgen niet druk. Ik kan jullie beiden komen ophalen, dan gaan we tussen de middag samen ergens eten, wat denk je ervan?'

'Sorry, maar we hebben morgen al iets. Er komen mensen lunchen.'

'O, wat leuk. Iemand die ik ken?'

'Ja. Darcey en haar ouders. O, en ik heb Euan gevraagd.'

'O.' Jude wachtte om te zien of haar zus haar ook zou uitnodigen, maar dat deed ze niet en er viel een stilte. Ze merkte dat ze bloosde, voelde zich ongemakkelijk en wist toen uit te brengen: 'Nou ja, een andere keer dan.'

'Misschien 's avonds?' zei Claire snel. 'Kom dan die kaart ophalen, dan laat ik je zien wat Linda erover heeft geschreven.'

'Dat is goed,' zei Jude koeltjes. Dat lunchverhaal was idioot. Ze was kwaad op haar zus, maar wist ook dat ze niet het recht had om kwaad te zijn. Het was alsof zij en Claire verwikkeld waren in een soort guerrillaoorlog waarin geen van beide partijen de kaarten op tafel wilde leggen.

23

Op zondagochtend werd Jude wakker van regengekletter tegen het raam en ze voelde zich erg eenzaam. Ze probeerde in bed een tijdje een misdaadroman te lezen, kleedde zich toen aan en ging naar beneden, waar ze tot de ontdekking kwam dat ze op de honden na daadwerkelijk alleen was, aangezien het gezin naar de kerk was gegaan. Er lag een briefje op de ontbijttafel van Chantal, waarin in haar nette, buitenlandse handschrift stond dat ze met de lunch met z'n tweeën zouden zijn en dat de tweeling en hun ouders elders waren uitgenodigd. Jude at haar ontbijt, las de kranten van de vorige dag, en omdat ze verder toch niets in het lege huis te doen had, ging ze naar de bibliotheek om verder te werken aan Esthers dagboeken. Zoals altijd vond ze troost wanneer ze zich in haar werk kon verschuilen.

Sindsdien groeiden we meer naar elkaar toe, mijn vader en ik. Vaak was hij precies zoals hij altijd al was geweest: geheimzinnig, eenzaam, alleen. Hij verdween nog steeds voor langere perioden naar zijn werkruimte, of ik trof hem in zijn studeerkamer aan, verdiept in een boek, zijn eten onaangeroerd op het dienblad. Soms leek hij mijn aanwezigheid niet op te merken en dan ging ik stilletjes bij hem zitten en zelf wat onderzoek doen, maar dan zei hij plotseling: 'Hoor dit nou eens.' Dan las hij een passage voor uit een of ander dik boek, waarin stond dat de Via Lacte – onze Melkweg – melk was die uit de borst van de godin Hera in de lucht was uitgegoten, of over de recentste methode om de temperatuur van de zon te berekenen. Overal om ons heen lagen de boeken torenhoog opgestapeld. Soms had ik het gevoel dat hij een soort alchemist uit vroeger tijden was, en dat zijn instrumenten als een juttersbuit op de overal verspreid liggende stapels papieren en kaarten lagen.

Niemand mocht iets verplaatsen. Betsy mocht dan zijn eten binnenbrengen, maar dat was dan ook alles. Ze mocht niet schoonmaken. Alleen ik mocht af en toe een beetje afstoffen. Mits ik alles weer precies op dezelfde plek teruglegde, mopperde hij, anders zou hij niets meer kunnen terugvinden.

'Vader, u hebt meer planken nodig,' zei ik op een dag met een zucht toen hij me vroeg een bepaald boek over optiek te pakken, en ik twintig andere boeken moest verplaatsen voordat ik het kon vinden.

Hij keek om zich heen en knipperde met zijn ogen als een door daglicht verblinde uil, alsof hij de kamer nog nooit eerder goed had bekeken. Het was een donkere, smalle kamer achter in het huis, met uitzicht op de stallen. Hij had die kamer als jongen uitgekozen, had hij me eens verteld, omdat niemand anders er iets mee kon. 'Wat denkt u ervan, vader, zullen we een grotere ruimte als bibliotheek inrichten?' vroeg ik opgewonden, maar hij fronste zijn wenkbrauwen.

'En waar moet die dan komen?' antwoordde hij. Hij kon zich zoiets niet voorstellen, dus liet ik mijn gedachten erover gaan.

Later die dag zwierf ik door het huis, terwijl ik nog steeds aan de mogelijkheden van het idee dacht, en liep een kamer binnen waar ik bijna nooit was geweest. Hij lag aan de voorkant van de Hall en keek uit over het park. De kamer werd nergens voor gebruikt, voor zover ik dat kon beoordelen, behalve dan dat er een elegante open haard was, evenals een enorme lege houten kast en een sokkel met een borstbeeld van Socrates. Eigenlijk was het helemaal geen kamer, eerder een ruime antichambre waar een bezoeker van zekere stand, een stalmeester met een boodschap wellicht, was opgedragen om op zijn meester te wachten. En toen zag ik de reden dat het vertrek in onbruik was: een muur van de kamer was een beetje rond, maar of dat om praktische redenen zo was of als gevolg van een constructiefout, kon ik niet beoordelen.

Maar toch, ik vond de marmeren vloer met het ovale patroon wel mooi. Toen ik naar het raam liep, maakte mijn hart een sprongetje bij het uitzicht op het bos in de verte, en omdat de zon al laag stond en de lucht helder was, wist ik zeker dat ik de folly boven de bomen uit kon zien steken.

Ik draaide me om en bekeek de kamer nog eens goed, en plotseling ont-

vouwde zich in mijn geest een beeld van hoe die eruit kon zien. Dit zou onze bibliotheek worden, en om het probleem met de ronde muur op te lossen, zou hij ovaal worden. Vader moest het onmiddellijk weten.

Jude werd door het geluid van een auto op de kiezelstenen van de oprijlaan uit haar concentratie opgeschrikt alsof er een mes in een foto werd gestoken. Ze had zich voorgesteld dat ze er in de achttiende eeuw zelf bij was, bij Esther, en naar de kamer keek zoals die was geweest voordat hij een bibliotheek werd. En dat ze op haar beurt aan het meisje een beeld wilde laten zien van hoe het er nu uitzag. Wat een vreemde gewaarwording, dacht ze, zich bewust van Chantals stem die de honden beneden begroette.

Niet veel later ging de deur van de bibliotheek open. 'Jude!' riep ze. 'Ik dacht al dat je hier weer zou zijn. Je werkt wel hard, lieverd. Gaat het goed met je? Stoor ik?'

'Helemaal niet,' zei Jude warm, haar spijt dat ze was onderbroken werd weggevaagd doordat ze dolgraag wilde vertellen wat ze zojuist had gelezen. 'Eigenlijk kom je precies op het juiste moment binnen.' Ze liet Esthers papieren aan haar zien. 'Ze beschrijft hier hoe de bibliotheek werd ingericht. Blijkbaar is het allemaal haar idee geweest.'

Chantal liep de kamer in en ging naast Jude zitten, die eerst las wat ze net had getypt en daarna hakkelend de volgende passage van Esthers relaas voorlas om erachter te komen hoe dat bijzondere vertrek zo tot stand was gekomen.

Nadat ik het plan had voorgelegd, had mijn vader nog maar weinig overredingskracht nodig en mijn zelfvertrouwen groeide. In de daaropvolgende lente, in het jaar 1774, legde de architect zijn ontwerp voor een ovale kamer voor en men ging aan het werk. Al snel werd Starbrough Hall belegerd door karren vol zand en hout. Andere reden weg met hopen puin en stof. Een stuk of zes arbeiders waren uit het dorp aangekomen, toen een paar kundige handwerkslieden en daarna een aantal dat aan de nieuwe gebouwen bij Holkham Hall had gewerkt. Deze mannen liepen allemaal zandgruis de gangen in, waar meneer Corbett matten had neergelegd, en al snel stond ademhalen gelijk aan verstikking in een krijtachtige atmosfeer. Betsy en ik beweerden dat we het stof in ons eten konden proeven, maar mevrouw Godstone ergerde zich aan onze klachten en meneer Corbett maande ons tot zwijgen.

Ten slotte werd mijn vader verdreven door de schreeuwende bevelen en het gehamer. Hij verbleef soms wel dagen achtereen in de folly en sliep zelfs in de torenkamer op een klein matras als hij daar zin in had. En zodoende moest ik in mijn eentje meneer Gibbons, de architect, aansturen, een vriendelijke man die naar het scheen een dochter had van ongeveer mijn leeftijd, en die de zaken op een gewichtige en hoffelijke manier met mij besprak. Dat deed me plezier en verbaasde me. Niemand buiten het huis had me ooit met zo veel respect behandeld, en ik bloeide op onder mijn verantwoordelijkheden. Mijn vaders rentmeester daarentegen, de weerzinwekkende Trotwood, sloeg om me te vernederen opzettelijk elke opdracht die ik aangaande zijn arbeiders gaf in de wind. Daardoor leerde ik in de loop der tijd discreet te zijn, en maakte ik in plaats daarvan aan meneer Gibbons of de ploegbaas mijn wensen duidelijk.

Zo verstreken er maanden, en ik merkte dat mevrouw Godstone en meneer Corbett zich ten opzichte van mij anders gingen gedragen. Ze bleven beleefd en vriendelijk, maar er groeide een ongemakkelijke afstand tussen ons, en het moment brak aan dat ik niet langer met hen at, maar met mijn vader, of, als hij weg was, in mijn eentje in de grote eetkamer, met Betsy die me bediende. Zelfs Susan behandelde me anders. Ze noemde me de helft van de tijd 'miss Esther', en dat kwetste me. We sliepen al een paar jaar niet meer in hetzelfde bed, omdat ik geen klein meisje meer was dat nachtmerries had en moest worden getroost. Ze begon nu echter ook op mijn deur te kloppen voordat ze mijn kamer binnenkwam. 'Je wordt nu een vrouw,' zei ze eens tegen me, toen ze me een keer hielp met aankleden voor het diner. 'Nee, een dame. Ik heb het altijd geweten... En een prachtige dame ook.' Ik zag in haar ogen dat ze nog steeds veel om me gaf, maar toch was er iets belangrijks veranderd. Vader behandelde me als de dochter des huizes, en de huishouding gedroeg zich daarnaar.

Ik voelde de eenzaamheid ervan voor het eerst toen mijn oude vriend Matt zijn hoed aantikte bij het groeten. We waren meer verlegen in elkaars gezelschap, maar werden ons er dan ook van bewust dat we man en vrouw aan het worden waren; op ons veertiende konden we niet langer in de modder spelen zoals we als kinderen deden, en dat hadden we ook niet gewild. Hij werkte inmiddels de hele dag met zijn vader, in zijn dagelijkse, sjofele kleren, terwijl die van mij mooi en netjes waren, zijn handen vereelt, de nagels ingegroeid, terwijl die van mij schoon en verzorgd waren.

Ik had horen zeggen dat hij op feest- en vrije dagen met andere jongens op het dorpsplein samenkwam, dat ze te veel bier dronken en de meisjes lastigvielen; onze dagen van samen ronddwalen in het bos waren al lang voorbij en er werd niet meer over gerept. Soms deed me dat verdriet, want ik verlangde naar een vriend van mijn leeftijd.

Toen het oogsttijd was, was het belangrijkste werk aan onze nieuwe bibliotheek voltooid en knepen de arbeiders ertussenuit om op het land te gaan werken. Maar eind september brak de dag aan waarop de laatste details waren afgewerkt. We stonden, mijn vader en ik, de rijen witgeschilderde boekenplanken en kasten te bewonderen, de glazen deuren en het kobaltblauw geschilderde plafond. We wezen elkaar op de prachtige ornamenten, die als wit suikerglazuur afstaken, maar het allermooist was een verfijnd, van pleisterwerk vervaardigd, ovaal middenstuk dat zich als een reusachtige halo boven ons hoofd bevond. We wachtten een week of twee totdat alles droog was en de stank van de loodverf was opgetrokken, en begonnen aan het grote karwei van het verplaatsen van de inhoud van vaders studeerkamer naar zijn nieuwe onderkomen.

Niemand mocht ons helpen met het inpakken van de dozen met boeken en papieren, en toen we die eenmaal naar de bibliotheek hadden gebracht, mocht ik de boeken wel uitpakken en voorstellen waar we ze zouden kunnen neerzetten, maar niets zelf inrichten. Uiteindelijk tilde meneer Corbett, samen met Sam en Matt en Jan de koetsier, het zware bureau en de stoelen naar binnen, evenals de globe en het planetarium, en was alles klaar. Al die eerste avond trof ik hem daar aan, verdiept in zijn kaarten, terwijl er een aangenaam vuurtje in de haard brandde, zijn avondeten als gewoonlijk vergeten op een dienblad. 'Welterusten,' zei ik, maar hij liet niet blijken dat hij me had gehoord. Ik glimlachte in mezelf en deed de deur zachtjes dicht.

'Over die plafondschildering wordt niets gezegd, hè?' merkte Chantal op. 'Ik ben benieuwd wanneer ze die hebben laten maken.'

'Misschien vertelt Esther daar later nog over.' Jude sloot haar laptop weer. Ze bedacht zich dat het nog maar even geleden was dat het net was alsof ze door Esthers ogen had gekeken, de kamer zag zoals die er toen had uitgezien, en hoe ze tegelijk op Esther het beeld overbracht van hoe die er nu uitzag. Het was weer een vreemde gewaarwording geweest; ze kon het niet verklaren. Misschien was ze even in slaap gevallen en had ze het gedroomd.

Er bleef steeds zo veel onbeantwoord over Esther, maar aan de andere kant wist ze ook niet alle vragen. Toch vielen er, als in een grote, complexe legpuzzel waarvan ze geen voorbeeld had, verschillende stukjes informatie geleidelijk op hun plek. Bepaalde details kwamen duidelijker in beeld.

Ze wierp een blik op haar horloge. Het was half een. Ze zag plotseling het beeld van Euan voor zich, hoe die in een sportjasje en spijkerbroek bij Claire aankwam, met een fles rode wijn in zijn handen. Toen ze zich voorstelde hoe hij haar op beide wangen zoende...

'Chantal,' zei ze snel, 'heb je speciale plannen voor de lunch?' Aangezien ze vandaag beiden buiten de plannen van hun familie waren gelaten, konden ze net zo goed iets bijzonders gaan doen en ervan genieten.

'Niet echt,' antwoordde Chantal. 'Ik dacht dat we misschien wat kliekjes konden opwarmen.'

'In dat geval,' zei Jude, 'neem ik je graag mee uit lunchen. Dat lijkt me wel wat. Ken jij een restaurant in de buurt waar je niet hoeft te reserveren?'

'The Green Man,' zei Chantal prompt, met een glinstering in haar ogen. 'Ja, laten we buiten de deur gaan lunchen.'

De pub die Chantal had aanbevolen kon op het laatste moment nog een tafeltje voor hen vrijmaken. Het was maar een paar kilometer verderop, dus Jude hoefde niet ver te rijden, een mooi, oud gebouw met houten balken, dat niet al te veel door de moderne ontwikkelingen was aangetast. Hun tafeltje stond in de tuin onder een grote luifel. Ze bestelden allebei een ouderwets zondags braadstuk en een fles volle, rode bourgogne. 'Ik trakteer,' drong Jude aan. 'Het is zo aardig van jullie dat ik zo lang op de Hall mag logeren.'

'Nee, we vinden het heerlijk dat je er bent,' riep Chantal uit. 'Alexia zegt dat je zo'n gemakkelijke gast bent, en bovendien is het logisch, want je werkt erg hard aan de verkoop. Je hebt nou niet bepaald vakantie.'

'O, maar ik kan Claire en Summer heel vaak zien,' antwoordde Jude. 'Maar ik moet wel met Alexia en Robert praten. Ik heb het gevoel dat ik een andere verblijfplaats moet zien te vinden. Gasten kunnen heel vermoeiend zijn.'

'Doe dat vooral, maar je zult zien dat ze het met me eens zijn. Je moet niet weggaan, Jude.'

Jude lachte. 'Nou ja, het is ontzettend aardig van jullie.' Hun lunch werd gebracht en ze vielen er hongerig op aan.

Na een paar minuten vroeg Chantal: 'Hoe gaat het met het kleine meisje? Je zei dat ze van die nachtmerries had.'

'Die heeft ze nog steeds, helaas,' antwoordde Jude. Ze vertelde over het schijnbare toeval dat Summer bijzonderheden wist van Esthers verhaal.

'Dat is heel vreemd. Maar dan heb je haar er vast iets over verteld. Er moet een verklaring voor zijn. Zeker als, zoals je zegt, de dokter denkt dat er niets met haar aan de hand is. Kinderen van die leeftijd schrikken 's nachts wel vaker angstig wakker. Ik herinner me nog een periode waarin Robert vaak midden in de nacht om me riep, en dat ik bij hem moest blijven. William wilde hem niet graag bij ons in bed hebben. 's Ochtends was ik dan degene die nog moe was. En Robert had nergens meer last van.'

'Misschien is dat inderdaad alles. Gewoon wakker geschrokken,' zei Jude. Ze wist echter dat ze aan Summer niet alles over Esther had verteld, dat sowieso. En het was een ander soort droom. 'Maar waarom zijn die nachtmerries dan begonnen nadat Euan haar naar de folly had meegenomen?'

Chantal haalde haar schouders op. 'Toeval,' zei ze kortaf. 'Of misschien heeft iets op die plek haar verbeeldingskracht geprikkeld. Daar is zo veel gebeurd. Ik geloof er wel in dat er door dat soort dingen een bepaalde atmosfeer ontstaat.' Daarna zei ze: 'Die jonge man over wie je het hebt, Euan, sorry dat ik het vraag, raken jullie bevriend met elkaar?'

Jude legde haar mes en vork neer en wist even niet wat ze moest zeggen.

'Waar bemoei ik me ook mee!' riep Chantal uit, en ze wuifde haar vraag weg. 'Hij is heel *charmant*. Ik dacht gewoon... Het spijt me.'

'Niet nodig,' zei Jude, terwijl ze een slok wijn nam. 'Hij is aantrekkelijk. Maar volgens mij is hij al bezet. Mijn zus was eerst. En daar kan ik niet tussenkomen.'

'Vindt hij haar leuk?'

'Dat weet ik eigenlijk niet,' gaf Jude toe. 'Zoiets vraag je niet. Volgens mij zitten ze in dat kwetsbare stadium, je weet wel, vóórdat er iets gebeurt, en ik kan niet zomaar naar binnen marcheren en...'

'Ah, dus je vindt hem echt leuk.' Chantals ogen glinsterden geamuseerd.

‘Ik vind hem… erg aantrekkelijk. Ik zou hem niet het bed uit schoppen, zoals men dat wel zegt.’

Chantal barstte in een verrukte lach uit, en een paar mensen keken naar hen om. Ze was vandaag erg elegant en opgewekt, dacht Jude.

‘Je snapt het probleem,’ zei Jude. ‘Wat moet ik doen? Wat zou jij doen? Vrouwen onder elkaar, Chantal! Is jou ooit zoiets overkomen?’

‘Ik heb geen zus, dus dit had mij nooit kunnen overkomen, maar je relatie met je familie, nou, die is belangrijk. Nee, je hebt gelijk, je kunt niet zomaar naar binnen marcheren en… Je zult moeten wachten, liefje, wachten en kijken wat er gebeurt. Misschien moet je overwegen om te vertrekken en hem te vergeten. Dat zou in elk geval wel zo fatsoenlijk zijn.’

‘O ja?’ vroeg Jude zacht, en ze voelde haar energie wegvloeien. Zou ze gewoon terug moeten gaan naar Londen en Claire en Euan met rust laten? Dat was één manier om het aan te pakken. ‘In de liefde en oorlog is alles geoorloofd’, was een andere. Maar stel dat er wel iets tussen haar en Euan gebeurde, wat zou er dan gebeuren met de relatie met haar zus, en met Summer?

Terwijl zij en Claire hun lunch verorberden, en Chantal over haar uiterst formele opvoeding in Parijs vertelde en hoeveel die verschilde van de manier waarop de tweeling werd opgevoed, bekeek Jude de hele zaak nog eens van alle kanten.

Ze wilde niet fatsoenlijk zijn en van de aardbodem verdwijnen. En evenmin wilde ze met Claire de strijd aangaan. Het was moeilijk. Ze liep altijd op eieren bij Claire, erop bedacht haar niet tegen zich in het harnas te jagen, zich ervan bewust dat Claire niet alleen knap, uitbundig en aantrekkelijk, maar ook heel kwetsbaar was. Maar voor Jude zou Claire geen offers brengen, zei ze nu tegen zichzelf. Of wel? Weer welde die oude rancune op. En dan was er nog de hamvraag. Euan was niet een of ander stuk speelgoed waar je ruzie over maakte. Hij had zijn eigen gevoelens en ideeën. De belangrijkste vraag in deze kwestie was natuurlijk wat Euan zelf voelde.

Ja, het probleem zou zichzelf oplossen. Ze zou niet weggaan, maar het uitzitten. Zoals haar oma wel eens zei: als iets voorbestemd is, gebeurt het toch wel. Met Mark was Jude ervan overtuigd geweest dat ze zelf niets hoefde te doen om het lot zijn gang te laten gaan. Nu leerde ze dat het belangrijk was om je lot in eigen hand te nemen. Niet wreed en egoïstisch waarbij de andere stukken van het schaakbord werden geveegd, maar door anderen duidelijk te maken wat je behoeften en gevoelens zijn, zo veel mogelijk de waarheid te vertellen, moeilijkheden onder ogen te zien in plaats van ervoor weg te lopen; op die manier ging je het leven op een volwassen, verantwoordelijke manier aan.

'Heel erg bedankt voor de heerlijke lunch,' zei Chantal toen ze opstonden om weg te gaan.

'En jij bedankt voor alles wat je hebt gedaan om me te helpen,' zei Jude en ze gaf haar een kus op haar wang.

Jude maakte de rest van de middag aantekeningen over een paar ideeën voor het artikel dat ze ging schrijven voor het tijdschrift van Beecham. Ze had nu de personages voor haar verhaal, en een idee hoe ze de hele verkoop zou presenteren. Het was ongelooflijk opwindend. De eenzame sterrenkijker en de door hem gebouwde toren, het meisje dat hij had gevonden en had opgeleid tot zijn amanuensis, maar die haar eigen, mysterieuze verhaal te vertellen had. Wat is er met haar gebeurd en waarom heeft ze het huis niet geërfd? Het zou fantastisch zijn als ze kon zeggen dat de Wickhams op een of andere manier een belangrijke bijdrage hadden geleverd aan de hedendaagse kennis van de sterren, maar van wat Cecelia er tot nog toe over had gezegd, leek dat onwaarschijnlijk.

Maar ze kon wel schrijven over de relatie van dit verhaal met haar eigen familie, over de droom. Het was moeilijk om dat zo uit te leggen dat het serieus werd genomen, en ze mocht Summers ervaringen niet in de openbaarheid brengen, dat zou verkeerd zijn. Summers verhaal was trouwens nog niet ten einde.

Toen Jude die avond om half zeven haar auto voor de deur van Blacksmith's Cottage parkeerde, bleken de gasten van haar zus al lang weg en was Summer moe van de hele dag rondrennen in de zon. 'Gaat het goed met haar?' vroeg Jude toen ze hoorde dat Summer in haar kamer was.

'Ja, prima. Zoals ik je al vertelde, zei de dokter gisteren hetzelfde als de keer daarvóór. Ik hoef me nergens zorgen over te maken, jonge kinderen hebben wel vaker perioden waarin ze slecht slapen of nachtmerries hebben. Ze eet goed en is verder vrolijk, dus is er geen reden om ongerust te zijn. Punt uit.' Claire, die er ook vermoeid uitzag, nam een laatste slok van haar thee en zette het kopje hard op tafel neer. 'Ik zou me opgelucht moeten voelen. Ik voel me ook opgelucht.'

Maar Jude niet. 'Heb je hem verteld hoe de nachtmerries zijn begonnen of dat ik dezelfde heb gehad?'

'Ik heb het geprobeerd, maar dat interesseerde hem niet zo.'

Jude slaakte een zucht. 'Dat is ook niet verbazingwekkend, neem ik aan. Het klinkt ook te bizar.'

'Dit moet allemaal wel toeval zijn. Jude, wat kijk je ernstig. Denk je nog steeds dat er iets mis is?' Claires ogen leken groot in haar gezicht en voor het eerst zag Jude dat ze er afgepeigerd uitzag.

'Nee, ik vroeg me af hoe het met jou gaat. Slaap je wel goed?' vroeg ze zacht.

'Niet echt,' gaf Claire toe, terwijl ze met haar handen haar kopje omklemde. 'Ik maak me zorgen. Ik geloof nog steeds niet echt in wat je zegt, maar ik ben er wel ongerust over.'

En ik ook, dacht Jude moedeloos. Hun onenigheid over Euan verdween naar de achtergrond. Ze maakten zich beiden meer zorgen om de kleine Summer.

'Ik ga naar boven en haar welterusten zeggen,' zei Jude, 'dan kunnen we daarna even kort naar de astrologische kaart kijken. Ik blijf niet lang.'

'Oké. Lees haar alsjeblieft geen akelig verhaal voor,' smeekte Claire.

'Maak je geen zorgen. Ik zoek wel iets vrolijks uit.'

Jude las haar voor uit 'De kleine havermoutpot', over een vrouw met een magische etenskom die het toverwoord niet wist en het dorp met havermout overspoelde. Helemaal niet angstaanjagend, alleen maar mal, en in plaats van dat ze in bed bleef zitten, wilde Summer met het poppenhuis spelen terwijl het verhaaltje werd voorgelezen.

Ze sloeg het boek dicht en keek toe hoe haar nichtje alles opruimde.

'Ik heb nog niet eens goed naar mijn "ik"-pop gekeken,' zei ze. 'Mag ik hem zien?'

'Hier. Euan zei dat hij er een chique pop van heeft gemaakt, zoals jij bent wanneer je naar je werk gaat.'

De pop had net zo'n zwart mantelpakje aan met eronder een witte blouse. Jude lachte. 'Kijk,' zei ze, en ze wees naar de goudkleurig geverfde stippen, 'ze draagt zelfs mijn oorbellen.' Dus zo zag Euan haar. De stadsbewoonster, de carrièrevrouw. Voor een deel voelde ze zich gevleid, voor het andere deel voelde ze de afstand tussen hen. Ze hoopte oprecht dat wanneer ze glimlachte, het er niet te veel uitzag als het meesmuilende glimlachje van de pop.

'Hoe ging het verhaal ook alweer dat je laatst vertelde?' vroeg ze aan Summer. 'Dat over de vos en de kat, bedoel ik. Toen Emily hier logeerde.'

'O, dat was verdrietig, hè? Maar het andere meisje had gelijk, want ze kreeg een nieuwe kat. Het was een vrouwtjeskat die Maantje heette en nooit zo ver weg liep als Thomas.'

Een vrouwtjeskat. Maantje: *Luna*. Zelfs de naam klopte bijna.

'Waar komt dat verhaal vandaan, Summer?' Bijna vroeg ze: uit een boek? Ze besefte echter dat ze haar daarmee woorden in de mond zou leggen.

'Dat heb ik al gezegd,' zei Summer, op die doodvermoeide manier die alleen zo hartgrondig uit de mond van een bijna zevenjarig meisje kan komen, 'het zat in m'n hoofd toen ik wakker werd. Dat gebeurt soms. Emily zegt dat ik lieg, maar ze liegt zelf. Ze is gewoon jaloers omdat juf Hatch mijn verhaaltje aan de muur had gehangen en tegen iedereen had gezegd dat ze het moesten lezen.'

'Wat leuk voor je,' zei Jude glimlachend. En toen: 'Ben je wel eens met andere verhalen wakker geworden?'

'O, heel veel. Er is een zigeunermeisje, snap je. Ze woont soms in het bos, vlak bij de folly met haar familie, maar dan stoppen ze alles terug in hun wagens en rijden ze weg naar verre plekken. Maar ze vindt de plek naast de folly het leukst omdat ze daar een vriendin heeft. Haar vriendin heet Esther. Dat is een mooie naam, vind je niet? Als mama nog een pop voor m'n verjaardag koopt, dan ga ik die Esther noemen.'

'Hoe heet het zigeunermeisje?'

Summer trok een pruilmond terwijl ze nadacht. 'Dat weet ik niet meer,' zei ze. 'Wacht... nee, dat weet ik niet meer.'

'Waarom word je met die verhalen in je hoofd wakker, Summer?'

Summer haalde haar schouders op. Jude was benieuwd of ze dacht dat zijzelf, Summer, het zigeunermeisje of Esther was, dat een van hen de verhalen aan haar vertelde of dat ze die had gedroomd. Maar zo was het helemaal niet. In plaats daarvan zei Summer: 'Volgens mij heet dat zigeunermeisje Rowan.'

'Oké, dat is een mooie naam,' zei Jude. 'Het is ook een streeknaam, voor een boom met rode bessen. Sommige mensen zeggen dat die magisch is.'

Summer fleurde op en zei: 'Dat is mooi, want die sjaal van haar is rood.'

Toen Jude dat hoorde, was ze nagenoeg sprakeloos. Esther had geschreven dat de hoofddoek van de zigeunerin klaproosrood was. Een voor de hand liggende kleur misschien, maar wat Jude vooral dwarszat was het feit dat Summer er zo zeker van was, evenals het feit dat de toevalligheden zich opstapelden.

Ze gooide het over een andere boeg.

'Summer, ben je ooit bij de folly geweest?' Ze wist dat het meisje er was geweest, maar opnieuw lette ze erop dat ze het kind geen woorden in de mond legde.

Summer knikte. 'Met Euan. Ik wilde niet naar binnen, want ik vond het er stom. Het was eng.'

'Eng?'

'Mmm, het deed me aan iets engs denken. Ik weet niet waaraan, maar ik vond het er stom.' Haar stem klonk plotseling schril.

'Arme schat.' Summer leunde tegen Jude aan, en Jude legde beschaamd haar arm om haar heen. Het was niet goed om hierover verder te praten. Waar kon dit kleine ding zo bang van zijn geworden, iets wat Euan zeker niet op die plek had opgemerkt, en zijzelf ook niet? Zij vond dat er een vreemde atmosfeer bij de folly hing, maar het was er zeker niet angstaanjagend. Ze hielp Summer met tandenpoetsen en stopte haar in bed.

'Ik haal mama om je welterusten te zeggen,' zei ze tegen haar.

'En zeg tegen haar dat ik graag een glas water wil,' zei Summer. Maar toen Jude van het bed opstond, pakte Summer haar hand beet. 'Niet de deur dichtdoen, hoor, tante Jude. Ik wil niet in het donker liggen.' Daardoor wist ze dat Summer angstig was, meer dan ze liet merken.

Toen Claire weer beneden kwam, spreidde ze een aantal vellen papier en een groot boek op de salontafel uit.

'Dit heeft Linda gevonden,' zei ze.

Ze liet Jude de verschillende secties van de kaart zien en de betekenissen die Linda ernaast had gekrabbeld. 'Kijk, die heeft ze hieruit gehaald,' zei ze, en ze liet Jude een bladzijde zien over achttiende-eeuwse kaarten met wat illustraties. 'Volgens de kaart staat de zon hier in Waterman, en...'

'Ik weet niet zeker of ik dat allemaal begrijp. Wat betekent dat precies voor iemands toekomst?'

'Weinig concreets. Linda heeft hier opgeschreven: creativiteit, zelfontplooiing, conflicten, vijanden en crisis. Ik heb je toch al verteld dat het bepaald geen leuke horoscoop is?'

'Alleen... nou, je hebt er niet veel aan, hè? Om er iemand mee te kunnen identificeren, bedoel ik, of om erachter te komen wat er met diegene is gebeurd.'

Claire haalde haar schouders op en zei verdedigend: 'Daar kan ik ook niets aan doen.'

Jude pakte een ander boek op, over de geschiedenis van astrologie, dat Claire open had laten liggen. Twee zinnen trokken haar aandacht. 'Hier staat: "Astrologie was niet erg populair in de achttiende eeuw." Dus het zou van belang kunnen zijn dat de kaart überhaupt al is gemaakt. Wie zou dat hebben gedaan?' vroeg ze zich hardop af. 'En moet je dit horen: "De ontdekking van de zevende planeet, Uranus, in 1781, zou alle traditionele astrologische constructies volledig omvergeworpen hebben." Ik neem aan dat dat zo is,' zei ze terwijl ze het boek weer neerlegde. 'Wat betekent dat deze kaart pure onzin is.'

'Nou, misschien ook niet,' zei Claire. 'Onvolledig wellicht. En als het gaat om degene die hem heeft gemaakt, nou, traditioneel waren dat de zigeuners.'

24

Jude was belachelijk blij toen Euan maandagochtend vroeg belde en haar vroeg of ze zin had om een wandeling met hem te maken. 'Ik moet een stuk schrijven over orchideeën voor een natuurwebsite,' zei hij, 'dus ik dacht te gaan kijken wat er in de buurt zoal te zien is. Zin om mee te gaan?'

Zijn stem klonk luchtig maar onwillekeurig hoopte Jude dat hij vooral háár wilde zien. Een moment lang woog ze de hoeveelheid werk die ze nog moest doen af tegen een wandeling met Euan. Dat was geen moeilijke keus. Als ze terugkwam, kon ze nog naar haar aantekeningen voor haar artikel kijken, hoewel ze niet veel tijd had. Ze herinnerde zich haar afspraak met haar oma later die middag. O, ze verdiende het wel om er even tussenuit te knijpen.

'Als je het niet erg vindt dat ik op dat gebied een volkomen leek ben,' zei ze tegen hem, 'lijkt het me heerlijk om op orchideeënjacht te gaan.'

'Mooi. Ben je dan over een half uur bij mij?'

Toen ze bij de achterdeur van de cottage aankwam, begroette hij haar met een kus, vriendschappelijk bedoeld, daar kon ze niets anders van maken.

'Hoe was de lunch gisteren?' vroeg ze toen hij zijn rugzak ophees en ze naar de weg liepen.

'Heel gezellig,' was het enige wat hij zei. 'Je zus kookt verrukkelijk. Het komt niet vaak voor dat ik zo'n uitgebreide warme maaltijd voorgeschoteld krijg.'

'Ja, daar is ze goed in,' antwoordde Jude, terwijl ze zich afvroeg of hij geen oog had voor Claires charme of dat hij zich niet in de kaart wilde laten kijken.

Ze liepen de heuvel op, maar deze keer nam Euan een pad dat naar links liep, aan de andere kant van de weg naar de folly. In het begin was dit voetpad overwoekerd met brandnetels en doornstruiken, maar al snel kwamen ze op een dichtbegroeid, bebost terrein waar het bladerdak het licht tegenhield en er maar weinig op de bodem kon groeien. Het had die nacht geregend. De bomen druppelden geduldig en alles rook fris en zoet.

'Waar moeten we zoeken?' vroeg Jude. 'Ik ben bang dat ik hier niet zo goed in ben.'

'Hier zijn nog geen orchideeën te vinden, maar misschien hebben we verderop, waar de bomen minder dicht op elkaar groeien, meer geluk.'

'Sommige bomen zijn vast honderden jaren oud,' zei ze. 'Kijk die eikenboom nou eens.' De boom had een enorm brede stam, die zich op verschillende plaatsen had vertakt zodat het leek alsof er drie bomen in één boom groeiden.

'Toch zitten er maar weinig eikels in, hè?' zei Euan, die een loofrijke tak bestudeerde. 'Ik ben benieuwd hoeveel zaailingen hij in de loop der jaren heeft voortgebracht.'

'Misschien wel duizenden.' Er moesten wel vele lagen gevallen bladeren onder hun voeten liggen – eeuwen van eikenbladeren. 'Het voelt hier zo oeroud en mysterieus aan,' zei ze. 'Je ziet zo het beeld voor je van Robin Hood en zijn mannen, die het hier naar hun zin hebben.'

'Het voelt hier goed vandaag,' zei Euan, 'maar dat is ook wel eens anders. Denk maar eens aan al die sprookjes waarin het bos een duister en dreigend doolhof is, waar de bomen zich uitstrekken om de nietsvermoedende reiziger te grijpen, waar afschrikwekkende dieren op de loer liggen, en waar kleine meisjes en jongens voor altijd zijn verdwaald.'

Ze huiverde. 'Zoals in Sneeuwwitje, The Babes in the Wood en Hans en Grietje.'

Verhalen die ze aan Summer had voorgelezen.

En net zoals het in haar nachtmerrie ging. Door het bos rennen, achtervolgd worden door een of ander gevaarlijk...

'Het bos is altijd een metafoor geweest voor het wilde, het ongerepte, vind je niet?' mijmerde Euan. 'Volgens mij gold dat vooral voor de bevolking in dorpen en stadjes. Het bos is dan het tegenovergestelde van beschaving – het thuis van het oeroude, de heiden, de woesteling. De wildeman van het bos.'

'Dat is iemand anders dan de "Groene Man", hè?' vroeg ze. 'Ik herinner me dat je in je boek *Het pad door het bos* over de Groene Man had geschreven. Hij is wat vriendelijker, een soort heidens vruchtbaarheidssymbool, klopt dat?'

'Ja, hij doet denken aan de Morris-dansers en echt bier.' Ze lachten allebei om het joviale, volkse beeld dat dit opriep. 'De wildeman is duisterder, primitiever.'

Zo nu en dan, waar de bomen verder uit elkaar stonden, bleef Euan staan om beter te kijken naar het gras en de wilde bloemen die in het licht bloeiden.

Uiteindelijk waren er helemaal geen bomen meer.

'Eureka!' riep hij plotseling, en samen bestudeerden ze een groepje planten met een soort zachtpaarse halmen, die verspreid tussen het lange gras groeiden. Hij bukte om met zijn hand de planten opzij te duwen. 'Het is bekend dat deze orchidee het vaakst gezien wordt. Je ziet wel waarom.' Jude ging op haar hurken zitten om de plant te bestuderen die hij haar kant op draaide. De halm, zag ze, bestond in feite uit tientallen kleine bloemen, rozeachtig, zachtpaars met donkerpaarse vlekjes.

'Elke afzonderlijke bloem is behoorlijk complex,' zei ze.

'Net kleine tijgerlelies, vind ik altijd.' Hij haalde een camera uit zijn rugtas en nam een paar minuten de tijd om foto's te maken.

'Ik zou graag wat orchideebijen willen zien,' zei hij terwijl hij om zich heen keek, 'maar in dit gebied gaat dat misschien niet lukken. Ze zijn gemakkelijk te herkennen, want ze lijken echt op lichtpaarse hommels.'

'Ik wilde dat ik bij dit soort onderwerpen op school beter had opgelet,' zei Jude. 'Ik ben een ramp met doodordinaire dingen als eikenbomen, boterbloemen en madeliefjes. Ik ging nooit mee met de natuurzwerftochten. Ik zat altijd met mijn neus in de boeken.'

'In dat opzicht heb je het beter gedaan dan ik,' zei Euan. 'Ik wilde na school altijd wanhopig graag naar huis en er daarna meteen op uit trekken.'

'Maar je schrijft nu zelf boeken,' zei Jude verrast.

'Ja, ik weet zeker dat mijn vroegere docenten versteld staan. Maar ik schrijf over onderwerpen waar ik om geef. Dan kun je ze gemakkelijk overbrengen.'

'Je schrijft inderdaad met passie,' zei ze. Dat had ze zo mooi gevonden van het boek dat ze van hem had gelezen; het enthousiasme van de auteur spatte van de bladzijden af.

'Dank je. O, kijk, een vliegend hert. Gelukkig maar dat ik 'm zie.' Hij haalde een notitieblok uit zijn rugtas en schreef er iets in met een potloodstompje dat hij uit zijn zak had gehaald. 'Dat is voor plaatselijk onderzoek,' zei hij tegen haar. 'Weet je, pas nadat ik al het reguliere onderwijs achter de rug had, ben ik serieus gaan lezen, schrijven en fatsoenlijk gaan nadenken. Het voelde als een ontdekkingstocht en ik deed het niet omdat iemand mij dat opdroeg. Ik heb onderweg wel wat fouten gemaakt, maar ik heb mijn eigen plekje in de wereld veroverd. Dat gaat vast niet voor iedereen op, maar voor mij schijnbaar wel.'

'Je hebt geen bepaald ritme, hè?' merkte Jude op. 'Omdat je zei dat je soms de halve nacht op bent.'

'Ja, met de sterren en motten en vleermuizen. Mij is wel gezegd dat ik een ramp ben om mee samen te wonen,' zei hij. 'Niet in het minst voor Carla, mijn ex-vrouw. We waren jong getrouwd en toen... Nou ja, we kwamen erachter dat we andere dingen van het leven wilden.' Hij glimlachte, maar er zat een spottend medelijden in die glimlach waar Jude nieuwsgierig van werd. 'Voor mijn ritme is het niet goed dat ik alleen woon. Ik ben op de gekste momenten wakker en schrijf wanneer ik daar zin in heb. Iemand kan zomaar opbellen en me uitnodigen om iets interessants te gaan doen, waarna ik een paar dagen weg ben en op het laatste moment iemand moet vinden om de dieren te eten te geven... O, trouwens, ik heb dat konijn gisteren losgelaten. Ik had hem naar een konijnenkolonie gebracht vlak bij de plek waar ik hem had gevonden, en hem vrijgelaten.'

'En hoe ging dat?'

'Hij holde naar zijn broertjes en zusjes en begon gras te eten. Hij aarzelde geen moment. Het is eigenlijk al een wonder dat die boeken nog worden geschreven. Maar dat moet wel, anders is er geen brood op de plank.'

'Geef je ook lezingen en zo?' vroeg Jude.

'O ja, vaak genoeg,' zei hij. 'En met de media praten. Vooral wanneer er een nieuw boek is verschenen. Zullen we maar eens teruggaan?'

Ze liepen een tijdje zwijgend naast elkaar, en het was alsof alleen al door de gedachte naar de bewoonde wereld terug te moeten keren, de bezorgdheid weer in Judes hoofd begon te malen. Euan bleef af en toe staan om het insectenleven achter een stuk boomschors te bekijken of om naar de roep van een of andere vogel te luisteren. Toen ze zich ervan bewust werd dat hij naar haar keek, draaide Jude zich met een glimlach om en zei: 'Wat? Ik hoor niet bij de ongerepte natuur, hoor!'

'Natuurlijk niet,' zei hij, in verlegenheid gebracht. 'Je ziet er alleen soms zo verdrietig uit.' Hij zei het luchtig, maar zijn gezichtsuitdrukking, die normaal gesproken kalm en zelfverzekerd was, was plotseling kwetsbaar, alsof ze iets in hem had beroerd.

'O, ja?' zei ze. 'Sorry. Het lijkt momenteel wel alsof er heel wat is om verdrietig of ongerust over te zijn.'

'Ik vroeg me af... vergeef me. Claire vertelde me dat je je echtgenoot hebt verloren. Het moet wel ontzettend moeilijk zijn om daaroverheen te komen.'

Ze realiseerde zich nu dat ze daar nog niet eerder echt over hadden gepraat.

'Dat was ook zo. Is ook zo,' zei ze. 'Zo veel mensen, lieve mensen die van me houden, zeggen tegen me dat ik verder moet gaan met mijn leven. Maar... ik kan niet...' Haar stem stierf weg. 'Het is alsof... ik weet het niet, ik heb de moed niet kunnen opbrengen.' Ze lachte, niet erg overtuigend. 'Ik neem aan dat ik die ooit wel zal opbrengen.'

Hij knikte, en ze was opgelucht dat hij niet een of ander cliché mompelde over dat de tijd alle wonden heelt.

'Maar eigenlijk dacht ik niet aan Mark, maar aan Summer en wat ik in hemelsnaam moet doen.'

'O, Jude, ik heb me ook zorgen om haar gemaakt. Claire heeft me bijgepraat. Ik wens nu dat ik haar nooit had meegenomen naar de folly, maar ik vond helemaal niets verdachts aan die plek; dus hoe had ik het kunnen weten?'

'Ik denk niet dat je het jezelf kwalijk moet nemen, Euan. Maar ik wil dit mysterie wel zo snel mogelijk hebben uitgezocht, want dan kan ik haar misschien helpen.'

'Ben je wat opgeschoten met het verhaal over die halsketting?'

'Niet heel ver. Mijn oma heeft me nog iets meer verteld over een jongen die het zigeunermeisje vroeger altijd pestte, maar dat is alles. Ik wilde je nog vertellen dat ze de halsketting altijd onder de vloerplanken in jouw huis verstopte. Je hebt toevallig niet nog meer schatten gevonden toen de slaapkamers werden verbouwd?'

Hij schudde zijn hoofd. 'Nee, en de werklui hebben er ook niets over gezegd. Vertel me eens wat meer over dat zigeunermeisje.' Euan was stil blijven staan, deze keer bij een rottende boomstronk, waar hij met zijn zakmes afwezig een stuk schors afpelde om eronder te kunnen kijken. Ze keken toe hoe een duizendpoot over zijn hand golfde.

'Ze heette Tamsin Lovall en oma heeft haar in het bos ontmoet. Ze heeft ook een tijdje bij haar op school gezeten.' Ze tuurde om zich heen, en kon zich plotseling die eerste ontmoeting voor de geest te halen. 'Ze gebruikten die verstopplek in de folly om elkaar berichten te sturen of cadeaus te geven. Ik heb in het telefoonboek onder de naam Lovall gezocht, maar verder ben ik niet gekomen. Ik word momenteel zo in beslag genomen door mijn onderzoek naar Esther, en oma vertelde me het verhaal over Tamsin in flarden, waardoor ik me er moeilijk op kan concentreren.'

'Ik zou je grootmoeder graag eens ontmoeten,' zei Euan terwijl hij de duizenpoot liet lopen en opstond. 'Ik wil wel eens weten wie er in mijn huis is opgegroeid. Claire heeft het vaak over haar en zo te horen heeft ze een paar mooie verhalen te vertellen.'

Jude ergerde zich er op een of andere manier aan dat hij Claire voor de tweede keer noemde, en impulsief zei ze: 'Waarom ga je vanmiddag dan niet mee? Misschien heb jij meer geluk met oma dan ik.'

Jude belde haar oma rond lunchtijd om te vragen of het goed was dat ze iemand meenam, maar toen ze in Blakeney aankwamen wenste ze dat ze niet had verteld dat ze Euan zou meebrengen. Haar oma had duidelijk veel moeite voor hem gedaan: ze had de mooie, blauwe japon aangetrokken die ze op haar verjaardag had gedragen en twee soorten petitfours bij de dorpswinkel gehaald.

'Hij lijkt me heel leuk,' fluisterde oma tegen haar in de keuken, waar Jude haar met de thee hielp. Zelfs de mooiste theepot stond klaar, evenals een paar sierlijke bordjes.

'Dat is hij ook, oma, en het is ontzettend aardig van hem dat hij ons helpt naar Tamsin te zoeken.'

'Heel aardig,' zei oma, en ze schonk haar kleindochter een bezorgde glimlach. 'Jij zorgt toch goed voor de halsketting, hè?' vroeg ze. 'Ik zou het vervelend vinden als iemand anders hem had.'

'Ik heb hem bij me, oma,' zei Jude geduldig, en ze wees op haar handtas. Later haalde ze hem eruit en legde hem op de tafel, en Euan, die hem nog niet eerder had gezien, kon zijn ogen er niet van afhouden.

'Hoe is Tamsin er volgens u om te beginnen aan gekomen?' vroeg hij aan Jessie onder het theedrinken. 'Hij is wel heel waardevol voor zo'n klein meisje.'

'Ze zei dat haar grootmoeder hem aan haar had gegeven en dat hij al jarenlang in de familie werd doorgegeven. Ze hebben hem nooit verkocht, zei ze tegen me, omdat hij geluk bracht. Ze hielden hem goed verstopt, maar niemand wist waar hij oorspronkelijk vandaan kwam.'

'Waarom zou ze hem in de folly verbergen? Ik begrijp het niet helemaal, want u hebt ook gezegd dat ze hem vaak droeg.'

'Oma,' zei Jude plotseling, 'waarom lieten jullie hem in de folly achter? We hebben de verstopplek in de torenkamer gevonden, dat heb ik toch verteld?'

'Ja, dat klopt. We lieten daar soms cadeautjes voor elkaar achter, en nadat ik de halsketting een keer had geleend, heb ik hem daar voor haar achtergelaten.'

'En heeft ze hem gevonden?'

'Ja, die keer wel.'

Jude en Euan wisselden een blik. Zo kwamen ze niet veel verder, en oma verkruimelde geërgerd een stuk petitfour op haar bordje. Jude veranderde van onderwerp en vroeg haar grootmoeder of ze nog iets van haar dochter in Spanje had gehoord. Ja, Valerie had een dag of twee eerder gebeld. 'Ze klaagde erover dat het er zo heet is,' zei oma. 'Dat zei ik haar al vóórdat ze ging, maar ze luistert nooit. Dat heeft ze nooit gedaan ook.'

'O, oma, mama is nu zestig!' riep Jude uit. 'Oud genoeg om haar eigen beslissingen te nemen.'

'Je vergeet nooit dat je kind je kind is,' zei oma streng, 'en ik vind het heel dwaas van haar dat ze ernaartoe is gegaan. Vooral op haar leeftijd. Maar ik heb Valerie nooit iets aan het verstand kunnen brengen. En nu weet ik zeker dat die arme meneer Robinson graag wil dat we op een ander onderwerp overstappen.'

'Ik wilde dat mijn grootmoeder nog in leven was,' antwoordde Euan. 'Ze is al vijftien jaar dood en ik mis haar verhalen nog steeds. Ik denk dat u haar zou hebben gemogen.'

'Oma,' zei Jude, omdat haar plotseling iets te binnen schoot, 'hebt u toevallig een foto van Tamsin?'

'Dat kan ik me niet herinneren. Er ligt een doos met foto's op de vliering. Ik kan er zelf niet meer bij, maar je kunt kijken of je er een kunt vinden.'

'We gaan wel even kijken. Waar ligt de haak voor het valluik?'

De vlieringladder was al een tijd niet meer gebruikt en klemde, maar ze kregen hem uiteindelijk los en Jude vond de doos achter een koffer met kerstversiering. Ze ruimde het theeblad op en legde de doos voor oma op tafel neer.

Ze haalde er een paar manilla enveloppen uit, die uitpuilden van omgekrulde vellen papier, en legde ze aan de kant. Toen haalde ze een klein, bruin fotoalbum tevoorschijn.

'Mijn broer Charlie heeft deze met zijn Box Brownie genomen.'

Het fotoalbum bevatte pagina's vol zwart-witfoto's en Euan en Jude bestudeerden ze nauwkeurig. Sommige waren niet helemaal scherp, alsof de afstand niet goed was ingesteld. Onder elke foto had Charlie op het zwarte papier in witte inkt een of ander grappig bijschrift gezet: SPARKY HEEFT WEER AAN DE CIDER GEZETEN... onder een foto van een op zijn rug rollende hond, KLIK! onder een foto van twee meisjes, overduidelijk zussen, in identieke jurken. 'Dat is Sarah en die grootste ben ik,' verklaarde oma nadat ze haar bril had opgezet.

'Kijk, de cottage!' riep Euan uit.

Er was een aantal foto's van de cottage van de jachtopziener, terwijl er rook uit de schoorsteen kringelde. Oma wees op een foto waarop een groentetuin achter het huis te zien was, zei dat de twee kinderen die op een andere foto aan het hek slingerden Sarah en haar vriendin Ruth waren, en dat de man met een pet op en een sigaar in zijn mond, op een foto waaronder PA OP EEN VRIJE DAG stond, absoluut hun vader was.

'Er was nog geen grote haag aan de achterkant,' merkte Euan op, die naar een foto keek die vanaf de weg van de bovenkant van het huis was gemaakt.

'En bent u dit?' vroeg Jude, die oma een ernstig meisje liet zien met donkere haren en ogen, een paar jaar ouder dan op de foto met Sarah, en die een schooltas vasthield.

Oma tuurde ernaar. 'Ik moet toen negen of tien zijn geweest,' verklaarde ze. Het onderschrift luidde DE HOND HEEFT MIJN HUISWERK OPGEGETEN, JUF en Jessies gezicht stond inderdaad wat bezorgd.

Er waren geen foto's van Tamsin.

'Oma, wat kunt u zich nog meer van haar herinneren?' vroeg Jude. 'Ik bedoel, het is moeilijk om iets uit te zoeken zonder wat meer informatie. U zei dat ze Tamsin Lovall heette. Kunt u zich een verjaardag van haar herinneren of de namen van haar ouders, of zoiets?'

'Ze dacht dat ze in september jarig was, en toen ze op school zei dat ze het niet zeker wist, koos de leraar een datum voor haar uit, de twintigste. Gek, hè, dat ik me dat na al die jaren nog kan herinneren, maar dat ik de verjaardag van mijn eigen achterkleindochter nooit kan onthouden?'

'Ze wordt volgende maand zeven, oma. Op 26 augustus.'

Toen ze bijna aan het eind van het fotoalbum waren gekomen, waren er nog een paar foto's van het bos, met oma en nog wat kinderen die op een omgevallen boomstronk speelden. 'Kijk, hier is de folly!' riep Jude uit en ze wees naar de foto. 'En hier ook.'

'O ja. Kijk nou, dat is natuurlijk Sarah, en Ruth, en mijn vriendin Beth, en dat is Charlies vriend Donald.'

De folly stond op de achtergrond. Ervoor stond de heel vage gedaante van iemand anders, maar die was zo wazig en verbleekt dat er onmogelijk meer over te zeggen viel dan dat het waarschijnlijk een vrouw was. 'Wie is dat?' vroeg Jude.

'Geef eens aan, lieverd,' zei haar oma en ze tuurde een tijdje naar de foto. 'Dat weet ik niet,' zei ze ten slotte. 'Het is niet Tamsin. Wie draagt er in dat weer nou een lange jurk?'

Jude pakte het album weer op en staarde naar de foto. Het was inderdaad een lange jurk, dat was haar eerst niet opgevallen, want de figuur was ook zo vaag.

'Ze is overbelicht,' zei Euan, die er zelf een blik op wierp. 'Of misschien bewoog ze op het verkeerde moment.'

Om een of andere reden liep er een rilling langs Judes rug. 'Mogen we dit album lenen, oma?' vroeg ze. 'Voor het geval iemand iets te binnen schiet?'

'Natuurlijk, lieverd. Ik weet dat je er voorzichtig mee omspringt.'

De schaduwachtige figuur van de foto bleef Jude die hele avond dwarszitten. Het gebeurde natuurlijk heel vaak dat over een foto van de ene figuur – per ongeluk of met opzet – een andere opname werd gemaakt, en ze wist dat ze geen malle conclusies moest trekken. Ze maakte zich er meer zorgen over in hoeverre het relevant was voor Summers ervaringen.

Ze zocht nog een uur in haar kamer op internet naar de betekenis van dromen en naar verhalen van mensen die dachten dat ze een eerder leven hadden gehad, maar vond niets wat haar in deze situatie verder op weg hielp. Summers verhalen waren absoluut geen persoonlijke herinneringen, maar de ervaringen van iemand anders, iemand die los van haar stond. En geen van de websites die ze bezocht had het over erfelijke dromen.

'Ik vind nog steeds dat je er meer van maakt dan het is,' zei Claire de avond daarop, dinsdag, toen Jude bij haar was en haar oma's fotoalbum had laten zien. Jude zag echter de angst in haar ogen. Dat begreep ze wel. Wie wilde nou geloven dat hun kleine dochter misschien wel... nou, achtervolgd werd door geesten of zoiets. Het klonk middeleeuws of als een scène uit een absurde horrorfilm. Goddank leek het er niet op dat wat er ook aan de hand was, kwaadaardig was. Ze dacht aan de droom waarin ze verdwaald was. Het angstaanjagende ervan was dat ze verdwááld was, afgesneden van haar moeder in een donker bos. Een heel klein kind kan heel goed hetzelfde gevoel hebben wanneer het in een supermarkt is weggelopen.

'Er is iets vreemds aan de hand, dat moet je toegeven,' zei Jude.

'Hou op, Jude,' zei Claire en ze keek weg.

'Als ik die droom niet zelf ook had gehad, zou ik hetzelfde zeggen als jij, namelijk dat kinderen soms gewoon een tijdje 's nachts wakker schrikken, dat je je geen zorgen hoeft te maken en dat ze er wel weer overheen groeien.'

'Ik weet zeker dat het door die sprookjes komt,' mompelde Claire. 'Ik heb je toch gezegd dat ze op school denken dat we ze geen sprookjes moeten voorlezen, dat kinderen er bang van worden doordat er grotemensenangsten op hen worden geprojecteerd.'

'Wat mag je ze dan wel voorlezen? In de geschiedenis van elke cultuur is het een en al mythes en legendes. En Summer is er dol op. Ze vraagt altijd of ik er een wil voorlezen.'

'De verhalen die Summers leraar voorleest zijn zo gekozen dat ze een afspiegeling zijn van echte ervaringen zodat ze daarmee kunnen leren omgaan.' Het klonk alsof Claire een officiële tekst citeerde.

'Bewonderenswaardig, zeker, en ik weet niet veel over het verzorgen van kinderen, maar ik weet zeker dat veel van die oude verhalen niet door volwassenen aan kinderen zijn opgedrongen. Ze gaan heel ver terug en vertellen over terugkerende situaties zoals stiefmoeders die hun eigen kinderen voortrekken en de jongste zoon die platzak is en op zoek gaat naar zijn fortuin. En je kunt bang zijn in het donker en iemand kwijtraken niet uit het leven bannen. Zelfs de allerkleinsten hebben die angsten. Had jij die niet?'

'O, ja,' zei Claire. 'Wist je dat toen ik klein was ik voortdurend bang was dat ik helemaal niet bij het gezin hoorde? Dat ik een vondeling was, maar dat niemand me dat durfde te vertellen.'

'Echt waar?' vroeg Jude geschrokken. 'Dat heb ik nooit geweten.'

'Ik denk dat veel kinderen daarover fantaseren, Jude, maar ik geloofde het uit de grond van mijn hart. Het is absoluut zo dat ik nooit... het gevoel had dat ik bij jou en mama en papa thuishoorde. Ik had mezelf ervan overtuigd dat ik was geadopteerd, maar dat niemand me dat durfde te vertellen.'

'Maar dat is onzin,' zei Jude. 'Natuurlijk was je niet geadopteerd, en natuurlijk hoorde je wel bij het gezin.'

'Jij kunt me wel vertellen dat het onzin is, Jude, en dat zal ook wel zo zijn. Ik wist waarschijnlijk al die tijd heus wel hoe de vork in de steel zat, maar dat nam niet weg dat ik me iets anders inbeeldde. Ik vertel je alleen maar dat ik me toen zo voelde. Je luistert niet, hè?'

'Sorry,' zei Jude zacht. 'Ik probeerde je gerust te stellen.'

'Je hoeft me niet gerust te stellen. Accepteer nu maar gewoon mijn gevoelens over bepaalde dingen. Papa en mama hebben dat nooit gedaan. Ik paste niet in hun hokjes, snap je? En ik ben vastbesloten dat nooit bij Summer te doen. Ik zal nooit van haar verwachten dat ze zich op een bepaalde manier voelt of gedraagt. Ik wil dat ze zichzelf is.'

'Ze heeft aboluut karakter.'

'Ja, hè? Maar wat zo grappig is, is dat ze op veel manieren heel ouderwets is. Zoals met haar poppen en dieren en mooie kleren.'

'Ze heeft veel fantasie,' zei Jude, die dacht aan de verhalen die ze met het poppenhuis naspeelde.

Claire pakte het fotoalbum op en keek naar de foto met de vreemde, vage figuur erop. 'Het ziet er wel heel vreemd uit.'

'Inderdaad,' zei Jude, 'maar er is ongetwijfeld een rationele, technische verklaring voor die met belichting en chemicaliën te maken heeft.'

'Ja,' zei Claire en ze legde het album op tafel. 'Ik heb hier echt genoeg van. Jude, het klinkt misschien gemeen, maar ik had liever gehad dat je niet was gekomen en de boel op z'n kop had gezet. Ik ben het allemaal spuugzat.'

Jude had het gevoel alsof ze een klap kreeg. 'Ik?' zei ze. 'Ik heb niet...'

'Er was niets aan de hand totdat jij kwam. Nu zitten we met al die onzin over de folly en oma's stomme halsketting. Het zorgt alleen maar voor ellende. Summer was oké voordat jij al dat gedoe over de folly ging oprakelen.'

'Niet waar. Ze had die vreemde dromen al eerder. Dan zou je het eerder Euan kwalijk moeten nemen. Hij is degene die haar naar de folly heeft meegenomen.'

Hierop wendde Claire haar gezicht af. Euan hing weer als een vlam tussen hen in.

Buiten gingen de hemelsluizen open en begon het te stortregenen.

25

Het was een zomerse regenstorm die Alicia naar onze deur bracht op de dag in juli dat ik vijftien werd. Ze was twee keer op bezoek geweest sinds wat Susan toepasselijk de Grote Opschudding noemde, toen ik tien was. Bij de eerste keer had mijn vader zijn beklag bij haar moeten doen, omdat mevrouw Godstone had gedreigd ontslag te nemen als ze zich weer overal mee ging bemoeien. De laatste keer had ze zowel Augustus meegenomen als haar dikke, kleine plattelandsechtgenoot, en gedrieën stonden ze ellendig in de hal te druipen terwijl het hulpje van de koetsier hun bagage naar binnen bracht.

Deze keer verstopte ik me niet, maar wachtte onzeker op de trap, me afvragend of – mijn nieuwe rol in de huishouding in aanmerking genomen – ze me zouden accepteren. Dat deden ze niet. Augustus schonk me een van zijn ernstige glimlachjes, maar zijn ouders negeerden me weloverwogen en inmiddels had ik voldoende gevoel van eigenwaarde ontwikkeld om er aanstoot aan te nemen.

Alicia liep nu met een stok, na een val van een paard een paar maanden eerder, waardoor ze een botje in haar voet had gebroken. Haar humeur werd er daardoor niet beter op. Haar echtgenoot liep ook mank, geplaagd door jicht die rimpels van pijn in zijn konijnachtige gezicht groef. Alleen 'Gussie' stond netjes rechtop, een stille jongen, te mager, met een boek in zijn hand, die in alle opzichten meer op zijn oom leek dan ooit.

'Waar is mijn broer?' snauwde Alicia tegen meneer Corbett.

'O, hij is vandaag in Norwich, mevrouw,' antwoordde de butler.

Hij was die ochtend om tien uur vertrokken, nadat hij Alicia's brief had ontvangen waarin ze hem op de hoogte had gesteld van haar komst. Hij had niemand op wat voor manier ook van de inhoud op de hoogte gesteld, maar wat die ook was, hij kreeg er een slecht humeur van en in plaats van zich in zijn studeerkamer terug te trekken, liet hij het rijtuig voorrijden. Op mevrouw Godstones vraag naar wat hij die avond wilde eten, snauwde hij onbeleefd: 'Wat jij denkt dat het beste is.' Met niet meer dan een laatste blik op mij ging hij naar buiten.

Vanuit mijn raam ving ik een glimp van hem op toen hij na vijven die middag weer naar binnen stapte, zijn kleren glanzend van de regen. Hij zocht me onmiddellijk op in mijn kamer, waar ik op bed lag en deed alsof ik een boek las. Hij nam me mee naar de zitkamer waar Alicia, haar echtgenoot en Augustus zaten te wachten, alsof ik daadwerkelijk zijn dochter was en hij met me wilde pronken bij een liefhebbende tante. Op zijn bevel ging ik aarzelend op een bank zitten.

'Nou,' zei Alicia, die haar neus optrok alsof ik naar rotte vis stonk. 'Als de zaken er inderdaad zo voorstaan, is het maar goed dat we zijn gekomen, toch, Adolphus?'

'Blijkbaar, blijkbaar,' gromde Adolphus. De arme man werd zozeer in beslag genomen door het zoeken naar een comfortabele houding voor zijn pijnlijke voet dat hij zelfs nog geen blik op me wierp.

'Zo staan de zaken er inderdaad voor, zus,' zei mijn vader, die achter me kwam staan en een geruststellende hand op mijn schouder legde. 'Ik ben van plan om Esther als mijn dochter te adopteren en haar tot mijn erfgenaam te benoemen.'

Mijn gezicht moest wel een caleidoscoop van mijn gevoelens zijn geweest, want toen mijn vaders woorden doel troffen, staarden Alicia, haar man en haar zoon me gebiologeerd aan. Ik zag hoe de wolken zich op haar gezicht als in de lucht buiten samentrokken en toen barstte de storm los.

'Dat wicht is niet geschikt om jouw dochter te zijn!' krijste ze. 'Zij is het kreng van een of andere bedelaarster en iedereen zal dat weten. Geef haar geld, als je wilt. Koop haar af. Vind een of andere rijke vent die genoegen neemt met minderwaardig bloed als ze maar een knap gezichtje heeft. Hoe kun je je familie en goede naam te grabbel gooien? Denk aan Augustus, denk aan je nobele vader...'

'Jij kunt zelf in Augustus' onderhoud voorzien, je bent rijk genoeg. Esther heeft niets. En mijn vaders nagedachtenis kan me verdomme niets

schelen. Ik doe met mijn landgoed wat ik wil, hoor je, en ik ben van plan het te schenken aan iemand om wie ik geef. Mijn hele leven lang heb ik je intimidaties en geblaf moeten verdragen, en je brief was vandaag de allerlaatste druppel van vele laatste druppels. Ik heb geen ruzie met Augustus. Hij heeft zich ondanks zijn ouders buitengewoon goed ontwikkeld, maar ik heb… er… genoeg… van.'

Nooit eerder had ik hem zo geëmotioneerd gezien. En Alicia ook niet, zo te zien, want ze zat daar maar, met stomheid geslagen, niet in staat om méér uit te brengen dan: 'Nou… nou…'

De volgende ochtend vertrokken ze weer. Augustus' half afgewende gezicht was als een spookachtige halvemaan door het met regen bevlekte rijtuigraam. Ik had medelijden met hem.

Mijn vader kwam niet naar buiten om hen te zien vertrekken, noch kwam hij de gehele dag zijn studeerkamer uit. Ik hing ellendig rond, liep tussen de regenbuien door de tuin in, om te ruziën met Sam die zichzelf vergat en me een verwaand nest noemde, en vroeg me af wat dit alles betekende.

Maar toen de avond viel en warme windvlagen de stormwolken verdreven, kwam mijn vader naar buiten om naar de sterren te gaan kijken, en ik ging met hem mee, haastte me om zijn gretige passen bij te kunnen houden.

Wat bedoelde u gisteravond, vader? wilde ik hem vragen. Hoe kan ik nu ooit uw dochter worden? Maar iets in zijn houding weerhield me ervan. Pas toen we in de torenkamer aankwamen, die stralend en bovenaards leek door de vloeibare, gouden tongen van de ondergaande zon, sprak hij met een ernst en welsprekendheid die ik nooit eerder van hem had gehoord.

'Het is echt zo,' zei hij, 'dat ik gisteren naar Norwich ben gereden en met mijn advocaat heb gesproken toen hij de rechtbank verliet om te gaan dineren. Ik heb hem verzocht om documenten op te maken waarin komt te staan dat jij mijn dochter en erfgename bent. Dat is nu alleen nog niet gebeurd. Hij drong erop aan om eerst zijn papieren en boeken erop na te slaan om te kijken of er beletsels zijn en dat soort flauwekul – maar het zal geschieden en snel ook. Ik ben Alicia's hebzucht en haar voortdurende tirades helemaal beu. En ik wil dat Starbrough Hall van jou is en dat je mijn werk voortzet wanneer ik er niet meer ben.'

'Wanneer u er niet meer bent? Spreek daar niet over, vader,' zei ik plotseling in paniek. 'U bent niet ziek, toch?' Had dat hem tot haast aangezet?

'Nee, ik ben niet ziek, kind, slechts vermoeid. En degenen die de sterren bestuderen komen erachter hoe klein en onbeduidend we zijn, als mieren of kevers op het oppervlak van eenzame rotsen die voor eeuwig ronddraaien in de oneindige ruimte. Hoe het noodlot zonder waarschuwing of medelijden zou kunnen toeslaan naar onze plannen die niet meer zijn dan een nietig insect.

Toen ik je vond, Esther, was dat een wending van het lot. Ik heb geen vrouw, en die heb ik ook nooit gewild.' Hij grinnikte. 'Stel je voor dat ze net als mijn zus zou zijn? Wat voor vrede zou ik dan nog hebben in het leven?

Ik kwam net terug van een vergadering in Londen, op een avond in juli 1765, en terwijl we door het bos reden, hield de koetsier – niet onze eigen Jan maar een andere – de paarden in en vertelde me dat er een kind op de weg zat. Nieuwsgierig, ondanks mezelf, stapte ik uit om te kijken. De man bracht het meelijwekkende bundeltje naar me toe en ik zag dat het een klein, trillend meisje was. Je kleren waren gescheurd, mijn lieverd, vuile lompen waren het; je zachte huid zat vol schrammen en bloed, je haar was een samengeklitte wirwar, je ogen waren groot van angst. Getroffen door medelijden nam ik je in mijn armen en wikkelde je in mijn deken, maar het trillen hield niet op. Ik droeg de koetsier op onze reis voort te zetten en in het schommelende rijtuig viel je uiteindelijk in een uitgeputte slaap. Toen zag ik dat je iets stevig tegen je borst klemde. Voorzichtig trok ik je kleine vingers los om te kijken wat het was. Het was dit.'

Hij liep naar de muur en tot mijn verbazing haalde hij er een losse steen uit, waarachter een geheime nis zat. Hier haalde hij een met fluweel bedekt doosje uit tevoorschijn en reikte het me aan. 'Hier,' zei hij zachtjes. 'Dit is het juiste moment. Pak het maar, het is van jou.'

Eerst dacht ik dat ik een doosje openmaakte met levend, sprankelend sterrenlicht, maar toen zag ik dat het een halsketting was, een halsketting van sterren. Zeven waren het er. Zeven diamanten ingelegd in goud, hingen aan een gouden ketting. Een tijd lang kon ik niets uitbrengen.

Jude, die op haar bed zat, las de zin opnieuw met het gevoel dat ze viel. Een halsketting met zeven sterren. Net als die van oma, maar dan intact. Het kon onmogelijk dezelfde zijn. Het was toeval, dat was alles. Maar het mysterie van Esthers afkomst – althans, het mysterie van hoe ze op Starbrough Hall terecht was gekomen – was eindelijk opgehelderd. Esther was een vondeling geweest. Een vondeling in zijden vodden. Ze liet zich even in de kussens achterover zakken terwijl ze haar koortsachtige gedachten op een rijtje zette, en las toen gretig verder.

'Ik weet niet waar je vandaan kwam, Esther, en eerlijk gezegd heb ik niet geprobeerd daarachter te komen. Daar schaam ik me voor. Ik geloofde dat het lot me jou had geschonken, ik, die niemand had en dacht niemand nodig te hebben. Maar ik was een waardeloze vader. Ik beschouwde je als een bezit, had geen idee hoe je met een kind om moest gaan. Het was voor mij voldoende dat je te eten kreeg, kleding had en door een goede vrouw als Susan, die van je hield, werd verzorgd. Je was er, van mij, maar ik was vrij om het leven dat ik had opgebouwd naar believen voort te zetten. Ik heb je gehouden zoals jij die halsketting hebt gehouden, een schat die ik wanneer ik dat maar wilde tevoorschijn kon halen om naar te kijken. God vergeve me.'

Zijn relaas bracht me van mijn stuk. Ik was indertijd te naïef om te weten hoe ouders en kinderen hoorden te zijn. Hij had me nooit pijn gedaan en ik had altijd geloofd dat hij om me had gegeven, zelfs al was het van een afstand. Precies zoals hij mij accepteerde, accepteerde ik hem zoals hij was. En we zijn elkaar gaan leren kennen op ons eigen moment en onze eigen manier en nu, voor het eerst, was de liefde tussen ons erkend en werkelijkheid geworden.

Hij trok me onbeholpen tegen zich aan, duwde mijn hoofd onhandig tegen zijn sleutelbeen waardoor mijn kapje afviel, maar dat vond ik niet erg. 'Kleine Esther,' mompelde hij, 'ik heb je vernoemd naar mijn moeder, die ik heb verloren toen ik klein was, en hoewel sommigen zeggen dat Esther "mirte" betekent, zeggen anderen dat het "ster" betekent. Je weet misschien wel dat de mirtenstruik een stervormige bloem draagt, dus zijn beide betekenissen in één vervat.' Hij was als altijd de onbewogen wetenschapper, maar ik kon de warmte van zijn lippen door mijn haar heen voelen.

We legden de halsketting terug in zijn schuilplaats en gingen aan het werk. Die nacht zochten we samen de hemelen af met een nieuw gevoel van verbondenheid en streven. Lier, herinner ik me, de grote lier van Orpheus, was bijzonder helder, alsof hij niet zong om de doden uit de hel te lokken maar de levenden naar een nieuw leven en geluk te leiden. En voor het eerst vertrouwde hij het mij toe dat ik de aantekeningen die hij dicteerde in zijn boek opschreef.

Voorlopig leek het erop dat er niets meer over de halsketting werd geschreven. Jude, die Esthers boek nog steeds stevig vasthield, stond op van het bed en pakte het kistje met de halsketting uit de bovenste lade van de kast. Ze legde hem neer op het witte dekbed en zocht weer naar de regel in Esthers tekst: 'Een halsketting van sterren... Zeven diamanten ingelegd in goud, hingen aan een gouden ketting.' Natuurlijk miste er nu een van, en de beschrijving ervan was frustrerend vaag, maar toch schreeuwde haar instinct haar toe dat de twee halskettingen een en dezelfde waren. Maar dat kon ze niet weten, toch? Het nuchtere deel van haar geest hield vol dat ze er niet zeker van kon zijn. Die van oma was misschien een kopie die later was gemaakt, of een van meerdere exemplaren die gelijktijdig waren vervaardigd. Ze merkte opnieuw het merkje van de goudsmid op een van de sterren op, heel vaag, maar desalniettemin aanwezig. Ze zou haar oma om toestemming moeten vragen, natuurlijk...

De volgende dag, woensdag, reed ze nadat ze met een collega bij Beecham en met een veilinghuis in Norwich had gebeld, de stad in, parkeerde de auto in een parkeergarage en liep door de achterafstraatjes naar een helder verlichte juwelierszaak vlak bij de kathedraal.

'Kunt u mij hier misschien meer over vertellen?' vroeg ze de vrouw achter de toonbank, die een maatpakje droeg en zelfbewust overkwam, waardoor Jude dacht dat ze iemand met ervaring was. Ze haalde de halsketting tevoorschijn om hem aan haar te laten zien.

'U bent toch niet van plan hem te verkopen? We doen alleen taxatie voor verzekeringen,' zei de vrouw bruusk. Ze wierp snel een blik op de halsketting door een vergrootglas, en nam Jude toen kritisch op alsof ze een juwelendief was die haar buit zo snel mogelijk van de hand wilde doen.

'Dat begrijp ik volkomen,' zei Jude, die de vrouw bleef aankijken, zich afvragend of het de situatie al dan niet ten goede zou komen als ze zei dat ze voor een veilinghuis werkte en dus wel wat van dit soort zaken af wist. 'Ik wil hem niet verkopen, maar het zou van pas komen om te weten hoeveel hij waard is. Dit is een familie-erfstuk en ik wil er graag meer over te weten komen. Wanneer het is gemaakt en, zo mogelijk, door wie. U hebt het merkje van de goudsmid hier vast wel gezien.' Ze draaide de middelste ster om.

'Mm,' zei de vrouw nadat ze er weer naar had gekeken. 'Het is een mooi stuk, of dat zou het zijn zonder de beschadiging. Hebt u overwogen om hem te laten schoonmaken en een vervangende ster te laten plaatsen?'

'Ik heb hem pas onlangs gekregen,' zei Jude, 'dus nee.' Ze kon de vrouw niet de waarheid vertellen, dat als oma het bij het juiste eind had, de halsketting allesbehalve een familie-erfstuk was.

'We hebben het op het moment erg druk. Ik kan u er over een week meer over vertellen.' De vrouw pakte de halsketting in en schoof een stapeltje formulieren naar zich toe. 'Uw naam?' vroeg ze.

Jude gaf haar de vereiste gegevens door.

'Als het sneller dan een week kan, zou ik u zeer dankbaar zijn,' zei Jude. Een week wachten leek wel een eeuwigheid. 'Mijn grootmoeder is er erg nieuwsgierig naar,' voegde ze er snel aan toe. 'Het gaat momenteel helemaal niet goed met haar en zorgen maken het er niet beter op.' Dit was niet helemaal gelogen. Ze had zich die ochtend oma's bezorgheid herinnerd dat ze de halsketting niet uit het oog moest verliezen en had haar gebeld om te vertellen wat ze van plan was. Oma had haar bedenkingen over het feit dat de ketting aan vreemden werd gegeven – zelfs als het ging om een gerenommeerde juwelier – maar had er uiteindelijk schoorvoetend mee ingestemd omdat ze daarmee Tamsin wellicht zouden kunnen opsporen.

Jude kwam de juwelierszaak uit met een ontvangstbewijs voor de halsketting en een schuldig geweten, maar ook opgelucht dat de vrouw haar had beloofd er zo snel mogelijk naar te kijken. Wat zou ze nu eens gaan doen? Ze keek op haar horloge en zag dat het pas halverwege de ochtend was. Een kop koffie zou lekker zijn, en misschien kon ze wat gaan winkelen. Maar toen ze de straatkeien op liep ving ze een glimp op van het kasteel en bedacht dat ze nog iets moest doen. Ze bladerde door haar notitieblok en vond de naam. Megan Macromber.

26

'Dit is alles wat ik kan vinden.' Megan Macromber, een assistent-curator in het Castle Museum, droeg glanzende, donkerrode lipgloss, had meerdere gaatjes in haar oren en een ontzagwekkende kennis van de geschiedenis van Norfolk. Ze zette een kartonnen doos, waarin ooit vierentwintig blikken witte bonen in tomatensaus hadden gezeten, tussen hen in op tafel neer, en bood Jude een stoel aan. Jude nam plaats en las het groezelige etiket dat boven op de doos zat geplakt: STARBROUGH FOLLY, HOLT, JUNI 1923. Terwijl Megan de pakjes uit de doos begon te halen, trok Jude er een krantenknipsel uit dat ze onderin weggestopt zag liggen. Er stond een foto bij van een man van middelbare leeftijd, van wie al het hoofdhaar naar zijn bovenlip leek te zijn gevlogen, die op één knie naast de folly zat en een aantal stukken aardewerk en bot vóór zich had uitgestald, en zo trots keek als een hengelaar met een vis waarmee hij een prijs had gewonnen. De kop luidde: ARCHEOLOOG VAN CAMBRIDGE TROTSEERT DE PLAATSELIJKE LEGENDEN OM HET VERLEDEN AAN HET LICHT TE BRENGEN.

'Wat heb je daar?' Megan wierp een blik op het krantenartikel, legde wat potscherven op tafel en maakte een volgend pakketje open.

'Er staat: "Volgens de oude legendes spookt het in het gebied",' las Jude hardop voor, '"en de plaatselijke bewoners adviseerden Mallory er niet te gaan graven."'

'Mallory?' zei Megan tegen zichzelf. 'Charles Mallory. Waar heb ik die naam eerder gehoord?'

Ze ging weer verder met het uitpakken van de doos. Een ring gemaakt van bot, wat antieke munten, een paar jachtpatronen van wat recenter datum, ze legde ze allemaal op tafel. Toen haalde ze er een klein, stevig verpakt bundeltje uit, dat een eewigheid vergde om open te krijgen.

'Ben benieuwd waar deze vanaf is gevallen!'

Jude, die zag wat Megan in haar handpalm hield, ademde diep in. Het was heel klein, zo groot als een cent. De gouden vatting was verdraaid, en het kon wel een schoonmaakbeurt gebruiken, maar er was geen twijfel mogelijk. Het was een ster. Een ster ingelegd met een diamant.

'Megan,' zei ze, naar lucht happend, 'dit geloof je nooit, maar ik weet waar die vandaan komt. Het hoort op een halsketting die ik net heb weggebracht om te laten taxeren. Mijn grootmoeder heeft die jarenlang in haar bezit gehad.' Ze legde het snel uit.

Megan hield de kleine ster omhoog en zei: 'Het zou logisch zijn als jij het kreeg, hoewel ik je het natuurlijk niet zomaar kan meegeven. Je zei dat de halsketting bij een juwelier is. Als je hem weer terug hebt, kom dan weer bij me langs om hem te laten zien. Tegen die tijd heb ik de procedure wel uitgezocht. Er zijn vast formulieren en zo voor dit soort gevallen.'

''t Zal niet waar zijn,' zei Jude meesmuilend.

'Maar die halsketting,' vervolgde Megan. 'Je zei dat die iets te maken heeft met de familie Wickham? Als je meer over die Esther te weten wilt komen... Ben je al bij de kerk in Starbrough geweest? Dat zou een begin zijn. En het parochieregister is ongetwijfeld te vinden in het archief van het provinciehuis.'

Op de terugweg naar Starbrough Hall, terwijl Jude zich er nog steeds over verbaasde dat ze zo snel achter elkaar twee aanwijzingen over de halsketting had gevonden – in Esthers dagboek en in de doos in het museum – reed ze door het dorp naar Starbrough Hall en besloot Megans advies op te volgen. Het dorpscentrum stelde niet veel voor: een enorme kerk stak dreigend boven een plein uit waaromheen achttiende-eeuwse huisjes stonden, en het grasveld met de oude eikenboom en het bankje eromheen dat ze zich uit haar tienerjaren herinnerde. Ze parkeerde de auto naast de kerk en opende het hek naar het kerkhof.

De kerk zelf, die gelukkig niet was afgesloten, was licht en tochtig. Het interessantste stuk was een enorme, middeleeuwse stenen doopvont aan het begin van het gangpad, waar op de zijkant een figuur was gegraveerd. Jude deed een stap achteruit om het goed te kunnen bekijken. Het was een man met warrig haar en een baard, die met een knuppelachtig wapen zwaaide. Op een kartonnen bordje dat op het deksel van de doopvont rustte, stond dat het een wildeman was, een woesteling uit de bossen, met het ogenschijnlijk heidense doel om alle kwade geesten te verbannen. Zo te zien was het 't oudste deel van de kerk, ontdekte ze toen ze verder rondliep. De koorbanken, met hun prachtig gegraveerde versieringen, dateerden volgens een ander bordje uit de vijftiende eeuw, maar de meeste gedenktekens langs de muren dateerden uit de achttiende eeuw en later. Ze vond het interessant dat ze de namen van een paar leden van de familie Wickham zag staan: een victoriaanse magistraat die William heette, een Richard Wickham die in de Boerenoorlog aan zijn verwondingen was overleden. Ze zag nergens iets over William staan of over iemand die Esther heette. Nadat ze alles had bekeken, verliet ze het gebouw en trok de deur achter zich dicht.

Het oudste gedeelte van het kerkhof werd gedomineerd door een enorme tombe die omringd was door een ijzeren omheining waarop vage beschrijvingen van verschillende victoriaanse Wickhams stonden, maar niets van vroeger datum. Er waren überhaupt maar weinig achttiende-eeuwse grafstenen. Geen Esthers, zelfs Anthony's moeder niet, alleen een Stella, de vrouw van Hugh of Hugo nog wat, de data te vervaagd om ze goed te kunnen lezen, en een Essie George, die in 1850 was overleden. Aan de andere kant van de kerk lagen de graven uit de twintigste eeuw; ze nam aan dat haar Bennett-overgrootouders, de jachtopziener en zijn vrouw, er ook tussen lagen. Aan het einde van de begraafplaats stond een oudere man in hemdsmouwen een heg te snoeien, en ze liep tussen de graven door naar hem toe. Toen ze hem begroette liet hij zijn heggenschaar zakken en dacht even na over de vraag die ze hem stelde.

'Die moeten daar ergens liggen,' antwoordde hij, en hij wees met zijn heggenschaar naar een plek waar ze niet erg grondig had gezocht. 'Mijn pa is overleden in 1958 en daar is hij begraven. Mijn ma ook, nadat ze het niet meer kon verdragen om zonder hem te leven.' Hij schuifelde langs de rijen graven, zijn heggenschaar vervaarlijk zwaaiend in zijn pezige hand, en ze volgde hem op veilige afstand. Ze vonden het graf al snel; op het stenen kruis stond JAMES EN ROSE BENNETT, en wanneer ze hadden geleefd. Op de grond ernaast stond een vaas voor bloemen maar daar huisden overduidelijk al jarenlang alleen nog maar spinnen in. Jude beloofde zichzelf plechtig dat ze nog een keer langs zou komen met verse bloemen of een plant. Het gaf haar een vreemd gevoel om hier te staan en naar die namen te kijken, dat ze verwant was aan de mensen die hier waren begraven, op een plek waar ze nooit eerder was geweest, mensen die ze nooit had ontmoet maar die nog steeds bij haar hoorden.

De oude man liep langzaam terug naar zijn werk, toen ze hem nog iets wilde vragen: 'Sorry.' Hij draaide zich met een vragende blik om. 'Weet u toevallig of hier ook reizigers, zigeuners zijn begraven? Er is iemand in het bijzonder naar wie ik op zoek ben, Tamsin Lovall. Zegt die naam u toevallig iets?'

Hij dacht lang na en zei toen: 'Geen Tamsin Lovall, nee, maar er is misschien een andere Lovall. Loopt u maar mee.'

Hij liep voor haar uit door een hek in de haag het grasveld op.

De houten bank rondom de oude eikenboom was met afzonderlijke delen in elkaar gezet, sommige banken waren min of meer nieuw, andere hadden gebroken leuningen of ontbrekende latten, zilverachtig van ouderdom zodat ze bijna deel van de boom leken uit te maken. Op een aantal rugleuningen waren kleine, metalen gedenkplaatjes geschroefd, maar ze waren niet allemaal meer even goed leesbaar.

'Kijk maar eens of u die kunt lezen,' zei de oude man, en hij wees naar een gevlekt plaatje op een van de oudere delen.

'Ted Lova...'

'Dat kan Lovall zijn, denkt u niet? Er was een Ted Lovall.'

'Het is mogelijk,' zei Jude onzeker. Ze liep om de boom heen en keek naar de andere namen. Er was er maar een die haar echt interesseerde.

'Marty Walters,' las Jude hardop voor, '1950 tot 1970. Pas twintig jaar.'

'Dat was in de zomer van 1970,' zei de oude man. 'Bijna het hele dorp heeft geld bijgedragen voor dit plekje. Ze leefden met de familie mee, snapt u? Het was een vreselijk ongeluk, vreselijk.'

'Hij was de jongen die op dat feestje was overleden,' zei Jude plotseling geschokt. 'Waar woonde zijn familie?'

'Daar vraag je me wat. Ergens in Sheringham, volgens mij. Ergens bij de kust, in elk geval. Maar hij is bij de folly overleden.'

De kerk had haar uiteindelijk niets over Esther kunnen vertellen. Ze zou het parochieregister nog kunnen raadplegen, bedacht ze, maar ze had geen exacte data die daarbij zouden kunnen helpen.

Terug op de Hall bleek er niemand thuis te zijn, dus ging ze naar de bibliotheek waar ze haar laptop had achtergelaten. Ze ijsbeerde een tijdje onrustig door de kamer, keek uit het raam naar de plek waar de folly moest staan en probeerde in haar hoofd alle aanwijzingen met elkaar in verband te brengen. Ze kwam niet veel verder. Ze ging aan het bureau zitten, pakte een vel papier en schreef op wat ze wist.

Esther, dochter van Anthony Wickham. Had een halsketting bij zich toen ze in 1765 werd gevonden.
Sloot vriendschap met zigeunermeisje in bos, ca. 1775?
Oma ontmoet Tamsin Lovall ca. 1933.
Krijgt haar halsketting in handen (hoe kwam Tamsins familie aan de halsketting en hoe is die beschadigd geraakt?)
2008: oma geeft mij de halsketting.

Ze staarde gefrustreerd naar de aantekeningen. Hoe kon de halsketting (ervan uitgaande dat het dezelfde was) in hemelsnaam anderhalve eeuw later van Esther naar Tamsin zijn gegaan? Waren het twee zigeunermeisjes uit dezelfde familie? Het was moeilijk voor te stellen dat een waardevolle halsketting telkens veilig van generatie op generatie werd doorgegeven, terwijl het verleidelijk moest zijn geweest om hem te verkopen. En waar in een woonwagen kon je sowieso een halsketting verbergen, waar hij niet zou beschadigen of verloren zou gaan? Maar hij was wel beschadigd geraakt. Ze begon een tekeningetje van een woonwagen te maken, en tekende patronen op het dak zoals op die waar Euan in sliep, maar ze was niet bepaald een groot kunstenares en het perspectief klopte absoluut niet.

Ze slaakte een zucht en schoof het vel papier aan de kant. Ze moest over haar volgende stap nadenken, maar er waren andere zaken waarmee ze aan de slag moest. En ze zou Summer die middag van school ophalen.

Ze logde in op haar laptop en werkte aan de samenvatting van haar artikel. Een half uur later e-mailde ze dat aan Bridget McLoughlin, de redacteur van Beechams tijdschrift. Ze schreef dat ze zich ervan bewust was dat ze nog meer onderzoek moest doen, maar dat ze dacht dat het verhaal persoonlijk moest worden, over een tweetal sterrenkijkers, vader en dochter. Wat zou Bridget ervan vinden? Op het laatste moment, voordat ze op 'verzenden' klikte, voegde ze er het e-mailadres van haar baas, Klaus, aan toe. Ze kon maar beter het zekere voor het onzekere nemen.

Haar blik viel op het tekeningetje van Euans woonwagen. Waar zou hij een zigeunerwagen vandaan hebben gehaald? Hij had haar verteld dat hij die van iemand had geleend; zijn neef, dacht ze dat hij had gezegd.

'Hoe is je neef aan die woonwagen in zijn schuur gekomen?' vroeg ze Euan die middag toen ze met Summer langskwam. Ze hadden hem slapend in zijn woonwagen aangetroffen maar hij had hen ervan verzekerd dat hij het niet erg vond dat Summer hem had wakker geroepen.

'Die stond er al toen hij de boerderij kocht,' antwoordde hij toen ze over het grasveld naar de cottage liepen. 'De mensen die hem aan hem hadden verkocht zullen wel banden met zigeuners hebben gehad, denk ik.'

'Je kunt er zeker niet achter komen hoe ze heetten, hè? Ik weet niet waar we die mensen van Lovall moeten opsporen.'

'Ik kan het proberen, maar er zijn ook andere manieren.'

'Vertel,' zei ze, onmiddellijk geïnteresseerd.

'Oké, waarom gaan we niet even naar de trekkers die nu aan de rand van het bos staan? Zij weten er misschien meer van. Ze komen hier waarschijnlijk al generaties lang. Vroeger sloegen ze hun kamp altijd op bij Foxhole Lane, zoals je weet, maar die verdomde John Farrell heeft ze naar de andere kant van het bos gejaagd, vlak naast de hoofdweg.'

'Ken je ze dan?'

'Natuurlijk. Ik kom ze vaak tegen tijdens mijn wandelingen.'

'Nou, dat klinkt fantastisch. Wanneer?'

'Vanmiddag nog, als je wilt,' zei Euan gapend. 'Is het goed als ik eerst even snel een douche en een kop koffie neem?'

'Wat doen we met Summer?' Ze keken naar het kleine meisje dat buiten tegen de uilen aan het praten was.

'Ze kan ook mee. Waarom niet?'

'Ik weet het niet.' Ze had op dat moment sterk het gevoel dat ze het meisje moest beschermen, dat was alles. 'O, waarom ook niet?' Als het vrienden van Euan waren, zat het wel goed.

Het kamp aan de rand van het bos bestond uit slechts drie woonwagens, moderne, niet zoals de geschilderde woonwagen van Euan. Een paar auto's die de wagens voorttrokken stonden rommelig geparkeerd in de berm ernaast. Een oudere vrouw, die de was aan een waslijn ophing die tussen twee wagens was gespannen, zag de *gorgios* aankomen. Nadat ze Euan had herkend, knikte ze naar hem en roffelde op het dichtstbijzijnde voertuig, riep 'Barney!' en daarna iets onverstaanbaars. Een minuut later kwam er een donkere, magere man tevoorschijn, die over zijn shirt en spijkerbroek een jasje aantrok. Euan had Barney leren kennen, legde hij uit, tijdens de vorige keer dat de zigeuners langs waren geweest. Steve Gunn maakte er meestal een punt van om ze aan werk te helpen, en Euan, die hem dierenhokken had zien maken, had hem een paar voor zichzelf laten maken.

'Euan!' riep hij uit, met een wit flitsende glimlach. Hij liep naar de man toe om hem de hand te schudden. 'Goed om je te zien. En je hebt je gezin meegenomen?' Hij keek hem geamuseerd verbaasd aan.

'Nee,' zei Euan met een geamuseerde lach, 'dat zou ik wel willen.'

'Wij zijn vrienden van Euan. Ik ben Jude,' zei Jude en ze stapte naar voren om hem een hand te geven, 'en dit is mijn nichtje, Summer.' Maar Summer bleef dicht tegen Jude aan staan, hield haar hand vast en keek Barney alleen af en toe verlegen aan. Ze trok aan Judes blouse en Jude bukte zich om te horen wat het meisje haar influisterde.

'Summer zou graag iets over de woonwagens willen weten,' zei Jude quasiplechtig. 'Volgens mij had ze verwacht dat die... nou ja, kleurrijker waren en door paarden werden getrokken.'

'Zoals die van Euan,' wist Summer dapper uit te brengen.

'Ah,' zei Barney met een berouwvolle uitdrukking. 'Die van Euan is prachtig. Liza – de vrouw hing een fleurig shirt met een knijper aan de waslijn en liep daarna naar hen toe – 'woonde in een *vardo* toen ze klein was, maar deze zijn veel gemakkelijker te onderhouden, toch, Liza? En het was een zwaar leven voor de paarden. De wegen waren druk en soms konden ze nergens grazen. De kinderen waren dol op de paarden. Het is jammer dat mijn twee koters nog niet thuis zijn, dan had je met ze kunnen spelen, Summer.'

'Zijn ze nog op school?' vroeg Summer, die haar verlegenheid vergat.

'Ze zitten in Starbrough op school, ja,' zei Barney. 'Zit jij daar ook op school?'

Summer schudde haar hoofd.

'Summer en haar moeder wonen een paar kilometer verderop, in Felbarton,' legde Jude uit, 'maar het is opmerkelijk dat jouw kinderen op Starbrough zitten.' Ze keek naar Euan, die haar bemoedigend toeknikte. 'Euan zei dat jullie familie hier al jaren komt, en ik vroeg me af of jullie van een meisje hadden gehoord – nou, als ze nog leeft moet ze inmiddels een heel oude vrouw zijn – die mijn grootmoeder heeft gekend toen ze naar school ging in Starbrough in de jaren dertig. Ze heette Tamsin Lovall.'

Barney keek weifelend en draaide zich om naar Liza, en sprak tegen haar in een mengeling van Engels en die vreemde, scherpe taal. Jude was benieuwd of de oude vrouw zijn grootmoeder was en hoe oud ze was; haar huid was zo gerimpeld als een rozijn, maar ze was nog erg lenig.

De oude vrouw knikte langzaam en zei tegen Jude: 'Ik ken wel een Lovall, maar niet jouw Tamsin. De zus van mijn vader. Haar man was een Lovall, Ted Lovall.' Ze zei nog iets wat Jude niet kon verstaan.

'Er is een bankje in Starbrough waar zijn naam op staat,' zei Jude tegen Euan.

'O ja?' vroeg hij.

'Ja, dat heb ik gezien,' zei Barney. 'Misschien was hij hier in de buurt algemeen bekend... Was hij dat, Liza?'

'Volgens mij wel,' antwoordde Liza grinnikend. 'Vooral bij de Red Lion. Aan het eind van zijn leven gaf hij het rondreizen op,' zei ze tegen Jude, 'en hij verdiende graag een paar pinten bier met het vertellen van zijn verhalen.'

'Daarvóór was er wel narigheid geweest, volgens mij,' zei Barney. 'Een deel van de familie – misschien hoorde jouw Tamsin daar ook wel bij – wilde tijdens de oorlog liever op één plaats blijven. Daar konden ze aan werk komen en voor zigeuners waren het moeilijke tijden; er was veel argwaan jegens iedereen die er ook maar een beetje buitenlands uitzag.' Hij spreidde zijn handen. 'Het was onvermijdelijk dat er nare dingen werden gezegd, over familieverraad en de traditionele manier van leven. Maar ik? Ik vind dit een heerlijk leven, maar ik begrijp degenen wel die het opgeven. Het is een hard leven en er bestaat zo veel vijandigheid jegens ons.'

'Probeert Farrel jullie nog steeds weg te jagen?' onderbrak Euan hem met een donkere en indringende stem.

'Ja. En de politie was hier vorige week,' zei Barney. 'Iets over gestolen kippen. "Routine," zeiden ze, "heel vervelend." Ja, ze komen routinematig eerst bij ons controleren. Ik barstte bijna in lachen uit. "De enige kip die je hier zult vinden," zei ik tegen ze, "is de kip die Margrit bij de supermarkt heeft gekocht. Maar jullie mogen rondkijken als jullie dat willen." En weet je dat ze dat niet eens hebben gedaan? Die ene agent was best aardig, toch, Liza? Zei dat 't hem speet en hij leek echt in verlegenheid gebracht. Toen wilde hij ons vragen stellen en bleek dat zijn familie lang geleden ook zigeuners waren geweest. We hebben een lang, goed gesprek gehad over hoe hij meer over hen te weten kon komen. Zie je, mensen zijn vaak anders dan je verwacht. Maar sommigen hebben oogkleppen op in het leven. Ze zien alleen wat ze willen zien, en dat is meestal niet best.' Zijn ogen vlamden even op, maar waren toen weer kalm en vriendelijk.

'Maar goed, Tamsin Lovall. Het kan zijn dat zij of haar familie in de buurt woont. Heb je al een advertentie in de krant of op een website gezet?'

'Nee,' zei Jude, die zich afvroeg waarom ze daar zelf niet eerder aan had gedacht. 'Dat kunnen we natuurlijk ook nog doen.'

'Anders vraag ik wel even rond, maar ik kan niets beloven,' zei Barney. 'Het is allemaal wel lang geleden.'

'Dank je, Barney,' zei Euan. 'Ik wist dat je het zou proberen. Liza, dank je wel.'

'Geen dank, Euan,' zei Liza. Toen voegde ze er iets in het Romani aan toe en gebaarde naar Jude, waarbij ze herhaaldelijk haar hand uitstak.

'Ze wil je hand lezen,' zei Barney grinnikend.

'Doe maar,' zei Euan.

'Echt?' zei Jude.

'Ja. Maar je moet haar wel wat geld geven. Hier.'

Liza draaide Judes handen om de beurt om, bestudeerde de vorm en gewrichten van haar vingers voordat ze eerst de rechter handpalm en toen de linker bestudeerde, terwijl ze keek hoe het patroon van de handlijnen liep. 'Je hebt een sterke wil, heel sterk,' verklaarde ze uiteindelijk. 'Maar iets houdt je tegen. Als je daaraan kunt ontsnappen kun je je eigen lot bepalen. Heel goed.'

'Vraag haar naar de liefde,' zei Barney, die beurtelings van haar naar Euan keek, waardoor Jude haar gezicht warm voelde worden.

'De liefdeslijn is onderbroken,' zei Liza. 'Iets verdrietigs, hè? En dan een vork, zie je? Je moet een besluit nemen.'

'Geen lange donkere knappe vreemdelingen?' vroeg Jude luchtig, en ze lachte, maar Liza niet.

'Ik kan je niet de toekomst voorspellen, alleen wat jij ervan kunt maken,' zei ze. 'En jij dan, kleintje?' Ze maakte een vleiend geluidje alsof ze het tegen een klein dier had, en Summer stak zowel angstig als gefascineerd haar handen uit.

Liza bekeek haar beide handen, streek de angst weg, en drukte haar palmen even tegen elkaar aan alsof ze haar zegende. 'Pas goed op deze bijzondere kleine,' was het enige wat ze tegen Jude zei.

'Dat zal ik doen. En jij dan?' vroeg Jude aan Euan.

'O, Liza heeft mijn handen al een keer gelezen,' zei hij. 'Een deel ging erover dat ik bier en chocola moest opgeven, ben ik bang.'

'Je neemt me in de maling,' zei Jude, en Liza glimlachte. 'Ik denk niet dat ze dat soort hartzeer bedoelt.'

Hij glimlachte, maar Barney zei ernstig: 'Een aantal aandoeningen kun je met behulp van je handen vaststellen. De lengte van je vingers is...' Zijn stem zwierf weg.

Er kwam een auto aan, en ze zagen hem langzaam voorbijrijden. De bestuurder, een boom van een man in een shirt met opgestroopte mouwen en zijn haar zo glad als van een mol, hing uit het raampje en schold die 'klotezigeuners' flink uit. Liza en Barney negeerden hem, hun gezichten zo onbewogen als van een standbeeld, maar Jude deed woedend een stap in de richting van de auto, de vuisten gebald. Euan pakte haar arm vast en hield haar tegen.

'Zo moet je daar niet mee omgaan,' gromde hij toen de auto met een gekweld gebrul wegscheurde.

'Ik was heus niet van plan hem te lijf te gaan!' riep ze en ze schudde zich los, nog steeds kwaad. 'Ongelooflijk dat je niets zei.'

'Het maakt de dingen alleen maar erger. Geloof me, ik kan het weten.'

Summer keek geschokt, dus Euan legde een arm over haar schouder en zei: 'Hij was erg onbeleefd tegen onze vrienden, hè? Geen aardige man. Maar we zijn allemaal nog in orde. Kom, we moeten gaan. Ik heb mintchocoladeijs gekocht, Summer, om de vieren dat ik een nieuwe koelkast met vriesvak heb, dus laten we naar huis gaan en ijshoorntjes maken.'

Terwijl Summer buiten in de tuin rondzwierf, naar de dieren keek en dromerig aan een enorme ijshoorn likte, hingen Euan en Jude in bureaustoelen met een mok thee.

'Bedankt dat je me net tegenhield. Ik wilde hem echt niet gaan slaan, maar hem gewoon laten weten wat ik van hem dacht, maar je heb waarschijnlijk wel gelijk. Arme Liza en Barney, dat ze zo uitgescholden worden.'

'Ik weet het, maar Summer was erbij, en bovendien, met dat soort mensen valt niet redelijk om te gaan. Je weet nooit wat ze gaan doen. Hij had jou misschien niets aangedaan, maar hij was misschien uitgestapt om mij een oplawaai te verkopen.'

'Jou? Waarom?'

'Die gasten hebben een vreemde logica. Ondanks al die jaren waarin iedereen het heeft over gelijkheid, vinden ze nog steeds dat mannen de baas moeten zijn. Hij zou het mij kwalijk nemen dat ik jou niet onder de duim heb. Of misschien druist het tegen zijn gedragscode in om andermans vrouw een pak rammel te geven, en dan slaat hij in plaats daarvan mij omdat ik met jou ben. Vergeet daarbij niet dat Barney zich vernederd voelt wanneer iemand anders, en dan ook nog een gorgio-vrouw, zijn strijd uitvecht. Mannelijke trots. Dat is zo oud als de wereld. Dat moet je niet onderschatten, Jude.'

'Het is allemaal zo belachelijk,' zei ze met een pruilmondje. 'Maar wat gebeurt er met Barney en Liza en de anderen? Ik kan me niet voorstellen hoe het is om zo te leven. Het is zo... onzeker. Mogen ze soms niet op dat stuk land bivakkeren?'

'Nee. Farrell wil ze er weg hebben. Ze hebben een raar soort gewoonterecht. En dat is geen eigendomsrecht, ben ik bang. De Wickhams, de vorige eigenaars van het land, waren volgens iedereen heel genereus voor de zigeuners. Maar daar bij Foxhole Lane stonden ze Farrells plannen in de weg. Hij laat ze op het moment bij de hoofdweg kamperen en de gemeenteraad is er nu bij betrokken en probeert te onderhandelen over een permanente plek voor hen, maar... Nou ja, je zag de reactie van die automobilist. Ik zal niet op mijn zeepkist gaan staan, maar sinds de jaren zestig en zeventig heeft de wetgeving het de zigeunergemeenschappen almaar moeilijker gemaakt om hun traditionele, rondtrekkende levensstijl voor te zetten. En mensen zijn nog steeds zo bevooroordeeld.'

'Volgens mij hebben de slechte gewoonten van andere soorten reizigers ook niet echt geholpen. Afval en criminaliteit, bedoel ik.'

'New-agefeesten op het strand bij Yarmouth? Nee, zo zijn de zigeuners niet. En ze vechten ook niet terug zoals jij net probeerde te doen, Jude. Je wordt wel emotioneel als je kwaad bent, hè?'

Jude dacht even dat hij de spot met haar dreef, maar zijn gezicht stond ernstig.

'Ik kan niet tegen onrecht, dat is alles,' zei ze zacht.

'Dat heb ik gemerkt. En je wilt je familie beschermen. Dat mag ik ook wel. Hoewel dat misschien niet nodig is.'

Hij leunde nu voorover in zijn stoel, zijn handen ineengeslagen, geconcentreerd op wat hij ging zeggen.

'Je verdedigt je zus heel erg.'

'Ja, dat zal wel. Ik heb altijd zo veel... medelijden met haar gehad, snap je? Vanwege haar been, maar ook... het leven leek een enorm gevecht voor haar te zijn. Ze heeft haar plek nooit kunnen vinden. Totdat ze Summer kreeg. Summer geeft haar een doel. Maar we voelen ons nooit echt op ons gemak bij elkaar, Claire en ik. Ze is vast wel dol op me, maar... er lijkt altijd zo'n scherpe kant aan te zitten. Ik weet niet waarom ik je dit vertel. Het is niet iets wat ik aan anderen vertel, zelfs niet aan mijn moeder. Nou ja, júíst niet aan mijn moeder. Zij is een van de mensen tegen wie ik Claire moest verdedigen.' Het voelde als natuurlijk en enorm bevrijdend om dit allemaal aan Euan op te biechten, maar tegelijkertijd wist ze niet waartoe dit zou leiden. Hij leek om Claire te geven, dat was wel duidelijk. Ze was moe, haar energie lekte weg.

'Misschien... Ik hoop niet dat je dit verkeerd opvat...' begon Euan, 'maar misschien is dat deels het probleem. Dat je medelijden hebt met je zus. Mensen kunnen zich er soms aan storen wanneer iemand medelijden met ze heeft. En, laten we wel wezen, het klinkt alsof jij net zo veel begrip nodig hebt als zij. Claire is heel sterk. Ik heb heel veel bewondering voor haar.'

Jude staarde Euan aan. Bewondering. Dat impliceerde respect, ja. Vroeger betekende dat ook romantische liefde. Ze voelde een ellendige steek van jaloezie.

Nu had ze het gevoel dat hij haar ontglipte, en nogmaals merkte ze zijn springerige, golvende haar op, de helderblauwe ogen in het gebruinde gezicht, de mooie vorm van zijn neus en lippen, de hartslag in zijn keel terwijl hij zijn grote handen bekeek, sterke handen die konden graven en bouwen, maar ook zo zacht waren dat ze een gewond dier konden wiegen. Hij keek op, de tuin in, en ze volgde zijn blik.

Ondanks haar sombere bui moest ze glimlachen. Summer probeerde het druppen van haar smeltende ijsje tegen te houden, ving de van de hoorn afdruipende druppels in haar mond op terwijl ze piepte dat het zo koud was. Toen ze zijn diepe, ontspannen lach hoorde, ging er een golf van verlangen door Jude heen.

Summer at het ijsje op en wilde haar handen aan haar broek afvegen.

'Summer, niet doen. Kom binnen en was je handen!' riep Jude. Ze nam haar mee naar de gootsteen binnen.

Toen ze weer naar buiten kwamen, zag ze dat Euan de dieren in hun kooien aan het verzorgen was en dat vatte ze op als een teken dat ze er weer vandoor moesten. Het was half zes, besefte ze.

'Ik moet Summer naar huis brengen,' zei ze tegen hem. 'Ontzettend bedankt dat je ons hebt meegenomen naar Barney en Liza.'

'Jammer dat je er zo weinig aan hebt gehad,' zei hij, en hij pakte de mokken op en viste Summers vestje van de grond op. 'Wat vind je van zijn idee om een advertentie te zetten voor de familie Lovall?'

'Ik denk dat ik dat maar ga doen. Is de plaatselijke krant het best?'

'Volgens mij wel. Als je ze een e-mail stuurt, kunnen ze die waarschijnlijk snel plaatsen,' zei hij. 'Kranten houden wel van zulke dingen. Dat spreekt de lezers aan, denk ik. Nou, Summer, zie ik je snel weer?'

'Ja,' zei Summer. 'En bedankt. En weet je nog dat je hebt beloofd dat ik een keer in je woonwagen mag slapen?'

'Ja, dat weet ik nog,' zei hij.

'Nou, kan dat dan snel?' zei ze op bevelende toon. 'Ik krijg eind deze week vakantie.'

'Dat is zo. Dat moeten we vieren. Ik heb het er nog wel over met je moeder,' beloofde hij. 'Darcey moet zeker ook mee?'

'Ja,' zei Summer.

'"Ja, graag," brutale aap,' mompelde Jude.

Nadat ze Summer bij Claire had afgezet, reed ze terug naar Starbrough Hall, terwijl ze in haar hoofd de advertentie voor de krant formuleerde. Het was te laat om hem vanavond nog te mailen. De krant voor de volgende dag was waarschijnlijk al opgemaakt. Ze zou hem morgenochtend versturen. In plaats daarvan ging ze na het avondeten verder met het overtypen van Esthers dagboek.

Niet lang nadat onze bibliotheek klaar was kwam ik het zigeunermeisje weer tegen. Het was winter en bijna een jaar nadat haar familie voor het laatst in het bos bij Starbrough was gezien. De koopvrouw kwam weer aan de keukendeur, en deze keer had ze het meisje bij zich dat ik beschouwde als mijn vriendin, en haar oudere zus. Susan riep me om te komen en naar hun koopwaar te kijken, aangezien ze wist dat ik graag kant wilde uitkiezen voor een nieuw nachthemd dat ze voor me aan het naaien was. Ik glimlachte naar de meisjes, maar ze waren verlegen, en alleen de jongste durfde me aan te kijken. De oudere, die meer van mijn leeftijd moest zijn, had een donkerdere huid en was stevig gebouwd, heel anders dan haar tengere zusje, hoewel ze in mijn ogen op een wellustige manier knap was. Ik keek naar alle soorten kant die ze bij zich hadden en koos een bijpassende kraag en manchetten. Toen, in een opwelling, kocht ik een vijftal linten, om er cadeautjes van te maken voor Betsy en Susan. Ik had mevrouw Godstone nog nooit zoiets frivools zien dragen als een lint, dus voor haar koos ik wat kleerhaakjes en voor de mannelijke bedienden potten met een duivels ruikende zalf voor snij- en schaafwonden. Ik betaalde met het geld uit de portemonnee die mijn vader me had gegeven, en zo ontdekte ik hoe plezierig het was om te geven.

Er gingen een paar dagen voorbij en Jan de koetsier bracht ons somber nieuws. Een van de zigeunermannen, die, dacht hij, Luca of Lucas heette, was dood gevonden na een ruzie over een paard. De moordenaar, een of andere schurk uit de kroeg waar ze allebei hadden zitten drinken, was in hechtenis genomen. Mijn vader werd opgeroepen om bij de lijkschouwing aanwezig te zijn aangezien Luca's mensen op ons land verbleven. Ik hoorde later dat hij zelf de begrafenis van de arme man had betaald.

De volgende avond laat was ik me boven aan het klaarmaken voor het slapengaan. Ik wilde net de gordijnen dichttrekken toen ik een vreemde gloed boven het bos zag schijnen, evenals slierten zwarte rook. Ik rende naar de deur en schreeuwde tegen de huishouding dat het bos in brand stond. Iedereen was onmiddellijk wakker, er werd met deuren geslagen, mensen schreeuwden en iedereen was in paniek. Meneer Corbett en Jan haastten zich met mijn vader naar buiten, gewapend met bezems om de vlammen mee te doven, terwijl ik mijn mantel aantrok, met Betsy de buren ging waarschuwen en om meneer Trotwood te bevelen dat hij hulp uit het dorp moest halen. Toen dat gedaan was, liepen we met een groepje mensen in de richting van het bos om te kijken of we hulp konden bieden. Niet veel later konden we op de rook en vlammen afgaan totdat we mensen hoorden schreeuwen, en toen we bij het kamp aan Foxhole Lane aankwamen, troffen we een vreselijk tafereel aan. Een van de wagens stond in lichterlaaie en een vijftal mensen wankelden eromheen, struikelend over bezittingen of over elkaar. Twee dronken zigeunermannen stampten rond met tonnen, krukjes en kleding, die ze boven op het vuur gooiden. Intussen probeerden een paar vrouwen hen ervandaan te trekken, geholpen door meneer Corbett, Jan en mijn vader. De vrouwen gingen tekeer en schreeuwden, de mannen vloekten en lachten. Het was waarachtig een scène uit de hel.

Toen, terwijl ik ver bij de vlammen en de verstikkende rook vandaan stond, zag ik een groepje kinderen bij elkaar gedromd staan, hun gezichten goudkleurig in het licht van het vuur, hun monden wijd open van ontzetting. Ik riep Betsy om me te helpen, en samen gingen we ze geruststellen.

'Kunnen we ze niet meenemen naar het huis?' vroeg ik aan Betsy, maar dat wilden ze niet en in plaats daarvan ging Betsy naar mevrouw Godstone om dekens en voedsel te halen. Het oudere meisje wiegde haar broertje terwijl ik me over mijn vriendin ontfermde. Het arme ding trilde in mijn armen, de doodsangst stond in haar ogen, en ik deed mijn best om haar gerust te stellen, totdat de koopvrouw, hun moeder, ons zag en haar onmiddellijk van me overnam.

Het duurde een uur voordat de dorpslui kwamen om het vuur te blussen en nog een uur voordat de vlammenzee was gedoofd en Jan en meneer Corbett de doodsbange paarden hadden gevangen. En omdat de zigeuners toen niets meer van ons nodig hadden, lieten we hen alleen met hun beschadigde bezittingen en hun verdriet.

'Het probleem zit 'm in die gewoonte van hen,' zei mijn vader tegen me toen we weer naar huis liepen. 'Wanneer een zigeuner overlijdt, verbranden ze zijn wagen en zijn bezittingen. Zijn broers zijn vanavond te ver gegaan.'

Ik kon de doodsangst en wanhoop die ik in de ogen van het kleine zigeunermeisje had gezien toen ik haar troostte niet uit mijn geheugen bannen.

Jude kon die avond de slaap niet vatten en in plaats daarvan lag ze te piekeren over de gebeurtenissen van die dag. Het gesprek met Euan zat haar nog het meest dwars. Ze dacht aan zijn diepblauwe ogen, zijn grillige mond en milde gezichtsuitdrukking, en daar kreeg ze een heerlijk warm gevoel van, maar aan de andere kant stonden zijn woorden over Claire haar mijmeringen in de weg. Ze probeerde niet meer aan Euan te denken maar zich op Claire te concentreren. Nam ze Claire echt in bescherming of behandelde ze haar als een gelijke wanneer ze haar wilde helpen? Ze vond Claire soms ongelooflijk irritant, en ze had altijd gedacht dat ze een goede zus was wanneer ze dat probeerde te negeren. Wat was er nou werkelijk de oorzaak van dat hun relatie zo uit balans was? Wat voelde Claire voor haar? Had Claire nooit een ster naar haar vernoemd omdat ze niet genoeg van haar hield? Ze broedde erop voort. Claire toonde maar zelden belangstelling voor waar Jude mee bezig was – haar studie of haar werk – en dat had ze nooit gedaan ook. Misschien kwam dat voort uit jaloezie of misschien deed Jude er voor haar niet zo veel toe.

Euan had bewondering voor Claire, dat had hij tegen Jude gezegd, en nu vroeg Jude zich af of hij diepere gevoelens voor Claire koesterde. Ze had hen niet vaak genoeg samen gezien om daarover te kunnen oordelen, in elk geval nooit lang genoeg. Ze had nog geen kans gehad om die kleine blikken of gebaren op te merken waaruit je dat altijd kon aflezen. Maar ze geloofde wel dat Claire hoopte op meer dan alleen vriendschap. En beiden hielden absoluut veel van de kleine Summer. Euan kon heel goed met kinderen overweg en Summer was dol op hem.

Bij de gedachte aan hun drieën samen – Euan, Claire en Summer – ging er een golf van jaloerse woede door haar heen, waarna een soort dof gevoel in haar opkwam. Nee, op dat moment voelde ze geen medelijden met Claire. In plaats daarvan was ze net als vroeger verontwaardigd, zoals ze zich wel eens als kind had gevoeld, wanneer Claire op een of andere manier alle aandacht naar zich had toegetrokken; of als tiener, toen jongens zich eerder aangetrokken voelden tot haar zus, die uitbundig mooi was, dan tot Jude, die een rustiger, mildere charme bezat. Het was lang geleden dat ze die tienerjaloezie had gevoeld, maar zo nu en dan stond ze er verbaasd over dat de oude patronen van woede en afgunst kennelijk nog steeds de kop konden opsteken. Ze vroeg zich af of die er ook nog zouden zijn als ze zo oud was als haar grootmoeder. Ze slaakte een zucht en draaide zich om, en probeerde een comfortabele houding te vinden.

Sinds het overlijden van Mark probeerden ze allebei dichter naar elkaar toe te groeien, meer voor elkaar te zorgen, dat zag ze wel in. Summer was bijna drie geweest en Claire werkte hard aan Star Bureau om geld te sparen voor een huis. Claire had haar uiterste best gedaan om Jude te troosten, had haar regelmatig gebeld en wanneer haar zus bij hun moeder logeerde, had ze haar daar per se willen opzoeken. Ze waren zeker dichter tot elkaar gekomen. Maar hun relatie was op de een of andere manier weer uit de pas geraakt, en dit had deels te maken, wist ze, met Euan. Haar gedachten maalden door haar hoofd.

Euan was oorspronkelijk Claires vriend, fluisterde de stem van Judes geweten haar weer in. Nee, met Chantal had ze het hierover al gehad. Ze moest zich gewoon normaal bij Euan gedragen, vriendschappelijk, en de dingen op hun beloop laten. Maar wie weet zou dat beloop een wig tussen de zussen drijven. O, verdomd nog aan toe.

Ze had onlangs een artikel in een tijdschrift gelezen over zussen, waarin de tegenstellingen binnen zo'n relatie centraal stonden, een mengeling van jaloerse rivaliteit en grote genegenheid. Er stond in dat zussen immens belangrijk voor elkaar zijn en tegelijk verschrikkelijk jaloers op elkaar konden zijn en wrok jegens elkaar koesterden, wat zijn oorsprong vond in de kinderlijke strijd om de aandacht van de ouders. Ook speelde volgens het artikel de positie binnen het gezin een belangrijke rol. Het leek erop dat de oudere zus vaker evenwichtiger en dominanter was. Grappig, maar in hun gezin was het precies andersom. Claire was minder zelfverzekerd, klaagde vaak dat hun moeder meer belangstelling had voor Jude en zelfs dat ze meer van Jude hield. Het zou interessant zijn om daar eens met haar moeder over te praten. Wat weer tot een volgende frustratie leidde: zo'n telefoongesprek naar Spanje was nou niet bepaald geschikt voor haar mobieltje.

De volgende ochtend voelde ze zich steviger, maar wel moe, en ze begon aan de advertentie voor de plaatselijke krant:

Ik probeer in contact te komen met de familie van Tamsin Lovall, een jeugdvriendin van mijn grootmoeder, wier meisjesnaam Jessie Bennett is, en die heel graag wil weten hoe het met haar gaat.

Ze hield op met typen, dacht lang en diep na over welk adres ze erbij moest vermelden. Uiteindelijk, nadat ze toestemming aan Robert had gevraagd, gaf ze haar eigen naam en het adres van Starbrough Hall op. Haar oma was kwetsbaar en kon wel eens in de war raken als ze post van vreemden kreeg, en de Lovalls kenden wellicht de naam Starbrough Hall.

Ze e-mailde de advertentie, en wilde net haar catalogusmap openen om wat informatie over nog een paar boeken te noteren, toen Megan van het museum haar op haar mobiele telefoon belde. Jude was verbaasd van haar te horen. Ze hadden afgesproken dat Jude weer contact met haar zou opnemen wanneer ze de halsketting bij de juwelier had opgehaald.

'Ik kon niet wachten om het je te vertellen,' zei Megan.

'Wat is er?'

'Charles Mallory. De archeoloog. Ik had zijn naam opgezocht nadat je weg was. Ik wist dat er iets vreemds aan de hand was.'

'Iets vreemds?'

'Ja. Hij is overleden. Al snel erna, bedoel ik. Ik dacht al dat ik er ergens over had gelezen; het werd toen als een groot raadsel beschouwd. Ik heb een vriend bij het krantenarchief gevraagd om het voor me na te trekken en hij belde me net terug. Een paar weken nadat het door jou gevonden artikel over die archeologische vondsten was verschenen, bleek dat Mallory simpelweg van de aardbodem was verdwenen. Men nam aan dat hij naar zijn huis in Cambridge was gegaan, maar hij werd uiteindelijk door zijn universiteit als vermist opgegeven. Niemand scheen zeker te weten waar hij voor het laatst was gezien en toen vonden ze zijn auto op een landweg vlak bij de haven van Brancaster Staithe. Zijn lichaam was een paar weken eerder verderop aan de kust aangespoeld, maar tot op dat moment niet geïdentificeerd. Niemand heeft ooit geweten of het een ongeluk of iets anders is geweest, of dat hij misschien zelfmoord had gepleegd.'

'Wat bijzonder merkwaardig. Je denkt toch niet dat er misschien een vloek op rustte,' vroeg ze zich hardop af, 'zoals bij de graftombe van Toetanchamon?'

'Daar ga je al snel aan denken, hè?' antwoordde Megan. 'Dat is de reden dat ik je meteen heb gebeld. Maar het klinkt te idioot, eigenlijk. Ik denk eerder dat er een doodgewone verklaring voor is. Iedereen vond hem een beetje excentriek – met die rare snor van hem – en misschien was hij depressief of zo.'

'Dat vloek-gedoe lijkt me niet gemakkelijk te bewijzen. Hij kan ervan overtuigd zijn geweest dat hij vervloekt was en vertoonde daar wellicht de psychologische gevolgen van.'

'Ik geloof niet dat mijn vriend daar iets over heeft gevonden. Hoe dan ook, het helpt je niet met de halsketting, hè?'

'Nee, maar in elk geval bedankt voor het bellen. Ik bel je zodra de halsketting klaar is.'

Daarna bedacht Jude dat, hoe vreemd het ook klonk, het verhaal van Mallory wel paste in alle andere vreemde verhalen die over de folly waren verteld. Hij had immers de eeuwenoude begraafplaats verstoord en een paar botten weggehaald. Misschien was zijn geest ergens door aangetast, hoewel hij er op de foto in de krant volkomen gelukkig en trots had uitgezien. Als het incident in het verhaal over de folly op zichzelf stond, dan had Megan ongetwijfeld gelijk en was zijn dood naar alle waarschijnlijkheid een ongeluk geweest. Maar als je dit bij alle andere verhalen voegde, begon het beeld er onheilspellender uit te zien.

Ze vergat het voorval toen ze haar e-mailprogramma opende en zag dat ze twee e-mailberichten had ontvangen: een van Bridget en een van Klaus. Beiden waardeerden haar idee voor het artikel dat ze hun had gestuurd, maar ze moest lachen omdat ze er totaal verschillend over dachten. Klaus was vooral geïnteresseerd in invalshoeken om bepaalde bieders te lokken, wilde er zeker van zijn dat ze de nadruk legde op het feit dat de stukken uniek en belangrijk waren. Bridget kwam daarentegen met een nuttige lijst van redactionele suggesties voor een interessant verhaal. Toch waren beiden tevreden met de algemene benadering, hoewel Bridget schreef dat ze het jammer vond dat er niet meer concrete informatie over de astronomische ontdekkingen was.

'Ik zal mijn best doen, Bridget,' schreef ze terug. Ook zij had graag meer informatie gehad. Het werd tijd dat Cecelia weer contact met haar opnam en dat die misschien interessante informatie had. Ze zuchtte en zette zich weer aan het volgende deel van Esthers dagboek.

27

Na het ontbijt op de achtentwintigste dag in januari, in het jaar onzes Heren 1778, vertrok mijn vader naar Norwich om een grote bijeenkomst bij te wonen in de Maid's Head Inn. Edelmannen, geestelijken en lagere adel, informeerde hij me, uit alle uithoeken van Norfolk, waren opgeroepen om te discussiëren over hoe ze in deze voor de koning zo heikele tijden steun konden werven voor het leger. Aangezien ik van die zaken niets af wist, vertelde hij me over de opstanden in onze Amerikaanse grondgebieden en dat de verdediging tegen de rebellen ons koninkrijk veel geld en mankracht kostte. Een steunbetuiging aan Koning George was terstond noodzakelijk, verklaarde hij, en elke Engelsman die zijn naam eer aandeed moest zijn hart en portemonnee openen voor het goede doel.

Hij kwam na middernacht terug, vermoeid en geagiteerd. De bijeenkomst had lang geduurd, met veel meningsverschillen en felle discussies, maar hij had zich voor vierentwintig gienjes laten noteren en daarmee had hij zijn plicht gedaan.

Na een stevig avondmaal met gekookt schapenvlees en kappertjessaus, trok hij zich terug in zijn bibliotheek en daarna, meende ik, naïef als ik was, naar bed. Maar toen ik de volgende ochtend na het ontbijt naar hem op zoek ging, was hij nergens te bekennen, niet in zijn bibliotheek, noch in zijn werkruimte of zijn kamers. Betsy werd ernaar gevraagd, die verklaarde dat zijn bed onbeslapen was, en dat hij ook het schone hemd niet had aangetrokken. Meneer Corbett zette een zoektocht op touw in het huis en de buitengebouwen, maar ik wist instinctief precies waar hij moest zijn. Ik riep Sam in de stallen, en half rennend, half lopend snelden we door het park en de heuvel op, door de bomen naar de folly. Daar vonden we, zoals ik al had vermoed, de deur onafgesloten.

Ik kan me niet meer voorstellen waar ik de kracht vandaan haalde om die trap op te lopen, mijn ademhaling was op hol, en ik had dat duizelingwekkende gevoel van angst voor wat ik er wellicht zou aantreffen, maar ik rende naar boven, waar bleek dat mijn angst terecht was geweest.

Mijn vader lag languit onder aan de ladder en zijn lantaarn was op de vloer kapot gevallen. Met een klaaglijke kreet rende ik naar hem toe. Zijn lichaam was warm, goddank, ondanks de winterse kou, maar hij had een zwakke pols en hoewel zijn oogleden trilden bij mijn aanraking, werd hij niet wakker. Zijn gezicht was zo bleek als de maan van de avond tevoren.

Sam rende onmiddellijk de trap af om hulp te gaan halen. Ik bleef zitten en trok mijn mantel uit, maar toen ik zijn hoofd optilde om die er als een kussen onder te leggen, voelde ik met mijn vingers opgedroogd bloed en een warme zwelling boven zijn linkeroor. 'Vader,' fluisterde ik. 'Vader, word wakker.' Ik huilde een beetje en terwijl mijn tranen op zijn voorhoofd vielen, deed hij zijn ogen iets open en bewogen zijn lippen.

Het leek wel een eeuwigheid te duren voordat we mensen hoorden roepen, en toen voetstappen op de trap hoorden roffelen. Sam kwam binnen met zijn vader en meneer Corbett, en al snel arriveerde ook de gezette dr. Brundall, die gevaarlijk hijgde, waardoor ik bang werd dat hij net als mijn vader zou flauwvallen en we dan twéé lichamen naar beneden moesten tillen.

Ze gaven mijn vader water en de dokter, inmiddels weer op adem, verzorgde zijn wond en zei dat het 'nauwelijks ernstig was'. Toen wikkelden ze hem in dekens en tilden hem voorzichtig de trap af, waar dr. Brundalls zoon en twee van hun bedienden een brancard hadden klaargezet om hem naar huis te dragen.

Die gehele dag en ook die daarop lag mijn vader bewusteloos op bed, maar de avond daarna opende hij toen het begon te schemeren zijn ogen en concentreerde zich onmiddellijk op de maan die achter zijn raam opkwam. 'Vader,' fluisterde ik, en zijn blik ontmoette die van mij. Zijn vingers roerden zich op de beddensprei en ik legde die van mij erop en fluisterde een dankgebedje. In de dagen daarna sterkte hij gestaag aan, at watergruwel en de soep die mevrouw Godstone had gemaakt en die ik hem voerde, want dat mocht niemand anders doen.

Ze zetten een houten veldbed in de kamer zodat ik in de buurt kon slapen en voor hem kon zorgen als hij midden in de nacht wakker werd. Op deze manier verstreken er twee weken, totdat dr. Brundall verklaarde dat het directe gevaar geweken was. We wachtten bezorgd op verder herstel, maar dat bleef vrijwel uit. Mijn vader was een gebroken man.

Februari ging voorbij, en mijn vader kon niet uit bed komen, noch spreken. Toen, op een dag vroeg in maart, vond hij zijn stem terug, onwennig en hees alsof hij lang ergens in de grond begraven had gelegen. Hij bracht er slechts enkele woorden uit, 'ja' of 'nee', 'vlees' of 'water' en mij beval hij al heel gauw dat ik moest 'lezen'. Ik sprong meteen op en rende de trap af, waar ik op de planken in de bibliotheek naar precies het juiste boek zocht. Ik koos voor de verhalen uit Duizend-en-een-nacht, *dat vader vlak voor zijn ongeluk had aangeschaft, en ik kreeg het gevoel dat ik Scheherazade zelf was toen ik met mijn verhalen avond na avond zijn aandacht vasthield. Wanneer hij genoeg had gehoord, zei hij 'klaar', waarmee hij niet bedoelde dat ik weg mocht, maar dat ik de kaarsen moest doven. Ik trok me dan terug in mijn kamer en liet de gordijnen bij hem open zodat hij naar de lucht kon kijken in de eenzame, slapeloze uren van de nacht.*

Op een dag midden in maart kon hij 'ster' en 'boek' uitspreken en gebaarde hij te willen schrijven, dus bracht ik hem zijn observatieboeken en brachten we een uur of twee door met het herlezen van alles wat we hadden gezien. In plaats van dat het hem kalmeerde, wat ik had gehoopt, werd hij er geagiteerd van. Toen ik me dat realiseerde, kreeg ik een idee: we zouden hem op een avond naar buiten dragen om naar de sterren te kunnen kijken. Onnodig om te zeggen dat dit plan door de huishouding met afgrijzen werd ontvangen. Stel dat hij viel of doodging? Maar mijn vader vrolijkte op door het idee, en aangezien een goede geestesgesteldheid van cruciaal belang is voor een goede gezondheid, drong ik erop aan omdat het zijn wens was. Uiteindelijk ging iedereen ermee akkoord, hoewel er niets over tegen dr. Brundall mocht worden gezegd. Dat was gemakkelijker gezegd dan gedaan, want de goede dokter kwam heel vaak op bezoek, en eenmaal nam hij de advocaat van mijn vader mee, meneer Wellbourne, om voor mij onbekende redenen, hoewel meneer Corbett erbij werd geroepen om getuige te zijn toen mijn vader een document ondertekende. 'Zijn handschrift was zo onduidelijk dat het meelijwekkend was om te zien,' zei hij later tegen me.

De eerste avond buiten werd hij op hetzelfde veldbed gelegd waarop ik de eerste kritieke dagen had gelegen. Snel daarna werd meneer Trotwood naar Norwich gestuurd om een rolstoel aan te schaffen. Vader, die geen kracht had in zijn ledematen, was niet in staat om een telescoop vast te pakken, maar Sam, die goed met zijn handen was, ontwierp een draagstel voor de telescoop dat op de stoel kon worden gemonteerd. Nadat dit was gemaakt, hoefde vader alleen nog maar zijn hoofd te bewegen om door het oculair te kunnen kijken. Ik zat dan bij hem en schreef zijn stamelende observaties zoals gewoonlijk op in het boek. Veel avonden was hij zelfs daar te moe voor, en in plaats daarvan ging ik nu en dan zelf aan het werk. Ik vond het heerlijk om de lucht af te speuren naar kometen, hoewel geen van de telescopen uit zijn bibliotheek de schatten van de lucht zo duidelijk liet zien als de grote spiegeltelescoop in de folly. Ik durfde me echter niet alleen naar boven te wagen. Om die reden regelde ik dat die naar het huis werd gebracht, wat erg veel moeite kostte. Sam maakte er een standaard voor in het park. Meer konden we niet doen, maar het park was niet zo goed als de toren, die ver van de lichten van de gebouwen staat en dichter bij de sterren. Het was ook eenzaam en koud buiten. Mijn kleding was vaak zwaar van de dauw of stijf van de bevroren rijp.

Op een ijskoude nacht aan het eind van maart zag ik voor het eerst iets wat leek op een heel kleine schijf die dicht langs Taurus gleed. De avond erop was hij er weer en ik keek er elke daaropvolgende heldere nacht naar, en berekende zijn voortgang in de richting van Tweelingen. Ik dacht dat het een komeet was maar, als dat het geval was, was deze met zijn regelmatige vorm en ontbrekende staart anders dan de andere. Ik realiseerde me niet wat ik had gevonden tot vele maanden daarna.

Jude was onder aan de bladzijde gekomen en sloeg hem om, en kwam verbijsterd tot de ontdekking dat er niets meer was. Esthers verhaal was afgelopen! Maar hoe kon dat? Het voelde niet alsof het was afgelopen. Hoewel de zin was geëindigd, was het verhaal dat niet. Het was vreselijk. Ze wilde, ze móést meer te weten komen. Anthony was later dat jaar gestorven, dat wist iedereen. Maar wat er met Esther en die komeet was gebeurd – ze herinnerde zich dat ze daarover iets in het observatieboek had gelezen – wist ze nog steeds niet.

Ze slaakte een zucht. Voorlopig was dit het dus. Misschien was het voldoende voor Bridgets artikel. Maar toch voelde ze zich verloren. Ze sloot het computerbestand met het laatste deel van de transcriptie en mailde het naar Cecelia.

Hoe was het in Parijs? Je zult versteld staan van dit laatste stuk. Wat hebben ze volgens jou gevonden? Hoop snel van je te horen.

Met een beetje geluk zou Cecelia de hint begrijpen.

Toen ze die avond weer inlogde had ze een e-mail terug ontvangen.

Jude, dank je wel hiervoor, het is fascinerend. Ik heb alle rapporten gelezen en ik heb je die brieven toegestuurd die je nodig had. Dan is het jouw beurt om versteld te staan. Ze zouden er morgen moeten zijn. Bel me als je ze hebt gelezen. Er is veel om over te praten. O, en Parijs was heerlijk.

Op vrijdagochtend was er een speciale postzending met een dikke envelop voor Jude, met Cecelia's elegante handschrift erop. Hij bevatte fotokopieën van een vijftal brieven in Esthers schuine handschrift, dat haar nu zo vertrouwd was.

'Dit zijn de brieven uit de bibliotheek in Cambridge,' legde Jude aan Chantal uit.

Ze nam ze mee naar de bibliotheek waar Jude ze op de tafel uitspreidde. Ze waren allemaal ondertekend met 'Esther Wickham' en geadresseerd aan ene Josiah Bellingham.

'Wie was hij ook alweer?' vroeg Chantal.

'Een horlogemaker in Londen en een slijper van optische lenzen,' zei Jude tegen haar. 'Een amateurastronoom van zekere reputatie. Hij woonde en werkte in Whitechapel in de tweede helft van de achttiende eeuw. Volgens mij kocht Anthony Wickham spullen van hem om telescopen mee te maken. Ja, kijk, dit staat er in de eerste brief.'

14 mei 1778

Geachte heer Bellingham,

Ik schrijf u op aanraden van mijn vader, Anthony Wickham van Starbrough Hall, die u zich wellicht herinnert omdat hij vaak lenzen en spiegels voor verrekijkers bij u heeft gekocht. U bent vast verbaasd dat ik u schrijf in plaats van mijn vader, en dat ik u niet schrijf om iets bij u te kopen, maar omdat ik dringend uw advies nodig heb.

U hebt het verdrietige nieuws van Starbrough Hall misschien nog niet gehoord, maar op 28 januari jl. heeft mijn vader een vreselijk ongeluk gehad waardoor hij er nu ernstig aan toe is. Hij is weliswaar enigszins hersteld, goddank, maar hij is nog steeds invalide, niet in staat zonder hulp uit bed te komen of te lopen, niet in staat om te schrijven of meer dan een paar woorden uit te brengen. We bidden dat zijn herstel zich voort zal zetten.

De afgelopen weken bleek hij zich goed genoeg te voelen om het sterrenkijken te hervatten, en hij is vastbesloten dat te blijven doen. Vele nachten zijn we naar het park gegaan en ik moet u vertellen over iets merkwaardigs wat we hebben gezien. Een vreemd object zoals een komeet, echter zonder staart of nevel, maar wel in beweging, zichtbaar in het kwartiel vlak bij het sterrenbeeld Stier. We hebben het zeer duidelijk afgetekend kunnen zien door een lens die 460 keer vergroot, en ook met een lens die 278 keer vergroot, scherp en met een kleine ster er vlakbij.

Mijn vader stelde voor dat van zijn kennissen u hier het best over kon worden aangeschreven om er verder onderzoek naar te doen. Hij gelooft ook dat u een eervol man bent.

'Zodat hij niet met de eer gaat strijken, vermoed ik,' mompelde Jude.

Bellingham moest haar een vriendelijke brief hebben teruggeschreven, want de volgende brief naar hem was al van een paar dagen later en gaf enkel antwoord op een aantal vragen dat Bellingham over de berekeningen had. Jude concludeerde hieruit dat hij niet in staat was geweest het object met zijn eigen telescoop te traceren maar van plan was bij een kennis langs te gaan die een betere telescoop had. De derde brief gaf aan dat die kennis het object ook niet kon waarnemen, of had geconcludeerd dat het nevel was. 'Het is belangrijk om het gedurende langere tijd te blijven volgen,' had Esther geschreven. 'Een maand, misschien, hoewel het nu geleidelijk uit de lucht is verdwenen.'

In juli schreef ze hem weer, met de vraag of er nog ontwikkelingen waren, en toen weer een in augustus.

In de laatste brief, gedateerd in oktober, was de toon veranderd. Bellingham moest haar uiteindelijk hebben geloofd, aangezien ze schreef dat ze heel graag weer van hem wilde horen 'zodra u met de Astronomical Society overleg hebt gepleegd. Ik heb nog nooit een artikel geschreven en ben bang dat ik daar aanzienlijke hulp bij nodig zal hebben.'

Na de lunch, toen ze weer alleen was in de bibliotheek, belde Jude Cecelia terug, zoals die had verzocht.

'De transcriptie die je me gisteren hebt gestuurd, en Esthers brieven aan Bellingham bevestigen mijn interpretaties van dat gescheurde dagboek dat je me had gestuurd volkomen. Jude, het is verbazingwekkend. Is het kwartje al gevallen?'

'Niet echt, ben ik bang,' antwoordde Jude. 'Je zult het me moeten vertellen.'

'Wat ze zag,' zei Cecelia, en Jude had haar nog nooit zo opgewonden meegemaakt, 'was de planeet die wij Uranus noemen. Moet je nagaan, Jude. Ze zag hem in 1778! Drie jaar voordat Herschel hem ontdekte en er een naam aan gaf. Hoewel ik niet denk dat hij in het begin Uranus werd genoemd. Hij en zijn zus Caroline dachten eerst ook dat het een komeet was, moet je weten.'

'Dus Esther was echt een kundig astronoom aan het worden.'

'Op basis van haar vaders deskundigheid, ja. Als ze niet zo'n goede telescoop had gehad, had ze hem niet kunnen zien. Ik moet hier ook aan toevoegen dat ze niet de enige was die vóór Herschel melding maakte van dit vreemde object. Herschel was echter de eerste die hem goed ging bestuderen, en er officiële aandacht voor vroeg, en dat, neem ik aan, is waar het bij wetenschappelijke ontdekkingen om draait: om de mogelijke significantie te herkennen en er een vervolg aan te geven. Denk maar aan Isaac Newton die naar de vallende appel staarde. Mensen hadden altijd al appels zien vallen, maar niemand had er ooit eerder naar gekeken als iets wat méér was dan een alledaagse gebeurtenis. Maar hij had de achtergrondkennis en de intellectuele nieuwsgierigheid om eindeloos aan het experimenteren te slaan en daar de zwaartekrachttheorie uit op te bouwen.'

'Dus waarom is het dan belangrijk dat Esther deze komeet zag, of planeet of wat het ook is? Iemand anders had hem immers een paar jaar later ontdekt, hem een naam gegeven en heeft de eer opgestreken.'

Maar Cecelia liet zich niet zomaar van de wijs brengen. 'In de geschiedenis van de sterrenkundige ontdekkingen is het misschien niet van groot belang. Maar in de context van het verhaal achter die verzameling die je gaat verkopen is het fascinerend. En als astronomiegeschiedkundige interesseert het me mateloos. Het maakt deel uit van alle inspanningen op het gebied van wetenschappelijke ontdekkingen uit die tijd, en het is, laten we wel wezen, ongebruikelijk dat Esther een vrouw is. Je weet hoe het met Herschels zus Caroline zat, toch?'

'Niet echt,' moest Jude toegeven.

'Zij is het belangrijkste voorbeeld van zowel de mogelijkheden als de beperkingen die vrouwen hadden in de mannelijke wereld van intellectuele ontdekkingen. William Herschel had aan een zeer strenge opvoeding in Duitsland weten te ontsnappen en had in Bath een bestaan weten op te bouwen als muzikant en amateurastronoom. Maar het kostte hem ontzettend veel moeite om voor elkaar te krijgen dat zijn zusje zich bij hem voegde, want van haar werd verwacht dat ze de voetveeg van de familie was. Toen ze uiteindelijk kwam, moest ze hem helpen bij vaak zwaar fysiek werk. Hij sleep zijn eigen spiegels en bouwde enorme telescopen – net als Wickham – en zij moest helpen, terwijl ze maar een tenger meisje was. Ze nam deel aan het sterrenkijken en schreef op wat ze zagen. Zij kreeg wel publieke erkenning voor haar bijdragen en werd zelfs een soort beroemdheid omdat ze een komeet had ontdekt, de eerste "vrouwenkomeet", zoals de schrijfster Fanny Burney hem noemt. Maar een deel van die beroemdheid lag in het feit dat ze een beetje als een freak werd beschouwd – een vrouwelijke astronoom – en er werd voornamelijk naar haar verwezen als "de zus van de grote William Herschel". Misschien heeft het feit dat ze zo bescheiden en klein was, en zichzelf wegcijferde, zelfs wel bijgedragen aan haar zaak.'

'Ik betwijfel of Esther zo was,' zei Jude met een glimlach. 'De manier waarop ze die huishouding commandeerde om van alles voor haar vader te doen!'

'Ja, als je nagaat dat ze, zoals uit je laatste transcripties naar voren komt, een vondeling was en wellicht werd beschouwd als het laagste van het laagste, heeft ze kennelijk ieders respect en gehoorzaamheid verworven. Ze was een pittige meid, maar ze moet ook heel slim en tactvol zijn geweest. Het is interessant om te speculeren over wat er was gebeurd als haar vader dat ongeluk niet had gehad. Ze hadden misschien ontdekkingen gedaan die met die van Herschel konden concurreren. Maar speculeren heeft natuurlijk geen zin. Het is veel interessanter om de correspondentie met die meneer Bellingham te lezen. Ik ben benieuwd of hij ooit iets heeft gedaan met dat vreemde object waarover ze het heeft.'

'Ik weet het niet,' zei Jude moedeloos. 'In Esthers dagboek kunnen we het niet meer lezen, daar is niet meer van.'

Maar nadat Jude had opgehangen en dacht aan alles wat Cecelia had gezegd, vrolijkte ze weer wat op. In elk geval kon ze in haar artikel over iets belangrijks schrijven. Esther en haar vader hadden een belangrijke ontdekking gedaan, en hun werk verdiende het om wereldkundig gemaakt te worden. Ze kon nauwelijks wachten om de samenvatting van haar artikel te verbeteren en het aan Bridget te vertellen. Maar daar was nu geen tijd voor. Ze had aangeboden om het avondeten klaar te maken.

Ze aten vroeg omdat de tweeling naar bed moest en omdat Robert zich naar een openbare gemeenteraadsvergadering moest haasten waar hij voorzitter was. Chantal zou met hem meegaan. Terwijl ze na de gegrilde kip – het lievelingseten van de tweeling – de aardbeien met slagroom opdiende, bood Jude aan om Max en Georgie naar bed te brengen zodat Alexia ook mee kon, maar die sloeg dat aanbod af.

'Dat is niet echt iets voor mij,' bekende Alexia. 'Robert kan het prima af zonder mij. Waarom ga jij niet mee, Jude? Je mag natuurlijk niet stemmen of zo, maar je weet van de folly af. En met deze heerlijke maaltijd heb je al meer dan genoeg voor ons gedaan.'

Robert voegde eraan toe: 'Ja, je zou wel van pas kunnen komen, Jude. Zou je het erg vinden om wat over de folly te vertellen?'

Jude, die soms ook voor een veilingzaal moest optreden, stemde daarmee in.

Ongeveer vijftig dorpelingen verzamelden zich in het dorpsgebouw tegenover de kerk. Euan was een van de eerste aanwezigen. Hij zat bij Jude en Chantal maar raakte meteen in gesprek met de vrouw die aan zijn andere kant zat. Jude was tussen het knikken en glimlachen naar Chantals vele kennissen door blij dat ze even een moment kreeg om een paar aantekeningen te maken over wat ze moest zeggen. Toen Robert de bijeenkomst had geopend, keek ze om zich heen of ze John Farrell of Marcia Vane zag, maar die waren nergens te bekennen. Of ze nu wel of niet van de bijeenkomst af wisten, ze zag dat ze niet welkom waren geweest. Zodra de vergadering begon was duidelijk dat de meeste dorpelingen tegen de nieuwe ontwikkelingen waren, en beslist iedereen vond het een vreselijk idee als de folly zou worden afgebroken. 'Het is ons bekendste historische monument,' bracht een van de gemeenteraadsleden naar voren.

Op dat moment nodigde Robert Jude uit om te spreken, en stelde haar wat vaag voor als een 'historisch deskundige' uit Londen. Jude, eerst wat aarzelend, beschreef accuraat hoe de toren speciaal voor sterrenkijken was gebouwd en dat er belangrijke ontdekkingen in waren gedaan die aan de toenmalige wetenschap hadden bijgedragen.

'Vergeet ook niet,' vervolgde ze, de smaak te pakken krijgend, 'dat het een belangrijk architectonisch bouwwerk is. Folly's, zoals u wellicht weet, waren karakteristiek voor achttiende-eeuwse landhuizen, een manier waarop landeigenaren hun rijkdom en verfijndheid toonden. Vooral de folly bij Starbrough is daar een goed voorbeeld van en staat op de monumentenlijst.'

Hierna sprak Euan zijn weerzin uit tegen de ontwikkelingen, beginnend met: 'Deze vergunningaanvraag is weer een voorbeeld van de sluipende verwoesting van iets wat van cruciaal belang is: ons landelijk erfgoed. Stukje bij beetje knabbelen we aan onze dierbare ongerepte plekken. Als we ingrijpen in de habitat van de admiraalvlinder en de orchideebij, dan verdwijnen ze. En, onthoud één ding goed: dat is voor altijd.'

Nadat hij klaar was en het applaus wegstierf, zat Robert een algemene discussie voor en vatte die daarna samen: 'Het is tamelijk onwaarschijnlijk dat ruimtelijke ordening zal toestaan dat er op grote schaal wordt gebouwd in het gebied, maar we kunnen niet van die veronderstelling uitgaan. Ik stel voor dat we een bezwaarschrift indienen tegen de sloop van de folly en de ontwikkelingsplannen in het algemeen. Maar Farrell vecht dat bezwaar wellicht aan met het argument dat er, juist vanwege het feit dat de folly er staat, een precedent ligt als het om bouwen gaat.' Algauw werd dit voorstel enthousiast aanvaard. Robert zou de bedoelde brief opstellen en de vergadering werd beëindigd.

'Wil je een lift, Euan?' vroeg Robert hem toen ze naar de auto liepen.

'Ja, graag,' antwoordde hij. Achter in de auto strekte hij zijn arm over de stoelleuning, en Jude was zich maar al te zeer van hem bewust.

Robert prees zijn bijdrage aan het debat. 'Het is een cruciaal aspect van de verdediging,' zei hij. 'Misschien kom ik je voor die specifieke passage nog wel om raad vragen.'

'Geen probleem,' zei Euan.

'Heb je zin om morgenavond bij ons te komen eten? Dan kunnen we even een concept maken. Ik ben niet zo goed als jij op de hoogte van de orchideebij en zo.'

'Ik kan morgen overdag even langskomen, als je wilt,' zei Euan, 'maar ik ben bang dat ik morgenavond al bezet ben.'

Tegen Jude zei hij: 'Darcey, Summer en Claire komen morgen langs, moet je weten. Summer heeft me eindelijk zover gekregen dat ze in de woonwagen mag slapen, en Claire heeft dapper aangeboden om in mijn tent te overnachten.'

'O, dat klinkt leuk,' zei ze. Haar zus had er niets over gezegd toen ze haar eerder aan de telefoon had gehad, en, ze voelde zich wederom merkwaardig buitengesloten.

Euan, die dit misschien aanvoelde, zei: 'Er kunnen twee mensen in de tent. Waarom kom je ook niet?'

'Ja, dat lijkt me leuk,' antwoordde ze. Ze had er echter meteen spijt van en was er niet helemaal zeker van of ze haar er wel bij wilden hebben. Ze had moeten zeggen: maar misschien kan ik het beter niet doen. Ik ben niet zo goed met tenten. Maar Euan klonk erg enthousiast toen hij zei: 'Leuk! Laten we gaan barbecuen. Mijn zus en haar man kunnen er misschien ook bij zijn.'

Het was maar een kinderlogeerpartijtje, hield Jude zichzelf voor toen ze later die avond wakker lag. Maar Claire gedroeg zich momenteel zo vreemd, en ze was bang dat ze zich opdrong.

Ze had zichzelf gemaand om wat afstand te nemen, hoewel dat idee belachelijk was. Nog maar een paar weken geleden had ze het met Caspar uitgemaakt omdat ze Mark trouw wilde blijven; het sloeg nergens op dat ze nu verontwaardigd was omdat Claire belangstelling had voor Euan. En… nu schoot het haar weer te binnen, en wat ze zo graag wilde vergeten, waar Claire specifiek op doelde toen ze zei dat Mark niet perfect was geweest. Jude had het jarenlang diep in haar hoofd weggestopt, in de overtuiging dat dat het beste was, de enige manier om verder te kunnen gaan als ze Mark wilde houden. En toen Mark overleed, maakte vergeten natuurlijk deel uit van het proces waarbij ze hem in haar geheugen heilig verklaarde. En nu ze het deksel van haar geheugen had opgelicht, was er geen weg terug meer.

Hun vader was bijna acht jaar eerder in oktober 2001 overleden, vlak nadat zij en Mark zich hadden verloofd. Hij was eenenzestig, hun moeder slechts vierenvijftig. Mark en Jude, die in juni van dat jaar zouden gaan trouwen, waren in de periode tussen de begrafenis en Kerstmis bijna elk weekend bij Valerie, en Claire verliet ook vaak haar gehuurde zitslaapkamer om hun moeder gezelschap te houden. Wat Mark ook van dit gezin vol huilende vrouwen moest hebben gedacht, hij was te meelevend en tactvol om daar ooit iets over te zeggen. Het was echter duidelijk dat hij elke mogelijkheid aangreep om het huis uit te vluchten door aan te bieden om naar de supermarkt te gaan, Valeries auto vol te tanken, de was op te halen of talloze andere boodschappen te doen. Die taken werden altijd door Valeries behulpzame echtgenoot gedaan en Valerie had er de energie niet voor om ze zelf te doen en wilde dat ook niet.

Claire probeerde te helpen door te wassen en te strijken en hun moeder te helpen met haar haar en make-up, maar werd vaak uitgefoeterd of weggestuurd.

'Probeer jij het dan maar met haar,' klaagde ze dan tegen Jude, en trok zich terug in haar vroegere slaapkamer met haar tarotkaarten en een doos zakdoekjes. Valerie gedroeg zich tegenover Jude niet veel beter, maar die zat er niet zo mee en bleef kalm.

Ze was zich er zeer van bewust dat Mark goed met Claire kon omgaan. Hij plaagde haar op een wat Jude beschouwde broederlijke manier; hij legde gemakkelijk een arm om Claires schouders. Hij had een zus, Catherine, een paar jaar jonger dan hij, en ging op een vriendschappelijke manier met vrouwen om, wat Jude altijd in hem had gewaardeerd. Ze besteedde dan ook niet veel aandacht aan hoe hij en Claire met elkaar omgingen.

Maar op dat moment rees er een specifiek beeld op uit de verwarde beelden uit die afschuwelijke periode, een periode die ze gewoonlijk uit haar geest probeerde te wissen.

Zij en Valerie waren op een middag naar oma gereden, maar een paar kilometer nadat ze de stad uit waren, merkte Valerie dat ze haar handtas was vergeten en ze stond erop dat Jude terug zou gaan om de tas op te halen. Jude was geïrriteerd; waarom kon haar moeder geen middagje zonder handtas? Ze draaide de auto hun straat in, herinnerde zich toen dat de huissleutel in de handtas zat en Mark de deur uit was om bij een oude schoolvriend langs te gaan, en stampte langs de zijkant van het huis om de reservesleutel uit de verstopplek in de broeikas te halen. Ze wierp een blik naar binnen door het huiskamerraam en een heel lichte beweging trok haar aandacht. Ze staarde, en Mark staarde terug. Hij lag op de bank, en Claire lag languit over hem heen. Verdoofd door de schok pakte Jude de sleutel, greep de handtas uit de gang en stormde zonder iets te zeggen de deur uit.

Later die avond hield hij tegenover Jude vol dat Claire uitgeput was van het huilen. Hij had op het punt gestaan om weg te gaan toen ze voor de deur stond, en omdat verder iedereen weg was waren ze gaan zitten praten over hun vader en over hoe onmogelijk Valerie zich gedroeg, waarna ze in een hysterische huilbui uit was gebarsten. Hoe had hij haar anders moeten troosten? Dat was alles. Jude reageerde overdreven.

Jude was zo kwaad en onzeker dat ze die nacht op de slaapbank in de bergruimte sliep. Ze wilde gewoon even alleen zijn, had ze tegen Mark gezegd, zodat ze kon nadenken. Maar omdat Mark bij zijn verhaal bleef, en haar herinnering aan wat ze had gezien tussen alle andere verwarde gebeurtenissen uit die tijd vervaagde, legde ze zich erbij neer en liet het rusten. Bovendien had Claire het steeds vaker over iemand die Jon heette, die ze op haar baantje 's avonds in de bar in het kunstcentrum had leren kennen, en de crisis was al snel voorbij.

Grappig eigenlijk. Pas op dit moment, nu ze aan Claire en Euan dacht, moest ze er weer aan denken. Als Claire al had geprobeerd dit voorval weer op te rakelen, waarom dan in hemelsnaam? En met goede of slechte bedoelingen? Was het werkelijk een of andere rare poging om Mark van zijn voetstuk te stoten zodat Jude accepteerde dat hij er niet meer was? Was het een of andere behendigheid in het spel van de liefde? Of probeerde ze haar iets anders duidelijk te maken?

Wat haar op dat moment duidelijk werd sloeg zo bij haar in dat het te afschuwelijk was om te verdragen, en ze duwde het van zich af.

28

Op zaterdagochtend was Jude moe en humeurig. Ze zou die avond gaan kamperen en ze had niet het idee dat Claire daar blij mee zou zijn. Ze voelde zich lusteloos. Op een of andere manier bedacht ze dat het maar beter was als ze gewoon wegging. Ze logeerde nu al twee weken op Starbrough Hall, twee van de drie kostbare weken van haar werkvakantie, en ze moest beslissen wat ze met de rest ervan zou doen. Ze zag niet in hoe ze op deze manier fatsoenlijk vrijaf kon nemen. Ze kon vakantie in Greenwich houden, bedacht ze. Van daaruit kon ze zaken onderzoeken, en ze kon de voorbereidingen treffen om de boeken en wetenschappelijke instrumenten in te pakken en naar kantoor te laten brengen. Maar een deel van haar had er moeite mee om weg te gaan nu Summer het zo moeilijk had. En waren nog zo veel losse eindjes, zoals de zaak rondom Tamsin Lovall.

Misschien moest ze dan toch maar blijven. Ondanks Chantals geruststelling vond ze het vervelend om nog een derde week bij de Wickhams te verblijven. Ze zouden hun gast nu wel behoorlijk zat zijn, hoewel ze wel zo vriendelijk waren om dat niet te laten doorschemeren. En bij Claire logeren was op het moment geen aangenaam vooruitzicht, en niet alleen vanwege haar bobbelige matras.

Ze zette haar laptop aan om te zien of er mail was. Dat leek niet het geval te zijn, totdat ze zag dat er een e-mail van Cecelia van de vorige dag in haar 'ongewenste e-mail'-box zat. Die was daar ongetwijfeld in terechtgekomen omdat de titel van het onderwerp in hoofdletters stond, met een stuk of vijf uitroeptekens erachter. DIT MOET JE LE-

ZEN!!!!! Ze klikte er snel op, en toen ze het bericht las, verdwenen al haar gedachten over weggaan als sneeuw voor de zon.

> Hey Jude,
> Ik ben nadat we elkaar hadden gesproken naar de British Library gegaan, en heb daar gewoon voor de lol 'Josiah Bellingham' in de zoekmachine van de bibliotheek ingetoetst. En wat kwam eruit – tadáá! – zijn ongepubliceerde dagboek. Ik heb het meteen laten opzoeken en… je zult nooit geloven wat ik heb gevonden. Ik heb de relevante stukken voor je gekopieerd en hier zijn ze!

Jude downloadde de bijlage meteen en begon te lezen.

> *Uit het ongepubliceerde dagboek van Josiah Bellingham, maker van optische instrumenten en leverancier voor de Astronomer Royal.*
>
> *31 december 1778*
> *Ik ben vanmorgen na het ontbijt bij mijn zus Fawcett vertrokken en kwam na twee uur rijden om elf uur bij Starbrough Hall aan. Daar kwam ik erachter dat mijn reis voor niets was geweest, aangezien Wickham al een paar dagen overleden was, God hebbe zijn ziel, het meisje van de aardbodem verdwenen, en ik Wickhams harpij van een zus, ene mevrouw Adolphus Pilkington, ter plaatse aantrof met haar echtgenoot en zoon, een mager, studentikoos voortbrengsel dat naar de naam Augustus luistert. Geen van allen had de brief gezien die ik twee dagen eerder had verstuurd en waarin ik mijn komst had aangekondigd. Ik legde hun de reden van mijn bezoek uit: om meer te weten te komen over de vreemde komeet of nevel die de vrouw Esther in de lucht had gezien. Ik had over de kwestie geschreven naar de heren van de Astronomical Society, vertelde ik aan de Pilkingtons, en ze hadden me verzocht om er verder onderzoek naar te doen. Meneer Pilkington, een vriendelijke man, hoewel hij erg mank liep wegens jicht, nodigde me uit om mee te eten, een stevige maaltijd van pastei en in uien gesmoord konijn. Nadat ik hen beiden meer vragen had gesteld, hoorde ik het droevige verhaal. Wickham, die een kinderlijke vrijgezel was en een teruggetrokken leven leidde, was zoals je wel vaker bij dwaze, oude mannen ziet, verzot geraakt op een arme vonde-*

linge die hij van de straat had gered. Zij had haar sluwe streken ingezet om hem als een schaap aan een touw naar haar pijpen te laten dansen. Hij had haar later officieel geadopteerd. Sinds zijn vreselijke ongeluk in de toren, waarvan ik al op de hoogte was gesteld en waardoor hij hulpeloos was geworden, had ze hem in haar marionet veranderd en geweigerd om zijn geliefde zus en de stijve neef, de rechtmatige erfgenaam, in huis uit te nodigen. Hier mompelde mevrouw Pilkington iets over dat het meisje op de een of andere manier de hand in het ongeluk had gehad, maar haar brave echtgenoot verzekerde me later onder vier ogen dat hier geen bewijs voor was. Ik vroeg waar het meisje was gebleven. 'Verdwenen,' was het enige wat ze zeiden. Het bleek dat al snel nadat de Pilkingtons waren aangekomen, ze van het toneel verdween en ze niet wisten waarheen en welke spullen of hoeveel geld ze wellicht had meegenomen. 'Het was een akelige meid,' verklaarde mevrouw Pilkington, 'en Starbrough Hall is blij dat ze van haar af zijn.' Ik geloof niet dat ik mevrouw Pilkington erg mag.

Na die uitval liet de dienstmeid, die bij onze tafel stond te wachten, haar dienbladen met een klap vallen en rende huilend de kamer uit. 'U ziet dat zelfs het uitspreken van de naam Esther een kwelling voor hen is,' zei de ellendige vrouw nadrukkelijk terwijl ze van haar stoel opstond. Alleen ik zag de met pure haat vervulde blik die de butler haar toewierp toen hij zich haastte om de rommel op te ruimen.

Mijn intuïtie schreeuwde om weg te gaan, maar mijn intellectuele nieuwsgierigheid was nog niet bevredigd. Waren er aantekenboeken, vroeg ik, die ik wellicht in mocht zien in verband met mijn missie? Mevrouw Pilkington wist het niet en aan haar toon te horen kon het haar niet schelen, maar ze gaf me toestemming om in de bibliotheek van Anthony Wickham te kijken. Ik werd onmiddellijk gegrepen door de schoonheid van de kamer, de ongewone ovale vorm ervan en de reeks wetenschappelijke boeken op de planken. Met het prinsheerlijke gevoel van een koe in een sappig klaverveld graasde ik de boekenkasten af, pakte de ene verrukking na de andere op, bestudeerde toen de collectie verrekijkers, en mijmerde erover hoe hij zulke wonderbaarlijke instrumenten had kunnen maken met de lenzen die ik voor hem had geslepen. Het leek plotseling tragisch dat ik hem niet meer voor zijn dood heb gezien, en de mysterieuze verdwijning van het meisje was verdomde vervelend en een raadsel, aangezien ik bij dit stel, de Pilkingtons, bemerkte dat ze informatie voor me achterhielden. Aan de andere kant, wat kon ik, als slechts een kennis van de dode man, daaraan doen? Op een van de planken ontdekte ik een aantal observatieboeken. Er lagen nog twee op het bureau. Ik bladerde ze allemaal snel door en maakte aantekeningen van de inhoud, maar de recentste aantekeningen waren van meer dan een jaar geleden, en er werd nergens melding gemaakt van een vreemd, hemels object waarover het meisje me had geschreven. Als er al recentere boeken waren, zo constateerde ik, dan ontbraken die, en een verdere zoektocht zou vruchteloos zijn.

Ik was hier klaar met mijn werk.

'Mocht dat meisje Esther weer komen opdagen, dan zou ik graag met haar willen corresponderen,' zei ik tegen de Pilkington-harpij. 'Of als u het laatste observatieboek terugvindt, stuurt u het dan alstublieft naar me op. Wellicht brengt het werk van uw broer ontdekkingen aan het licht die relevant zijn voor onze kennis van het firmament, en indien dat het geval is zou ik die graag uit zijn naam aan de autoriteiten presenteren. Tot uw dienst, meneer, mevrouw.' Zo vertrok ik met gemengde gevoelens: opluchting omdat ik bij die mensen wegging, maar tegelijk ook heel slecht op mijn gemak.

Ik bracht de nacht door in het marktplaatsje Attleborough. Om één uur 's nachts werd ik wakker van een hevige storm met hagel en sneeuw, en zo'n harde wind dat ik tot mijn schrik het bed onder me voelde schudden. Het duurde nog een dag en een nacht voordat het weer me genadiglijk toestond om me naar Londen en mijn huis te laten terugkeren.

Dus Bellingham was wel langsgekomen, zei Jude tegen zichzelf terwijl ze het bestand afsloot. Maar wat was er in hemelsnaam met Esther gebeurd? Ze had hem niet de planeet kunnen laten zien die zij en haar vader hadden gevonden; dat was vreselijk. Ze stuurde een e-mail naar Cecelia, waarin ze vroeg: 'Wat je hebt gevonden is zowel geweldig als afschuwelijk. Is dit alles wat je hebt kunnen vinden? Waren er niet nog meer relevante delen uit het boek?'

Ze kreeg niet onmiddellijk antwoord. Ze belde Cecelia op haar mobiel, maar kreeg de voicemail en sprak in dat ze het later nog eens zou proberen. Ze ijsbeerde door de bibliotheek, koortsachtig nadenkend over wat ze nu kon gaan doen. En vooral: had Esther nog meer geschreven, en zo ja, was het bewaard gebleven?

Ze staarde naar de boekenkast. Ze had de stapel bladzijden in een gat achterin gevonden. Stel dat ze die er niet allemaal uit had gehaald? Ze opende de deuren, haalde alle kaarten eruit, stak haar hand door het gat en tastte in het rond. Met haar gebogen vingers voelde ze niets dan steen en droge specie. Ze trok haar hand terug, wreef over haar geschaafde vingerknokkels en dacht na over de mogelijkheden. Als het moest kon ze Robert natuurlijk vragen om de achterkant van de kast weg te halen, maar dat vond ze aan vandalisme grenzen en ze moest eerst zien of dat wel gerechtvaardigd was. Alles wat door dat gat was gevallen, dacht ze, kon niet ver weg geschoven zijn. Kon ze er maar in kijken...

Ze liep de bibliotheek uit om Alexia te vinden en om een zaklantaarn en een spiegeltje te vragen. Alexia, die op handen en knieën de kinderkamer aan het opruimen was, liep onmiddellijk met haar mee om haar te helpen. In het begin kon Jude, die de spiegel heen en weer draaide en met de zaklantaarn rondscheen, niet veel zien, maar toen... net buiten handbereik lag een vel papier. Uiteindelijk viste ze er met behulp van het metaaldraad van een kledinghanger en wat dubbelzijdig plakband dat ze van Alexia had gekregen, nog een tiental vellen papier uit waarop in hetzelfde handschrift was geschreven.

'Maar zo te zien is dat alles,' zei ze tegen Alexia.

'Goddank,' zei Alexia. 'Ik houd niet van open einden.'

Jude begon gretig verder te lezen.

Het lukt mij nauwelijks om over de afgelopen dagen te schrijven. Nu de adventtijd ons voorbereidt op het nieuws van de heuglijke geboorte met Kerstmis, bereidden we ons in Starbrough voor op mijn vaders overlijden. Hij was die herfst te zwak om naar buiten te gaan, en evenmin wilde hij nog langer de lucht afspeuren, en hij liet de grote telescoop naar de toren terugbrengen, hoewel ik het kostbare spiegelglas in het doosje in de bibliotheek heb achtergehouden om het schoon te kunnen maken. In die tijd omringde ik hem met grote zorg, alsof hij een klein kind was, voerde hem het beetje eten dat hij binnenhield, waste hem, draaide hem met Betsy's hulp om, hoewel hij weinig meer woog en zo meelijwekkend vermagerd was dat je

het bloed in zijn aderen kon zien stromen.
Hij sliep het grootste deel van de dag en tegen Kerstmis kwam dokter Brundall langs en vertelde me dat het slechts een kwestie van tijd was. Ik zou zijn zus op de hoogte moeten stellen, en ook al maakte dat me nijdig, ik deed het toch. Niemand kan zeggen dat ik op dat punt mijn plicht heb verzaakt.
Ze kwamen niet meteen, de Pilkingtons. Ze talmden nog. Pas later wist ik waarom. En zo gebeurde het dat hun koets kwam aanrijden, pas nadat de postbode Starbrough Hall verliet met de rouwbrieven waarin was aangekondigd dat zijn meester was overleden. Met hen kwam meneer Atticus, een advocaat uit Norwich. Niet vaders oude meneer Wellbourne, maar een jongeman met een gewiekst voorkomen en een listige geest. Ze verzamelden zich allemaal in mijn vaders slaapkamer en keken angstaanjagend onverschillig naar zijn arme, magere lichaam. Alleen Augustus liet zijn ontsteltenis blijken, en werd net zo bleek en inert als het lijk. Ik trok hem de kamer uit en probeerde hem te troosten met de paar gestamelde woorden die ik kon vinden.
Alicia's stem schalde door het huis met bevelen dat de bedden moesten worden opgemaakt en de meubels herschikt, dat de dominee erbij moest worden gehaald om de begrafenis te bespreken. Het meest verbolgen was ik over het feit dat het overduidelijk was dat het haar geen verdriet deed. Ze toonde geen begrip voor Susans tranen, noch voor mevrouw Godstones bleke vermoeidheid, maar klaagde er in plaats daarvan over dat de haring te gaar was en de pastei niet gaar genoeg, en gaf opdracht om mijn vaders favoriete, oude hazewindhond dood te schieten, omdat ze er niet tegen kon naar zijn schurft te moeten kijken. Ik vertelde haar zo kalm als ik kon, hoewel ik behoorlijk van mijn stuk was gebracht, dat ik graag zelf met dominee Orbison over de begrafenis wilde spreken, aangezien vader me eens had verteld dat hij bij de folly begraven wilde worden en dat ik dat met zijn toestemming graag wilde regelen. Hierop stormde ze de kamer door, schreeuwde dat respectabele Wickhams op het kerkhof moesten worden begraven en ik zei: 'Het heeft geen zin om in woede uit te barsten, mevrouw, ik volg slechts zijn wensen op.' Dat kon haar echter niet tot rede brengen.
Uiteindelijk kalmeerde ze een beetje en zei dat we wel zouden zien wat de dominee erover te zeggen had als hij kwam. Vervolgens liet ze

meneer Trotwood komen en vertrouwde hem een brief toe die onmiddellijk naar de vertrekken van meneer Wellbourne op de rechtbank moest worden gebracht. 'Als het hem uitkomt, moet hij morgen bij ons langskomen om het testament voor te lezen,' zei ze tegen ons. Als de toon in haar brief net zo kwaadaardig was als haar woorden, zou hij weten dat het hem wel heel goed moest uitkomen.

Meneer Orbison kwam langs toen de duisternis inviel en bleef voor het avondeten. Aangezien de grond op het kerkhof nu zo hard was als steen, zei hij, kon hij zich alleen maar voorstellen dat het nog erger zou zijn op de heuvel waar de afgelopen weken een dikke laag ijs had gelegen. En hij wilde niet, voegde hij eraan toe, terwijl hij zijn glas wijn als de Heilige Kelk omhooghief, ook maar iets te maken hebben met een plek die zo overduidelijk een heidense begraafplaats was. Alicia's ogen glunderden triomfantelijk en haar glimlach was als de flikkering van een slangentong. Ik durfde niets meer over de kwestie te zeggen.

De volgende ochtend, toen Betsy de deur opende voor vaders advocaat, meneer Wellbourne, waaide er een ijzige tocht door het huis. We zaten allemaal in de eetkamer, hij en meneer Atticus aan de uiteinden van de tafel tegenover elkaar, Alicia en Adolphus aan de ene kant, meneer Trotwood en ik aan de andere. De rest van de huishouding stond in de kamer en meneer Corbett stookte het vuur op. Tijdens de bijeenkomst werd Augustus algauw betrapt toen hij aan de deur stond te luisteren en zijn moeder snauwde dat hij binnen moest komen en zijn mond moest houden.

Meneer Wellbourne las het testament met zijn krakende, fluitende stem voor. Het leek pagina's lang door te gaan, maar uiteindelijk kwam hij tot de kern. Alicia kreeg een bedrag van drieduizend pond, een paar meubels en het portret van hun moeder dat in mijn vaders kamer hing. Een paar honderd pond moest onder het personeel worden verdeeld. Er zat een donatie bij voor de Royal Astronomical Society. De rest – huis, landgoed, bezittingen en geld – werd nagelaten aan Esther Wickham, 'mijn geadopteerde dochter'. De bedienden slaakten een collectieve zucht toen meneer Wellbourne de papieren neerlegde en zijn bril afzette. Susan ving mijn blik op en glimlachte. Meneer Corbett knipoogde, ik zweer het. Ik keek naar Alicia. Haar gezicht stond zo kalm als een zomerse dag vlak voor

een storm, maar ik zag de dreigende zweem in haar ogen, en was doodsbang.
Aan de andere kant van de tafel schraapte meneer Atticus zijn keel en begon. 'Mevrouw Pilkington, meneer Pilkington, meneer Wellbourne, als ik even iets mag zeggen? Ik moet dit testament terstond ongeldig en nietig verklaren.' De kamer viel stil als het bevroren park buiten. 'U zegt, meneer, dat het testament afgelopen april was opgesteld en ondertekend, maar dit was nadat meneer Wickham was gevallen en de klap heeft gekregen die hem uiteindelijk fataal is geworden, en ik ben van mening dat hij toen niet helder van geest was. Ik heb daar bewijs voor, ondertekend door de dokter bij wie hij in behandeling was.
'Dokter Brundall?' riep meneer Wellbourne uit. 'Maar hij is een van de getuigen geweest bij het ondertekenen van het document.'
'U zult hier zien dat deze brief is gedateerd op de dertiende april jongstleden.' Meneer Atticus hield een enkel vel papier omhoog. 'Het is een antwoord op een brief die mevrouw Pilkingson schreef aan dokter Brundall waarin ze haar zorgen uit over de gesteldheid van haar broer. Ik citeer: "Ik adviseer u om uw broer niet te bezoeken, aangezien hij nog steeds zwak is, snel moe wordt en regelmatig verward is."'
'Ik zeg u,' herhaalde meneer Wellbourne, 'hij was getuige van het testament. Waarom zou hij dat doen als hij van mening was dat zijn patiënt niet helder van geest was? We moeten hem ondervragen om de kwestie op te helderen.'
En zo ging de discussie nog een tijdje voort. Meneer Atticus stond erop om het originele testament in te zien waarvan meneer Wellbourne had gezegd dat dat was opgesteld voordat ik op de Hall was gekomen, maar dat had meneer Wellbourne in Norwich laten liggen. Alicia voegde eraan toe dat ze alle legaten aan het personeel zou honoreren, wat de stemming in sommige delen van de kamer opbeurde maar niet die van mij. De kwestie werd uitgesteld tot het oorspronkelijke testament was gevonden en dokter Brundall een beëdigde, schriftelijke gerechtelijke verklaring had afgelegd. De timmerman arriveerde met de kist en zo kwam er een einde aan de bijeenkomst.
Die avond zat ik een uur bij vader in zijn kamer. Hij was gekleed in zijn beste pak en zo in de open kist gelegd dat het leek alsof hij slechts sliep.

Ik huilde om hem en kuste hem vaarwel, want de volgende dag zou de lijkwagen komen en de kist worden gesloten, waarna we hem naar het kerkhof zouden brengen, waar hij, de sterrenkijker die de hemelen had afgespeurd en de uiterste grenzen van de menselijke geest had verkend, zou worden begraven in een donker gat in de bevroren grond. Om elf uur trok ik mij terug in mijn kamer en viel, uitgeput door het verdriet en de angsten van de dag, in een diepe, droomloze slaap.

Het handschrift was hier minder vast, en hier en daar vervaagd, alsof ze door tranen waren bevlekt. Jude stopte met lezen en staarde in de verte, terwijl ze zich probeerde voor te stellen hoe het voor Esther moest zijn geweest, om haar geliefde vader te verliezen en het gevoel te hebben dat ze alles aan het verliezen was. Afschuwelijk. Zou ze verder lezen of ermee ophouden en het stuk overtypen dat ze net had gelezen? Verder lezen, besloot ze, maar op dat moment werd er op de deur geklopt en kwam Euan binnen.

'Ik zal je niet storen,' zei hij. 'Ik ben hier voor Robert. Ik wilde alleen even voor de zekerheid vragen of je nog meekomt vanavond. Fiona en haar echtgenoot eten ook mee en ik heb Claire verteld dat ze een tentmaatje heeft.'

'Vond Claire dat goed?' vroeg Jude.

'Dat denk ik wel. Waarom niet?' vroeg Euan verbaasd.

'O, zomaar.' Ze veranderde van onderwerp. 'Euan, ik heb nog wat bladzijden van Esthers dagboek gevonden. Het is vreselijk verdrietig. Ik moet je erover vertellen...'

'En ik zou het heel graag willen horen. Maar Robert lijkt wat ongeduldig. Ik kan maar beter naar hem toe gaan. Ik zie je vanavond. Ik heb om zeven uur met Claire afgesproken.'

Heb je echt geen flauw idee waarom Claire het misschien niet goed zou vinden, fantastische man die je bent? zei Jude geluidloos toen hij naar Roberts studeerkamer liep. Ze liet zich in haar stoel zakken en al haar energie was plotseling verdwenen. Misschien ontging het hem volkomen dat haar zus in hem geïnteresseerd was. Of dat zij dat zelf was. Ze slaakte een zucht. Nou ja, ze moest nu wel naar het logeerpartijtje. Verdraaid, wanneer had ze voor het laatst in een tent geslapen?

Ze concentreerde zich weer op Esthers dagboek toen de deur nogmaals openging. Het was Alexia weer.

'Hoe gaat het met de dagboeken?' vroeg ze aan Jude.

'Met Esther? O, fascinerend. Ik...'

'Mooi, gelukkig maar. Ik kwam net je vriend Euan tegen die zich door de gang haastte, en hij vertelde me dat je vanavond gaat kamperen. Dus ik dacht, ik zal je even vragen of je nog iets nodig hebt. Ik heb nog wel een paar slaapzakken, mocht je er een willen lenen. Heb je zin om mee te lopen en er een uit te zoeken?'

'O, dank je wel,' zei Jude en ze stond op. Ze zou later wel verder lezen.

'Die slaapzak is nog uit mijn padvinderstijd,' zei Alexia terwijl ze naar boven liepen, 'hoewel je misschien liever die van Robert hebt, want die is warmer.'

'Volgens mij was jij een hartstikke goede padvinder,' zei Jude lachend. 'Altijd op alles voorbereid.'

Alexia glimlachte en bracht spottend de padvindersgroet. 'Volgens mij hebben we ook nog wel ergens een luchtbed. Goed, laten we die spulletjes maar even gaan regelen.'

'Alexia, je bent geweldig,' zei Jude toen ze bij een logeerkamer aankwamen vol ingebouwde kasten, waar de vrouw des huizes allerlei spullen uit haalde. 'Je zit twee weken lang met een gast opgescheept, weet slaapzakken uit je hoed te toveren, en dat allemaal zonder dat je het erg lijkt te vinden. Maar inmiddels zul je mijn aanwezigheid hier wel lastig vinden.'

'Echt niet, eerlijk waar,' zei Alexia, die haar omhelsde. 'Ik heb het altijd heerlijk gevonden om voor mensen te zorgen. Daar word ik nou echt gelukkig van. En ik wilde je nog vertellen, dat als je de komende week ook nog wilt blijven, je van harte welkom bent. We vinden het heerlijk dat je er bent!'

'Weet je dat zeker? Je hebt mijn gedachten zeker gelezen.'

'Ik heb het er al met Robert over gehad. Natuurlijk weten we het zeker. Nou, hier is de een en hier die andere, en ik heb misschien zelfs nog wel ergens een opblaaskussen.'

Jude pakte haar weekendtas in en was om zes uur klaar. Eindelijk, zei ze tegen zichzelf. Ze moest simpelweg de rest van Esthers dagboek lezen; ze moest weten wat er was gebeurd. Ze glipte de bibliotheek in, ging aan het bureau zitten en begon te lezen. Ze las het en las het nogmaals, en pas toen haar telefoon begon te rinkelen en het Euan was die vroeg waar ze bleef, legde ze de pagina's met tegenzin neer en verliet het huis. Ze zat zo diep in het achttiende-eeuwse verleden, dat het leek alsof Esther de hele weg naast haar liep.

29

Ze kon maar met moeite loskomen van haar gedachten, maar als iemand dat kon, was het Claire wel, die met Euan stond te flirten.

'Wil jij de tent voor ons opzetten, Euan?' vroeg Claire vleiend, net zo dwingend als haar dochter dat kon doen.

'Dat lukt wel, denk ik.'

'En vind je het goed dat we morgenochtend je douche gebruiken?'

'Ja, dat mag ook.'

'En... hoe zit het met ontbijt op bed?'

Euan gooide lachend zijn hoofd in zijn nek.

'Jij hebt niets te klagen, jij slaapt tenminste in een mooie, comfortabele kamer,' vervolgde ze.

'Ik ben bijna geneigd om je gezelschap te houden. De cottage stinkt verschrikkelijk naar verf.'

'Nou, als je het niet erg vindt om een slaapzak met me te moeten delen...' zei Claire, met haar wimpers knipperend.

Jude luisterde enigszins verbaasd naar dit heen en weer gekaats, behoorlijk jaloers dat haar zus plagerig met mannen kon flirten. Euan gedroeg zich zoals altijd gewoon vriendschappelijk.

De avond was, ondanks Judes angstige voorgevoelens, een groot succes. Darceys ouders, Paul en Fiona, kwamen ook langs. Eerst maakte Euan hamburgers en worstjes klaar op een barbecue op het grasveld. Ze aten er allemaal brood en salade bij. Daarop volgde ijs met fruit. Paul had zijn gitaar meegenomen en ze gingen om de gloeiende barbecue heen zitten en zongen malle liedjes uit Pauls buitengewone repertoire.

Toen het bijna half tien was en de meisjes stonden te popelen om aan het volgende deel van hun avontuur te beginnen, namen Paul en Fiona afscheid. Euan maakte warme chocolademelk, die ze opdronken terwijl ze naar de sterren keken, die net boven hun hoofden tevoorschijn begonnen te komen. 'Daar is mijn ster, volgens mij,' zei Summer.

'Lieverd, je kunt hem onmogelijk zien,' zei Claire, 'maar je zit in de buurt, want hij staat dicht bij Arcturus in Boötes.'

'Ik vind het niet erg dat ik hem niet kan zien. Ik denk dat hij mij wel kan zien,' antwoordde Summer, wat Jude een mooi idee vond.

'Ik denk wel dat hij over je waakt,' zei ze tegen Summer.

'En over mij,' echoode Darcey, die het allemaal niet echt begreep.

Claire hielp Darcey en Summer in hun pyjama's en smeerde ze in met een insectenwerend middeltje. Jude mocht hen voorlezen uit een sprookjesboek dat Summer had meegenomen, hoewel Claire daar niet erg blij mee was en naar het huis wegstampte, waarbij ze beschuldigend extra mank liep. De meisjes kozen Raponsje uit, dus Jude maakte de stormlamp aan en ging op het bed zitten met de meisjes aan weerskanten van zich.

'Er waren eens, heel lang geleden,' las ze voor, 'een man en een vrouw die heel graag zelf een kind wilden. Ze woonden naast een gemene, oude heks, en meestal bleven ze bij haar uit de buurt, maar op een dag, toen de vrouw uit het raam keek, zag ze een verrukkelijk uitziende krop sla in de tuin van de heks groeien en die wilde ze heel graag hebben. Uiteindelijk wist ze op een met maanlicht overgoten nacht haar man over te halen om er wat van te plukken, maar de heks betrapte hem in de tuin.'

Jude vertelde verder over hoe hij onderhandelde over hun levens, en dat de heks in ruil hun eerste kind wilde hebben. 'Toen er een klein meisje werd geboren, kwam de heks en nam haar mee. Ze noemde haar Raponsje en toen ze twaalf werd en heel mooi was, bracht de heks haar heel ver weg en sloot haar op boven in een hoge toren met maar één raam erin.'

'Waarom deed ze dat?' vroeg Darcey.

'Omdat de heks dacht dat ze kostbaar was, iets om veilig op te bergen en voor zichzelf te houden.'

'Dat mag je niet met iemand doen,' zei Summer. 'Als ze vrij was geweest had ze de heks misschien wel aardig gevonden.'

'Ik denk dat het zo'n gemene, oude heks was dat niemand haar aardig had gevonden,' zei Jude stellig. 'Stel je voor dat je kind wordt afgepakt. Nou, zal ik verder lezen? Raponsje groeide op als een heel mooi meisje. Ze had erg lang, sterk goudkleurig haar, dat ze in een enkele vlecht droeg, als een stuk zijden touw. En elke avond, wanneer ze bij haar langskwam in de toren, riep de heks van beneden: "Raponsje, Raponsje, laat je gouden haar eens vallen." Raponsje rolde dan haar prachtige vlecht uit en vervolgens klom de heks daarlangs naar boven.'

De meisjes onderbraken haar niet meer, en Jude las voor hoe op een dag een prins langsreed en de toren zag, en betoverd werd door de prachtige stem van een meisje, dat aan het zingen was. 'Toen de heks kwam, verstopte hij zich achter een boom en zag hoe ze de toren in klom met de hulp van degene van wie de stem was en het mooiste meisje was dat hij ooit had gezien. Nadat de heks vertrokken was, ging hij onder aan de toren staan en riep: "Raponsje, Raponsje, laat je gouden haar eens vallen." Je kunt je Raponsjes verbazing wel voorstellen toen er een knappe jongeman langs haar vlecht omhoogklom en door het raam stapte. Natuurlijk werden ze verliefd op elkaar, en nog vele dagen daarna kwam de prins in het geheim bij Raponsje op bezoek en stemde ze toe zijn vrouw te worden. Ze hadden het er de hele tijd over hoe hij haar in hemelsnaam kon bevrijden.'

'En nu komt het ergste,' zei Summer tegen Darcey.

'Op een dag, toen de heks omhoogklom om Raponsje te zien, klaagde het meisje en zei: "Die andere trekt niet zo hard aan mijn haar." Ze sloeg snel haar hand voor haar mond toen ze besefte dat ze haar geliefde had verraden. De heks deed net alsof ze haar vergissing niet had gehoord, maar nadat ze de toren uit was gegaan, verstopte ze zich in het bos om te kijken wat er ging gebeuren. Toen ze zag dat de prins naar Raponsje riep, haar lieftallige gevangene verlangend op zijn verzoek inging en haar vlecht liet vallen, werd ze witheet van woede. Maar toen ze weer was gekalmeerd, bedacht ze een plannetje. Al de volgende dag kwam ze eerder dan normaal naar de toren en klom aan Raponsjes haar naar boven. Deze keer overmeesterde ze Raponsje, bond haar vast aan een stoel en sneed met een enkele zwiep van een mes haar vlecht af en hield die zelf. En daarna verbande ze het meisje naar een woestijn.'

'Hoe kwam Raponsje in de woestijn?' vroeg Darcey verward.

'Op dezelfde manier waarop ze in het begin ook in de toren kwam,' antwoordde Jude. 'Met tovenarij. De prins kwam en wachtte zoals gewoonlijk, maar toen de heks niet op het normale tijdstip langskwam om Raponsje te bezoeken, haalde hij zijn schouders op, ging onder het raam staan en riep naar boven. Het zijden touw van haar kronkelde naar beneden en hij pakte het vast en klom omhoog. Maar toen hij bij het raam aankwam zag hij niet het prachtige gezicht van zijn geliefde, maar het gerimpelde, wrattige gezicht van de gemene heks. "Ik vervloek je, zodat je nooit meer schoonheid kunt zien," gilde de heks en ze liet de vlecht los zodat de jongeman viel. Hij belandde in de braamstruiken, waar de nare doorns aan de vloek van de heks gehoorzaamden en zijn ogen uitkrabden.'

Jude was zich ervan bewust dat de meisjes haar met van afschuw vervulde ogen aanstaarden en ging snel naar de volgende alinea. Nee, het zou allemaal goed komen.

'De prins zwierf jarenlang blind door de wildernis, en was voor eten en kleren afhankelijk van de vriendelijkheid van mensen die hij ontmoette, en zocht naar zijn verloren vrouw. Uiteindelijk strompelde hij door een woestijn en vond haar, waar ze met hun tweeling in een eenvoudige hut woonde. Ze herkende hem onmiddellijk en omhelsde hem, en haar tranen van verdriet vanwege zijn blindheid en vodden vielen op zijn gezicht. Zijn ogen genazen en toen zag hij haar, uitgeput door verdriet en ontbering, maar voor hem bleef ze zijn mooie Raponsje.'

Ze legde het boek neer en ze zaten allemaal even zwijgend in gedachten verzonken.

'Kom op, tijd om lekker onder de dekens te kruipen,' zei Jude. Het bed, met het zachte matras, was opgemaakt met lakens en een dekbed met een hoes in een mengeling van patronen die pasten bij de verf op de muren. 'Mooi is het hier, hè?'

'Mmm,' zei Darcey, die meteen onder de dekens kroop.

Summer lag dichter bij haar in bed, en keek zwijgend op naar het plafond, haar ogen glanzend in het schemerige licht. 'Ik ben zo blij dat Raponsje en de prins elkaar weer hebben gevonden,' mompelde ze.

'En dat hij weer beter werd,' stemde Jude in. 'Het is echt een verhaal over hoe de liefde alles kan overwinnen, vind je niet? Maar het was allemaal nog niet helemaal goed gekomen, ze moesten waarschijnlijk eerst nog wel wat moeilijkheden overwinnen, maar ze waren in elk geval allemaal samen... Nou, en hoe gaan we het hier doen? Vinden jullie tweetjes het goed als ik de deur dichtdoe? Er komt dan nog steeds wat maanlicht binnen, maar het is wel warmer.' Er waren horren tegen de ramen gespijkerd, en er was een gordijn bij de deuropening, dus het was er heel comfortabel. 'Ik ga nu naar de cottage om nog wat met Euan en je moeder te babbelen, Summer, maar daarna gaan we in de tent slapen, dus dan weet je waar je ons kunt vinden.'

Summer knikte slaperig. Jude hoopte zo dat ze vannacht geen nachtmerries zou krijgen.

Toen ze de cottage binnenliep, wist ze meteen dat er iets was gebeurd. Er hing een elektrisch geladen sfeer. Claire en Euan keken allebei ongelukkig naar haar op. 'Is er iets aan de hand?' vroeg ze.

'Nee, alles is prima,' zei Claire snel en ze keek de andere kant op. Het was verbijsterend. Jude wist niet of ze welkom was of niet.

'Neem nog een glas wijn,' zei Euan bijna bevelend, dus ging ze op de rand van zijn nieuwe bank zitten om wat over koetjes en kalfjes te praten.

Toen de stemming weer wat opklaarde, liet ze de helft van haar wijn op de salontafel staan en zei: 'Vinden jullie het erg dat ik van de badkamer gebruikmaak? Ik ga naar bed.'

'Ik ook,' zei Claire.

Zij en Claire liepen tien minuten later samen over het grasveld. Claire wierp nog even een blik in de woonwagen, en liep toen zonder iets te zeggen rechtstreeks naar de tent. Jude keek ook even naar binnen. Beide meisjes leken vredig te slapen.

Jude trok snel haar pyjama en slaapsokken aan, ging in haar slaapzak liggen en luisterde terwijl haar zus een comfortabele houding zocht. 'Welterusten,' zei ze en Claire mompelde iets terug. Jude had het verbazingwekkend warm en lag lekker, en dacht na over de gebeurtenissen van die dag. Ze voelde zich minder op haar gemak wat Euan en Claire betrof, hoewel ze er niet de vinger op kon leggen. Ze liep de mogelijkheden langs en zette het toen uit haar hoofd. Haar gedachten dwaalden af naar het laatste deel van Esthers dagboek. Ze had nog geen kans gehad om het er met iemand over te hebben; ze had het zelf nog amper verwerkt, want het was zo afschuwelijk en verbazingwekkend.

30

Ik stond de volgende ochtend vroeg op en trok mijn zwarte kleding aan, en was in mijn eentje aan het ontbijten toen er een brief werd bezorgd. Ik zag aan het handschrift dat die van meneer Bellingham was. Ik liep naar de eetkamer terug en maakte snel de envelop open. Het bericht dat het bevatte bracht me zo in verwarring dat ik moest gaan zitten. Het was precies het nieuws waar mijn vader op had gehoopt. Bellingham was voldoende geïnteresseerd om de Astronomical Society op de hoogte te stellen van de vreemde komeet die we hadden gezien en was van plan om ons over een paar dagen te komen bezoeken. Onze ontdekking zou worden erkend! Maar wat vreselijk dat het te laat kwam voor mijn vader! Ik las de brief nog eens door en ijsbeerde in gedachten door de kamer. Uiteindelijk besloot ik dat ik onze zoektocht niet zou opgeven. Ik zou mijn vaders plaats innemen en onze bevindingen vol zelfvertrouwen presenteren, ook al was ik maar een meisje. En ik zou de Pilkingtons niet op de hoogte brengen van zijn bezoek, nog niet. Met wat geluk zou mijn erfenis worden erkend en zouden ze teleurgesteld op weg naar huis zijn wanneer hij langskwam.

Ik hoorde voetstappen in de gang en verborg de brief snel in de lade van een wandtafel. Dat was geen moment te vroeg want de deur ging open en Augustus kwam binnen. Hij bleef staan en liet zijn hand op de deurklink rusten, in verlegenheid gebracht dat hij me hier alleen aantrof.

'Is mijn moeder nog niet beneden?' vroeg hij onbeholpen.

'Ik heb haar niet gezien,' antwoordde ik. Ik had plotseling medelijden met hem, met dat lange, magere spook van een jongen, verstrikt in de ambities van zijn moeder. Hij had mijn vader bewonderd. Had iemand hem

ooit gevraagd wat hij in deze kwestie wilde? Volgens mij niet.

De dag verliep in een waas van verdriet. We huiverden allemaal tijdens de begrafenis toen de kist in de koude aarde neerdaalde, en deden vervolgens alsof we beschaafd en sociabel waren tijdens een lichte, koude maaltijd in de eetkamer. Het was verbazingwekkend om te zien hoeveel kennissen mijn vader nog had – voornamelijk oudere neven en nichten of hun verfomfaaide weduwen die uit nieuwsgierigheid waren gekomen of uit een laatste greintje familiegevoel, of omdat ze blij waren met een gratis maaltijd. Het was een troosteloze bedoening, waar de enige kleur van de helse blikken kwamen die Alicia me telkens toewierp wanneer ik me in haar gezichtsveld bevond.

Nadat de laatste koets met de laatste passagier was vertrokken, glipte ik naar de bibliotheek om in stilte alleen te kunnen zijn. Daar vond ik de laatste observatieboeken en bracht een uur of twee door met het corrigeren van de relevante passages zodat het klaar was voor Bellinghams bezoek. Het schoot me te binnen dat het handig zou zijn om die avond de lucht af te speuren naar het object in kwestie. Het was vanaf Stier misschien naar Tweelingen verschoven, waar we het afgelopen maart hadden gezien. Plotseling leek het belangrijk om daarachter te komen. De afgelopen nacht, zo had ik opgemerkt vanuit mijn veilige kamer, was de lucht helder geweest waar de winterse sterren helder schenen, en hun kleuren waren goed te zien. Ook al was ik nog zo vermoeid, ik wilde het dolgraag vanavond proberen.

Het avondeten bestond uit de restjes van het begrafenisontbijt. Alleen oom Adolphus at met smaak, en opende een fles van de beste port uit mijn vaders karige wijnkelder. De rest van ons zat in een krampachtige stilte wat in het eten te prikken. Ik vroeg me af of Alicia vandaag bericht had gekregen van haar meneer Atticus, maar als dat al zo was, zei ze er niets over. Vaders meneer Wellbourne was bij de begrafenis aanwezig geweest, uiteraard, maar om de een of andere reden was hij daarna niet meegekomen naar de Hall en heb ik niet de kans gehad om met hem te praten. Mijn toekomst hing af van een strijd om een wettelijk document. Niemand had het gehad over wat er met mij zou gebeuren als Alicia het zou winnen. Ik dacht niet dat ik dan op Starbrough Hall kon blijven, zelfs niet als zij dat zou toestaan. Maar waar kon ik dan naartoe? Ik nam nog een slok van mijn port, voor de warmte en wat moed, verexcuseerde mezelf, zei dat ik naar de bibliotheek ging om te lezen en dat ik daarna naar bed zou gaan.

Eenmaal veilig in de bibliotheek trof ik mijn laatste voorbereidingen. Ik wist niet hoe ik uiteindelijk het spiegelglas moest tillen, de instrumenten die ik nodig had, het observatieboek en een lantaarn. Toen herinnerde ik me echter een kleine lorrie, die doorgaans in de stallen stond om brandhout en riet en dergelijke mee te vervoeren. Ik wachtte tot het nog wat donkerder werd en toen de klok tien uur sloeg en het in huis geleidelijk aan stil werd, sloop ik de duisternis in. Ik gooide wat brood naar de honden in de tuin zodat ze niet gingen blaffen. Mijn kleine kat schuurde in het maanlicht tegen mijn been. De warmte van haar vacht, het getrap en gesnuif van Castor en Pollux in hun stal en de zoete geur van hun mest waren allemaal zo vertrouwd en troostend dat ik bijna moest huilen bij de gedachte dat ik hier ooit weg zou moeten.

De lorrie had twee planken aan de zijkant zodat ik mijn pakketten met touw erop kon vastbinden, en hij was zo licht dat ik hem half en half langs de zijkant van het huis kon tillen waardoor hij geen lawaai op de stenen maakte, hoewel mijn handen bijna aan de metalen handvatten vastvroren. Ik moest ook dikke handschoenen en touwen meenemen.

Een voor een bracht ik het astrolabium naar buiten en de kist waar het spiegelglas in zat, en bond die stevig op de lorrie vast. Een tas met een lantaarn, wat kleinere instrumenten en het boek pasten er netjes bovenop. Ik zocht naar de sleutel van de toren, diep in de zak van mijn jurk. Het was tijd om te gaan.

Tegen die tijd begonnen er wolkenstrengen voor de opkomende maan te drijven, wat me zei om op te schieten, want als er zich dikkere wolken zouden samentrekken, zou het een verspilde nacht zijn. Ik liep door, trok mijn kleine lorrie piepend en knarsend achter me aan door het park, een helling af over de verborgen greppel, en duwde hem over het ruwere terrein naar het bos. Dat bleek een lastig karweitje, de lading van de lorrie rammelde vervaarlijk over elk heuveltje, en toen ik op het smalle pad door het bos liep, bleven de wielen aan doornstruiken en varens haken. Wat wel uren later leek, maar waarschijnlijk slechts een half uur was, kwam ik bij de toren aan, opende de deur en stak mijn lantaarn aan. Vervolgens restte mij de taak om alle spullen naar de torenkamer te dragen. Ik moest die trap twee keer op lopen, daarna de levensgevaarlijke ladder op en de trapdeur openduwen om op het platform te komen. Dit lukte me allemaal zonder te struikelen of iets te laten vallen. Daarna liep ik voor de laatste keer naar beneden om het laatste pakket op te halen.

Toen ik op dat moment weer omhoog liep, hoorde ik een rommelend geluid onder me en ik bleef staan, bevangen door een plotselinge angst. Voordat ik had besloten om me naar beneden te haasten of naar boven te vluchten, hoorde ik de deur dichtklappen en de sleutel rinkelen die in het slot werd omgedraaid. Ik was opgesloten. Bevond het gevaar zich binnen of buiten? Aan het knarsen van metaal op metaal hoorde ik dat iemand de deurgrendel erop had geschoven. Buiten. Ik rende de trap af en botste regelrecht tegen de lorrie aan. Gekneusd en trillend kwam ik weer overeind en beukte met mijn vuisten op de dichte deur en schreeuwde. Toen wachtte ik. En schreeuwde ik weer. En wachtte. Er was niets en niemand.

En dat was het einde van Esthers dagboek. Het was zo frustrerend. Er was nog maar één vel papier over, dat bevlekt en verfrommeld was. Esther had daar met een voor haar onkarakteristiek slordig handschrift slechts drie korte zinnetjes op geschreven. Jude had die een paar keer in de bibliotheek gelezen en nu, terwijl ze zo in het donker lag, probeerde ze die zich weer te herinneren. Ja, zo luidden ze:

Ik zit hier nu drie dagen en drie nachten zonder eten, water of vuur. Er komt niemand. Ik ben bang om hier alleen te sterven.

Het was alsof ze Esthers stem in haar hoofd hoorde.

En terwijl ze nu in de warmte van de tent in slaap viel, gebeurde hetzelfde als die keer dat ze had gelezen dat de bibliotheek werd gebouwd; het was alsof ze daar met Esther was, en meemaakte wat er daarna gebeurde… als in een droom…

Tijdens de eerste nacht zei Esther tegen zichzelf dat het de volgende ochtend wel goed zou komen. Wie het ook was die haar gevangen had gezet, zou terugkomen om het uit te leggen en haar eruit te laten. Het was misschien een grap geweest, of een ongeluk, of ze hadden het gedaan om haar bang te maken. Ze vroeg zich af wie haar hiernaartoe had gevolgd. De jachtopziener, misschien, die dacht dat als de meester dood was, het alleen maar een indringer kon zijn. Het waarschijnlijkst was dat het iets met Alicia te maken had. Ze bekeek de zaak van alle kanten. Ze zouden naar haar op zoek gaan. Susan zou gaan zoeken. Evenals Sam en Max. Iemand moest dat wel doen.

Uiteindelijk, om moed te vatten, dwong ze zichzelf haar plan door te zet-

ten. Met wat moeite schoof ze de overkapping weg, plaatste het spiegelglas in de telescoop en speurde de lucht af naar het vreemde object dat ze had gevonden. Maar deze nacht was er geen spoor van te bekennen. Het was te laat in het jaar, besloot ze; een bijna volle maan kwam op, waardoor de sterren vervaagden, en naarmate de nacht verstreek, belemmerde een gordijn van dikke wolken het zicht op de sterren helemaal. Het begon, heel zachtjes, te sneeuwen. Esther trok haar handschoenen uit om de vlokken op te vangen in haar naar boven gekeerde handpalmen en likte ze dorstig af. Toen klom ze de ladder af, sloot het valluik, en krulde zich op het kleine matras op dat haar vader daar had neergelegd. Het was vochtig, maar ze legde er een stuk zeildoek overheen en wikkelde haar jas om zich heen. Ze sliep rusteloos.

De ochtend was somber en koud, de lucht rook naar metaal. Ze klom naar de top van de toren, maar het enige wat ze kon zien was een dikke mist. Ze riep telkens weer om hulp, maar haar stem klonk krachteloos en mat, en toen ze luisterde hoorde ze geen antwoord. Half lopend, half kruipend ging ze de hele trap naar beneden af en probeerde nogmaals de deur. Die zat nog steeds op slot, en hoezeer ze ook trapte en bonsde, het oerstevige eikenhout gaf geen millimeter mee, en er was ook nergens een gat om de deur open te kunnen wrikken, zelfs al had ze iets kunnen vinden wat ze als hefboom kon gebruiken. Ze trok zich weer terug in de torenkamer.

Vervolgens haalde ze het observatieboek uit de tas en scheurde er een paar pagina's uit. Op elk vel schreef ze een boodschap, en toen vond ze twee kleine stukken vuursteen die haar vader had gevonden en gehouden, evenals een stuk baksteen. Ze wikkelde een vel papier om elke steen heen en gooide ze van het dak af, biddend dat ze niet de pech zou hebben dat ze een persoon of dier raakte. Als ze daar die avond nog steeds zou zitten – ze moest er niet aan denken – kon ze een kaars aansteken, maar er waren er nog maar een paar over, samen met een verzameling stompjes, dus die zou ze nu niet verspillen. Ze ijsbeerde door de kamer, wist nauwelijks wat ze met zichzelf aan moest, paniek kwam op en ebde weer weg, om vervolgens weer op te komen terwijl ze haar angstgevoelens nauwelijks de baas kon blijven. Twee keer barstte ze in huilen uit, maar toen ze weer kalmeerde zei ze tegen zichzelf: 'Dit heeft geen zin.' Ze zou dit overleven. Wie haar ook in deze benarde toestand had gebracht zou het niet winnen. Haar toegetakelde boek lag op tafel. Er stond een inktpot en er lagen een paar pennen in een kast. Zoals al zo vaak was gebeurd als ze samen, zij en haar vader, buiten op het dak zaten, was de inkt bevroren. Nu verwarmde ze de pot in haar handen, pakte een pen en trok het boek naar zich toe. Net als toen Sir Walter Raleigh en John Bunyan gevangenzaten, zou ze haar gezonde verstand behouden door te schrijven. Het zou een verhaal over haar leven worden.

Ze begon.

'Een verslag van Esther Wickham...'

Drie dagen lang schreef ze over haar korte, onverschrokken bestaan, hoe ze binnen het grensgebied van Starbrough Hall en het dorp had geleefd. In haar vijftien en een half jaar was ze daar nauwelijks buiten geweest, ze had Norwich en zijn schitterende kathedraal nooit gezien, was nooit in Yarmouth geweest om de haringboten te zien binnenvaren, had nooit de enorme Noordzee op het kiezelstrand zien beuken. Maar ze was getuige geweest van een aantal van de grootste geheimen van het universum, had bovenal de eindeloze hemel bestudeerd, sterren naar haar zien twinkelen vanaf wie wist hoeveel miljoenen kilometers en miljoenen jaren ver weg. Ze was jong in jaren maar oud in kennis en wijsheid. Ze was een meisje dat haar wortels had verloren en wellicht snel aan haar einde zou komen. Ze eindigde haar verslag met een verschrikkelijk verdrietig gevoel; ze had de man verloren die ze als haar vader was gaan liefhebben, en die haar had gered en had geleerd van haar te houden. Ze had waarschijnlijk het thuis verloren waarvan hij had gewild dat het voor altijd van haar zou zijn. Ze herinnerde zich met een vreselijke steek van voorvoeld verlies dat vandaag de dag was waarop Josiah Bellingham had gezegd dat hij zou komen. Hij zou komen zonder haar te zien of meer te weten te komen over de grote ontdekking die zij en haar vader hadden gedaan. Dat had ze ook verloren.

Uiteindelijk, toen de schemer inviel en de derde avond aanving, legde ze haar pen neer. Ze had één kaars en een beetje olie. Ze zou de lantaarn vannacht op het dak laten staan en hopen dat iemand hem zou zien.

Buiten, in de woonwagen, was Summer ook aan het dromen. Ze schreeuwde het een keer uit, maar Esther en Claire bewogen slechts wat in hun slaap. En Summers dromen en die van Esther begonnen in elkaar over te lopen...

Tegen de ochtend, toen de vrouwen wakker werden, was Summer Claire Keating verdwenen.

31

Daglicht. Jude hoorde dat Claire zich bewoog, daarna de tent openritste en naar buiten kroop. Ze draaide zich ongemakkelijk om op haar rug – er was gedurende de nacht absoluut lucht uit het luchtbed ontsnapt – en dwong zich om op te staan. Het was heet in de tent en ze had onrustig geslapen; onherkenbare flarden van dromen zweefden nog steeds in haar geest rond, dromen vol geweld en enorm verlies. Ze herinnerde zich plotseling de ongemakkelijke scène van de avond ervoor, toen ze binnen was gelopen en ze Claire ineengedoken, vermoeid en emotioneel op Euans nieuwe bank had zien zitten, overal lege glazen, en Euan die opgelaten bij het raam stond, met een flesje bier in zijn hand. Geen van beiden had verteld wat er was gebeurd, maar Jude dacht nog steeds dat het iets vervelends was geweest. Beiden leken opgelucht te zijn toen ze zei dat ze naar bed ging en ze haar voorbeeld volgden.

'Darcey, waar is Summer?' hoorde ze Claire buiten vragen. 'Is ze naar de wc gegaan?'

'Weetniet,' hoorde ze Darcey antwoorden.

'Ik ga wel even kijken.'

Bezorgdheid begon aan Judes geest te knagen, iets wat met haar droom te maken had. Ze bevrijdde zich uit de slaapzak, trok haar sportschoenen aan en kroop de tent uit in haar pyama. Ze liep naar de deur van de woonwagen, waar Darcey rechtop in bed zat met haar duim in haar mond.

'Hoi, heb je lekker geslapen, lieverd?' vroeg ze aan het meisje.

'Mmm,' antwoordde Darcey. 'Waar is Summer?'

'Volgens mij...' begon Jude, maar Claires stem sneed door die van haar heen.

'Jude, ik kan Summer nergens vinden.' Claire kwam met lange passen over het grasveld naar hen toe gelopen.

'Is ze niet...'

'Ze is niet in de cottage. Euan heeft haar niet gezien.' Alsof hij werd geroepen, kwam Euan naar buiten, in spijkerbroek, terwijl hij een T-shirt over zijn gebruinde borst trok; zijn gezicht stond moe en was ongeschoren.

'Heb je haar gevonden?'

Claire schudde snel haar hoofd. Ze zag er ongerust uit.

'Summer?' riep Jude, en ze begon langs de randen van het grasveld te zoeken. Plotseling waren ze allemaal aan het roepen en zoeken.

'De dieren!' riep Jude, en ze rende naar de kooien om te zien of Summer naar de ringslang aan het kijken was of met de uilen praatte. Dat was niet het geval.

'Summer? Kom nu tevoorschijn, alsjeblieft, je maakt ons ongerust.' Claires gezicht was bleek en haar stem trilde van ingehouden tranen. Jude voelde een kille angst opkomen.

Ze doorzochten het huis weer, en Euan kamde het terrein uit, waarbij Darcey in tranen achter hem aan strompelde. Claire was manisch, liep trekkebenend de oprit op en af, riep, ademde met snikkende uithalen. Euan belde zijn zus op, die zei dat ze er meteen aan kwam. Toen namen ze Darcey mee terug naar de woonwagen, waar Jude haar iets te eten gaf en ze stelden haar voorzichtig vragen. Had ze Summer die ochtend nog gezien? 'Nee.' Was ze, Darcey, gedurende de nacht nog wakker geworden? 'Ja, nee, misschien.' Toen Euan verder aandrong, drukte ze haar gezicht tegen zijn borst en schudde hevig haar hoofd. 'Ik weet het niet,' jammerde ze.

Euan keek Jude aan. Hij leek in een paar minuten wel jaren ouder te zijn geworden, maar het lukte hem om kalm te blijven. Hij probeerde het nog een keer.

'Darcey,' vroeg hij zacht, 'heb je Summer überhaupt nog gezien nadat Jude gisteravond de woonwagen uit ging? Had ze nog iets tegen je gezegd?'

'Ik weet het niet meer, ik weet het niet meer,' zei Darcey en ze barstte luid in verward huilen uit. Euan knuffelde haar en haalde een papieren zakdoek uit zijn broekzak om haar neus schoon te vegen.

'Maak je geen zorgen, lieverd, we vinden haar wel,' zei Jude. 'Euan, ik moet Claire gaan helpen,' zei ze en ze stond op. 'Denk je niet dat we de politie moeten bellen?'

Euan knikte een keer en zei zachtjes: 'In dit soort gevallen is er geen tijd te verliezen.'

In dit soort gevallen. Jude voelde het bloed uit haar gezicht wegtrekken. Dat betekende dat hij dacht dat Summer... Nee, ze zwierf vast gewoon wat rond.

'Hier is mijn telefoon,' zei ze, haar stem schor van emotie. 'Zou jij het willen doen? Ik moet het aan Claire vertellen.' Ze rende het grasveld over toen Fiona's auto net bij het huis kwam aanrijden.

Claire stond met vertrokken gezicht bij het hek en haar tengere lichaam trilde. 'Claire, lieverd,' zei Fiona en ze liep naar haar toe.

'Claire, Euan belt de politie,' zei Jude zacht. Ze legde een arm om haar zus heen en bedacht hoe licht en dun ze was. Claire verzette zich niet toen ze haar terug naar de woonwagen leidden.

'Ze zijn onderweg,' zei Euan bondig. Fiona nam Darcey van hem over en knuffelde haar. 'Kijk,' zei hij, 'kunnen we nog eens bespreken wat er volgens jullie is gebeurd? Wie heeft Summer als laatste gezien?'

'Voordat we naar bed gingen, hebben we nog in de woonwagen gekeken, toch, Claire?'

Claire knikte met glazige ogen, en haar blik dwaalde naar de bomen om het grasveld, alsof ze hoopte dat Summer daar elk moment uit tevoorschijn zou komen, haar knappe gezichtje bevlekt met het sap van vroege bessen, haar honingkleurige haar glorieus in de war, een vochtige bos wilde bloemen in haar hand. Maar er kwam niemand.

'En ze waren hier toen allebei?'

'Ja, volgens mij wel,' zei Jude. Ze deed haar uiterste best om zich weer voor de geest te halen wat ze had gezien – ja, twee kleine slapende hoofdjes op de kussens, een arm die over de rand van het bed hing, de vingers slaphangend.

'Was ze ergens zenuwachtig over voordat ze ging slapen?'

'Nee, dat dacht ik niet.' Jude schudde haar hoofd. 'Ik heb ze allebei voorgelezen. Hier.' Ze boog zich de woonwagen in en pakte het boek van een kleine kast af. 'Raponsje.' Ze bladerde naar het verhaal. Er stond een gemene heks afgebeeld met een puntige kin en haakneus.

Er stond een prachtig, onschuldig meisje naast en verderop, ja, het was wat bloederig, de prins die in zijn gezicht werd geprikt door de doorns.

Claire slaakte een gil. 'Heb je haar híéruit voorgelezen?!' zei ze. 'Geen wonder dat ze nachtmerries krijgt.'

Euan keek van Claire naar Jude, verbaasd over Claires uitbarsting. 'Claire, sshh. Het heeft geen zin om iemand de schuld te geven.'

Jude stond versteld. Kon het verhaal Summer zo angstig hebben gemaakt dat ze was weggerend? Als ze tenminste was weggerend. Als dat zo was, zou ze worden gevonden en teruggebracht. Jude vond het niet erg om de schuld op zich te nemen, zolang Summer maar werd teruggebracht. Maar de gedachte dat haar zus haar op wat voor manier dan ook de schuld ervan gaf, was toch vreselijk. Ze kon haar niet aankijken. In plaats daarvan viel haar blik op het boek. De plaatjes waren wat enger dan die in de rest van het boek, bedacht ze nu. Stel dat Summer een nachtmerrie had gehad nadat ze die plaatjes gisteravond had gezien en ze ervan was geschrokken? Maar dan had ze in dat geval ongetwijfeld om hulp geroepen, en zou ze niet zomaar ergens naartoe zijn gerend. Ze was vast te bang geweest om dat te doen.

De politie kwam, een vrouwelijke brigadier, die vreemd genoeg Bride heette, en een agent die meer op een jongen leek dan op een volwassen man. Ze namen het verhaal meermalen door met Claire, Jude en Euan, stelden veel vragen en voerden hun eigen nauwgezette onderzoek in het huis en op het erf uit. 'Kijk dan toch, in godsnaam,' zei Euan, wiens kalmte barsten begon te vertonen. 'Ze is hier verdomme niet, we moeten naar haar gaan zoeken.'

'Natuurlijk, meneer, we proberen slechts vast te stellen met wat voor situatie we hier te maken hebben,' zei brigadier Bride.

Zij en de agent liepen weg om tussen de bomen achter het grasveld te gaan kijken. Al snel kwam Euan weer de kamer in om te zeggen dat hij de vrouw dringend aan de telefoon had horen praten.

'We zouden moeten gaan zoeken,' zei Claire en ze stond op met een verwilderde blik in haar ogen.

'Ga zitten,' beval Euan. 'Je bent niet in staat om eropaf te gaan.' Ze verzette zich even en gaf het toen op.

'Ik heb een idee,' zei Jude zacht. Gedurende de hele ondervraging had het door haar hoofd gespookt. Het had iets met haar droom te maken, maar ze kon het zich niet goed herinneren. 'Kan ze misschien naar de folly zijn gegaan?'

'Waarom zou ze dat doen? Ze was doodsbang voor die plek,' zei Euan.

'Dat weet ik, maar ik dacht... het verhaal van Raponsje en de toren van gisteravond. Misschien is er een verband. Ik bedoel, als ze weer een nachtmerrie had.'

'Ze heeft zoiets nog nooit gedaan, toch? Ervandoor gaan, bedoel ik.'

'Nee, maar we zijn hier veel dichter bij de folly.'

'Bedoel je dat die haar roept of iets dergelijks?' vroeg Fiona met een humorloze lach.

'Het klinkt niet erg waarschijnlijk,' zei Euan ernstig.

'O, wat maakt het uit?' riep Claire. 'Het is een verdomd vreselijk idee, maar het is tenminste wat. Laten we er gaan kijken.'

Op dat moment kwamen de politieagenten de kamer weer binnen. Brigadier Bride zei: 'Ik heb met het bureau overlegd. Ze raadden aan een extra ploeg in te zetten.'

'O, god,' zei Claire en ze liet zich in haar stoel vallen.

'We moeten bij de buren langsgaan, meneer, en hen vragen om mee te zoeken.'

'Ik heb niet echt veel buren,' zei Euan, en toen: 'Nou, er is Starbrough Hall, en dan Starbrough Hall Farm op de weg naar het dorp. En nog een andere cottage tussen de boerderij en het dorp in. Ik weet niet hoe die mensen heten.'

'Ik ga met Claire naar de folly,' zei Jude. 'We gaan lopen voor het geval we... onderweg iets tegenkomen.' Toen had ze het gevoel dat ze de politieagenten moest vertellen over de nachtmerries. 'We zijn bang dat ze misschien is gaan slaapwandelen,' zei ze tegen hen. Ze keken een beetje sceptisch, maar de brigadier zei tegen de agent dat hij met hen mee moest gaan. 'Het is het enige aanknopingspunt dat we hebben,' zei ze tegen hem.

Claire zei plotseling: 'We hebben niet gekeken of er kleren van haar weg zijn. Ze kan toch niet op haar blote voeten zijn weggegaan?'

Jude vroeg zich even af of slaapwandelaars er ooit aan dachten om schoenen aan te trekken, maar toen Claire, in een plotselinge vlaag van energie, naar buiten rende, liep ze achter haar aan. Toen ze bij de woonwagen aankwam zag ze dat Claire op het bed zat met Summers broek en haar T-shirt op schoot. Ze hield het vestje van het kleine meisje tegen haar gezicht en haar ogen waren gesloten. Bij het horen van Jude opende ze die weer. 'Haar sandalen zijn weg,' zei ze blij. 'Dat is een goed teken, toch?' Toen keek ze weer wanhopig.

'Ik weet zeker dat het een goed teken is,' zei Jude troostend. 'Kom op, laten we gaan kijken.'

De agent scheen ergens naartoe te zijn verdwenen, dus gingen ze alleen.

Half lopend, half rennend, gingen ze de weg op, waarbij Jude Claires hand vasthield, totdat ze bij het voetpad kwamen. Jude aarzelde. Zou het meisje werkelijk dit ruige en moeilijke pad nemen, of zou ze verder hebben gezocht tot ze het makkelijkere pad naar de folly had gevonden? 'Denk na,' zei ze tegen zichzelf. Misschien moesten ze via dit voetpad heen en via die andere weg weer terug.

'Hierheen,' zei ze tegen Claire, en ze stortte zich het overwoekerde pad op.

Het was nog meer overwoekerd dan toen zij er voor het laatst was, en, geprikt door de brandnetels en door de doorns, begon ze eraan te twijfelen of Summer deze weg ooit zou hebben durven nemen.

Claire had duidelijk hetzelfde gevoel. 'Dit klopt niet. Kunnen we terug?' Jude bleef staan, en keek naar het pad dat voor hen lag. Het zag eruit alsof er eeuwen geleden voor het laatst iemand was geweest.

Achter hen hoorden ze iemand roepen, en Euan kwam door de vegetatie aangestormd. 'Je kunt net zo goed verder lopen,' zei hij. 'Het is nu sneller dan via de andere kant.'

Zoals Jude de vorige keer al had opgemerkt, werd het pad begaanbaarder waar ze tussen de schaduwrijke loofbomen kwamen en het leemachtige pad breder werd. Toen ze bij de lugubere galg van de jachtopziener kwamen, deinsde Claire met een gil van afschuw terug. 'O, mijn god, ik hoop maar dat ze dit niet heeft gezien,' fluisterde ze. 'Daar zou ze heel bang van zijn geworden.'

Maar ze zagen nergens sporen dat het meisje dit pad had genomen. Enigszins wanhopig kwamen ze in het zonlicht op de open plek aan, maar toen maakte Judes hart een hoopvol sprongetje.

'Kijk!' riep Euan.

De deur van de folly hing open.

Claire ging ernaartoe, op haar grappige, hinkende manier van rennen, en dook naar binnen. Euan haalde haar in en ging haar voor de trap op, terwijl Jude haar zus hielp, niet wetend of ze moest blijven hopen of bang moest zijn voor wat ze zouden aantreffen. Toen ze wankelend de laatste bocht omgingen en Euan bovenin aantroffen, stond het nieuws op zijn gezicht te lezen. Summer was er niet.

'O, nee!' riep Claire uit, en ze stortte in op de vloer, terwijl haar ademhaling met grote raspende snikken kwam.

Terwijl Jude haar probeerde te troosten, keek Euan op het dak. 'Ik denk niet dat er iemand hierboven is geweest, maar voor de zekerheid kijk ik toch even.'

Hij duwde het valluik open en een bundel zonlicht viel op de twee vrouwen neer, als de hand van God in een middeleeuws schilderij, dacht Jude verbijsterd. Ze had het gevoel dat ze naar een ander soort werkelijkheid werd getransporteerd. Een vreselijke andere werkelijkheid als ze Summer niet meer zouden terugvinden. Ze zag plotseling het beeld voor zich van de nieuwe wending die hun levens zouden nemen als...

'Nee, niemand,' gromde Euan. Ze hoorde eerder dan dat ze zag dat hij het luik weer sloot, en toen de goudkleurige werveling van haar netvlies vervaagde, werd haar blik getrokken naar een plek in de muur achter de boekenplanken, waar een steen was los geschoven. De verstopplek.

'Ze is hier wél geweest!' riep Jude, die overeind kwam en zich naar het gat haastte. 'We hadden hem dichtgedaan toen we hier weggingen. Maar hoe kon ze dit weten?'

'Dat weet ik niet,' zei Euan, die bij de ladder vandaan liep en naast haar ging staan. 'Ik heb haar hier nooit iets over verteld.'

Hij tuurde naar binnen. 'Er ligt niets in,' zei hij. 'Waar zou ze naar op zoek zijn geweest?'

'En hoe weten we of het überhaupt wel Summer is geweest?' zei Claire scherp. 'Het kan ook gewoon iemand anders zijn geweest. Summer was bang voor deze plek. Ze zou hier absoluut niet alleen naartoe gaan en uit zichzelf...'

Haar woorden bleven in de lucht hangen. Iedereen dacht op dat moment hetzelfde: stel dat ze niet alleen was? Stel dat iemand haar hiernaartoe had gebracht... met geweld?

'Belachelijk...' mompelde hij tegen zichzelf 'Wie anders wist nou van deze plek en de verstopplek. Het is volkomen belachelijk om te denken dat iemand...'

Jude dacht na. Wie anders wist van deze plek af, behalve oma? Ze ging in haar hoofd moeizaam alle mensen na die ze in Starbrough had ontmoet. Wie wist van de verstopplek en voor wie kon het er überhaupt toe doen? Er was geen touw aan vast te knopen.

Claire dacht duidelijk over hetzelfde na, ook al was ze hier nooit eerder boven geweest, en begreep ze er nog minder van dan Jude.

'We kunnen niet met honderd procent zekerheid zeggen dat Summer hier gisteravond is geweest, toch?'

'Of vanmorgen,' zei Euan afwezig. Hij begon door de kamer heen te lopen, ongetwijfeld op zoek naar aanknopingspunten, dacht Jude. Maar hij vond er geen. Geen spoor van een klein meisje in een barbieroze pyjama.

Jude liep terug om Claire overeind te helpen. Haar zus was stil, wanhopig, en staarde naar de vloer. Jude stak haar hand uit en ze keek in de richting waar Claire naar staarde. Er lag een klein hoopje van afgebrokkeld pleisterwerk bij de muur naast de bovenste tree van de trap. Ermiddenin was de perfect gevormde afdruk te zien van een heel kleine schoen.

'Niet aanraken,' fluisterde Jude dwingend toen Claire haar hand ernaar uitstak. 'We kunnen hier beter weggaan voor het geval de politie...'

De anderen keken haar allebei aan, als door een mist. De mist trok op.

'Jude heeft gelijk,' zei Euan langzaam. 'Claire, we moeten teruggaan voordat we hier verder iets verstoren.'

Ze hielpen Claire allebei de trap af, en hadden ieder een hand van haar vast toen ze over de open plek terugliepen via de route die Euan met Jude had genomen toen ze elkaar voor het eerst hadden ontmoet, naar Foxhole Lane en de weg af. Jude keek onder het lopen overal om zich heen, op zoek naar... nou ja, naar alles wat hun meer kon vertellen over wat er met Summer was gebeurd. Toen ze het kruispunt van het pad met de weg naderden, kwam er een politiewagen aanrijden en twee agenten, onder wie de zeer jonge man, stapten uit. Euan liep met hen mee in de richting van de toren om te laten zien wat ze hadden aangetroffen. De vrouwen liepen verder de weg af naar de cottage.

Toen ze daar aankwamen zagen ze dat het huis veranderd was in een 'plaats van handeling'. Er stonden een politiebusje, een andere politieauto en nog een aantal voertuigen, er was een aangelijnde Duitse herder, en de brigadier was bezig een team samen te stellen van de plaatselijke bewoners, onder wie Robert en Steve, de boer, om het gebied uit te kammen. Fiona had Darcey mee naar huis mogen nemen. Claire werd gevraagd een kledingstuk van Summer te halen zodat de hond eraan kon ruiken, waarna aan haar en Jude werd gevraagd om op de bank plaats te nemen. Daar werden nog meer vragen gesteld en ze deden hun best om niet naar de mensen om hen heen te luisteren, die kaarten aan het bestuderen waren en over greppels en afvoerkanalen praatten, of naar de krakende politieradio's, de eindeloze herhaling van de kleine beetjes informatie over wat Summer de avond tevoren allemaal had gedaan.

De uren verstreken tergend langzaam, en toch wilde Jude niet dat de tijd sneller voorbijging. Hoe langer Summer vermist was, hoe slechter de prognoses waren. 'Waarom kunnen ze haar niet vinden?' jammerde Claire aan een stuk door, en Jude sloot zich daar oprecht bij aan.

Euan kwam na een paar uur terug, samen met de jonge politieagent. Hij vertelde hun op zachte toon hoe de folly al in een plaats delict was omgetoverd, met blauw-wit politietape en dat de dienstdoende specialist van de technische recherche er ook aanwezig was. Bij het horen van dat nieuws trok al het bloed uit Claires fijne gelaatstrekken weg en ze bleef zo stil zitten als een porseleinen pop.

Jude, hoewel net zo bezorgd, bedacht wat ze konden doen. Even schoot het door haar hoofd om hun moeder te bellen. Voorlopig wees ze dat echter van de hand, maar toen de eerste journalist zich meldde – van het plaatselijke televisiestation – wist ze dat ze het aan Valerie moest vertellen voordat die er via een andere bron lucht van zou krijgen. Ze belde naar Spanje maar kreeg alleen het antwoordapparaat; ze liet een neutraal bericht achter met de vraag of ze Jude wilde terugbellen. Dat was voorlopig het enige wat ze kon doen.

De detective begon Jude, Claire en Euan weer te ondervragen, nam weer dezelfde feiten met hen door, en Jude begon ondanks Claires fronsende blikken aarzelend aan haar verhaal over Summers nachtmerries en dat ze vreemd genoeg van gebeurtenissen af wist die lang geleden hadden plaatsgevonden. De man wist duidelijk niet wat hij met deze informatie aan moest, maar deed zijn best.

'Dus u zegt dat ze misschien bang was geworden nadat u haar een sprookje had voorgelezen en wellicht is gaan slaapwandelen of iets dergelijks?' vroeg hij.

'Misschien wel. Maar...' Kon ze zich haar eigen verwarde droom van de afgelopen nacht nog maar herinneren. 'Kijk, ik weet dat het nogal gek klinkt, maar ze is misschien op een, ik weet niet, soort zoektocht gegaan dat met dat verhaal van haar, dat ik u net vertelde, te maken heeft. Ze werd er nogal door gegrepen, snapt u? Voor haar is het allemaal heel echt.'

'Door dit meisje uit de achttiende eeuw,' zei hij ongelukkig. 'Het klinkt wel een beetje vreemd.' Jude wist dat hij niet overtuigd was. Ze kon hem dat niet kwalijk nemen.

Toen hij hen eindelijk met rust liet, draaide Claire zich woedend naar haar om.

'Ik wilde dat je eens ophield met al die onzin. Zag je dan niet dat hij er geen woord van geloofde? Het is gewoon een idioot verhaal.'

'Claire, we hebben het hier eerder over gehad. Je was het ermee eens...'

'Ik was het helemaal nergens mee eens. Als jij hier niet van alles overhoop had gehaald, zou Summer niet zo van slag zijn geweest.'

'Ik heb helemaal niets overhoopgehaald. Het was allemaal al begonnen voordat ik hier kwam. Haar nachtmerries, bedoel ik.'

Claires blik gleed naar Euan, die opstond en kortaf zei: 'Ik ga naar buiten om te helpen zoeken. Ik kan hier niet blijven zitten.'

'Het is ook jouw schuld!' riep Claire. 'Die nachtmerries waren begonnen nadat jij haar naar de folly had meegenomen. En ze zou gisteravond niet naar de folly zijn gegaan, ik weet zeker dat ze dat niet zou doen, niet uit vrije wil. Ze had een bloedhekel aan die plek. Iemand moet haar daarnaartoe hebben meegenomen.' Ze keek lang en koud naar Euan, die achteruitdeinsde. 'Voor hetzelfde geld was jij dat.'

Er viel een doodse stilte, en toen zei Euan: 'Bedankt dat je me zo vertrouwt. En nu ga ik naar buiten om je dochter te zoeken.' En weg was hij.

'Claire, hoe kon je dat nu zeggen?' fluisterde Jude scherp. 'Je weet dat dat onzin is. Dat wéét je.'

'Jij bent degene die onzin loopt te verkondigen,' zei Claire verbitterd. Ze legde haar gezicht in haar handen en begon onbedwingbaar te huilen.

De dag verstreek. En daarna de nacht, die ze weer in de tent doorbrachten omdat Claire dicht bij de plek wilde zijn waar ze Summer voor het laatst had gezien, maar geen van beiden sliep veel. In de kleine uurtjes werd Jude wakker en hoorde Claire jammeren. Ze schoof in haar slaapzak dichter naar haar zus toe en nestelde zich tegen haar aan. Tot haar verbazing liet Claire het toe dat ze haar troostte. Jude vroeg zich af wanneer dit ooit eerder was gebeurd. Claire had nooit de beschermende, oudere zus gespeeld en had haar zus nooit geknuffeld wanneer ze moest huilen. Alleen die keer nadat Mark was overleden, toen was Claire gekomen en had haar geknuffeld alsof dat het meest vanzelfsprekende in de wereld was, en Jude had tegen haar schouder gehuild en voor het eerst sinds het ongeluk haar emoties laten gaan. En nu werd degene van wie Claire het allermeest ter wereld hield vermist. Het enige wat ze konden doen was zich aan elkaar vastklampen, Claire met het soort wanhoop dat Jude, gelukkig, nooit eerder in haar had gezien, en ook nooit meer hoopte mee te maken.

Was het echt nog maar gisteren dat ze werd verteerd door jaloezie op Claire? Het leek zo lang geleden. En nu was ze absoluut niet jaloers op haar. En ze had ook geen medelijden, want wat Claire voelde, voelde Jude ook. Ze hielden allemaal van Summer. En nu hadden ze haar misschien verloren. Voor dit korte moment stond er niets tussen hen in. En op dit moment van pure waarheid, durfde Jude de vraag te stellen die ze nooit had gesteld, zelfs nog nooit eerder als een bewuste gedachte had toegelaten.

'Claire,' zei ze, 'ik weet dat dit raar klinkt, maar een paar avonden geleden moest ik hier ineens aan denken. Dat – je zult wel zeggen dat ik gek ben – Mark... Summers vader was.'

Er viel een stilte die maar bleef voortduren. Uiteindelijk schraapte Claire haar keel en zei: 'Je bent inderdaad gek. Hoe kon je zoiets nou in hemelsnaam denken?' Ze draaide zich om en schoof bij haar vandaan. Er ging een golf van wanhoop door Jude heen.

Zodra het licht werd kwam de politieversterking aan en werd de zoektocht voortgezet. De stemming werd somberder en hier en daar klonken flarden van gesprekken op over ontvoering. De schoenafdruk in de folly kon erop wijzen dat Summer daar uit vrije wil naartoe was gegaan, of dat ze er door iemand naartoe was gebracht. Jude ving op dat de detective het had over 'geen tekenen van verzet', wat haar op de een of andere manier minder troostte dan ze had gewild. De vraagstelling van de politie veranderde nu ook. Wie kende Summer allemaal? Wie kenden Claire en Jude? Zat Summer wel eens op internet? Liep ze wel eens alleen weg? Jude kon aan de gezichtsuitdrukkingen van de ondervragers niet zien of ze wel of niet iets met Claires antwoorden konden.

Tijdens die akelige, verwarde uren dacht Jude er op een gegeven moment aan om Chantal te bellen. Toen ze het warme medeleven van de vrouw hoorde, troostte dat haar een beetje. 'Ik heb gebeden voor het kleine meisje. Ik weet zeker dat ze weer veilig boven water komt. Geef de hoop niet op.' Jude had het gesprek kort moeten houden omdat haar stem telkens brak toen ze de vrouw bedankte.

Euan kwam terug nadat hij een dag in het bos had gezocht. Hij was uitgeput en op de een of andere manier een schim van zijn normale zelf. Hij ging met gevouwen handen zitten en leunde met zijn armen op zijn knieën. Claire keek hem niet aan. Op een bepaald moment zei hij tegen haar: 'Ik zal net zo lang zoeken totdat we haar hebben gevonden. Ik breng haar naar je terug.' Maar Claire haalde slechts haar schouders op.

In de vroege avond kwam de detective met de jonge agent langs en vroeg Euan formeel om met hem mee te komen naar het bureau om hem te ondervragen. Hij verzekerde Euan ervan dat hij nergens van werd verdacht. Euan ging mee, een sloffende figuur, nog steeds onder het stof van de dag. Camera's flitsten terwijl hij de politiewagen in stapte en ze wegreden.

'Claire, soms heb ik echt een bloedhekel aan je,' fluisterde Jude in de deurpost, maar niet zo hard dat haar zus het kon horen. De tranen stroomden over haar wangen.

Ze wist met absolute zekerheid dat Euan niets te maken had met Summers verdwijning. Maar hoewel ze in haar hoofd telkens weer alle gebeurtenissen van die beslissende avond overdacht, kon ze zich iets niet herinneren waarvan ze wist dat het er wel was, maar net buiten haar bereik danste. Het had iets, zo wist ze, met de folly te maken.

32

Summer had het geweldig gevonden om in de woonwagen te slapen, om de geruststellende, vertrouwde geur van het geverfde hout te ruiken, en naar de patronen op het plafond te kijken, die in het wegstervende avondlicht nog vaag zichtbaar waren. Ze voelde zich warm en comfortabel en veilig, met haar beste vriendinnetje, Darcey, die zachtjes naast haar snurkte. Ze dacht aan het verhaal dat tante Jude haar had voorgelezen en verbeeldde zich even dat ze Raponsje in de toren was. Ze dacht echter niet dat ze ooit zoiets zou laten gebeuren, dus stelde ze zich in plaats daarvan voor hoe het was om de prins te zijn en om iemand van wie je hield van het kwaad te redden. Met deze niet onaangename gedachte viel ze in slaap.

Ze droomde, maar deze keer niet de droom waarin ze verdwaalde. Ze rende de hele nacht door het bos heen, huilde echter niet om haar moeder, maar rende om iemand te gaan helpen. Ze had een sterk gevoel dat er iets niet in orde was, dat iemand in gevaar verkeerde en ze moest diegene vinden. Het had iets met de folly te maken, dat wist ze wel. Ze moest ernaartoe en helpen.

Nog steeds diep in haar droom verzonken, ging ze in het donker rechtop zitten, duwde de dekens van zich af en stapte uit bed. Haar teen stootte tegen iets aan. Een schoen. Ze bukte zich en pakte de schoen op, trok hem aan, zocht toen naar de andere en trok die ook aan. Ze duwde de deur van de woonwagen open en liep voorzichtig het trappetje af. Ze wist hoe ze vanaf dat punt bij de folly moest komen, en nu liep ze op haar tenen langs de tent en rende over het grasveld heen. Ze was een beetje bang, maar niet heel erg omdat het belangrijk was om nu dapper te zijn, net als een prins. De in hun kooien wiegende uilen zagen haar, maar ze lette niet op hen. Bij de oprit ging ze naar links en liep helemaal naar het kruispunt met Foxhole Lane, want ze wist dat het voetpad akelig en vol met doornstruiken was.

En nu kon ze de dringende oproep van de folly veel sterker voelen. Een deel van haar wilde er niet naartoe. Het was daar griezelig. Maar een ander deel van haar geest wist dat ze Esther moest vinden en haar moest helpen. Voordat het te laat was. Het was erg donker onder de bomen, en mistig, en ze huiverde, maar toen trok de mist op en kon ze zo veel zien dat ze haar weg kon bepalen. Ze liep snel langs een paar wagens die dicht op elkaar in de duisternis naast Foxhole Lane stonden, en het woord 'Rowan' vormde zich in haar hoofd, maar ze liep verder, langs het smalle pad naar de folly. Er waren momenten in het leven, wist ze van haar verhalenboeken, waarop je datgene moest doen waar je het allerbangst voor was.

Toen ze bij de folly aankwam, was de deur niet op slot. Die ging gemakkelijk open aan zijn nieuwe, goed geoliede scharnieren. Ze liep de stevige trap op.

In de veiligheid van de tent waren Judes ogen even opengeschoten maar toen knipperend weer dichtgegaan. Ze was weer in slaap gevallen.

Het moest na middernacht zijn geweest toen Esther de sleutel in het slot beneden hoorde draaien en de klink open werd gedaan. Op haar vlaag van hoop volgde onmiddellijk een steek van angst voor wie of wat het kon zijn. Ze vloog door de kamer heen, drukte zich zo plat mogelijk tegen de muur naast de deuropening en luisterde naar het geluid van langzame voetstappen die de trap op sjokten en steeds luider en luider werden. Een man met een flakkerende lantaarn doemde in de deuropening op, puntige schaduwen dansten op de muren. Toen hij de lantaarn omlaag hield, snakte ze naar adem van opluchting. 'O, meneer Trotwood, u bent het.'

Hij bekeek haar van top tot teen, een beetje behoedzaam, maar niet verbaasd.

Haastig zei ze, en zo nu en dan haperde ze even: 'Ik ben hier opgesloten. Ik weet niet hoe. Ik neem aan dat jullie overal naar me hebben gezocht. U hebt vast het licht gezien.'

Meneer Trotwood negeerde haar, maar hield zijn lantaarn omhoog om de kamer te inspecteren, en zag het matras en het boek open op tafel liggen. Zijn gezichtsuitdrukking verhardde. Hij draaide zich naar haar om en zei: 'Je zult wel honger hebben.'

'Ja, natuurlijk,' zei ze. 'Ik heb drie dagen niet gegeten.'

'En koud, waarschijnlijk.'

'Ja, ik heb het koud.' Ze trok haar mantel stevig om zich heen, steeds verontruster door zijn vreemde gedrag.

Hij maakte een zacht geluid in zijn keel, waarvan ze de betekenis niet kon peilen. Hij legde de tas die hij bij zich had op de grond tegen de muur aan.

'Meneer Trotwood, heel erg bedankt dat u me hebt gered, maar kunnen we nu gaan?'

Ze deed een stap in de richting van de deuropening.

'Niet zo snel,' zei hij, heel zacht, en hij greep haar arm beet. Ze verstijfde, doodsbang.

'De vrouw des huizes vindt uw aanwezigheid, hoe zal ik het zeggen, storend.'

'Wat?' zei ze, en toen drongen de woorden tot haar door. 'Hebt u me hier soms opgesloten?'

'Nee,' zei hij op zijn langzame, weloverwogen toon, 'maar iemand heeft wel een verdienstelijk karwei verricht, nietwaar? Kom mee,' beval hij, en hij draaide haar arm pijnlijk op haar rug. 'Naar boven jij, wees een braaf meisje.' Hij duwde haar naar de ladder.

'Nee!' riep ze. 'Blijf van me af.'

Als antwoord legde hij een leerachtige hand op haar mond en siste: 'Ga het me nou niet onnodig moeilijker maken, jij kleine parvenu.'

Hij trok haar de ladder op, stap voor stap, terwijl ze terugvocht en om zich heen sloeg en probeerde te schreeuwen. Uiteindelijk wist hij haar boven op het dak te krijgen. 'Het is afgelopen voor jou!' riep hij en hij sleurde haar mee in de richting van de balustrade. 'En dan zullen ze zeggen: "Het arme ding, door groot verdriet getroffen na de dood van de oude man," en dan ben jij uit iedereens...' Plotseling slaakte hij een gil en schopte hij om zich heen, waarbij hij haar bijna liet vallen. Iemand had in zijn been gebeten, dat ze tot de hel verdoemd zijn. Hij draaide zich om en zag een meisje, dun, in lompen gekleed. Waar was zij vandaan gekomen? Hij gaf haar nog een schop en ze viel languit op het platform. Het maanlicht scheen op haar gezicht en Esther zag tot haar verbazing dat het het zigeunermeisje was.

Omdat Trotwood was afgeleid, greep Esther haar kans. Ze beet hard in zijn hand. Hij trok die met een schreeuw terug. Ze worstelde zich uit zijn greep en deed een stap achteruit, waarbij ze over het statief van de telescoop struikelde en bijna viel. Hij kwam op haar af. Ze greep de telescoop beet, trok een deel ervan los, en zwaaide er toen mee als een knuppel. Hij stak zijn beide handen uit om hem van haar af te pakken. Rowan dook op zijn benen af, waardoor hij begon te wankelen, en Esther sloeg hem met haar wapen op zijn schouder. Hij wankelde, maar herwon toen zijn krachten en schopte Rowan aan de kant. Ze krabbelde weer overeind. Beide meisjes stonden nu tegenover hem, Esther met haar akelige wapen. Hij deed een stap achteruit, misschien met de bedoeling om eerst Rowan uit te schakelen. Wat er vervolgens gebeurde verraste hen allemaal. Zijn voet kwam in de bovenste sport van de ladder klem te zitten en hij viel zijwaarts neer, waarbij zijn hoofd met een luid gekraak op het statief terechtkwam. Een moment lang lag hij daar als Goliath die door de rots was geraakt en er droop bloed uit een wond in zijn hoofd.

Na een tijdje ging hij rechtop zitten, versuft, maar de meisjes hadden langs hem kunnen komen. Ze haastten zich als twee bange muisjes naar de ladder, waarbij Rowan eerst naar beneden ging en Esther daarachteraan, die vervolgens het valluik dichtdeed en achter hen vergrendelde. Toen bleven ze daar angstig wachten, klampten zich aan elkaar vast, luisterden naar Trotwoods klap op het valluik en het brullende gevloek dat daarop volgde. Na een minuut of twee hield hij daar plotseling mee op. Ze hoorden een plof, geschuifel en toen gekreun. Daarna was het stil.

De twee meisjes keken elkaar aan. De ogen van het zigeunermeisje waren reusachtig in haar magere gezicht. Ze stak haar handen uit en pakte een hand van Esther, waar ze zachtjes overheen streek.

'Hoe heb je me gevonden?' vroeg Esther. 'Ik ben zo blij dat je dat hebt gedaan.'

Het meisje uitte twee scherpe woorden, en toen Esther niet-begrijpend haar wenkbrauwen fronste, drukte ze met gebaren een kleine scène uit.

'Je lag te slapen,' zei Esther, die geconcentreerd naar haar keek, 'en iemand maakte je wakker. Nee, je was aan het dromen?'

Het meisje knikte en deed alsof ze aan het rennen en hijgen was.

'Je kwam zo snel je kon? Nou, daar ben ik blij om.' Het meisje trok uit de zak van haar rok een kleine steen waar een van Esthers boodschappen nog

omheen gewikkeld zat. Hij was doorweekt, het handschrift onleesbaar. 'Ja, die is van mij. Dank je wel, o, dank je wel!'

Ze luisterden allebei of ze nog een teken van leven op het dak hoorden, maar dat bleef uit. Toen zag Esther meneer Trotwoods tas liggen. Er zat een dood konijn aan vastgebonden. Gretig maakte ze de gespen los, in de hoop dat er eten in zat. Er lag een pistool in en een stuk fruitcake in een doek gewikkeld. Ze legde het pistool op het bureau naast haar verslag, maakte het konijn los en gaf dat aan het meisje, dat het zichtbaar verheugd aanpakte. Daarna verdeelde ze de cake in twee stukken. Ze aten het beiden hongerig op.

Esther pakte het pistool. Ze had er nog nooit een aangeraakt, maar friemelde aan het handvat, legde haar vinger op de trekker en richtte het pistool trillend op het raam. Ja, ze dacht dat ze het wel kon als het moest. Ze liep naar de ladder, klom naar boven en duwde tegen het valluik. Er was geen beweging in te krijgen. Er lag iets zwaars op, wat het luik blokkeerde. Ze gaf het op en kwam weer naar beneden, legde het pistool opgelucht weer op het bureau. Ze was er niet zeker van wat ze van plan was geweest. Hem redden, en hem onder schot houden terwijl ze de toren uit liepen, misschien.

Buiten trok de wind aan. Esther liep naar een raam en keek naar de sneeuwvlokken die begonnen te vallen. Toen zei ze tegen zichzelf: wat zal ik doen?

Trotwood had haar ergste vermoedens bevestigd, dat Alicia haar niet alleen de nalatenschap van de Hall wilde afnemen, maar dat ze zelfs had gehoopt dat ze Esther van het leven kon beroven. En Trotwood had daarmee ingestemd. Wie nog meer, onder de bedienden? Overduidelijk niet Susan, die van haar hield als was ze haar eigen dochter. Ze kon zich ook niet voorstellen dat mevrouw Godstone of meneer Corbett zich tegen haar zouden keren, of Betsy. Maar hoe meer ze erover nadacht, hoe banger ze werd bij het idee om terug te gaan. Ze kon niemand vertrouwen die enige macht of invloed had en daar kwam het probleem van Trotwood bij, die boven dood lag of op sterven lag. Het was natuurlijk een ongeluk geweest. Hij was gestruikeld en had zijn schedel gebroken, maar het kon er nog steeds slecht voor hen beiden uitzien, heel slecht.

Het andere meisje at de laatste kruimels cake op, greep toen naar Trotwoods tas en voelde in de zijvakjes. Het enige wat ze kon vinden waren een paar gerimpelde appels. Ze gaf er een aan Esther en begon luidruchtig de andere op te eten. Esther keek gefascineerd naar haar witte, knabbelende tandjes. De hoofddoek van het meisje was naar achteren geschoven en in het licht van de lantaarn zag Esther dat het haar bij haar hoofdhuid blonder was maar dat er strepen vuil of teer op zaten. Bij het zien van haar nieuwsgierige blik trok het meisje snel haar hoofddoek weer naar voren.

Esther begon door de kamer te ijsberen, wreef over haar armen om warm te worden, terwijl haar gedachten rondwervelden als de sneeuwvlokken buiten. Wat moest ze doen? Ze kon nergens naartoe. De bedienden konden haar niet helpen. Ze dacht aan Matt. Nee, ze kon hem niet in gevaar brengen. Ze besefte plotseling met een steek dat ze helemaal alleen stond in de wereld.

Nu zei het meisje: 'Esther'. Ze zei nog iets in haar vreemde taal, en ze gebaarde naar de trap.

'Wil je dat ik met je meega?' vroeg Esther. Het meisje knikte, en haar blik ging naar het pistool en de klokhuizen van de appels.

Esther begreep wat ze wilde zeggen. Ze legde het pistool terug in de tas, die ze tegen de muur legde zoals hij er daarvoor had gelegen. Vervolgens verzamelde ze elk bewijsstuk van dat ze daar recentelijk was geweest, zette de inkt terug in de kast en stopte alles wat ze bij zich had gehad terug in haar tas. Ze aarzelde over het observatieboek, maar wikkelde het toen in een oliedoek en legde het in de verstopplek in de muur. Toen ze de steen weghaalde zag ze het kistje met haar halsketting liggen. Die was ze helemaal vergeten, maar het kon haar nu misschien van pas komen. Ze opende het doosje en haalde de ketting met sterren eruit, en haar hart maakte een sprongetje bij het zien van die prachtige, glanzende bedeltjes. Snel trok ze haar mantel uit en deed de halsketting om haar nek, en toen ze opkeek zag ze Rowans verbaasde uitdrukking en, ja, verlangen ook. Het doosje deed ze in haar tas en ze had daarna moeite om haar observatieboek in het lege gat in de muur te krijgen. Het paste simpelweg niet. Ze stond in een martelende tweestrijd. Het observatieboek was haar dierbaar, met het verslag van hun ontdekking, maar het hoorde bij de andere, die in de Hall lagen. Ze zou het in een kast laten liggen. Niemand zou weten hoe lang het daar had gelegen. Maar het verslag dat ze over haar eigen leven had geschreven, zou op een dag wel eens van pas kunnen komen.

Uiteindelijk legde ze het boek op het bureau en scheurde de pagina's eruit die ze gedurende de laatste paar dagen had geschreven, wikkelde die in een oliedoek en stopte ze in haar tas. Na een laatste blik op de kamer te hebben geworpen, volgde ze het meisje de trap af.

Het sneeuwde nog steeds behoorlijk hard, hoewel de wind eindelijk was gaan liggen. Ze laadden de kleine lorrie vol en liepen naar de open plek, in de wetenschap dat de sneeuw hun voetstappen zou bedekken. Een keer gleed Esther uit en viel ze, en toen Rowan haar overeind hielp, voelde ze dat de halsketting van haar nek afgleed. Met haar handschoen tussen haar tanden geklemd trok ze hem los uit de veter van haar jurk, waar hij achter was blijven haken. Ze hield hem stevig vast in haar hand, net zoals ze bijna veertien jaar eerder had gedaan, en samen verdwenen ze het bos in.

Het enige spoor van Esther was een kleine, gouden ster die in het sneeuwlicht lag te twinkelen.

Toen Summer wakker werd, lag ze opgekruld onder een boom, en het vroege zonlicht sijpelde door de bladeren heen. Ze was wakker geworden omdat ze het koud had. De restanten van haar droom vervlogen door haar verbazing en angst en ze ging rechtop zitten, riep om haar moeder en keek om zich heen. Toen niemand antwoord gaf, riep ze nog een keer, en nog een keer, en daarna wierp ze zich op de grond en krulde zich op als een rups, wachtend tot het gevaar geweken was. De tranen zigzagden over haar gezicht en een tijdlang dreef ze tussen slapen en waken in. Toen voelden ze een heel lichte aanraking op haar schouder, als de streling van een vallend blad. 'Mama?' Ze hief haar hoofd op en eerst zag ze niemand. Toen hoorde ze gegiechel en zag ze iets bewegen achter een boom verderop. Niet mama, maar, toen haar nieuwsgierigheid het won van de angst, kwam ze overeind. Het andere kind, als het tenminste een kind was, rende achter een andere boom, maar Summer bespeurde alleen de beweging, en kon het meisje zelf – ze voelde dat het een meisje was – niet zien.

'Wie ben jij?' riep Summer. Toen jammerde ze zacht: 'Ik wil naar mijn mama.'

Ze dacht dat het meisje naar haar gebaarde, zag toen de bladeren bewegen en hoorde het gegiechel weer, verderop op het pad. Summer volgde het geluid. 'Waar gaan we heen?' vroeg ze. Het meisje gaf echter geen antwoord. Het licht werd nu feller en de vogels waren volop aan het zingen. Summer voelde zich veel kalmer. Ze wist niet waar het meisje haar naartoe bracht, maar ze begreep dat het allemaal goed zou komen. Ze haalde zich haar moeders gezicht voor de geest en wist, wist gewoon, dat ze haar snel zou vinden. Haar moeder had eens tegen haar gezegd, nadat ze elkaar in een supermarkt waren kwijtgeraakt: 'Lieverd, als je ooit denkt dat je verdwaald bent, maak je dan geen zorgen, dan ben ik naar je op zoek. Ik zal altijd naar je op zoek gaan.' Haar moeder zou naar haar op zoek zijn en haar vinden. En ondertussen was dit meisje – ze kon haar nu duidelijk zien – haar aan het helpen. Ze trokken de hele dag samen op. Het meisje liet Summer zien waar bessen groeiden, en waar helder water stroomde. Ze speelden samen spelletjes en verstoppertje, en ze maakten een keer een dam in een ondiep, sprankelend stroompje. Er waren momenten waarop ze ineens besefte dat ze nog steeds verdwaald was, en dan raakte ze in paniek en begon te huilen. Het meisje maakte dan troostende geluiden en haalde capriolen uit, in een poging haar aan het lachen te maken. Toen de avond viel liet ze zich uitgeput op een bed van mos vallen en bedekte het meisje haar met droge bladeren.

Ze werd op maandagochtend wakker – niet dat ze wist dat het maandag was – door het geluid van een langsrijdende auto. Ze ging overeind zitten en zag dat ze naast een weg lag. Er was geen spoor te bekennen van het andere meisje. Toen ze opstond herkende ze waar ze was. Een stukje verder de weg af, aan de andere kant, stonden de woonwagens van de zigeuners. Ze kon Liza zelfs zien, die op het trappetje van haar woonwagen zat en een krant las en toast at. Ze vroeg zich af wat ze moest doen en de moed zakte haar plotseling in de schoenen. Opluchting en angst raasden tegelijk door haar heen. Ze ging weer op het gras zitten en huilde.

Toen hoorde ze het geluid van een andere auto, en het geschetter van muziek. De auto minderde vaart, de muziek viel stil en een mannenstem riep: 'Hoi! Gaat het wel goed met je?' Ze keek verward op. Het was een mooie sportauto, in haar lievelingskleur, blauw. Het dak was naar beneden en een kleine hond van onbestemd geslacht stond op de achterbank met zijn staart te kwispelen. Ze had altijd een hondje gewild. De bestuurder was een man met golvend haar, net als zij, en had een zonnebril op. Hij deed die nu af, en ze zag zijn gezicht, een en al glimlach en met een stompe neus. Ze mocht hem onmiddellijk, maar herinnerde zich wat haar moeder haar had gezegd over dat ze niet bij mensen in de auto mocht stappen, zelfs niet als ze die kende. Maar deze man vroeg haar niet om in de auto te stappen. In plaats daarvan zei hij: 'Wat vervelend dat je verdrietig bent. Woon je daar verderop?' Hij wees naar de zigeunerwagens. Ze schudde haar hoofd en fluisterde: 'Ik wil naar mama.'

De man dacht even na en zei toen: 'Kijk, zou jij nu precies blijven willen staan waar je nu bent, naast mijn auto, en er even op willen passen? Dan ga ik die mevrouw daar vragen om te helpen.'

Summer knikte, waarna de man keek of er verkeer aankwam en toen uit de auto stapte. Zijn kleine hond sprong achter hem aan. Hij stak de weg over en ging op een drafje naar de plek met de zigeunerwagens, en Summer zag dat hij met Liza praatte. Vervolgens haastten ze zich allebei naar haar toe.

Liza nam haar in haar armen en noemde haar lieverd en Summer wist dat ze veilig was.

33

Jude zou nooit die eerste golf van opluchting meer vergeten toen de politieagente met krakende stem zei: 'Ze is gevonden. Ze is in orde.' Nadat de spanning was weggeëbd, voelde het alsof haar lichaam zich met bruisende champagne vulde. Ze hoefde zich nooit meer in het leven ergens zorgen over te maken, nooit meer. Zij en Claire klampten zich aan elkaar vast, Claire moest dan weer lachen en dan weer huilen. Ze waren op het ergste voorbereid geweest en het ergste was voorbij. Toen ebde ook de euforie weg en kwamen er vragen in haar op. Wanneer konden ze haar zien? Waar was ze de afgelopen twee nachten geweest? Was ze werkelijk in orde?

'Ze is naar het ziekenhuis gebracht, gewoon om haar even te onderzoeken. We gaan haar daar ophalen. Kom mee.'

Toen ze bij het grote ziekenhuis vlak bij Great Yarmouth aankwamen, werden ze naar een wit kantoortje gebracht, waar Summer met een verpleegster zat die haar met wat felgekleurd speelgoed probeerde bezig te houden. Ze rende meteen naar haar moeder en Claire begon opnieuw te huilen.

'Ik ben oké, mama, maak je niet zo druk,' zei Summer, en Claire was degene die moest worden getroost.

Buiten op de gang zaten een jonge man met golvend, blond haar, en een oudere vrouw met gouden oorringen geduldig te wachten. Jude was te bezorgd geweest om goed naar ze te kijken toen ze binnenkwamen, maar nu herkende ze Liza, en de man kwam haar ook vaag bekend voor.

Claire, die Summers hand vasthad, scheen hem ook te kennen, want ze riep: 'Jij!' Haar andere hand vloog naar haar wang. Jude kon hem niet echt plaatsen. Was hij ook een van de zigeuners?

'Hallo, Claire,' zei de man zacht. 'Ik ben degene die haar heeft gevonden. Nou ja, samen met Liza, natuurlijk. Gaat het wel weer, kleintje?'

Summer knikte en leunde tegen haar moeders been aan.

'Jij zag haar als eerste, jongeman,' zei Liza. 'Mijn ogen zijn niet meer zo scherp als vroeger.'

'Claire, dit is Liza,' zei Jude. 'Weet je nog dat ik je heb verteld dat ik Summer een middagje had meegenomen en we haar bij de woonwagens hebben ontmoet?'

'Liza, dank je wel. Jullie allebei bedankt,' fluisterde Claire. Toen draaide ze zich om en zei: 'Jude. Ken je Jon nog?' Ze keek Jude bezorgd aan, en Jude wist het nog. Ze draaide zich verbaasd naar de man om. 'Ja, ik heb je een keer met Kerstmis ontmoet, geloof ik. We maakten ons wat, eh, bezorgd om je, omdat je zonder afscheid te nemen was vertrokken.' Destijds zag hij er anders uit, toen hij met Claire ging, in die tijd na hun vaders dood. Hij had zo zijn best gedaan om stoer over te komen dat het ronduit onbeleefd was geweest.

'Ja, nou, dat spijt me nog steeds,' mompelde hij. 'Ik was in die tijd niet bepaald op m'n leukst.'

'Wat je zegt!' merkte Claire droogjes op.

Hij was absoluut ten goede veranderd. Hij droeg een netjes gestreken, helderwitte katoenen broek en een fris, blauw shirt. Zijn haar, hoewel nog steeds wat aan de lange kant, zat netjes in model en zijn blauwe ogen stonden levendig, intelligent, maar met een vleugje ernst. En toen Jude goed naar hem keek, zag ze meteen hoe de vork in de steel zat en gleed er een grote last van haar schouders af.

Claire leek wat verontrust in zijn bijzijn, en bleef nerveus naar Summer kijken.

'Hoe heb je haar... Wist je... Ik wist niet...' begon ze telkens, maar Jon viel haar in de rede.

'Luister, dit klinkt nogal idioot, maar ik zeg het toch maar. Jouw zus, Jude... Nou ja, ik wist niet dat ze Gower heette. Er ging in elk geval geen lichtje op toen ik de advertentie zag.'

'Welke advertentie?' vroeg Claire verward.

'De advertentie in de krant. Over Tamsin Lovall.'

'O, mijn god,' zei Jude. 'Die advertentie. Ik heb nog niet de kans gehad om te kijken of die is geplaatst.'

'Waar hebben jullie het in hemelsnaam over?' vroeg Claire alsof ze gek waren geworden. Summer, die moe was, wiegde nu tegen Claire aan, waardoor Claire haar evenwicht dreigde te verliezen.

'Dat ben ik je misschien vergeten te vertellen. Liza en haar zoon hadden me aangeraden om een advertentie in de plaatselijke krant te zetten, met de vraag of iemand een Lovall kent en, in het bijzonder, een Tamsin.'

'Maar wat heeft dat met Jon te maken?' vroeg Claire. 'Summer, hou op met schommelen. Ik weet dat je uitgeput bent. We gaan zo naar huis.'

'Ik was op weg naar Judith Gower,' zei Jon simpelweg. 'Luister, Tamsin Lovall was mijn grootmoeder.'

'Je moet het hem vertellen, Claire,' zei Jude. Met haar armen over elkaar dacht ze over haar zus na. Ze waren terug in Blacksmith's Cottage en brigadier Bride en haar baas waren net vertrokken, na twee vermoeiende uren van discussies en formulieren invullen. Nadat de politie Summers onsamenhangende verhaal over het zigeunermeisje en torens had aangehoord, had die gekozen voor de eenvoudiger verklaring dat ze een nachtmerrie had gehad, was gaan slaapwandelen en compleet was verdwaald. Euan, zo werd hun verteld, was onmiddellijk vrijgelaten en de zaak was min of meer gesloten. Summer, die ondertussen door Jude was gewassen en wat te eten had gekregen terwijl Claire nog steeds aan het praten was, lag boven diep in slaap.

'Wat moet ik hem vertellen?' snauwde Claire.

'Nou, de waarheid.'

'En die is...?'

'Dat lijkt me wel duidelijk, toch? Je had gelijk toen je zei dat ik gek was om te denken dat Mark de vader was. Het is precies zoals mam en ik indertijd vermoedden. Kom op, Claire. Jon is haar vader, toch?'

Claire bromde wat en wendde haar gezicht af.

Na een kort moment zei ze: 'Ja. Ja, hij is haar vader. En ja, ik zal het hem moeten vertellen.'

'Het zou me niets verbazen als hij het al heeft geraden. Ze lijken immers op elkaar, en hij is niet achterlijk, dat weet ik zeker.'

'Geweldig,' zei Claire somber. 'Nu zal hij ons helemaal niet meer met rust laten.'

'Maar heb je dan niet gezien hoe liefdevol hij naar haar keek?' vroeg Jude, die het niet kon laten haar wat te plagen. 'Alweer een verovering van prinses Summer.'

'O, in godsnaam, Jude.'

'Je dochter is anders erg charmant.'

'Zij zal een nog grotere lastpak worden dan ik was. Oké, stel dat ik het hem vertel. Dan moet ik het ook aan haar vertellen. En dan wat?'

'Ik neem aan dat hij haar af en toe zou willen zien.'

'En zich met ons gaat bemoeien. Dat is precies waar ik bang voor was.'

'O, kom op, Claire, wat is er nu zo erg aan als hij erbij betrokken wordt? Summer heeft dan een vader. En een leuke ook nog. Sorry dat ik het zeg, maar hij lijkt wel wat volwassener te zijn geworden sinds hij ons voor het laatst met zijn aanwezigheid vereerde.'

'Ja...' Claire leek even in gedachten verzonken, slaakte toen een zucht en zei: 'Ja, dat denk ik ook. Oké, ik vertel het hem. Maar Jude, zeg er alsjeblieft nog niets over tegen iemand anders, tegen oma of mama. Ik moet het eerst zelf aan Summer vertellen en dat wil ik op mijn eigen tijd doen. Misschien laat ik haar eerst wel wat aan Jon wennen. Het zal er voor ons allemaal niet gemakkelijker op worden.'

'Oké, dat klinkt logisch.'

Euan belde Jude een half uur later op haar mobieltje toen Claire boven was. Jude nam het telefoontje aan in de tuin. 'Is het goed met Summer?' waren zijn eerste woorden.

'Ja, ja, verbazingwekkend genoeg wel, goddank.' Aangezien hij geen bijzonderheden te horen had gekregen, legde ze uit hoe een vroegere vriend van Claire het meisje vlak bij het zigeunerkamp had gevonden.

'Ben jij weer thuis? Hoe gaat het met jou?'

'Prima. Ze lieten me redelijk snel gaan nadat ze was gevonden. In de politiewagen naar huis boden ze hun excuus aan, dat soort dingen.'

'Ik kan niet geloven dat ze je überhaupt hadden meegenomen.'

'Dat is routine, Jude, maak je daar maar niet druk om.'

'En ik snap ook niet dat je er zo rustig onder blijft.'

'Ja, nou...' zei hij. 'Je zus was erg overstuur.' Ze moesten allebei aan Claires beschuldigende woorden denken.

'Ik geloof niet dat ze het meende. Niet als ze er even goed over had nagedacht.'

'Dat weet ik,' zei hij, 'maar het deed pijn. Heel erg.'

'Euan, dit is misschien niet het juiste moment, maar wat is er tussen jullie gebeurd? De avond dat Summer verdween, bedoel ik. Ik liep je woonkamer binnen en, nou ja, de spanning was om te snijden.'

'Ik denk dat je dat beter aan Claire kunt vragen. Het zou niet erg galant van me zijn...'

Jude slaakte een zucht en sloot haar ogen. 'Dat verwachtte ik al,' zei ze. Er welde een schuldig gevoel van heerlijke opluchting in haar op. Euan veranderde van onderwerp.

'Waar zei Summer dat ze was geweest?'

'Dat is nog steeds een beetje een raadsel, Euan. Ze lijkt het zich niet te kunnen herinneren. Er was iemand in de toren opgesloten, zei ze, en die moest ze bevrijden. Toen ontfermde een meisje in het bos zich over haar en hebben ze samen gespeeld. Ze werd vlak bij het zigeunerkamp weer wakker, en de rest weten we. Het klinkt heel vreemd, maar... nou ja, alles wat ze zei kwam overeen met een droom die ik had in de nacht dat ze verdween. Alleen was ik hem 's ochtends weer vergeten, de droom, bedoel ik. Dat moet wel door de schrik of zo gekomen zijn. Het spijt me, ik ben nogal onsamenhangend. Alles gebeurt ook tegelijk en het is zo... o, verwarrend.'

Euan bracht haar weer met beide benen op de grond door geduldig te zeggen: 'Dus ze denkt dat ze al die tijd in het bos is geweest? En ze heeft niet gehoord dat we haar riepen?'

'Blijkbaar niet. En je zou verwachten dat ze onderkoeld was, maar je zou haar moeten zien, ze is tiptop in orde. Ze zegt dat dat meisje bladeren op haar had gelegd... bladeren, Euan. Zoals in het sprookje.'

'Ze klinken als twee *Babes in the Woods* die heel erg boffen. Wie was dat meisje, denk je?'

'Ik heb geen idee. Summer denkt dat het een zigeunermeisje was, maar het was zeker niet Liza's achterkleindochter. Die was gisteren namelijk de hele dag met haar moeder op weg en lag de hele nacht diep in slaap in de woonwagen van haar ouders. O, wacht even.'

Claire kwam naar buiten gelopen, en wilde duidelijk met haar praten.

'Is dat Euan?' fluisterde Claire. 'Mag ik hem even aan de lijn als je klaar bent? Als hij dat tenminste wil, bedoel ik.'

'Ik zal het hem vragen,' zei Jude met een uitdrukkingsloos gezicht.

Toen zei ze in de telefoon: 'Euan, vind je het goed om Claire even te spreken?'

Er viel een stilte, en toen zei Euan: 'Ja, best.' Hij voegde eraan toe: 'Ik zie je snel weer, toch?'

'Natuurlijk,' antwoordde Jude. 'Ik bel je.'

Ze gaf haar telefoon aan Claire en liep naar binnen; ze wilde hun gesprek niet horen. Maar ze kon het niet laten om naar haar zus te kijken die met een verontruste uitdrukking op haar gezicht door de tuin liep. Eén keer drukte ze haar onderarm tegen haar gezicht alsof ze tranen wilde tegenhouden. Een andere keer hoorde ze haar roepen: 'Nee, je begrijpt het helemaal verkeerd.'

'Hoi.' Jude hoorde een mannenstem en draaide zich snel om. 'Verdorie, wie heeft dat zo gemaakt?' Jon wreef over zijn voorhoofd en keek fronsend naar de lage deuropening van de woonkamer. 'Sorry dat ik je liet schrikken, Jude. De voordeur stond open maar niemand hoorde me kloppen.'

'O jee,' zei ze. 'Gaat het wel? Ik ben blij dat je er bent.'

'Ik wilde weten hoe het met het kleine meisje gaat,' zei hij.

'Helemaal prima,' antwoordde Jude, 'niet in de laatste plaats dankzij jou.'

'Diep in slaap, kan ik me zo voorstellen,' zei hij toen ze een blik naar boven wierp.

'Volkomen van de wereld,' antwoordde ze. Ze besefte toen onmiddellijk wat een ongelukkige uitdrukking dat in deze omstandigheden was. 'Ben jij echt een Lovall?'

'Dat was de andere reden dat ik je wilde zien. Ja, dat ben ik. Ik stam in elk geval van een Lovall af.'

Op dat moment beëindigde Claire haar gesprek en kwam langzaam uit de tuin naar binnen gelopen. Ze zag er uitgeput uit, dacht Jude liefhebbend. Uitgeput en verdrietig.

'O,' zei Claire toen ze Jon zag. 'Jij weer. Het spijt me... ik wist niet dat je zou komen.'

'Gaat het wel met je?' vroeg Jude, die haar hand uitstak om haar BlackBerry aan te nemen.

'Ja,' antwoordde Claire kalm en ze gaf hem aan haar terug. 'Ik vertel je er later wel over.' Ze viel half op de bank en ging ineengedoken zitten, als een kleine, gekneusde zwerver, met haar benen onder haar lichaam gevouwen.

'Nog wat thee, lijkt me,' zei Jude resoluut. Ze liep weg om die te gaan zetten, duwde de keukendeur open en rammelde met opzet met het servies, blij dat het geluid van de waterkoker de stemmen uit de woonkamer overstemde. Maar toen de waterkoker afsloeg ontkwam ze er niet aan om zijn kwellende uitroep te horen: 'Je had me moeten vertellen dat ik een kind had. Ik had het recht om dat te weten.'

'Snap je het dan niet?' antwoordde Claire hartstochtelijk. 'Ik moest haar beschermen.'

'Tegen mij?' viel hij uit. 'Tegen míj? Dacht je soms dat ik haar zou laten vallen of... of haar van je af zou willen pakken of zo?'

'Ik wíst het niet. Ik kon niet voorzien hoe je zou worden. Maar ik vertrouwde je toen niet, Jon. Ik vertrouwde mezelf amper.'

Gevangen in de keuken wist Jude niet of ze moest doen alsof ze niet luisterde, of achteloos moest binnenwandelen. Het probleem werd voor haar opgelost door Claire, die de keuken binnenkwam. 'Nou, ik heb het hem verteld,' merkte ze op, en ze pakte twee van de mokken op.

Jon was de tuin in gelopen waar hij nu wijdbeens en met de armen over elkaar geslagen naar de rozen stond te kijken, die in volle bloei stonden; hun bloembladeren stonden op het punt uit te vallen.

Jude keek toe hoe Claire de thee mee naar buiten nam en zijn arm met zo'n teder, natuurlijk gebaar aanraakte dat Jude zich afvroeg waar dat vandaan kwam. Jon draaide zich iets om en Jude keek gebiologeerd toe hoe ze volmaakt op hun gemak een blik wisselden, hoewel Jon nog steeds humeurig keek en Claire prikkelbaar was. Ze waren net een lang getrouwd stel, dacht Jude. Dat was echt bijzonder als je bedacht dat ze voor zover zij wist elkaar zo'n zeven of acht jaar niet hadden gezien. Jude en Mark hadden dat gevoel ook bij elkaar gehad. Ze konden elkaar soms maandenlang niet hebben gezien of, zoals die keer voor hun verloving toen hij op reis was, een heel jaar lang niet, maar hadden telkens de draad weer opgepakt bij waar ze de laatste keer waren gebleven. Maar zij had niet voor Mark geheimgehouden dat ze een baby verwachtte. Dit zou, dacht ze, Claire en Jon naar elkaar toe of verder uit elkaar kunnen drijven. Ze vroeg zich af of het niet te goed zou uitkomen als ze op het eerste hoopte. Jon leek behoorlijk te zijn veranderd en was niet meer de gedachteloze jongeman die ze die ene kerst bijna acht jaar geleden had gezien.

Ze dronk haar thee op en besloot om te gaan. Hoewel ze wanhopig graag meer wilde weten over Tamsin Lovall en Claire wilde vertellen over haar droom van Esther, en er vooral achter wilde komen wat er tussen Claire en Euan was gebeurd, had ze geen zin om bij Claire en Jon het vijfde wiel aan de wagen te zijn.

Deze keer was het Jons beurt om haar te redden toen ze naar buiten liep en zei: 'Ik moet zo maar eens gaan.' Hij riep: 'Maar je hebt het me nog niet verteld. Waarom je op zoek was naar mijn oma. Dat is de reden dat ik hier ben, snap je. Dat is waarom ik op die weg reed en Summer toen zag. Verdomme, Claire vertelde me dat ik mijn eigen dochter heb gered terwijl ik hierheen ben gekomen om jóú te zoeken.'

'Hierheen ben gekomen… Ik volg het niet helemaal. Hoe kan Tamsin nou jouw grootmoeder zijn?'

'Luister,' zei Jon. 'Ik zal bij het begin beginnen.' Hij leunde tegen de trampoline en vertelde hun het verhaal.

'Een oude vriend van onze familie liet mijn vader de advertentie over Tamsin Lovall zien die jij vrijdag in de krant had gezet. Ik wist niet dat ze Lovall had geheten maar die vriend herinnerde zich haar en zei dat zij het wel moest zijn. Ik was verbaasd want ik wist niet dat ze een zigeunerin was. Dat had mijn vader me nooit verteld. Hij zei dat dat kwam doordat ze er zelf altijd geheimzinnig over deed en dat respecteerde hij.'

'Ik neem aan dat Tamsin overleden is?' vroeg Jude zacht.

'Ja, jaren geleden, toen ik vijf of zes was,' zei Jon. 'Ik herinner me haar niet echt.'

'O, wat jammer,' zei Jude. Dus al die jaren had oma zich voor niets druk gemaakt. Tamsin, van wie ze de halsketting had meegenomen, was al dood; ze moest betrekkelijk jong zijn overleden. 'Wanneer is dat gebeurd?' vroeg ze. 'Sorry, ik word er niet echt wijs uit omdat ik niet weet hoe oud jij bent.'

'Net zo oud als jij,' onderbrak Claire haar. 'Hij is vierendertig, toch, Jon? Vijftien april, weet ik nog. Ram. Vuurteken, net als ik.'

Jon keek haar verbaasd aan.

'Laat maar,' voegde Claire er haastig aan toen. 'Ik verwacht nooit dat mannen verjaardagen en zo onthouden. Ik ben een Leeuw… twintig augustus.'

Jude sloeg nauwelijks acht op deze conversatie. Ze dacht: dus Tamsin overleed bijna dertig jaar geleden. En oma had daar niets van geweten. Waarschijnlijk had die halsketting zo'n dertig jaar op haar geweten gedrukt. Maar ze had hem tenminste aan de familie terug willen geven.

‘Hoe dan ook,’ zei Jon, ‘mijn vader probeerde je te bellen op het nummer dat in de krant stond. Maar dat was niet te bereiken.’

‘O?’ vroeg Jude verbaasd.

‘Ja, kijk.’ Hij haalde een portemonnee uit zijn jaszak, trok er een rechthoekig krantenknipsel uit en gaf het aan haar.

‘Verdorie, ze hebben het nummer verkeerd genoteerd,’ zei ze geërgerd.

‘Ja, en er staat alleen Starbrough Hall, Norfolk, dus mijn vader wilde geen brief sturen voor het geval die niet zou aankomen. Aangezien hij helemaal in Sheringham woont, en ik een dagje vrij had, stelde ik voor om langs de Hall te rijden. En hier is dus de brief.’

Hij gaf Jude een witte envelop met haar naam erop. Ze opende hem, las snel de brief door en bleef toen diep in gedachten verzonken staan.

‘Laat mij eens kijken,’ zei Claire en Jude gaf haar de brief.

Geachte juffrouw of mevrouw Gower,

Ik las uw advertentie over Tamsin Lovall. Zo heette mijn moeder voordat ze trouwde. Ze had altijd gezegd dat ze een zigeunerin was, maar toen ze achttien of negentien was leerde ze in Yarmouth mijn vader kennen, waar ze naartoe was gegaan om verpleegster te worden, het was toen oorlogstijd. Hij zat in het leger, ze ontmoetten elkaar op een dansfeest en trouwden niet lang daarna, toen ik, denk ik, al onderweg was. Ze is nooit meer teruggekeerd naar haar familie. Volgens mij had ze ruzie met hen omdat ze verpleegster was. Ze heeft drie kinderen gekregen, mij, mijn zus en mijn broer, maar overleed helaas in 1980, kort na haar zevenenvijftigste verjaardag, aan kanker. Mijn vader, George, overleed in 1999. Ik ben bang dat ik me niet herinner dat ze het ooit over uw oma heeft gehad, maar ze sprak nooit veel over haar jeugd. Ik denk dat ze niet wilde dat men wist dat ze een zigeunerin was of dacht dat ze anders was. Ze was een verlegen vrouw en stond nooit graag op wat voor manier dan ook in het midden van de belangstelling. Maar ik zou wel geïnteresseerd zijn om iemand te ontmoeten die haar als kind kende, als u zo vriendelijk wilt zijn contact met me op te nemen.

Met vriendelijke groet,
Frank Thetford

Claire gaf de brief aan Jude terug. 'Ik begrijp er niets van,' zei ze. 'Wie is George en wie is Frank?'

'George was mijn grootvader. Hij is degene met wie Tamsin trouwde. Frank is mijn vader.'

'En jij bent haar kleinzoon.'

'Wat betekent,' zei Jude, die het eindelijk hardop uitsprak, 'dat Summer Tamsins achterkleindochter is. Van Jessie én van Tamsin. Mijn god.'

'En jij kwam net op tijd langs om Summer te redden.'

De reeks van toevalligheden was zo verbazingwekkend dat ze elkaar aanstaarden.

Later die dag reed Jude terug naar Starbrough Hall en verlangde naar haar bed. Toen ze langs de cottage van Euan kwam, zette ze de auto aan de kant en bedacht dat ze Euan moest helpen met het opruimen van alle rommel. Er stonden geen andere auto's op de oprit, zelfs niet die van Euan. Ze klopte op de deur, maar er werd niet opengedaan. Ze liep langs de dieren naar het grasveld achter het huis. Er was geen spoor van Euan te bekennen. Ze voelde zich plotseling heel verdrietig en alleen, liep terug naar de auto en reed verder.

De volgende ochtend had ze net aan Chantal verteld wat er allemaal was gebeurd toen haar telefoon ging. Het was de juwelierszaak in Norwich die haar vertelde dat de halsketting klaar was.

'Hij dateert absoluut van rond 1760,' zei de juwelier, toen ze langskwam om hem op te halen. 'En onze onderzoeker heeft kunnen vaststellen dat het merkje van de goudsmid van een zaak in Hatton Garden is. Als hij compleet en in goede staat is, is hij iets van, o, ongeveer negen- of tienduizend pond waard, maar zoals hij nu is, niet meer dan vijfduizend. Ik heb het allemaal uitgelegd in deze brief die ik voor u heb geschreven, en we kunnen er een vervangende ster voor u in laten zetten als u besluit hem te laten maken.'

'Verbazingwekkend genoeg hebben we het ontbrekende bedeltje gevonden,' zei ze tegen de juwelier. En in het laatste staartje van een droom twinkelde er een kleine ster in de pas gevallen sneeuw.

'O, wat goed. Daardoor wordt de halsketting waardevoller, natuurlijk. We zouden het een voorrecht vinden om de reparatie uit te voeren als u het wilt langsbrengen. Het is een heel mooi sieraad.'

'Ja, hè?' zei Jude, die haar portemonnee uit haar tas haalde om de vrouw te betalen. 'Kunt u me ook vertellen of het een gebruikelijk ontwerp was voor die tijd?'

'Dat staat allemaal in de bijgevoegde brief. Hier... "Hoewel sterren aan het eind van de eeuw populair werden omdat men meer belangstelling kreeg voor astronomie, kwamen dergelijke voorwerpen in de periode daarvóór zeldzamer voor. Dit sieraad wordt beschouwd als uniek, niet in de laatste plaats omdat de juwelier was gespecialiseerd in het uitvoeren van opdrachten voor individuele stukken."'

Dus het was zeer waarschijnlijk dat de halsketting van Esther was geweest. Maar hoe was Esther er dan als klein kind aan gekomen? En nu zou hij van Frank zijn. En dan van Jon. En misschien, uiteindelijk... van Summer.

De droom drong zich nu weer sterker aan haar op.

In plaats van dat ze terugliep naar de auto, ging ze naar het Castle Museum. Ze moest nog wat formulieren invullen.

Het duurde tot woensdag voordat Euan haar opbelde, nadat ze een uitputtende dag had gewerkt met de fotograaf die Bridget van het kantoor had gestuurd om Starbrough Hall in het algemeen en de bibliotheek in het bijzonder te fotograferen.

'Ik logeer bij Fiona en Paul,' vertelde hij haar. 'Ik kon wel even wat rust gebruiken. Heb je het morgen druk?'

'Ja,' zei Jude, 'maar het zou geweldig zijn als je langs kon komen en erbij kon zijn.'

'Waarbij?' vroeg hij.

'Bij een nogal merkwaardige bijeenkomst,' antwoordde ze. 'Op Starbrough Hall. De Wickhams zijn zo vriendelijk geweest. Er was nergens anders ruimte genoeg. En de Hall is zo belangrijk voor het verhaal.'

En ze legde alles aan hem uit.

Deel III

34

'Het hele verhaal is als een enorme 3D-legpuzzel,' vertelde Jude aan Euan op donderdagochtend. Ze zaten in de bibliotheek in Starbrough Hall, waar ze hem de transcripties van Esthers dagboek liet zien. 'Ik pieker me er suf over.'

'Misschien helpt het om het op te schrijven,' stelde Euan voor. 'Mag ik dit vel papier gebruiken? Een stroomschema is het handigst. Kijk, hier staat Esther, helemaal linksboven.'

'En het zigeunermeisje, voor wie ik de naam gebruik waar Summer mee kwam, Rowan, hier rechts.'

'Hier staat de halsketting onder Esthers naam, dan tekenen we een pijl naar Rowan omdat zij hem aan Rowan moet hebben gegeven.'

'Dan moeten we ervan uitgaan dat Rowan hem in de familie heeft doorgegeven, die allemaal zigeuners waren, totdat het Tamsins beurt is en de ketting in de jaren dertig van de twintigste eeuw krijgt.'

'En dat is het moment waarop je oma, de dochter van de jachtopziener, hem van haar afneemt en hem zelf houdt. We schrijven haar naam, Jessie, hier links onderaan op, dan je moeders naam, Valerie, dan die van jou en Claire, en dan Summer.'

Het lag op het puntje van haar tong om Euan te vertellen over Summer en Jon, maar ze had Claire beloofd dat niet te doen.

'En dan onder Tamsins naam, Frank, en Jon.'

Ze staarden allebei naar het schema dat ze hadden getekend. 'Dit betekent dat de halsketting aan Frank moet worden gegeven, hij is immers Tamsins oudste kind.'

'We weten nog steeds heel veel niet, hè?' zei Jude. 'Ik bedoel, Esther schrijft dat ze in de toren opgesloten zit. Tenzij we van mijn eigenaardige droom uitgaan, weten we echter niet precies hoe ze eruit heeft weten te komen en wat er daarna met haar is gebeurd. Er zijn absoluut geen bewijsstukken van dat ze ooit nog iets met Starbrough Hall van doen heeft gehad. Augustus heeft het geërfd, en Chantal heeft me de stamboom laten zien. Er komt geen Esther in voor. En we kunnen er natuurlijk alleen maar naar raden dat Tamsin van Rowan afstamt.'

'Maar het lijkt wel waarschijnlijk,' zei Euan. 'Hoe had Tamsin anders aan de halsketting kunnen komen?'

'De enige aanwijzingen die we hebben,' zei Jude, 'kunnen moeilijk de toets der kritische geschiedkundige blikken doorstaan. We hebben mijn eigen waanbeelden, en wat er volgens Summer is gebeurd toen ze werd vermist. Ze houdt nog steeds vol dat er iemand uit de folly moest worden gered en dat een of ander meisje haar daarna onder haar hoede nam. Euan, als ik niet net als Summer op die leeftijd vreemde dromen had gehad, had ik het gemakkelijker los kunnen laten. Maar hier is iets heel vreemds aan de hand en ik ben niet bereid dat gewoonweg te negeren.'

'En toch kun je het onmogelijk in je artikel over Esther zetten. Dat kan niet.'

'Natuurlijk niet. Los van de vraag of het historisch bewijsmateriaal is, zou het niet eerlijk zijn tegenover Summer. Maar misschien, heel misschien, kunnen we het als hypothese gebruiken om meer harde feiten te ontdekken. Stel dat Esther inderdaad is ontsnapt. Het is heel aannemelijk dat ze met Rowan en haar familie is meegegaan. Zeker als Alicia haar uit het testament had geschrapt en Esther het gevoel had dat ze in levensgevaar verkeerde.'

'Dat moet een bonte stoet zigeuners zijn geweest, ha ha! Nee, ik lach je niet uit, Jude. Het klinkt heel... ik weet niet, romantisch, dat is alles. Kun je je voorstellen dat ze een zwervend bestaan moest leiden nadat ze de dochter van het Grote Huis was geweest?'

'Dat zal wel ongelooflijk moeilijk voor haar zijn geweest.'

'Dus misschien is ze iets anders gaan doen, maar ik zie niet hoe we daarachter kunnen komen.'

'Nee, ik op dit moment ook niet.'

Ze zwegen, beiden in gedachten verzonken.

Toen keek Euan op zijn horloge. 'Hoe laat moeten we mevrouw Catchpole ophalen?'

'Oma? Na de lunch. Het is ontzettend aardig van de Wickhams om ons hier allemaal uit te nodigen.'

'Het zou wel veel te druk zijn geweest bij je oma thuis. En je hebt gelijk, Starbrough is de aangewezen plek, aangezien het zich hier allemaal heeft afgespeeld. Maar weet je wel zeker dat je mij er ook bij wilt hebben?'

'Natuurlijk,' zei Jude, en ze legde een hand op zijn arm. 'Op een bepaalde manier maak jij hier nu ook deel van uit.'

'Weet je, dat gevoel heb ik nou ook,' antwoordde hij, en hij glimlachte naar haar.

Zoals ze in de enorme leunstoel in de zitkamer zat, ondersteund door kussens, zag haar oma eruit, dacht Jude, als een klein, nerveus kind. Chantal was op haar charmantst, schonk thee in prachtige, porseleinen kopjes, en zelfs Miffy deed haar best, die zich met haar hondenwarmte tegen haar grootmoeders benen drukte.

'Hoe laat komen ze?' vroeg haar oma ongerust aan Jude, voor de derde keer, terwijl ze aan haar versleten trouwring friemelde.

'Ze kunnen er elk moment zijn,' antwoordde Jude. Euan, die bij het raam stond, zei toen Jons blauwe sportauto de oprit op reed: 'Ze zijn er al.' Daarop volgden een paar chaotische minuten, omdat de tweeling de honden buiten had losgelaten en Summer bang was om de auto uit te stappen. Robert pakte echter een van de honden beet en een nette, ietwat gezette man, die alleen maar Jons vader kon zijn, stapte de auto uit en pakte de andere hond vast, waarna Claire en Summer vanaf de achterbank uitstapten. Jon haalde een boodschappentas uit de kofferbak en gaf die aan zijn vader. Toen, terwijl de voordeuren openstonden, zoals gebruikelijk bij zo'n bijzondere gelegenheid, liep Alexia als een gracieuze kasteelvrouwe de trap af, en leidde hen allemaal het huis binnen.

Frank en Jon werden aan haar grootmoeder voorgesteld, die, nu ze daadwerkelijk waren aangekomen, haar zenuwen plotseling leek te zijn vergeten en hen als een koningin verwelkomde. Chantal liet Frank in de stoel naast haar oma plaatsnemen, en terwijl Alexia Summer meenam naar de speelkamer van de tweeling, probeerden de volwassenen het gesprek op gang te krijgen waar Judes grootmoeder al zo veel jaren naar had uitgekeken. Ze kwamen te weten dat Frank een baan had als chauffeur voor een grote garage en autoshowroom in Yarmouth. Hij had een zachte stem en stralende ogen; net als die van Tamsin, zei haar oma op een gegeven moment plotseling. 'Ik zie haar in jou terug.' Ze schenen veel dezelfde plekken te kennen en zich dezelfde plaatselijke gebeurtenissen en vooraanstaande personen te herinneren. Jude zag hoe trots hij op Jon was.

Jude wist de verschillende draden van het familieverhaal bij elkaar te brengen. Franks vrouw was bij hem weggegaan toen Jon dertien was. Frank had op dat moment geen baan en had alles laten versloffen. Toen Jon achter in de twintig was en hij Claire leerde kennen, was hij zonder noemenswaardige diploma's van school gegaan. Hij had in een aantal bands gespeeld, geen van alle succesvol, en een doelloos bestaan geleid. Toen deed zich een paar jaar later een kans voor. Hij zag een plaatselijke band in een pub spelen en vond dat die jongens wel wat hadden. Hij bood aan om hen wat tips te geven over met wie ze moesten praten, hoe ze zich moesten presenteren, en al snel werd hij hun manager. Nu, twee succesvolle albums later, waren ze op tournee en bouwde hij zijn eigen, kleine platenmaatschappij op met nog andere bands.

'Je bent er echt goed mee op dreef, toch, jongen?' zei Frank.

Jon leek in verlegenheid gebracht.

'Ziedaar de flitsende auto van de manager,' merkte Claire op, maar ze was duidelijk onder de indruk.

Frank wierp een blik op Claire, en keek alsof hij nog iets wilde zeggen, maar besloot dat niet te doen. In plaats daarvan pakte hij de boodschappentas die hij had meegenomen op en haalde er een fotoalbum uit. 'Er staan hier foto's van mijn moeder in,' zei hij, en hij opende het boek en liet het aan Judes oma zien. 'Hier staat ze in haar verpleegstersuniform, en dit was de bruiloft, natuurlijk. Hier houdt ze me vast, ik was toen nog maar een peuter, en dit zijn wij op het strand, in Sheringham, geloof ik.'

Haar oma sloeg de bladzijden zwijgend om, met een vreemde uitdrukking op haar gezicht, alsof ze de foto's wel wilde zien maar bang was voor de gevoelens die ze bij haar zouden losmaken.

'Zo te zien is je vader een goed mens,' zei ze tegen Frank, die knikte. 'Waren ze gelukkig?'

'Volgens mij wel, ja,' zei hij.

'Ze verdiende het om gelukkig te zijn,' mompelde ze. Ze gaf het fotoalbum door en eindelijk zag Jude Tamsin: donker haar, dat strak naar achteren zat onder haar verpleegsterskapje, met diepliggende, donkere ogen, een verlegen, ernstige uitdrukking op haar gezicht.

'Hoe heb je haar precies leren kennen?' vroeg Frank. 'Ze vertelde nooit veel over haar leven uit de periode vóór ze mijn vader leerde kennen, behalve dat ze in een "vardo" woonde. Dat was haar woord voor woonwagen. Ze sprak graag over de vardo en de paarden die hem voort hadden getrokken. In het album is er ergens een foto van. Die vond ik nadat ze was overleden. Volgens mij zit hij achterin.'

De foto was op de laatste bladzijde geplakt. Judes oma staarde er een tijdje naar. Ze merkte nauwelijks op dat Frank het voorzichtig van haar wegnam en aan Jude liet zien. De foto was gekreukt en een beetje vaag, maar er stond een woonwagen op die erg op die van Euan leek, een zwart-witte, waar een tenger meisje, waarschijnlijk Tamsin, voor zat, naast een gespierde, verweerde man die een sigaret rookte en met zijn andere hand de leidsels vasthield.

'Dat was Ted, een van haar ooms,' zei Jessie.

'De woonwagen lijkt erg op die van jou, hè?' mompelde Jude tegen Euan, die er nog eens goed naar keek voordat hij het aan Claire doorgaf.

'Inderdaad, maar dat zou wel te toevallig zijn,' zei hij resoluut.

Claire gaf het album aan Jon en aan Chantal, en stond toen op.

'Mevrouw Wickham, zou u mij misschien naar Summer willen brengen?' vroeg ze, en de twee vrouwen liepen de kamer uit. Ze was nu liever niet ver van Summer verwijderd. Jon mompelde iets over kijken hoe het met ze ging en liep achter de vrouwen aan. Euan stond op en liep snel naar het verste raam waar hij met zijn handen in zijn zakken over het park uitkeek. Jessie zat zwijgend aan haar trouwring te friemelen.

'Wat is er, oma?' vroeg Jude zacht.

Frank, die waarschijnlijk dacht dat ze moe was, wilde zich verexcuseren, maar oma gebaarde dat hij moest blijven. Omdat ze nog steeds niets zei, schraapte Frank zijn keel en zei: 'Mevrouw Catchpole, ik weet dat er iets ergs is gebeurd met mijn moeder. Ze was altijd erg op zichzelf, en als je het mij vraagt zat haar iets dwars. Mijn vader heeft me ook zoiets verteld. Iemand heeft haar veel pijn gedaan, hè?'

Judes grootmoeder keek haar aan en Jude was ontroerd om te zien dat haar ogen glinsterden van onvergoten tranen.

'Het zien van die foto's... Natuurlijk, het komt allemaal weer boven. Maar, ja, er is inderdaad iets gebeurd. Dat was toen zij en ik vijftien waren.'

Haar oma zweeg weer even, en keek Frank toen recht aan. 'Ik heb hier een heel lange tijd niet over gesproken. Ik hoop dat je dat zult begrijpen. Het is al die jaren een last voor me geweest. Als ik hem eerder had aangegeven, was het misschien op tijd opgehouden.

We gingen een keer met z'n tweetjes het bos in. We kwamen drie soldaten tegen. Een van hen kende ik nog van school. Hij heette Dicky Edwards. Hij was altijd nogal een pestkop geweest en we zagen meteen dat ze hadden gedronken. Zoals ze naar ons keken! Nou, we waren doodsbang, en dat bleek terecht.'

Jude kon het nauwelijks verdragen om te luisteren naar het verhaal dat haar oma vervolgens vertelde. De meisjes zetten het op een lopen, maar de mannen haalden hen in. Ze probeerden zich los te wurmen en haar oma had het geluk dat ze een schop uitdeelde waardoor haar veroveraar ineenkromp van de pijn en haar losliet. 'Laat haar maar gaan, we hebben de *gypo*,' riep Dicky. De jonge Jessie was naar huis gestrompeld, vol afgrijzen door de klappen en het geschreeuw achter haar. Ze kwam buiten adem en schreeuwend thuis, nauwelijks in staat om het verhaal aan haar geschrokken moeder te vertellen. Haar vader en de boer werden erbij geroepen, die allebei het bos in renden. Daarna stuurde iemand bericht naar de Hall en werd de politie erbij gehaald, maar voor Tamsin was het allemaal te laat. Jessies moeder vertelde haar dat ze wankelend in het kamp terugkwam, bebloed en onder de blauwe plekken. Mevrouw Wickham had de dokter naar haar toe gestuurd en er werd een zoektocht naar de jongens op touw gezet, die werden gepakt toen ze een trein uit stapten. Maar toen de zon de volgende ochtend opkwam, waren Tamsin en haar familie vertrokken en kwamen er jarenlang geen zigeuners meer naar Starbrough Woods.

'En toen ze niet meer terugkwam, heb ik de halsketting meegenomen,' mompelde haar oma. 'Ik wist waar ze hem bewaarde en heb hem gepakt. Jude, heb je hem bij je, lieverd?'

Jude haalde het doosje uit haar handtas en gaf hem aan haar grootmoeder, die het openmaakte.

'Frank,' zei ze, 'deze was van je moeder. Ik weet niet hoe ze eraan gekomen is, maar toen ze vertrok heb ik hem in onze verstopplek in de toren voor haar achtergelaten, in de veronderstelling dat ze terug zou komen. En toen dat niet gebeurde, heb ik hem eruit gehaald. Ik heb hem al die jaren gehouden. Het spijt me.'

Wat Frank van dit verwarrende relaas begreep, wist Jude niet, maar hij pakte het doosje van Jessie aan en keek naar de prachtige halsketting, compleet met de zevende ster, die het museum aan Jude had teruggegeven, en die de juwelier als tijdelijke oplossing snel had schoongemaakt en op zijn plek had teruggezet. Er lag een onzekere en verbaasde uitdrukking op zijn gezicht. 'Is hij echt?' vroeg hij.

'Jazeker,' zei Jude, en ze glimlachte toen ze de verontwaardigde uitdrukking op haar grootmoeders gezicht zag. 'Ze denken dat hij uit 1760 dateert, of daaromtrent. Dat zei de juwelier tenminste.'

'Wat moet ik ermee doen?'

'Het is een soort familie-erfstuk. Je kunt hem houden en in de familie doorgeven.'

'Ik heb alleen Jon.' Frank keek weer naar de halsketting, legde die toen op tafel en wreef met een hand over zijn gezicht. 'Dit alles,' zei hij. 'Ik kan er niet bij. Het is afschuwelijk... wat er met mijn moeder is gebeurd, bedoel ik. Vreselijk. Geen wonder dat mijn vader er nooit veel over zei.'

'Misschien was het in die tijd iets om je voor te schamen.'

'Ik weet het niet,' zei Frank. 'Ik weet het niet. Ik neem aan dat hij haar wilde beschermen. Dat heeft hij goed gedaan.'

Hij was even in gedachten verzonken, en toen zei Jessie: 'Ik heb het mezelf nooit kunnen vergeven. Ik had Dicky eerder moeten aangeven. Maar ik rende weg en liet haar alleen achter.'

'Wat had u nou kunnen doen, oma? Dan was u misschien hetzelfde overkomen.'

'Dat is ook wat ik mezelf voorhield, maar ik voel me er nog steeds vreselijk onder, vreselijk.'

Terwijl ze aan het praten waren, kwam Euan terug van zijn plek bij het raam en ging bij hen zitten. Hij pakte het fotoalbum op en begon erin te bladeren. Toen er een stilte viel, zei hij: 'Weet je, Frank, ik denk dat die woonwagen van je moeder misschien dezelfde is als die in mijn tuin staat. Ik zei dat het te toevallig was, maar, nou ja, Jude, kijk dit patroon nou eens. En dan heb je hier het houtsnijwerk en een kerf in het sierzaagwerk, zie je wel?'

'Hoe kom je aan die woonwagen?' vroeg Frank.

'Hij is niet van mij, ik heb hem geleend,' zei Euan tegen hem. 'Mijn neef heeft een boerderij vlak bij de kust van Sheringham, en hij vond hem in een van de schuren. Denk je dat je moeders hele familie zich uiteindelijk ergens heeft gevestigd?'

'Ik weet het niet,' zei Frank, 'maar dat kan ik misschien wel uitzoeken. Er zijn websites over, neem ik aan.'

'Een heel nieuw verhaal,' zei Jude. Euan glimlachte, duidelijk tevreden met die gedachte.

Robert en Alexia hadden voor de gelegenheid in de muffige, oude eetkamer een groot theebuffet klaargezet.

'Ik kan jullie niet genoeg bedanken voor wat jullie allemaal doen,' zei Jude tegen hen. 'Het is zo belangrijk voor mijn grootmoeder.' Ze keken toe hoe ze aan het ene uiteinde van de tafel hof hield, terwijl Frank en Chantal haar vragen stelden over haar jeugd op het landgoed hier. Op een gegeven moment hoorde Jude haar aan Euan vragen wat hij met de cottage had gedaan waarin zij was opgegroeid.

'Het is juist erg gezellig om jullie over de vloer te hebben,' zei Alexia, die de pizzaresten van haar zoon voor de gulzige ogen van een van de honden weghaalde. 'Volgens mij is dit het eerste echte feestje dat we hier hebben gevierd, toch, Robert? Op de verjaardagen van de tweeling na, natuurlijk.'

'Ja, volgens mij ook. En het is des te meer toepasselijk omdat we het Wickham-erfgoed vieren. Zo zou je het althans kunnen noemen. Jude, je hebt geweldig werk verricht door zo'n interessante episode uit onze geschiedenis aan het licht te brengen.'

'Er zitten nog steeds wat gaten in het verhaal, maar ik doe m'n best om die allemaal op te vullen. Dan kan ik ook mijn artikel afmaken.'

'Is dat het artikel voor het tijdschrift van Beecham?' vroeg Alexia afwezig.

'Ja, het zou de verkoop heel wat interessanter kunnen maken.'

Jude zou de volgende dag weer naar huis teruggaan; maandag moest ze weer op kantoor zijn. Gedurende de afgelopen paar dagen was ze aan het artikel voor Bridget begonnen en ze hoopte het dit weekend klaar te hebben. De uitdaging was om het aantal woorden niet te overschrijden. Het artikel was praktisch zichzelf aan het schrijven.

Ze keek de kamer rond. Ze vond het vreselijk om hier weg te moeten. Er waren nog zo veel losse eindjes die aan elkaar geknoopt moesten worden; ze keek ernaar uit om haar artikel af te ronden en aan de voorbereidingen van de verkoop te beginnen, maar ze zou de plek en het feit dat ze deel uitmaakte van het leven op Starbrough, Claire en Summer, en haar oma gaan missen.

Ze had een prachtig verhaal aan het licht gebracht, over een meisje dat een vader vond en hem hielp bij zijn werk, dat een belangwekkende ontdekking deed – een nieuwe planeet – waarna haar alles ruw werd afgepakt. Jude geloofde inmiddels, na Summers ervaringen, oprecht dat Esther uit de toren was ontsnapt. Wat er daarna met haar was gebeurd bleef echter een raadsel dat ze moest proberen op te lossen. Niemand wist waar Esther vandaan kwam of waar ze naartoe ging. Ze hadden slechts een korte, heldere glimp van haar leven in haar dagboek opgevangen, als een komeet, waarna ze opnieuw in de schaduw was verdwenen.

Ze liep naar Frank toe, die nu alleen stond en een slok van zijn bier nam. 'Frank, ik hoop dat je me niet te brutaal vindt, maar zou ik die halsketting een tijdje van je mogen lenen en naar Londen meenemen? Ik moet hem goed laten fotograferen, snap je; voor een artikel dat ik over dit huis aan het schrijven ben.'

'Ja, dat is prima, neem maar mee. Hij is eigenlijk toch niet echt van mij. Ik heb hem alleen aangenomen omdat hij van mijn moeder is geweest. Ik zou niet weten wat ik ermee aan moet. Jon zou hem vast niet willen. Ik wilde dat hij eens een jonge vrouw ontmoette. Het wordt tijd dat hij eens een gezin gaat stichten, lijkt me. Op zijn leeftijd was ik met Liz getrouwd en hadden we hem al als kleintje om ons heen rennen.'

Jude had hem dolgraag willen vertellen dat hij al een kleinkind had, Summer. Op dat moment keken ze naar haar, terwijl ze niet rondrende maar op de tweeling paste en hen commandeerde dat ze hun beker leeg moesten drinken en verstoppertje met haar moesten spelen.

'Wat een leuk meisje,' merkte Frank op. 'Ik herinner me dat ik je zus een keer met Jon heb gezien. Ze is erg veranderd, hè?'

'Net als jouw zoon,' zei Jude gevoelvol.

'Het is goed wanneer ze weten wat ze in het leven willen doen,' zei hij. 'Maar dat kleine meisje...' Hij liet zijn woorden wegsterven en Jude vroeg zich af of hij het had geraden.

Alsof ze hem had gehoord, stond Claire plotseling tussen hen in. Ze zei tegen Frank: 'Oma is zo blij je te hebben ontmoet. Ik kan nauwelijks geloven hoeveel dat met haar doet.'

'Ze is een heel interessante vrouw,' zei Frank. 'We hebben het uitgepraat en misverstanden uit de weg geruimd. En ze is heel trots op haar kleindochters. Vooral op jou, Claire, zegt ze, met je winkeltje en zo'n leuk meisje.'

'Ach, ja,' zei Claire, die een beetje moest blozen. Frank had in de roos geschoten want ze zag er gelukkiger en zelfverzekerder uit toen ze zei: 'Ik heb niet altijd zo veel geluk gehad. Maar ze zeggen dat je het beste moet maken van wat het leven te bieden heeft, nietwaar?'

Jude glimlachte inwendig bij het horen van die gevleugelde woorden van haar grootmoeder. Ze liet hen samen verder praten en liep weg. Er was nog meer dan genoeg te bespreken.

Op dat moment kwam Alexia met Judes handtas binnen, die ze in de gang had laten staan. 'Ik hoorde je telefoon gaan,' zei ze. 'Maar ik was te laat om op te nemen.'

'O,' zei Jude, die in haar tas naar haar telefoon zocht.

Ze liep de kamer uit en las met enige verbazing wat er op het display stond. Ze drukte op een toets om terug te bellen en toen er werd opgenomen, zei ze: 'Hoi mam, hoe gaat het?'

'Nou, prima lieverd, maar we vroegen ons af waar iedereen is. Je oma is niet thuis, Claires telefoon staat uit en je had zo'n vreemd bericht op het antwoordapparaat achtergelaten. Is alles wel in orde? Waar ben je?'

'In Norfolk,' zei ze. 'Maak je geen zorgen over dat bericht. De paniek is voorbij. Claire en oma zijn bij mij. Hoe gaat het daar bij jullie?'

'Lieverd, we zitten niet meer in Spanje, we zijn thuis. Ik kon het niet meer aan. De hitte, het gebrek aan water... Het was simpelweg vreselijk. Nee, we zijn vanmorgen teruggevlogen. Ik had je nog een e-mail gestuurd of je ons van het vliegveld wilde ophalen, maar die heb je overduidelijk niet gelezen.'

'Nee, ik ben bang van niet.' Jude kon het niet laten om te lachen om haar moeders veronderstelling dat de hele wereld om haar draaide. 'Dus je bent thuis?'

'We drinken nu een kop thee en gaan dan boodschappen doen voor het avondeten.'

'Wacht even,' zei Jude tegen haar. Ze ging snel op zoek naar Alexia, vond haar in de keuken en legde het uit. 'Ik vroeg me af of je het erg zou vinden als zij ook even langskomen. Iedereen is nu bij elkaar, snap je, en het is een mooie gelegenheid. Douglas' huis ligt slechts zo'n tien kilometer ten noorden van hier.'

'Waarom niet?' zei Alexia. 'Hoe meer zielen, hoe meer vreugd.' Maar Jude vond dat ze er nu wel wat vermoeid uitzag, en voelde zich schuldig. Toch was dit een te mooie gelegenheid om voorbij te laten gaan.

'Mam,' zei ze in de telefoon, 'drink je thee op en kom dan met Douglas hiernaartoe. Je weet waar Starbrough Hall ligt, toch? Er staat je een kleine verrassing te wachten.'

'Starbrough Hall?' vroeg haar moeder weifelend. Jude herinnerde zich plotseling wat Claire haar onlangs had verteld over haar moeder en de folly. 'Ja, ik geloof van wel.' Jude hoorde haar even snel met Douglas overleggen en toen zeggen: 'Dan komen we even binnenwippen, als je tenminste zeker weet dat niemand daar bezwaar tegen heeft.'

Na de thee was er een rondleiding door het huis. Chantal ging het gezelschap voor dat bestond uit Frank, Jon en Claire, Euan en Summer. Oma zei dat ze liever bleef zitten, en Jude wilde haar de bibliotheek laten zien. 'Als ik nog jong was geweest, had ik een rondje gemaakt,' zei ze tegen Jude. 'Ik heb de keukens nooit eerder goed bekeken, maar er was eens een feestje in de tuin en toen heb ik een snelle blik in die grote woonkamer geworpen toen niemand keek.'

Later verzamelden ze zich in de bibliotheek. Jessie zat in de grote stoel bij de open haard en keek om zich heen.

Frank hing rond bij het planetarium en luisterde gefascineerd naar Chantal, die uitlegde hoe het werkte. Claire zei dat ze het plafond het mooist vond, met de uitbeelding van de sterrenbeelden. Euan wees ze Summer aan en ze herhaalde binnensmonds alsof het een mantra was: 'Tweelingen, Waterman, Ram.' Max en zijn zus renden rond of kropen over de meubels heen, waar Robert chagrijnig van werd omdat hij bang was dat ze iets stuk zouden maken.

'Waarom zijn hier dan maar zes planeten?' vroeg Frank, en Chantal legde uit dat die planeten de enige waren waarvan ze het bestaan kenden in de tijd dat het planetarium was gemaakt. 'Dat is de reden dat Esther zo belangrijk is. Zij en haar vader waren de eersten die een zevende planeet hebben ontdekt. Ze wisten zelf echter niet eens wat ze hadden gevonden, en bovendien was hun vondst nooit in de openbaarheid gebracht.'

'Ah,' zei Frank.

'Chantal, zullen we als het donkerder wordt proberen om er een lichtje in te zetten?' stelde Euan voor.

'Wat een goed idee,' antwoordde ze.

Jude liet ondertussen aan Claire de observatieboeken zien, en haalde toen het dagboek uit de kast. 'Esther schreef dit toen ze in de toren gevangenzat,' legde ze uit, en ze liet het haar zien. 'Summer schijnt hier stukken uit te kennen.' Maar Claire keek er nerveus naar, alsof het een angstaanjagende vervloeking zou overbrengen als ze het aanraakte.

'Ik ben er nog steeds niet zeker van of dat zo is,' zei Claire. Ze wierp een blik op Summer, die naast Frank naar het planetarium stond te kijken. 'Het enige wat ik weet, is dat de afgelopen nachten, sinds ze... vermist is geweest, ze geen nachtmerries meer heeft gehad. Even afkloppen...'

Dus wat het ook was geweest, het is nu wellicht verdwenen, zei Jude tegen zichzelf. Ze durfde dat niet hardop te zeggen voor het geval Claire ervan zou schrikken. Het idee dat er... nou, íéts was geweest. Misschien zou een psycholoog er een pasklare verklaring voor hebben. Jude had die in elk geval niet.

'Hoe laat komt oma?' vroeg Summer, niet in het minst geïnteresseerd in de boeken en documenten die Jude om zich heen had uitgespreid. Er was al anderhalf uur verstreken sinds Valerie had gebeld.

'Ze zijn er vast zo,' zei Claire. 'Als ze nog maar net thuis waren, hebben ze meer dan genoeg te doen.'

'Misschien zijn ze wel eerst boodschappen gaan doen,' zei Jude, die op haar horloge keek. 'Het wordt nu toch wel behoorlijk laat.'

Ze hoorde dat Frank tegen Chantal zei: 'Ja, we moesten zo maar weer eens gaan, zodat jullie tenminste nog een rustige avond hebben.'

'O, maar we hebben het ontzettend naar onze zin, toch, Robert?' kwam Alexia tussenbeiden. 'Blijf alsjeblieft nog even, als je kunt.'

'Volgens mij zijn ze er!' riep Summer, die naar het raam rende en de jaloeziën opzijschoof. 'Ja, oma! Oma!' Ze bonkte op het raam met haar zachte, kleine vuist, en schoot toen naar de deur, waar ze wachtte tot Alexia die opendeed. Chantal volgde haar, met Jude en Claire, en ze haastten zich de hal door en de trap af. Daar stapte een keurig verzorgd stel uit een glanzend blauwe sedan. Summer stormde op ze af.

'Lieverd!' riep Valerie met haar betoverende, hese stem, en ze spreidde haar armen om haar op te vangen. 'Wat ben je toch een knapperd. Laat me eens naar je kijken. Wat zit je haar toch prachtig, zo met die haarspeldjes. O, ik wilde dat ik ook dat soort schoenen kon vinden. Die maken ze niet voor volwassen dames, lieverd.'

Ze draaide zich om naar de rij glimlachende vrouwen. 'Claire, Judith, lieverds, het spijt me dat we zo laat zijn. En...' Ze omhelsde ze om de beurt. Douglas, vriendelijk en beleefd, schudde hen de hand en gaf ze twee zoenen op hun wang, en Jude stelde hen voor aan Chantal en Alexia. Alexia complimenteerde Valerie onmiddellijk met haar mooie kleding en nam haar mee het huis in, terwijl Summer voorop huppelde. Jude keek hen na en zag tot haar verbazing dat de schoenen van haar moeder onder de modder zaten. Absoluut vreemd. Ze hielp Douglas met het uitladen van een paar tassen uit de kofferbak die vol ingepakte cadeautjes zaten.

'Het spijt me dat we aan de late kant zijn,' zei hij ernstig. 'Valerie zal het je nog wel vertellen. We moesten onderweg even stoppen.'

'O,' zei Jude, die aan de modder dacht, 'niets ernstigs, hoop ik?'

'Nee, dat hebben we al achter de rug. De luchtvaartmaatschappij is mijn golfclubs kwijtgeraakt. Verdomd vervelend, en ik moest honderden formulieren invullen. Nee, Valerie moest nog een beetje rondkijken. Merkwaardig, eigenlijk. Nou, als jij deze cadeautjes zou willen aanpakken... je kent Valerie, die kan geen winkel voorbijlopen.' Hij deed de kofferbak dicht en zei niets meer over hun mysterieuze oponthoud. Jude vroeg hem naar Spanje terwijl ze naar binnen liepen, en hij vertelde haar in het kort over de stressvolle tijd die ze achter de rug hadden. 'We hadden echt moeten wachten tot de villa klaar was. Ik heb er spijt van dat ik haar er te vroeg mee naartoe heb genomen. Ze vond het echt onmogelijk – warm en verwarrend – en dat kan ik haar niet kwalijk nemen. Ik kan het mezelf nauwelijks vergeven.'

In de bibliotheek kuste Valerie, als een rondsnuffelende, stralende paradijsvogel te midden van de verschoten kleuren van het Engelse landhuis, eerst haar moeder en schudde toen Robert de hand. 'Hallo, lieverds,' mompelde ze tegen de tweeling.

'Mam, dit is Frank Thetford,' zei Jude. Frank begroette Valerie met een krachtige handdruk. 'Mijn moeder was een vroegere vriendin van uw moeder; dat is de reden dat we nu hier zijn,' legde hij snel uit, 'en dit is mijn zoon.'

Het zou een understatement zijn om te zeggen dat Valerie verbaasd opkeek toen ze Jon zag. Het bloed trok uit haar gezicht weg. Claire deed elegant een stap naar voren en kwam Jon te hulp. 'Mam, je herinnert je Jon vast nog wel? We zijn elkaar onlangs weer tegengekomen. In feite heeft hij ons uit de brand geholpen met Summer, en...' Ze greep onwillekeurig Jons arm beet. Jon pakte voorzichtig haar hand vast en legde die in zijn eigen hand. Valerie keek echter van Jon naar Summer en weer terug, terwijl haar gestifte mond een ongelovige O vormde. Jude zag dat Frank hetzelfde deed. Claire sloeg haar ogen ten hemel.

'Weet ze het?' vroeg Valerie uiteindelijk aan Claire.

'Summer?' vroeg Claire, die nonchalant probeerde te doen maar vooral nors klonk. 'Nee.'

'Wat?' vroeg Summer, die in de gaten kreeg dat de volwassenen iets in hun schild voerden.

'Niets, lieverd. Ik vertel het je later wel,' zei ze resoluut.

'Nou, volgens mij is het een erg leuke jongeman,' voegde Jessie eraan toe, wier gehoorapparaat het vandaag perfect deed.

'Heeft iedereen het geraden?' vroeg Claire met angstige ogen.

'Ik ben bang dat we er gewoon van uit waren gegaan,' flapte Robert eruit, en hij bloosde. 'Aan de gelijkenis valt... niet te twijfelen.'

'Nou,' zei Frank, 'ik ben verrukt, jongedame, erg verrukt.' En hij en Claire omhelsden elkaar ongemakkelijk.

'Waar heeft iedereen het over?' vroeg Summer chagrijnig, en ze werd kwaad toen iedereen alleen maar begon te lachen.

'Ik beloof je, lieverd, dat ik je dat later zal vertellen,' zei Claire, die zich bukte en haar dochter omhelsde.

Jude hoorde Frank tegen Jessie zeggen: 'Dan heb ik nu dus een klein meisje aan wie ik die halsketting kan geven!'

Op dat moment kwamen Alexia en Chantal de kamer binnen met dienbladen vol drankjes en borden met eten voor Valerie en Douglas, en iedereen ging met elkaar zitten babbelen. De kinderen besloten dat ze genoeg hadden van de saaie, volwassen gesprekken en Alexia liep met hen de kamer uit om een dvd op te zetten.

'Er is nog iemand die jullie niet hebben ontmoet, mam, Douglas,' zei Jude, en ze leidde Euan de kring binnen. Hij had stilletjes in een hoek van de kamer naar het tafereel staan kijken, maar schijnbaar volkomen ontspannen.

'Je hebt vast al wel eens over Euan gehoord. Hij is een natuurkenner en schrijver.'

'Ah, ja, een buurman van ons is naar je lezing in de boekwinkel geweest,' zei Douglas toen Euan charmant de hand van Valerie en haar echtgenoot schudde. Ze kletsten een tijdje over boeken en Spanje, waar Euan wat van af scheen te weten. Nu was het Judes beurt om haar ogen ten hemel te slaan, want Valerie bekeek hem uitermate geïnteresseerd. Ze vroeg hem op een gegeven moment hoe lang hij Jude al kende.

'Mam,' zei ze, in een poging het gesprek een andere wending te geven, 'je zult ervan staan te kijken, maar Euan woont in het huis waar oma is opgegroeid.'

'In de cottage? Nou zeg, daar zijn we net langsgereden, toch, Douglas? En ik wilde er even stoppen om een kijkje te nemen, omdat Claire had gezegd dat het was opgeknapt, maar Doug zei dat we door moesten rijden.'

'We waren al een keer gestopt, Val.'

'Waar zijn jullie dan gestopt, mam?' onderbrak Jude hen.

Valerie wierp een blik op Claire toen ze zei: 'Ik wilde de folly zien.'

'Ik wist niet dat je de folly kende,' zei Chantal, die met een dienblad met kir en hapjes naar hen toe liep.

'O, maar de folly ken ik wel degelijk,' zei Valerie. Ze keek Chantal met opgetrokken wenkbrauwen aan en Chantal keek verward.

'Ik zei haar nog dat we ons waarschijnlijk op privéterrein begaven, nietwaar, ondeugende meid?' zei Doug zachtaardig terwijl hij de drankjes uitdeelde.

'Dat stuk land waar jullie waren is niet van ons,' zei Chantal. 'Helaas is het nu in bezit van iemand anders.'

Claire onderbrak hen: 'Hoezo ben je van gedachten veranderd, mam? De laatste keer wilde je er niet naartoe.'

'Ik had de moed niet. Maar sindsdien moest ik er telkens aan denken, en toen we er net langsreden, kreeg ik het vreemde gevoel dat we moesten stoppen en kijken waar het was gebeurd.'

'Waar wat was gebeurd, mam?' vroeg Jude.

'Jij was het dus, is het niet?' zei Chantal zachtjes, en ze greep het lege dienblad stevig vast. 'Jij was bij de lijkschouwing. Ik herkende je niet, tot op dit moment.'

Valerie keek de kamer rond. Jessie was Miffy aan het aaien. Euan, Frank, Jon en Robert waren weggegaan om een wandeling over het terrein te maken. Ze friemelde nerveus aan haar glas. 'Ik heb Claire en Jude er nooit over verteld,' zei ze. 'Het was te afschuwelijk.' Ze nam een grote slok van haar kir en keek weer afwezig voor zich uit.

'Mam?' zei Jude, en ze zag de tranen in haar ogen.

'Sorry, lieverd, ik ben wat moe. Het is een lange dag geweest.'

'Misschien moesten we maar eens gaan,' zei Douglas. Hij keek bezorgd van Valeries angstige gezicht naar het bleke gezicht van Chantal.

Claire onderbrak hem kribbig: 'Nee, Douglas. Mam, je kunt niet zeggen dat er iets afschuwelijks is gebeurd en dan vertrekken zonder het ons te vertellen. Denk je dat we nu nog een oog dichtdoen vannacht? Ik dacht het niet. Je bent ook zo egoïstisch.'

Douglas opende zijn mond, en sloot die weer toen Valerie prikkelbaar zei: 'O, je hebt gelijk, denk ik. Maar ik moet wel even gaan zitten.'

Toen ze allemaal plaatsnamen, de trouwe Douglas naast Valerie, had Jude de indruk dat haar moeder op een bepaalde manier van alle aandacht genoot. Maar ze vergat die onaardige gedachte zodra Valerie haar verhaal begon te vertellen. Jude besefte onmiddellijk dat het deel uitmaakte van een groter verhaal, het verhaal waar de hele familie bij betrokken was geraakt.

'Toen ik nog heel jong was,' zei Valerie, 'was ik een beetje wild, toch, mam?'

'Dat kun je wel zeggen, ja.' Jessie had stilletjes zitten luisteren. Ze kende dit verhaal al, vermoedde Jude geschrokken.

'Maar we hadden zo veel plezier. Het gebeurde toen ik twintig was. Op een dag in juli was iemand van onze groep jarig, een jongen die Ian heette. Volgens mij was zijn achternaam Hayes. Ik heb hem nooit meer gezien. Hij had een prachtige locatie gevonden voor een feestje. Een oude, verlaten folly, zei hij, en het allerleukste was dat de eigenaars op vakantie waren. Hij organiseerde alles – muziek en drank en zo – en ik was er met die aantrekkelijke jongen met wie ik toen ging. Sterker nog, ik was verkikkerd op hem. Hij heette Marty.' Ze zweeg even en er kwam een verdrietige, afwezige uitdrukking in haar ogen.

Marty, Jude wist het weer. De naam op het bankje in het dorp. De jongen die was gestorven.

'Mam,' zei Claire ongeduldig, 'vertel verder.'

'Nadat de cafés gesloten waren, reden we er allemaal in het donker naartoe en we hadden het gevoel in een uithoek te zijn beland, eigenlijk heel griezelig. We lieten de auto's op de weg staan en volgden de rij lichten die Ian in het bos had neergezet. Het was een beetje gek, wij meisjes met onze malle schoenen en korte rokjes en Marty met zijn krat bier.

Ian had een groot kampvuur gemaakt, en daar stond dat torenachtige ding. Heel romantisch, maar, zoals ik al zei, ook nogal griezelig. We deden allemaal wat je normaal op feestjes doet en, natuurlijk, gebeuren er ook wat ondeugende dingen…'

'Bij de lijkschouwing zei de arts dat de meesten van jullie cannabis hadden gerookt,' onderbrak Chantal haar op scherpe, ijzige toon.

'Ja, nou,' Valerie wuifde afwijzend met haar hand. 'Wat verwacht je anders?'

'Dat was een belangrijke factor toen zijn familie ons wilde vervolgen,' zei Chantal tegen iedereen.

'Die hele zaak heeft niets met mij te maken.' Valerie probeerde de boord van haar rok over haar mollige knieën te trekken maar dat lukte niet helemaal.

'Mam,' smeekte Claire, 'ga alsjeblieft verder.'

'Ik ben vergeten hoe lang het duurde voordat Marty voorstelde om de toren in te gaan. Ian zei dat hij op slot zat, maar Marty liet zich nooit vertellen wat-ie wel en niet moest doen, en iemand had een gereedschapskist bij zich in de auto en ze kregen de deur open. Ongeveer zes mensen gingen naar boven – ik wilde niet maar Marty wel, dus ging ik ook mee – en Ian en nog een paar anderen. Het duurde heel lang voor we boven waren en we waren allemaal een beetje aangeschoten en giechelig. De meisjes slaakten almaar kreetjes en toen kwamen we in die kleine kamer. Marty vond het geweldig maar wij meisjes vonden het maar niets en wilden weer naar beneden. Het enige wat ik kan zeggen is dat de plek niet goed aanvoelde, alsof we die met ons kabaal verstoorden. De andere meisjes en een van de jongens gingen naar beneden, maar Marty scheen met zijn zaklamp rond en zag dat er een ladder naar een soort luik in het plafond liep. Ian hield de ladder vast en Marty ging naar boven. Hij opende het luik en hees zich erdoorheen en… dat was de laatste keer dat ik hem levend heb gezien.' Ze viel stil en had haar gemanicuurde hand voor haar mond geslagen.

Chantal zei met zachte stem: 'Hij is gevallen, toch? Dat zeiden ze tenminste. Hij had daar niet naar boven moeten gaan, zeker niet in de staat waarin hij verkeerde. Hij was te dicht naar de rand gelopen en verloor zijn evenwicht.'

'Hij is gevallen,' zei Valerie, die Chantal koppig bleef aankijken. 'Maar we weten niet waardoor. Ze luisterden niet naar wat Ian bij de lijkschouwing zei. Ian was namelijk ook de ladder op geklommen, zei hij, net op tijd om te zien dat Marty een verbaasde uitdrukking op zijn gezicht had. Hij keek niet naar Ian, maar naar iets wat Ian zelf niet kon zien, omdat het luik ervoor zat. Marty stapte achteruit, verloor zijn evenwicht en struikelde over de balustrade. Ik hoorde hem tijdens zijn hele val schreeuwen. O, die schreeuw vergeet ik nooit meer. Ik probeerde achter hen aan de ladder op te klimmen, maar Ian haastte zich naar beneden. We hoorden een vreselijk kabaal van mensen aan de voet van de toren, dus snelden we de trap af. Toen we bijna beneden waren verloor ik mijn evenwicht en vloog door de lucht. Daarna weet ik niets meer totdat ik de volgende dag in het ziekenhuis wakker werd, mijn hoofd in het verband en met vreselijk pijnlijke ingewanden.'

'Het was afschuwelijk, gewoonweg afschuwelijk,' zei Jessie. 'En we hadden die jongen nooit eerder ontmoet. We kenden hem niet eens. Haar vader was buiten zichzelf van woede, maar ik zei tegen hem dat zij tenminste in orde was. Dat het misschien een les voor haar zou zijn.'

'Maar sommige mensen zeiden dat het onze schuld was,' zei Chantal, zichtbaar van streek. 'Dat was nou zo moeilijk. Natuurlijk, ik begrijp de familie… zo overmand door verdriet. Maar eisen dat we de folly moesten afbreken en hen schadeloos moesten stellen, dat was onredelijk. Gelukkig stemde de rechter daarmee in. Mijn echtgenoot was zo genereus om de kosten te betalen.'

'Gaat het wel, lieverd?' Douglas wreef over de hand van zijn vrouw.

Valerie knikte. 'Daar had ik allemaal niets mee te maken,' zei ze met opeengeperste lippen. 'En Marty hadden we er ook niet mee teruggekregen.'

'Nee, natuurlijk niet.'

Iedereen zweeg even. Wat waren dit nog steeds heftige emoties, zelfs bijna veertig jaar na het drama. Jude vroeg zich af waarom haar moeder nooit eerder over zo'n belangrijke gebeurtenis in haar leven had verteld.

'Wat is er volgens jou boven op de toren gebeurd, mam?' vroeg Claire.

'Marty en Ian hadden absoluut wat gedronken, dat kan ik niet ontkennen – en ook wat gerookt, ja. Ik had niets met joints – ik werd er misselijk van – dus ik kan me alles nog helder voor de geest halen. De kamer in de toren had een vreemde atmosfeer, dat kan ik wel vertellen. Ik weet niet wat ik van Ians versie moet denken. Misschien had Marty zijn evenwicht verloren en is hij gevallen. Ian kon hem niet geduwd hebben of zo; hij stond nog op de ladder. Maar het kan zijn dat Marty iets heeft gezien wat hem verraste of angst aanjoeg; ik weet nog steeds niet of ik dat geloofde. Maar het speet me voor Ian want de lijkschouwer leek er totaal niet in geïnteresseerd.

Een paar maanden later ben ik uit huis gegaan, en naar Londen verhuisd waar ik een baan als secretaresse vond. Al snel daarna leerde ik jullie vader kennen. Ik heb het hem jammer genoeg nooit verteld. Misschien dacht ik dat hij me dan niet meer zou willen. Hij was zo... fatsoenlijk en netjes, toch, jullie vader? Nadat we waren getrouwd werd het moeilijker om erover te beginnen. Vooral omdat... Nou, en dit is iets wat ik nog nooit aan iemand heb verteld, behalve aan Marty. Jullie oma wist het, natuurlijk, daar zorgde het ziekenhuis wel voor. Ik was zwanger op het moment van het ongeluk. Drie maanden, zeiden ze. Ik heb Marty's baby verloren.'

Hierop viel er een geschokte stilte. Uiteindelijk mompelde Jude: 'Mam, wat afschuwelijk.'

'Afschuwelijk,' echode Claire. En toen vroeg ze op haar directe manier aan hun moeder: 'Was Marty blij dat je zwanger was?'

'Nee, dat was hij niet,' gaf hun moeder toe. 'Maar hij raakte aan het idee gewend. Ik denk graag dat we ons er samen wel doorheen hadden geslagen.'

Jude keek naar Douglas, maar hij leek niet in het minst gepikeerd door de dromen van zijn vrouw over een geliefde van lang geleden. Natuurlijk had hij zelf ook zijn romantische verhalen, zelfs Douglas, met zijn schildpadden en golfclubs. Andere mannen zouden niet zo rationeel reageren en zouden onwillekeurig jaloers zijn. Gelukkig voor mam. Jude raakte steeds meer onder de indruk van haar nieuwe stiefvader.

'Ik krijg hier een vreemd gevoel bij,' fluisterde Claire. Misschien zouden zij en Jude nooit zijn geboren als Marty niet was overleden.

Ze merkte dat Jessie in slaap sukkelde. Chantal trok zich discreet terug, mompelde iets over de honden eten geven. Alleen Douglas was nog zwijgend aan het luisteren naar Valerie, Claire en Jude die de wirwar van misverstanden uit het verleden ontrafelden.

'Ik was heel bang toen ik ontdekte dat ik zwanger was van jou,' zei Valerie tegen Claire. 'Het bracht alle herinneringen weer naar boven, snap je, en ik kon het je vader niet vertellen, daar was het te laat voor. Ik was bang om je té graag te willen hebben, omdat het allemaal weer zou kunnen mislopen. Toen je werd geboren, met dat arme been van je, nou ja, toen had ik het idee dat ik werd gestraft omdat ik het de vorige keer verkeerd had gedaan en ik was erg van streek. Ik was zo bezorgd om van alles...'

'... dat je vergat dat er een kleine baby was die aandacht en liefde nodig had,' zei Claire ernstig.

'Ik denk het wel,' zei Valerie. 'Maar jij was een heel gevoelige baby. Je wilde geen borstvoeding, en toen kreeg je een koliek. En het tanden wisselen was simpelweg een ramp. Ik wist niet dat een kind zo veel tanden had.' Ze pakte haar handtas op en haalde er een zakdoekje uit om haar tranen te drogen. Zoals ze daar stijfjes met de tas op haar schoot zat, deed ze denken aan die moedige vrouwen in de films uit de jaren veertig, die na drama's en teleurstellingen hun haar in model brachten, hun lippenstift bijwerkten en verder gingen met hun leven. De schijn redden. Zo was Valerie en dat zou nu niet anders zijn. Jude voelde een golf liefde voor haar in zich opwellen. Valerie was op haar eigen manier moedig. 'Je moet er altijd het beste van maken,' zei ze altijd.

Tot ieders verbazing begon Claire te lachen. Het begon als een bitter lachje, maar ze lachte steeds sneller en harder, opgelucht, om daarna gewoon ongecontroleerd te giechelen. Jude schoot ook in de lach, en toen Valerie. Alleen Douglas zat een beetje verbijsterd te kijken, maar glimlachte welwillend.

'O jee, sorry, hoor,' zei Claire en ze veegde de tranen van haar wangen. 'Het is niet echt grappig, natuurlijk. Ik weet zeker dat als ik Summer niet had gehad en niet wist hoe het voelde, ik waarschijnlijk woedend de kamer uit was gestormd.'

'Je bent altijd goed geweest in de kamer uit stormen,' zei Valerie. 'Ik heb nog nooit zo'n dwars kind meegemaakt. Ik had gewoonweg geen idee wat ik met je aan moest. Je vader was er veel beter in dus liet ik het allemaal maar aan hem over. Maar kijk nou toch eens naar je: zo mooi en met zelf zo'n prachtige dochter. Ik ben zo trots op je, echt waar. En die eer komt mij absoluut niet toe.' Ze begon weer te lachen. 'Sorry, Douglas, je moet wel denken dat ik gek geworden ben. Jude, lieverd, het spijt me, het is niet mijn bedoeling om jou buiten te sluiten.'

Maar Jude, die nooit had getwijfeld aan haar moeders liefde voor haar, zei alleen: 'Dat doe ik niet. Eerlijk niet. Maar het is beter als we weer wat tot bedaren komen. Ik hoor de mannen alweer terugkomen!'

Summer opende de deur en rende de kamer in. Daarna kwamen Robert en Frank met de tweeling naar binnen, Max met een voetbal, en toen Jon en Euan, verdiept in een discussie die ze afbraken toen ze de vrouwen zagen, allemaal met rozige wangen en een beetje aangeschoten. Jessie werd met een schok wakker.

'Is alles goed?' vroeg Euan.

'O, ja,' zei Claire, en ze begon weer te giechelen.

'We geven de kir de schuld,' zei Jude, die haar best deed om niet net als Claire in lachen uit te barsten.

Douglas stond op en zei: 'Hebben jullie een mooie wandeling over het terrein gemaakt?'

'O ja, we hebben het over het beheer van het landgoed gehad,' zei Robert. 'En penalty's geschoten, natuurlijk. Nee, niet hier binnen, Max.' Hij redde de voetbal en stopte die in een lege kolenbak.

'Het wordt al donker,' zei Euan.

Robert liep weg om de lampen aan te doen, maar Summer zei plotseling: 'Nee, Euan heeft het beloofd.'

Hij keek Euan vragend aan.

'O, ja, dat is ook zo,' zei Euan. 'Robert, heb je toevallig een lantaarn? Met een kaars erin, het liefst.'

'Dat weet Alexia misschien,' zei hij. 'Of mijn moeder.'

Hij liep de kamer uit en kwam al snel terug met de twee vrouwen, Alexia met een kaarslantaarn en een doosje lucifers. 'Deze hebben we voor die prachtige kerstavond gebruikt, weet je nog?' zei ze tegen Robert.

Chantal trok de gordijnen dicht zodat het halfdonker was in de kamer. Euan stak de kaars aan en liep ermee naar het planetarium, waar hij hem in het midden van het hemelgewelf neerzette.

'Kom allemaal hier staan,' zei hij op melodramatische toon. Ze gingen er allemaal omheen staan om het te kunnen zien. Alleen Jessie bleef in haar stoel zitten, terwijl ze volhield dat ze het prima kon zien vanwaar ze zat.

'Deze kaars is de zon. Kom eens hier staan, Georgie, dan kun je het beter zien. Nu kunnen jullie je de zes planeten voorstellen. Dit is de baan van Mercurius, hier, dit is Mars, de aarde, Venus en Jupiter, Saturnus' – onder het praten raakte hij elke houten ring van het planetarium even aan – 'die allemaal om de zon heen draaien. Je kunt zien waar het licht op elke planeet valt, en welk deel dan in het donker zit.'

Jude keek om zich heen naar alle gezichten, half verlicht door de flakkerende kaarslantaarn, allemaal geconcentreerd op wat Euan hun liet zien. Het was schitterend om deze groep mensen bij elkaar te zien, haar familie, die langzamerhand weer aan het bijkomen was van alle geheimen die waren onthuld.

In een flits was ze haar moeder in een totaal ander licht gaan zien. Niet als de egoïstische, wat mondaine vrouw die het moederschap een zenuwslopende, verwarrende taak vond en de verantwoordelijkheid eerst bij de ene en toen bij een andere echtgenoot had neergelegd, maar als een heel wat kwetsbaarder persoon die nooit echt goed over een vroeg trauma heen was gekomen. Jude herinnerde zich hoe Valerie er na hun vaders dood doorheen zat, en zij en Claire gedwongen waren om hun eigen moeder te bemoederen. Het onverwachte verlies moest de wond hebben opengereten die Marty's dood had veroorzaakt. En het verlies van het kind is haar op langere termijn ook niet in de koude kleren gaan zitten.

Ze keek naar Jon en Frank, die, als Jon dichter bij Summer en Claire in de buurt wilde blijven, ook algauw familie zouden zijn. En dan waren haar nieuwe vrienden op Starbrough Hall er nog. Ze vond het heel verdrietig dat dit planetarium, de andere instrumenten en alle boeken binnenkort in dozen zouden worden gepakt en naar haar kantoor in Londen werden overgebracht – verdrietig, en toch waren de Wickhams tevreden met haar. Ze had haar werk professioneel gedaan. Ze zou ook tevreden met zichzelf moeten zijn; dit zou een succesvolle verkoop voor Beecham worden, dat voelde ze tot in haar botten. Het was niet goed om er emotioneel over te doen.

En nu keek ze naar Euan, zijn gezicht vaag en zigeunerachtig in het kaarslicht, terwijl zijn ogen nachtblauw glinsterden. Met het charisma van een tovenaar liet hij hun de wonderen van het universum zien, met zwierige gebaren als met een onzichtbare cape aan. Ze kon haar ogen nauwelijks van hem afhouden, en toen hij haar aankeek, plooiden zijn ogen zich in een glimlach, als een geheim van hen tweeën. Ze vernauwde haar ogen even en voelde door haar hele lichaam een tinteling van energie stromen. Ze kreeg een beeld van Marks gezicht voor ogen, maar het was mistiger dan eerst; ze kon zich zijn gelaatstrekken nauwelijks herinneren en liet het beeld wegdrijven. Maar dat besef zat haar wel een beetje dwars. Ze wilde met Euan niet de fout maken die ze met Caspar had gemaakt. Euan was heel bijzonder. Hij mocht niet nog meer worden gekwetst dan hij al was. Ze luisterde nauwelijks nog naar het praatje, trok zich in plaats daarvan stilletjes uit de groep terug en ging bij haar oma zitten.

'Het was een geweldige dag,' zei Jessie tegen haar, en ze gaf een klopje op haar hand. 'Die jongen, Franks zoon, is een goede jongen, dat zie ik zo. Denk je dat het verkeerd is om te hopen... voor Claire, bedoel ik?'

'Absoluut niet verkeerd, oma. Maar niemand heeft Claire ooit kunnen vertellen wat ze moest doen. Laten we hopen dat hij haar kan verleiden.' Als een nachtvlinder naar het licht, of het lokken van een forel, dacht ze, terwijl ze bedacht dat Euan dit soort metaforen zou gebruiken.

'En waardoor je moeder dat ineens allemaal opbiechtte, weet ik ook niet. Ik heb altijd gedacht dat je die dingen maar het beste kunt vergeten. Je zou moeten doorgaan met je leven. Hoewel... nou ja, dat verhaal over Tamsin. Ik voel me er nu beter over, weet je dat? Als ik eraan dacht, kreeg ik altijd een harde knoop hier, binnen in me, maar nu is het draaglijker. Misschien zal Valerie er na verloop van tijd ook zo over denken.'

Jude kneep even instemmend in haar oma's hand. Toen herinnerde ze zich ineens iets en zei: 'Oma, hebt u ooit vreemde dromen gehad toen u klein was? Ik bedoel over rennen door het bos?'

Haar grootmoeder schudde het hoofd. 'Nee.'

'En iemand anders in de familie? Ik bedoel verder terug. Uw moeder, bijvoorbeeld.'

'Voor zover ik me kan herinneren heeft ze daar nooit iets over gezegd.'

'Dus dan was ik de eerste.' Waarom? Waarom kwam Esthers verhaal nu pas boven water, twee eeuwen na haar dood, en wanneer was dat dan precies geweest?

Het trof haar later die avond, toen ze in haar bed lag te denken aan alles wat er zich die gedenkwaardige dag had voorgedaan. Tamsins dood. Ze moest zijn overleden toen Jude vijf of zes jaar oud was, en dat was het moment waarop de dromen waren begonnen. Het leek een belachelijk toeval, maar het was een hypothese om over na te denken. Rennend door het bos, roepend om haar moeder. Tamsin en Jessie hadden moeten rennen voor de soldaten. Summer was verdwaald, maar, bedacht ze, was daarvan niet heel erg van streek geweest. Er was iemand, een meisje, geweest die haar beschermde, die haar angsten had weggenomen. Iedereen nam aan dat er een echt meisje was geweest, maar misschien was dat wel niet zo. Esther, Rowan, Tamsin, en andere, onbekende kleine meisjes die door het bos renden, allemaal schimmen. Ze zou er waarschijnlijk nooit achter komen.

35

Op vrijdagochtend werd ze met een somber gevoel wakker en al het plezier van de vorige dag verdampte als ochtenddauw. Vandaag kwam het transportbedrijf de boeken en instrumenten ophalen. Vandaag moest ze afscheid nemen van iedereen van wie ze hier hield en teruggaan naar Londen.

Robert was in een zakelijke stemming toen ze om acht uur beneden kwam. Alleen zijn ergerlijke, toonloze gefluit verried dat hij nerveus was. Hij verkocht niet elke dag familie-erfstukken. Alexia had Max en Georgie meegenomen naar een kindervakantieclub in het dorp verderop. Chantal kwam om half negen beneden voor het ontbijt, maar ging zodra ze gegeten had weer met Miffy naar boven.

'Ze is van streek,' zei Robert. 'Begrijpelijk. Ik denk dat ze in haar kamer blijft totdat de mannen vertrokken zijn. Dat heb ik haar in elk geval geadviseerd. Hoe laat is de vrachtwagen hier, denk je?' vroeg hij.

'Ze dachten rond tienen, maar het hangt af van hoe de reis vanaf Londen verloopt. Maak je geen zorgen, ze pakken alles zelf in, daar zijn ze experts in. Het enige wat we hoeven doen is laten zien waar alles staat. O, en wil je dat ze de achter- of vooringang gebruiken?'

'De vooringang, denk ik. Als we beide deuren openzetten hebben ze meer dan genoeg bewegingsruimte. Weet je zeker dat ze wel voorzichtig zijn en niets beschadigen?'

'Dat weet ik zeker,' zei ze resoluut.

De operatie verliep vlekkeloos, zoals ze had voorspeld, maar het was vreselijk verdrietig om te zien hoe het planetarium en de globe in verpakkingsmateriaal werden weggestopt, en de boeken werden ingepakt en in dozen gedaan.

Nadat de vrachtwagen weg was, wierp ze nog een laatste blik in de bibliotheek en kon wel huilen bij het zien van de spookachtige afdrukken die de boeken in het stof hadden achtergelaten, en de slijtplekken op de marmeren vloer waar het planetarium had gestaan. 'Ik voel me net een moordenares,' fluisterde ze tegen Miffy, die naar beneden was gekomen nu alle commotie in huis voorbij was. Chantal volgde een tijdje later, zag er ellendig uit en meed de bibliotheek geheel. Robert keek daarentegen vrolijker nu de klus achter de rug was. Toen Alexia tegen lunchtijd met de tweeling terugkwam, was de sfeer bijna weer normaal.

Na de lunch was het tijd voor Jude om naar Londen te vertrekken. Robert bracht haar koffer naar beneden en zette die in de kofferbak. Ze legde haar laptop en aktetas ernaast, en draaide zich om om afscheid te nemen van de Wickhams, die naast elkaar bij de trap waren gaan staan.

'Ik kan jullie niet vaak genoeg bedanken dat ik hier heb mogen logeren,' zei ze, en ze gaf Chantal en Alexia twee zoenen, omhelsde de tweeling en schudde Robert de hand. 'Ik zal natuurlijk zeer binnenkort weer contact opnemen. We brengen onze klanten altijd graag van elk aspect van de verkoop op de hoogte, dus daar hoeven jullie je geen zorgen over te maken.'

'En het zou geweldig zijn als je binnenkort weer eens langskomt,' zei Alexia. 'Je bent ons totaal niet tot last. En heel erg bedankt voor dat prachtige schilderij.'

'Graag gedaan,' zei Jude. 'En ik kom graag weer terug. O, ik mis jullie nu al.'

Toen ze wegreed zag ze in haar achteruitkijkspiegel dat ze allemaal stonden te zwaaien, totdat het beeld wazig werd van de tranen.

Aan het einde van de oprijlaan deed ze wat ze de hele tijd al had willen doen, zo vermoedde ze. In plaats van dat ze links afsloeg naar de hoofdweg naar Londen, ging ze naar rechts. Ze zou alleen even kijken of Euan thuis was. Ze had het gevoel dat ze de vorige avond niet goed afscheid van elkaar hadden genomen.

Er stond geen auto bij het huis, ook niet op de oprit. Desondanks parkeerde ze haar auto, liep het pad op en belde bij de voordeur van de cottage aan. Ze wachtte, maar niemand deed open. In een laatste hoopvolle poging liep ze om het huis heen naar het grasveld. De woonwagen was afgesloten, net zoals de laatste keer dat ze langs was gereden, nadat Summer was gevonden. Nu zijn huis bijna klaar was, had hij misschien helemaal niet meer in de woonwagen geslapen. Dat kon ze hem niet kwalijk nemen, niet na het trauma van vorige week, in de wetenschap dat Summer de laatste was die erin had geslapen.

Ze sjokte met tegenzin terug naar de auto en voelde zich buiten proporties teleurgesteld. Hij wist niet dat ze langs zou komen; waarom had ze dan verwacht dat hij er zou zijn en op haar zou zitten wachten voor het geval dat? Misschien logeerde hij nog bij zijn zus, bedacht ze.

Ze reed door in plaats van dat ze terugging, om voor de wereld net te doen alsof het helemaal niet haar bedoeling was geweest om hiernaartoe te gaan. Toen ze bij een T-splitsing stopte, leunde ze tegen het stuur, met droge ogen maar een leeg gevoel. Ze had Euan graag nog gezien. Maar het komt goed, hij heeft gezegd dat hij je zou bellen, zei ze tegen zichzelf. Ze haalde haar wegenkaart tevoorschijn en stippelde een andere route naar de hoofdweg naar Londen uit.

36

'Als je een minuutje hebt, Jude, kunnen we dan even overleggen over je artikel? Ik heb het doorgelezen zodra ik het gister binnenkreeg. Ik vind het erg goed.' Jude was maandag nog maar amper voorbij de receptie van Beecham gelopen of ze kwam Bridget al tegen terwijl die op weg was naar een of andere vergadering.

'Je bent geweldig, Bridget. Van mij hoefde je het niet in het weekend te lezen, hoor.'

'Ik moet wel geweldig zijn. Heb niet veel tijd meer,' zei ze, en ze klopte op haar zwangere buik. 'Is elf uur goed? Ik kom wel naar jou toe.' Haar mobieltje ging en ze tastte in haar tas om op te nemen. 'De foto's van de Hall zijn fantastisch, trouwens.'

Terwijl ze naar de afdeling Boeken en Manuscripten liep, had Jude nauwelijks tijd om Suri en Inigo te begroeten voordat Klaus binnen kwam lopen. 'Goedemorgen, iedereen. Jude, hoe staat het ervoor? Over tien minuten even overleg in mijn kantoor?'

'Oké,' zei ze. Ze voelde zich duizelig worden bij alle drukte en was niet meer gewend aan het snelle tempo van een kantoor.

'Ik haal wel even koffie voor je, als je wilt.' Suri stond op. Jude zag tot haar genoegen dat ze de prachtige, zilveren armband droeg die Jude naar haar had opgestuurd.

'O, dat is lief van je.' Ze gaf haar wat munten voor het koffieapparaat, en liet zich in haar stoel zakken. Even kwam zelfs de gedachte niet bij haar op om haar computer aan te zetten. Toch wist ze uit ervaring dat ze aan het eind van de dag opnieuw door de drukke routine zou zijn opgeslokt.

Het was vreselijk geweest om vrijdag in Londen terug te komen, terwijl de auto traag voortkroop door het Londense spitsverkeer. Haar huisje voelde niet meer als een thuishaven. Het rook er muf en er hadden duidelijk een paar muizen een feestje gebouwd, want de keuken lag bezaaid met uitwerpselen.

Het belangrijkst was een gevoel van afwezigheid. Marks afwezigheid. Dit had ze nooit eerder toegelaten, maar nu wel. Hij was er niet meer. Hij was weg uit haar leven, als was hij een geest in haar huis die ze eindelijk had verbannen. En toch voelde ze zich op een vreemde manier niet eenzaam. Ze voelde dat ze zichzelf was.

De post bestond voornamelijk uit rekeningen; o, en een ansichtkaart van Caspar. Er stond een foto van een middeleeuws dorpje op dat op een onmogelijke manier boven op een kloof was gebouwd. Het bericht was in kleine, nette hoofdletters geschreven, alsof hij zo aan computers gewend was dat hij was vergeten hoe hij fatsoenlijk moest schrijven.

> Wilde echt dat je hier was. Kon uiteindelijk pas op donderdag vertrekken. Terug op zaterdag. Als je van gedachten verandert, weet je me te vinden. Ciao, C.

Ze dacht hierover na toen ze in bad lag. Caspar leek iemand van heel lang geleden. Ze piekerde er niet over om van gedachten te veranderen. In plaats daarvan dacht ze aan Euan.

Hij belde haar in de loop van de avond op, toen ze net aan haar artikel werkte, en ze was heel blij om zijn stem te horen. Nadat ze een tijdje hadden gepraat, zei ze: 'Je vindt me vast gek, maar ik ben op weg naar huis nog bij je langsgereden.'

'Echt waar?' vroeg hij. 'Hoe laat was dat?'

Toen ze hem dat vertelde, zei hij: 'Ik zal je vertellen waar ik was. Bij de folly. Ik ben erachter gekomen wie onze spookachtige schutter is. Herinner je je nog die schoten waarvoor je wegrende op de eerste dag dat we elkaar leerden kennen?'

'Hoe kan ik dat nou vergeten? Niet zeggen, het is Farrell. De landeigenaar.'

'Mis. Ik denk niet dat je het zult raden. Het is het manusje-van-alles dat op Starbrough Hall werkt om op de fazanten te passen. George Fenton. Ik liep hem tegen het lijf vlak bij de folly en hij had een konijn bij zich dat hij had doodgeschoten.'

'O. Hij was toch degene die Barney en Liza van de diefstallen beschuldigde?'

'Ja. Ik heb het er met Robert over gehad. Het klinkt alsof het een geval is van "jachtopziener wordt stroper". Robert zegt dat Fenton kort bij Farrell in dienst is geweest, maar een paar maanden geleden heeft Farrell hem ontslagen vanwege een of andere ruzie over geld. Dus nu is hij boos. Volgens mij is hij gewoon rond gaan struinen, voor de lol in de rondte gaan schieten en heeft hij wat vernielingen aangericht. Robert denkt dat Fenton misschien wel zelf de fazanten heeft gestolen. Hoe dan ook, Robert heeft de hele zaak aan de politie overgedragen.'

'Nou, dat is dan weer een zorg minder. Het was niet bepaald leuk om een doelwit te zijn.'

'Absoluut niet. Ik wilde alleen dat de plannen van Farrell net zo gemakkelijk konden worden gedwarsboomd.'

'Hm.'

'Jude, ik vind het heel jammer dat ik je niet meer heb gezien voordat je wegging. Het was... nou ja, het is nogal een verwarrende week geweest, hè?'

'Dat kun je wel zeggen, ja.'

'Ik dacht dat we allebei wel een pauze konden gebruiken. Maar misschien vind je het leuk om snel weer langs te komen. Zullen we dat afspreken? Zodra we weer een beetje in ons gewone doen zijn?'

'Dat zou ik geweldig vinden, Euan.'

Op maandag was ze hierover aan het dagdromen terwijl ze wachtte tot haar computer was opgestart.

'Alsjeblieft,' zei Suri, die binnenkwam met een grote cappuccino in een kartonnen beker van het café naast Beecham. 'Je zag eruit alsof je wel wat van het echte spul kon gebruiken.'

'O, Suri,' zei Jude, die uit haar dagdroom ontwaakte, 'je bent een engel.'

'Hoe was je vakantie?' vroeg Inigo stijfjes aan het bureau naast haar.

'Helend, in elke zin van het woord,' zei Jude, 'ook al was het niet echt een vakantie. En het was interessant. Fascinerend, zelfs. Ik zal je alles over Starbrough Hall vertellen, als je wilt. Het was een heuse historische detective.'

'Dank je, dat zou ik leuk vinden,' zei hij. Hij zag er mistroostig uit. Ze voelde een steek van medelijden voor hem.

'Zullen we vanmiddag gaan lunchen?' vroeg ze, voordat ze zich kon bedenken. Hij knikte. Verdorie. Nu zou ze een uur lang opgescheept zitten met zijn geklaag over Klaus. Ze moest echt leren geen medelijden met mensen te hebben.

'Goed,' zei Klaus, die Jude naar binnen leidde voor hij zijn kantoordeur sloot en zijn slungelige lichaam achter het bureau liet zakken. 'De Starbrough-verkoop. Staat gepland op de eerste dinsdag in november, zie ik. Vertel.'

Jude ontmoette zijn strenge blik. Dit zou geen aangenaam gesprek worden, besloot ze. 'Nou,' begon ze, 'we hebben een verhaal. Ik had je een opzet voor mijn artikel toegestuurd, maar er is inmiddels meer bij gekomen en ik heb de samenvatting zaterdag afgemaakt.' Ze vertelde hem alles over Anthony Wickham, zijn verloren, geadopteerde dochter Esther, over de ontdekking die ze hadden gedaan. Ze vertelde het verhaal zoals Esther het had geschreven, en had het niet over Summer en haar dromen, of over de andere vreemde ervaringen van hun families. Dat vond ze tegenover hen niet eerlijk.

'De zevende planeet? Maar Uranus werd kort daarna toch ontdekt? William Herschel zag hem met een van zijn buitengewone telescopen.'

'Ja, dat klopt, en ik wil niets afdoen aan zijn prestaties, maar dat is het punt niet. Het punt is dat wanneer iemand met een wetenschappelijke ontdekking of doorbraak komt, hij normaal gesproken ook met de eer mag gaan strijken. Maar in veel gevallen borduren zij voort op het werk van andere, minder bekende mensen. Ook kunnen verschillende mensen op hetzelfde gebied werkzaam zijn, waarbij een van hen geluk heeft of net de juiste ingeving krijgt of de juiste verbanden legt, en de juiste mensen kent om hen te ondersteunen. Zoals bij de ontdekking van penicilline. Alexander Fleming kreeg daar de meeste lof voor toegezwaaid, maar twee collega's hebben aan de basis ervan meegewerkt, en weer anderen wisten er vóór hen al van. Daar wil ik de nadruk op leggen. Daar komt nog eens bij dat Esther een vrouw was, die tegen alle verwachtingen in als assistente werkzaam was op wat als een mannelijk onderzoeksgebied werd beschouwd. En uiteindelijk werd ze toen hij er niet meer was helaas voorbijgestreefd. Maar dat doet niets af aan haar heldhaftige rol. En tot slot is er dit prachtige, romantische verhaal van een vader en zijn geadopteerde dochter, die hun leven wijdden aan sterrenkijken vanuit een toren in een bos.'

'Je zegt dat ze op het laatst is verdwenen.'

Jude beet op haar lip. 'Ja. Ik wilde dat we wisten waar ze terecht is gekomen. Of waar ze oorspronkelijk echt vandaan kwam.'

'Ik snap het. Dat is me nogal raadselachtig, zeg. Dus wat nu? We hebben de datum van de verkoop natuurlijk al aangekondigd.'

'Bridget heeft mijn artikel al doorgenomen. En de boeken en de globes moeten hier ergens op kantoor zijn.'

'Die zijn binnengekomen en hiernaast veilig opgeborgen, ja.'

'Dan ga ik verder met catalogiseren. En er komt iemand om naar de hemellichamen te kijken. En dan zien we daarna wel verder.'

'Uitstekend,' zei Klaus.

Toen ze terugkwam bij haar bureau zag ze dat Cecelia haar een e-mail had gestuurd. Er stonden een paar nuttige opmerkingen in over haar artikel.

Het normale leven, zo leek het, ging gewoon weer door.

De rest van de ochtend werkte ze de correspondentie af die zich tijdens haar afwezigheid had opgestapeld, kreeg ze de laatste roddels te horen en zat ze een tijd met Bridget te praten, een meedogenloos redacteur, die het artikel razendsnel met haar doornam en haar op vreemde zinnen en dubbelzinnigheden wees. Bridget liet haar achter met een lijst van nog uit te zoeken data en de spelling van een paar namen, en referenties die moesten worden nagetrokken, met als deadline eind van de week.

Bridgets laatste punt was: 'Je artikel eindigt nogal abrupt, doordat je dat arme meisje zo in de toren achterlaat. Heb je naar artikelen in de lokale kranten gekeken uit de tijd waarin Wickham overleed? Er valt ongetwijfeld nog wel meer over de hele zaak te ontdekken.' Dat was een punt dat Jude al heimelijk dwars had gezeten, maar ze wist niet wat ze ermee aan moest. Ze kon moeilijk haar eigen droom als historisch bewijs aanvoeren. Ze slaakte een zucht, opende het artikel op haar beeldscherm om zich met de eerdere vragen bezig te houden, staarde er vermoeid naar en sloot het bestand weer. Ze dacht er even over na. Als ze onderzoek ging doen, dan kon ze misschien nog een bezoekje aan Norfolk brengen. Ze werd overspoeld door een heerlijk, warm gevoel.

Zij en Inigo gingen naar een pizzeria die favoriet was onder de werknemers van Beecham, en daar begon Inigo inderdaad aan zijn jammerklacht. Klaus had Inigo de mantel uitgeveegd. Inigo had niet het gevoel dat er een toekomst voor hem op de afdeling was weggelegd. Bovendien had zijn vriendin onlangs een punt achter hun relatie gezet en hij vroeg zich echt af of hij niet moest vertrekken en een baan moest zoeken in de academische wereld.

'O, Inigo, doe niet zo raar. Je bent goed in je vak,' zei Jude. 'Dit is gewoon een dipje. Als je over een jaar hierop terugkijkt, zul je dat ook inzien.' Nu het met haarzelf in haar werk voor de wind leek te gaan, kon ze hem edelmoedig bejegenen. Zijn baan was echt zijn leven, terwijl zij de afgelopen weken was gaan inzien dat er ook andere dingen belangrijk voor haar waren: haar familie, vrienden en misschien zelfs wel weer met iemand samenleven. En Inigo deed zijn werk erg goed; hij had het veilinghuis heel wat werk bezorgd, en zijn zorgvuldige, grondige werkwijze en charmante – maar soms wat glibberige – manier van doen deed het goed bij de klanten. Oké, zij en Suri lachten hem wel eens achter zijn rug uit; hij liep met zijn manier van kleden dan ook een eeuw of zo achter. Maar die ouderwetse stijl van een dandy sprak sommige mensen wel aan, zeker als hij hun dierbare familie-erfgoed in beheer had. Hippe, moderne pakken konden een beetje gehaaid overkomen.

'Hoe dan ook,' zei hij, 'vertel eens over die Starbrough-collectie.' Ze vertelde hem alles over Anthony en Esther en toen hij oprecht in het verhaal geïnteresseerd leek, en ze hem wat meer mocht nu hij haar in vertrouwen had genomen, besloot ze hem te vertrouwen, en vertelde ze hem wat over haar oma en Tamsin en Summer.

'Het is alsof die opdracht speciaal voor mij was bedoeld,' zei ze tegen hem. Ze voelde zich onmiddellijk een beetje schuldig omdat ze zich herinnerde dat het Inigo was geweest naar wie Robert Wickham oorspronkelijk had gevraagd toen hij hen had gebeld. Nee, dat zou ze niet vertellen. 'Daardoor kon ik alles goed uitzoeken. Ik zal je de halsketting laten zien, als je wilt, als we op kantoor terug zijn. Hij moet nog worden gefotografeerd.'

Ze had het doosje waar de halsketting in zat in de kluis van de afdeling gelegd. Toen ze terugkwamen op kantoor haalde ze het eruit en deed hem, bijna als een grapje, om haar nek. Ze droeg een shirtje met een laag uitgesneden, ronde hals, en de halsketting rustte warm en licht op haar sleutelbeenderen.

'Wat vind je ervan?' vroeg ze toen ze terugkwam en het aan hem liet zien.

'O, hij is heel mooi,' zei Suri. 'Hij past goed bij je huidskleur.'

Daar was Jude blij mee. Summer had dezelfde huidskleur als zij, dus hij zou haar ook goed staan.

Inigo keek verward.

'Is er iets?' vroeg Jude.

'Nee,' zei hij. 'Ik zat te denken. Hij komt me vaag bekend voor, dat is alles, maar ik kan niet bedenken waarvan. Mag ik eens kijken?' Hij stak zijn hand uit en ze liet de ketting in zijn smalle handpalm glijden. Hij hield hem omhoog tegen het licht, waardoor hij glinsterde en schitterde, gaf hem weer aan haar terug en schudde zijn hoofd. 'Nee,' zei hij. 'Ik kan het me niet herinneren.'

Ze legde de halsketting terug in de kluis en dacht er verder niet meer over na.

37

De daaropvolgende dagen verliepen hectisch. De specialist in antieke astronomische instrumenten kwam over uit Oxford en beloofde tegen het eind van de week schriftelijk verslag uit te brengen. Jude catalogiseerde nog partij boeken van Starbrough Hall en probeerde aan haar artikel te werken. Ze trok een aantal referenties na en zocht de antwoorden op een paar van Bridgets vragen op, maar bleef zitten met het knagende gevoel dat ze beter haar best moest doen om erachter te komen wat er met Esther was gebeurd. Een zoektocht via internet door de krantenarchieven van Norfolk duidde er in eerste instantie op dat ze weer een bezoek aan Norwich moest brengen. Toen vond ze echter een veelbelovende krant, de *Norwich Mercury*, in het Colindale-krantenarchief in Noord-Londen. Hun online archief wees erop dat ze exemplaren hadden van halverwege de achttiende eeuw en dus regelde ze dat ze ernaartoe kon.

Op die donderdagochtend nam ze de trein naar Edgware, waar het archief bleek te zijn ondergebracht in een hoog gebouw van rode baksteen dat opdoemde boven een rij opeengepakte voorstedelijke woningen ertegenover. Eenmaal binnen werd ze naar de plek gebracht waar ze moest zijn, een van de honderden rijen boekenplanken waarop grote, in leer gebonden, enigszins vergeelde mappen stonden. Ze vond de map waarin de *Norwich Mercury* van 1778 en 1779 zat en nam die mee naar een tafel vlakbij.

Elke krant was slechts een paar pagina's dik, dus het was geen lastig karwei om doorheen te bladeren. Ze begon op de dag van Wickhams dood, en speurde nauwkeurig naar de rubrieken waarin aristocratische bijeenkomsten, verjaardagsfeesten en jachtpartijen werden aangekondigd; ze las berichten over een man die was opgehangen omdat hij zijn buurman had vermoord en de plaatselijke rechtbankverslagen, totdat ze de naam Starbrough Hall zag staan. Het was een verslag over de vondst van een lijk bij het dorp Starbrough.

> Gisteravond heeft er voor de rechter van instructie van Hundred of Holt in het dorp een lijkschouwing plaatsgevonden op het lichaam van de heer Titus Trotwood, die die ochtend boven in de Starbrough Folly was gevonden op het landgoed van Starbrough Hall, dat kort tevoren, tot zijn dood afgelopen week, nog in het bezit was van landheer Anthony Wickham. De heer Trotwood, de rentmeester van de heer Wickham, bleek de avond tevoren te zijn vermist en zijn weduwe, mevrouw Jane Trotwood, dacht dat hij naar de folly was gegaan om te kijken naar een vreemd licht dat er een avond eerder had geschenen. Mevrouw Adolphus Pilkington, de zus van de overleden heer Wickham die momenteel op de Hall verblijft, bevestigde dat zij hem er inderdaad naartoe had gestuurd, en vertelde dat een jonge vrouw, genaamd Esther Wickham, over wie sommigen zeggen dat ze de geadopteerde dochter van de heer Wickham is, verdwenen is, en van wie werd aangenomen dat ze volledig door verdriet was overmand. Vanwege de recentelijke, zware sneeuwval kostte het de dienstdoende arts, dr. Jonathan Brundall, veel moeite om de doodsoorzaak vast te stellen, maar gedacht wordt aan zwaar hoofdletsel. Het is mogelijk dat de heer Trotwood is uitgegleden en zodoende de aanstichter van zijn eigen dood was. De verblijfplaats van Esther Wickham blijft gehuld in raadselen, evenals hoe de heer Trotwood op het dak van de toren kon zijn opgesloten, aangezien het valluik dicht was, maar niet op slot zat, zodat hij weg had kunnen komen. De heer Trotwood stond erom bekend dat hij zijn verplichtingen als rentmeester getrouw en grondig nakwam. Er is geen officiële uitspraak gedaan.

Jude dacht diep na. Dus Esther had kunnen ontsnappen, zoals ze had gedroomd, maar Trotwood was overleden. In het verslag van de lijkschouwing werd gesuggereerd dat de twee gevallen met elkaar in verband konden staan, en dat leek zeker waarschijnlijk. Ze was er zeker van dat Trotwood had ontkend dat hij Esther in eerste instantie in de folly had opgesloten, en dat klonk geloofwaardig. Om haar op te sluiten en drie dagen en nachten te laten wachten voordat hij naar haar toe ging, was een gluiperige streek, die niet leek te passen bij het beeld dat ze van Trotwood had. Hij kwam op haar over als direct, als een man van de daad. Als hij Esther had willen doden, had hij haar zonder aarzelen een genadeslag gegeven, zoals hij dat had gedaan met een konijn in een val of met Anthony's arme, oude hazewindhond. Maar waarom moest ze eigenlijk dood? Tenzij Alicia hem had betaald om het betreurenswaardige obstakel uit de weg te ruimen dat haar op weg naar het bezit van Starbrough Hall in de weg zat. De vraag bleef dan: wie had de deur naar de folly op slot gedaan?

Ze sloeg er de eropvolgende uitgaven van de *Norwich Mercury* op na, maar vond niets relevants.

Toen ze stond te wachten op een fotokopie van het artikel, schoot haar iets anders te binnen. Esther was gevonden toen ze nog heel klein was, in juli 1765. Ze dachten dat ze toen zo'n drie jaar oud was. Er waren twee vragen geweest die ze zichzelf had gesteld, maar waar ze nooit een antwoord op had gezocht. Ten eerste: waarom probeerde Anthony Wickham niet uit te zoeken wie dit kind was en waar ze vandaan kwam? In Esthers dagboek had hij gezegd dat hij dat niet had gewild. Misschien was hij al op het eerste gezicht dol op haar geweest. Ten tweede: had iemand naar een vermist kind gezocht, en dan specifiek naar een kind dat zijden vodden droeg?

Ze liep terug naar de boekenplanken en vond de map waarin de *Norwich Mercury*-kranten uit 1765 zaten. Het zou logisch zijn om bij juli te beginnen – 21 juli was haar 'verjaardag' – maar het was goed mogelijk dat ze al eerder door haar familie werd vermist. Om die reden begon ze halverwege juni.

Ze las en las maar vond niets over vermiste kinderen, en praktisch niets over Starbrough Hall en de omgeving wat ook maar een beetje relevant kon zijn. Een jaloerse lakei had een dienstmeid vermoord in een landhuis vlak bij de kust. Twee kleine meisjes waren wees geworden na de dood van een vermogend koopman in Great Yarmouth, maar die waren negen en zeven jaar en dus ouder. Ze ploeterde heel juli door, maar de enige gebeurtenis die de *Norwich Mercury* in de omgeving van Starbrough belangrijk genoeg had geacht was de griezelige vondst van een vrouwenlijk in het bos bij Holt. Ze was al een aantal weken dood, had de dienstdoende arts die bij de lijkschouwing aanwezig was gezegd, gedood door een kogelschot in de borst dat haar hart had doorboord. Haar identiteit was een mysterie, hoewel haar haar en kleding suggereerden dat ze niet tot de arbeidersklasse behoorde. Ze droeg daarentegen wel een puur gouden trouwring, wat erop kon duiden dat diefstal niet het motief was geweest. Maar het feit dat haar lichaam was ontdaan van elk stukje bewijs dat haar identiteit kon onthullen, was een raadsel voor de lijkschouwer. Jude bladerde door de kranten van de weken die daarop volgden, in de hoop dat er meer over werd vermeld, maar dat was niet het geval. Toch zat het haar dwars. Ze ging terug naar kantoor met kopieën van beide artikelen.

Toen ze de laatste hand legde aan haar artikel voor het tijdschrift, zei Inigo, die stil aan zijn bureau had zitten werken, plotseling: 'Ik weet weer waar ik die halsketting eerder heb gezien.'

38

Madingsfield Hall, Lincolnshire, is de zetel van de graven van Madingsfield, een ononderbroken familielijn sinds Sir Thomas Madingsfield Elizabeth I met zulk een generositeit te gast heeft gehad dat hij er bijna failliet aan is gegaan. Ter schadeloosstelling heeft ze hem aangenaam beloond door hem in de adelstand te verheffen en tot ceremoniemeester aan het Koninklijk Hof te benoemen.

Jude las de gids die Inigo haar had geleend.

'James is de vijftiende Lord M.' Inigo praatte haar bij terwijl hij hen naar Madingsfield Hall reed. Hij was geen goed chauffeur en zat ineengedoken en te dicht achter het stuur van zijn kleine, zwarte auto. Op de autosnelweg zigzagde hij tussen de andere auto's door alsof ze zich in een botsautootje verplaatsen. 'Hij was feitelijk de jongste zoon. Slimme vent. Eton, de hoogste graad in twee vakken van moderne geschiedenis aan Oxford, de City – Barings, voordat ze failliet gingen. Maakte fortuin in de jaren tachtig, en erfde toen zijn oudere broer op tweede kerstdag van een paard viel, de Hall. De financiën waren een puinhoop. Het beste wat ze ermee konden doen was het tot een toeristische attractie omtoveren en er tentoonstellingen van beeldende kunst organiseren.'

Lord Madingsfield stond ook bekend als een verzamelaar en een gewiekste handelaar in kunst en antiek. Ondanks Inigo's recente teleurstelling, bleef hij een figuur bij wie Beecham in de gunst wilde blijven, hoe onbetrouwbaar hij ook was. Madingsfield had op zijn beurt Beecham nodig.

Toen Inigo hem opbelde en vroeg of hij een collega mee mocht nemen om in verband met een onderzoek naar een aantal schilderijen te kijken, was hij daar dan ook al te graag toe bereid, en stelde een middag in de week daarop voor.

Dus daar waren ze nu, en ze parkeerden de auto op de enorme, toeristische parkeerplaats. In plaats van bij de kiosk voor kaartjes in de rij te gaan staan, liepen ze eerst over een erf en daarna om het gebouw heen waar een deur was met een bordje PRIVÉ, waar de kantoren van het landgoed Madingsfield gehuisvest waren. Daar ging de receptionist hen voor door een gang en een trap op naar de grote, elegante ontvangstkamer die Lord Madingsfield als kantoor gebruikte. Madingsfield was een gedrongen, goed verzorgde man in een lichtbruin pak, met een haakneus en een intelligent, beweeglijk gezicht. Hij zat achter zijn bureau, maar toen ze binnen werden geleid stond hij onmiddellijk op om hen de hand te schudden. Het was een cliché, dacht Jude, toen ze de greep van zijn vingers voelde, maar de man straalde wel degelijk macht en een soort kwikzilverige energie uit.

Ze haalde de halsketting tevoorschijn, legde die op het bureau en vertelde in het kort haar verhaal.

Hij bestudeerde hem, pakte hem toen op en glimlachte breed. 'Volgens mij heb jij nu een groot familiemysterie opgelost,' zei hij warm. 'Wat slim van jullie om langs te komen.'

'Wie was zij?' vroeg Jude.

Ze stonden bij een schilderij, een portret dat op chronologische volgorde naast andere familieportretten hing, in een bibliotheek met een mahoniehouten lambrisering, die zich over de gehele breedte van het huis uitstrekte. Het was een manshoge afbeelding van een jonge vrouw in een achttiende-eeuwse jurk. Ze was mooi, heel mooi, met blond, golvend haar, een roze-met-witte huidskleur en reusachtige, zachte, gevoelige bruine ogen. Haar lijfje was laag uitgesneden, en om haar slanke hals hing een ketting van sterren. Het was precies dezelfde halsketting die Jude in haar hand vasthield.

'"De vrouw met de sterrenhalsketting". Ze heette Lucille. Lucille de Fougeres,' zei Lord Madingsfield. 'Maar de familie noemt haar altijd La Fugitive, Frans voor de vluchtelinge. Jullie kunnen het grapje vast waarderen.'

Inigo glimlachte beleefd maar Jude staarde naar haar, niet in staat om een woord uit te brengen terwijl een hele reeks verbanden in haar hoofd op zijn plaats viel.

'Ik neem aan dat ze Frans was?' vroeg Inigo.

'*Très française*, volgens mij. Burggraaf St John, later de negende graaf, leerde haar kennen op een *Grand Tour* ergens in de jaren vijftig van de achttiende eeuw, ik ben de precieze datum vergeten. Hij was degene die de halsketting heeft laten maken, die hij haar bij hun verloving cadeau deed. Ze trouwden in 1759, maar in 1765, een aantal jaren nadat dit portret was geschilderd, verdween ze met hun twee jonge dochters. Het verhaal deed de ronde dat ze een geliefde had voordat ze trouwde, en dat het stel nog heel veel voor elkaar voelde en met de noorderzon was vertrokken. Natuurlijk is haar familie naar haar op zoek gegaan, hoewel ik me afvraag hoe ver ze daarin zijn gegaan; het schandaal moet vreselijk zijn geweest. Maar er is nooit meer een spoor van hen teruggevonden. Toen er zeven jaren waren verstreken, verklaarde de rechtbank haar dood en St John, die voor het graafschap was opgevoed, trouwde zijn geheime minnares, ene Hester Symmonds. Kijk, dat is ze, in een baljurk. Ik heb haar altijd een behoorlijke flirt gevonden. Ze waren eigenlijk allemaal vrije vogels.' Lord Madingsfield drukte het nog zachtjes uit, dacht Jude, maar ze liet haar gedachten de vrije loop.

Wat eigenaardig. Twee jonge dochtertjes. Niet één. Als een van hen inderdaad Esther was geweest – en zo ja, hoe kwam ze dan op een modderige weg midden in Norfolk terecht – wat was er dan met de ander gebeurd? Was Lucille met haar ontsnapt, en waar waren ze dan in hemelsnaam naartoe gegaan? Misschien terug naar Frankrijk. En hoe had het kind dat Esther was, vermist kunnen raken? Te veel onbeantwoorde vragen. Het enige wat ze met zekerheid kon zeggen was dat ze nu tenminste een duidelijk idee hadden waar Esther vandaan kwam.

'Waarom zou Lucille naar Noord-Norfolk zijn gegaan?' vroeg ze. Ze herinnerde zich plotseling de ongeïdentificeerde dode vrouw. Wie was zij? Misschien een ander stukje van de legpuzzel.

'Op weg naar een haven, denk ik. Misschien naar Great Yarmouth?'

'Zou dat echt de snelste route naar Frankrijk zijn geweest?'

'We weten niets over wie haar geliefde was of waar ze van plan waren naartoe te gaan. Het is niet waarschijnlijk dat het Frankrijk was; de Lage Landen, misschien. Als je erin geïnteresseerd bent, heb ik kopieën van een paar brieven uit die tijd die ik heb gelezen voor onze schilderijencatalogus. Mensen vragen vaak naar Lucille, want ze vinden haar een romantische figuur. Ik ben echter bang dat er weinig in staat wat je relevant zult vinden.'

'Ik heb het gevoel dat ik ze hoe dan ook moet bekijken,' besloot Jude, 'voor de zekerheid.'

'En misschien kan ik Inigo dan ondertussen iets laten zien wat hij wellicht interessant vindt.' Er speelde een geamuseerd lachje om Lord Madingsfields lippen.

'Natuurlijk,' zei Inigo, plotseling opgewekt.

O, god, dacht Jude, ik hoop niet dat de sluwe, oude vos Inigo weer helemaal opnieuw om zijn vinger windt. Toen ze naar beneden liepen, vormde Jude de woorden 'let op' in Inigo's richting en hij gaf met een knikje te kennen dat hij haar begreep.

De brieven waar Lord Madingsfield het over had lagen in een dossiermap met alle correspondentie uit die periode. Jude zat in een archiefkamer met airconditioning in de kelder, waar de graaf al het papierwerk bewaarde dat met het landgoed te maken had, hoewel de meeste documenten betreffende Madingsfield nu in het archief in Cambridge lagen, legde hij uit. Ze bladerde in de dossiermap door de plastic mapjes totdat ze de brieven vond. Ze dateerden allebei uit 1764 en waren van de gravin van Madingsfield, Lucilles schoonmoeder, aan haar zoon de burggraaf gericht, die duidelijk voor zaken in Londen verbleef. Het kostte wat moeite om aan het handschrift te wennen, dat sierlijker was dan dat van Esther. De eerste brief ging vooral over de zwakke gezondheid van de oude graaf, sociale gebeurtenissen en zaken betreffende het landgoed, tot onder aan de tweede pagina.

> *Ik heb Lucille onze beslissing bekendgemaakt dat ze het huis niet mag verlaten, onder welk voorwendsel dan ook. Ze hoorde het bericht zwijgend aan en heeft inderdaad het grootste deel van de week in haar vertrekken doorgebracht en heeft, als het weer het toeliet, alleen 's middags in de tuinen gewandeld.*

De tweede brief was van een maand later en refereerde aan een of ander 'nieuw medicijn' dat Lucille was voorgeschreven, dat 'een heilzaam effect lijkt te hebben. Ze is kalmer en handelbaarder.'

Alsof ze een paard was, merkte Jude verontwaardigd op. Als er al correspondentie had plaatsgevonden over Lucilles verdwijning een jaar later, moest die verloren zijn gegaan of in Cambridge liggen, want er zaten geen brieven meer in de dossiermap die betrekking had op die periode.

Ze ging achteroverzitten in haar stoel, tikte met haar pen tegen haar lippen en dacht na. Lucille moest erg ongelukkig zijn geweest, opgesloten in die enorme gevangenis van een paleis, en die wie weet wat toegediend had gekregen. Er stond nergens iets over de kleine dochters. Ze kon naar een stamboom vragen, misschien stonden hun namen daarop. Ze drukte op de bel van de receptie waar zij en Inigo binnen waren gekomen, en een vrouw ging haar voor naar een andere archiefruimte waar een enorme kaart aan de muur hing. Samen lokaliseerden ze de negende graaf en zijn vrouwen, Lucille en Hester, de moeder van zijn zonen, maar bij de lijn van afstammelingen stond bij Lucille alleen: TWEE DOCHTERS, OP JONGE LEEFTIJD OVERLEDEN.

'O, ze hebben niet eens namen gekregen,' zei Jude, enigszins geschokt doordat was aangenomen dat ze waren overleden. Het was alsof ze uit de geschiedenis waren geschrapt.

'Ze heetten Amelie en Genevieve,' klonk de stem van de graaf achter haar, waardoor ze opschrok. 'Mijn onderzoeker heeft het kerkelijk register doorgespit en die namen in het doopregister ontdekt.'

'Hij moet wel veel van haar hebben gehouden dat hij heeft toegestaan dat ze een Franse naam kregen,' zei Jude. Ze legde uit wat ze in de brieven had gelezen.

'Ah, ja,' zei de graaf, 'maar het waren maar dochters. Ik denk niet dat het hem veel kon schelen.' Achter hem liet Inigo een hinnikend lachje horen.

'Ik ga nu uit van de hypothese dat Esther Lucilles oudste dochter was, Amelie,' zei Jude tegen Inigo op de terugweg. 'Drie jaar oud toen ze was gevonden. Maar ik heb geen idee hoe ze verdwaald op het platteland in Norfolk is terechtgekomen, en wat er met Lucille en het andere meisje is gebeurd.'

'En die dode vrouw dan?'

'Inigo, we zitten iets te dicht op die vrachtwagen. O. Bedoel je...?'

'Je zei dat je in de Colondale-bibliotheek had gelezen over een moord op een onbekende vrouw daar in de buurt.'

'Ja. Ze dachten dat ze van goede komaf was. Maar dat was waarschijnlijk puur een gok.'

'Het zou een goede hypothese kunnen zijn om mee te beginnen.'

'Misschien wel. Hoe gingen de zaken met onze Lord?'

Ze zag dat er een glimlach over Inigo's gezicht gleed. 'Die ouwe Madingsfield. Eet uit m'n hand.'

'Inigo, je moet oppassen voor die man.'

'Ik weet wat je bedoelt, Jude,' zei hij, terwijl hij de snelste rijbaan op zwenkte en langs sportauto's zeilde die zelf vast al harder reden dan de maximumsnelheid, 'maar in het leven moet je nu eenmaal risico's nemen. Hij heeft een collectie van elizabethaanse ontdekkingskaarten die hij via ons wil verkopen en hij denkt dat wij dat beter kunnen dan Sotheby's. Volgens mij heeft hij ergens ruzie over met zijn neef.'

'Klaus zou er blij mee zijn. Goed gedaan. Maar houd die oude vos in de gaten, Inigo.'

'Dat was ik wel van plan,' zei Inigo, terwijl hij twee rijbanen over scheurde om naar de noordelijke ringweg van Londen te gaan. 'Als een havik.'

Als hij die bocht nog sneller neemt rijden we zo meteen op twee wielen, dacht Jude, die haar ogen sloot.

Ze kreeg een sms'je binnen. Ze opende haar ogen weer en zag dat het van Euan was.

'Zin om dit weekend langs te komen?' stond er. 'Heb een aanwijzing gevonden. Daarbij: vrijdag mottenjacht.'

Er welde een gelukkig gevoel in haar op. Ze zou hem bellen zodra ze thuis was. Ze had hem zo veel te vertellen! Iedereen trouwens!

39

Het was een perfecte avond voor motten en sterren, mijmerde Jude, en ze sloeg de weg in die van Starbrough weg leidde. Deze keer reed ze Starbrough Hall voorbij, wierp alleen even een blik op zijn elegante contouren, haar aandacht door iets anders afgeleid. Voor haar uit, boven de heuvel, gloeide de ondergaande zon oranjekleurig in een lucht van sprankelend goud, en toen ze de auto parkeerde op de oprit bij de cottage en uitstapte, bleef ze even stilstaan. Ze luisterde naar het bos dat zich om haar heen op de nacht voorbereidde, terwijl de lucht licht en verstild en vol vogelgezang was. Boven haar hoofd scheerden en doken zwaluwen en iets in haar reageerde erop, vloog met hen mee, opgewekt en vrij.

'Jude.'

Ze draaide zich om. En daar was Euan, die zich naar haar toe haastte om haar te begroeten, echt en warm en alles waar ze op had gehoopt. Toen hij bij haar was, aarzelde hij een fractie van een seconde en ze voelde zich bijna verloren. Er speelde nog iets tussen hen wat onuitgesproken was. Ze omhelsden elkaar; ze rook een heerlijke geur van zeep en pasgemaaid gras, en haar huid tintelde toen zijn wang langs die van haar streek. Ze stonden tegenover elkaar en keken elkaar aan. Zijn gezicht was gebruinder dan ooit, zag ze, en de kleur van zijn ogen werd dieper door het zachtblauwe met crèmekleurige shirt, dat hij losjes over een grijs T-shirt droeg, samen met de gebruikelijke spijkerbroek. 'Kom je binnen?' vroeg hij. Hij haalde haar tas uit de kofferbak en ze liep achter hem aan naar het huis.

‘En hoe zit het met die aanwijzing waarover je me over de telefoon niets wilde zeggen..?’ hielp ze hem in herinnering. Ze had hem alles verteld over Lucille, maar hij had erop gestaan dat hij zijn nieuws later vertelde. Ze zaten buiten op de tuinstoelen naast de woonwagen met een glas ijskoude wijn en Euan wakkerde de barbecue aan. Het grasveld moest weer worden gemaaid, merkte ze op, en ze trok haar blote knieën op uit het kriebelende gras.

‘Ja. Je grootmoeder is hier dinsdag geweest,’ antwoordde Euan, die nog wat houtskool op de hongerige vlammen gooide.

‘Is ze hiernaartoe gekomen? Echt waar? Ik kreeg de indruk dat ze niet wilde zien hoe het huis was veranderd.’

‘Ik denk dat ze van gedachten is veranderd doordat ze meer over Tamsin te weten is gekomen. Ze had mijn telefoonnummer aan Claire ontfutseld en vroeg me of ik het niet erg vond om haar op te halen. Dus heb ik haar opgehaald en heeft ze hier thee gedronken.’

‘Wat ontzettend lief van je.’

‘Nee, het was geen moeite. En het was behoorlijk fascinerend. Ze leidde me rond in mijn eigen huis, vertelde hoe het eruit had gezien toen zij klein was. Ze had een paar geweldige verhalen te vertellen, en toen ik haar weer thuisbracht hebben we nog naar een aantal foto’s gekeken uit die doos die we van zolder hadden gehaald. En ze liet me nog iets anders zien. En dat is de aanwijzing. Heb je wel eens in jullie oude familiebijbel gekeken?’

‘Ja, maar eeuwen geleden, hoor.’ Haar grootmoeder bewaarde die in de kast met haar telefoonboeken en een paar oude zeilgidsen van opa. Op de schutbladen stonden, zoals in veel families gebruikelijk was, alle sterfgevallen en huwelijken van de Bennett-generaties opgeschreven.

‘Het is een fascinerend document. We hebben er samen naar gekeken. Het blijkt dat niet alleen haar vader hier jachtopziener was geweest, maar zijn vader daarvóór ook. Hij, je overovergrootvader, William Bennett, is geboren in 1870. Ik weet niet wat zijn ouders deden, of waar ze woonden, maar, en dat is het echt interessante gedeelte, twee of drie generaties vóór hem vond ik een James Bennett, die getrouwd was met de dochter van een arts. Hugh Brundall, zo heette die arts. Die naam herken je wel, toch?’

‘Brundall was de naam van… Anthony Wickhams dokter.’ Judes ogen schoten wijd open van verbazing. ‘Maar hij heette geen Hugh, maar anders. Jonathan, volgens mij. Wacht, er was wel een Hugh. Esther zat met hem op school in het dorp. Wil je nou zeggen dat hij een voorvader van mij is?'

'Dat vroeg ik me dus ook af. Maar luister, de naam van de moeder van het meisje stond er ook in, Hugh Brundalls vrouw. Die was "Stella".'

Jude keek Euan aan en zweeg geschrokken terwijl het kwartje viel. 'Stella betekent ster, toch? Net als Esther. O, Euan. Dat kan toch alleen maar toeval zijn.'

'Dat kan. Of niet. Ik ben woensdag naar de Starbrough-kerk gegaan en heb een kijkje genomen bij de graven. Er ligt inderdaad een Hugh Brundall, wiens vrouw, Stella, in 1815 is overleden.'

'Natuurlijk! Volgens mij heb ik dat gezien, toen ik over het kerkhof liep,' zei ze, en ze probeerde het zich te herinneren. 'Ik neem aan dat de achternaam misschien wel Brundall was, maar ik herinner me alleen Stella omdat ik op zoek was naar "Esther". O, Euan, denk je dat dát met haar is gebeurd? Dat ze getrouwd is met de zoon van de dokter?'

'Het kan natuurlijk gewoon toeval zijn, maar het is misschien de moeite waard om verder uit te zoeken. We hebben geen andere aanwijzingen.'

'Het kerkelijk register heeft misschien meer informatie,' fluisterde ze. 'Megan van het museum zei dat het waarschijnlijk in de archieven van het provinciehuis ligt, want in 1815 werden geboortes, sterfgevallen en huwelijken nog niet bij de burgerlijke stand geregistreerd. Mijn god, als Esther in 1815 is overleden, is ze drieënvijftig geworden, niet bepaald oud.'

'Dat is waar. Het kerkelijk register van Starbrough ligt inderdaad in het provinciehuis. Ik heb dat nagevraagd bij een van de kerkvoogden. Je kunt er morgen naartoe gaan, toch? Ik kan met je meegaan, als je dat wilt.'

'O, Euan, dat zou fantastisch zijn, dank je wel. Maar... wat je net zei, dat Stella in onze familiebijbel staat. Dat zou betekenen dat de Bennetts haar nakomelingen zijn, dat Esther mijn voorouder was.'

'Daar lijkt het wel op.'

Jude viel even stil en probeerde aan het idee te wennen. 'En dat zou betekenen – o, god – dat ik heel in de verte een verwant ben van Lord Madingsfield! Wat een vreselijk idee!'

'Ik dacht al dat je dat leuk zou vinden! Nou, de kolen zijn goed opgewarmd. Als je me wilt helpen met het eten naar buiten brengen, kunnen we beginnen.'

Daarna waren ze druk met barbecuen en aten ze een heerlijke maaltijd van steaks en worstjes en salade, terwijl het om hen heen begon te schemeren en de vleermuizen tevoorschijn kwamen. Jude zei niet veel. Ze dacht nog steeds aan wat Euan had ontdekt. Met al dat werk had ze in Esther geen voorouder van de Wickhams gevonden, maar van zichzelf. Ze kon het gewoon niet geloven.

'Euan, waarom is dit allemaal gebeurd?' vroeg ze. 'Het hele verhaal, bedoel ik... de dromen van Esther en Tamsin en... alles eigenlijk. Waaróm? Wat betekent het? Het is bijna alsof we in een wervelwind zijn beland.'

Hij lachte. 'En waarom verwacht je in vredesnaam dat ik daar een antwoord op heb? Ik ben maar een gewone man, edelachtbare.'

'Maar toch, als je helemaal teruggaat naar het oorspronkelijke verhaal, is het terug te voeren op Esther die bang en verdwaald was in het bos.'

'Of daarvóór nog, naar Lucille die bij haar familie in Frankrijk was weggehaald. Misschien kun je nog wel verder terug. Ik denk niet dat er een eenvoudig antwoord is, Jude. Je staart je er blind op.'

'Ja, dat zal wel,' zei ze, en ze stak haar glas uit.

'Hm, heerlijke maaltijd,' zei ze ten slotte om negen uur, nadat ze een kom frambozen met slagroom hadden gegeten. 'En hoe zit het met de nachtvlinders?'

'Weet je zeker dat je daar zin in hebt? Ik heb alles al klaargezet.'

'O, ja. Ik ben hier niet helemaal naartoe gereden om geen nachtvlinders te zien. Waar gaan we ze zoeken?'

'Bij de folly. Er zitten er daar behoorlijk wat, en ik probeer regelmatig aantekeningen bij te houden.'

'Hoeveel denk je dat we er zullen zien?' vroeg Jude, terwijl ze opstond en haar benen strekte.

'O, wel honderden, denk ik.'

'Honderden? Echt waar?' Ze had verwacht dat hij tientallen zou zeggen.

'Je zult het wel zien. O, en ik heb het je nog niet gevraagd, maar zou je het erg vinden om notuliste te zijn?'

'Je amanuensis?' vroeg ze. Ze sloeg haar armen quasiverontwaardigd over elkaar, en hij lachte.

'Nooit. Wij zijn gelijken, jij en ik,' zei hij zacht.

Als het niet schemerig was geweest had ze misschien de liefhebbende blik in zijn ogen gezien. Want nu, in de aankomende nacht, was hun stemming aan het veranderen. De lucht voelde dik als stroop tussen hen in en ze bewogen zich voort als dromers toen ze de tafel afruimden en de voorbereidingen voor hun uitstapje troffen.

Ze tilde met Euan een paar logge reistassen vol benodigdheden in de kofferbak van zijn auto en ze reden in stilte de korte afstand heuvelopwaarts, langs Foxhole Lane, waar ze de auto in de buurt van de folly parkeerden. Toen ze uitstapten ademden ze de lucht in die onder de bomen fris en koel was. Het rook er sterk naar aarde en gebladerte, maar het zag er niet naar uit dat het ging regenen.

'Het wordt een goede vliegnacht,' merkte Euan op, en hij gaf haar de kleinste tas aan om te dragen, waarbij zijn hand even kort die van haar aanraakte, waardoor ze opnieuw dat tintelende gevoel kreeg. 'Lukt dat zo? Nachtvlinders zijn pietluttig en ze houden niet van nattigheid of wind of kou. De maan is ook niet zo groot dat die met ons licht kan concurreren.'

Samen liepen ze tussen de bomen door die in het afnemende licht elegant zwart en goudkleurig glansden. Toen ze bij de open plek aankwamen, verbaasde Jude zich opnieuw over de opdoemende folly met zijn sterke, vreemde atmosfeer. Hij was deze avond weer van hun, de plek waar ze elkaar voor het eerst hadden ontmoet, de plek waar zo veel andere belangrijke gebeurtenissen hadden plaatsgevonden.

'We moeten ons hier installeren, bij de bomen,' zei Euan, en hij zette zijn tassen neer. Hij ritste er een open en haalde er iets uit wat op een zware autoaccu leek. 'Nachtvlinders zijn niet graag in de openlucht. Hier, pak het andere uiteinde eens vast.' Ze hielp hem met het uitspreiden van een wit laken op de grond en keek toe hoe hij een grote doos zonder deksel openvouwde, die op het laken zette en er een stuk hout, waaraan een grote gloeilamp bevestigd was, bovenop hing. Vervolgens ging hij op zijn hurken zitten en ze keek verbaasd toe hoe hij een stuk of vier lege eierdozen tegen de binnenste wanden van de doos aan zette.

'En waar zijn die voor?' vroeg ze.

'De nachtvlinders cirkelen een tijdje om het licht heen, en dan verschuilen ze zich graag in de schaduw zonder de lamp te raken. Eierdozen zijn daar perfect voor. Misschien zijn nachtvlinders net als mensen,' zei hij. 'Ze zijn bang om zich te branden.'

'Ik begrijp het,' zei ze zacht.

Hij glimlachte naar haar. 'Dat weet ik.' Vervolgens zei hij: 'Zou jij twee stukken plexiglas uit die tas willen pakken?' Ze doorzocht de tas, gaf de platen aan hem, en hij plaatste ze aan weerskanten van de gloeilamp in een gleuf in de doos, zodat ze als deksel fungeerden, en liet een spleet open waardoor de nachtvlinders de doos in konden vliegen.

'Dit is een kwikdamplamp, heel erg fel. Te fel voor onze ogen. Nachtvlinders zijn dol op het blauwe uiteinde van het spectrum. We weten niet zeker waarom ze door licht worden aangetrokken, maar we denken dat het komt doordat ze navigeren met behulp van de maan en de sterren. Hier gaan we dan.' Vervolgens plugde hij het lichtsnoer in de accu en zette die aan, waarna de lamp roze opgloeide en toen zo fel blauw-wit werd dat ze haar ogen af moest wenden.

'Het enige wat we nu nog hoeven doen is wachten tot de nachtvlinders komen.' Hij kwam naast haar staan met zijn zaklamp in de hand. 'Zullen we een stukje wandelen? Het is 's nachts heerlijk in het bos.'

Het werd inmiddels behoorlijk donker. Griezelig, dacht ze, om in dit vreemde, witte licht de silhouetten van de bomen om hen heen te zien. Hij bood haar zijn hand aan en het voelde heel natuurlijk om die vast te pakken.

'Kunnen we de toren in?' vroeg ze, gedreven door een soort instinct.

'Als je dat graag wilt,' antwoordde hij verrast.

Ze liepen de trap op en de kleine kamer in. Ze was hier niet meer boven geweest sinds de dag dat Summer werd vermist. Het zag er weer net zo uit als de eerste keer dat ze er was geweest, met Euans papieren die verspreid over de kleine tafel lagen. Er hing een serene atmosfeer, vredig.

'Kunnen we het dak op?' vroeg Jude.

'Tuurlijk,' zei hij. Hij klom de ladder op, opende het valluik en hielp haar omhoog toen ze boven aan de trap kwam. Nadat ze veilig en wel boven zat, deed hij de zaklamp uit zodat hun ogen aan het donker konden wennen.

Ze stond naast hem zonder op hem te steunen, niet langer bang voor de grote hoogte, en keek uit over het donker wordende bos. Ze ving nog een glimp op van de bovenste helft van Starbrough Hall, waar hier en daar nog licht brandde. Dat zachte nachtlichtje, dat was de kinderkamer, zei ze tegen zichzelf. Ze stelde zich voor dat de schaduw die langs het raam bewoog van Alexia was, die de kinderen instopte of hun speelgoed en kleding opruimde. In de nachtblauwe lucht daarboven begonnen tussen kleine wolkenslierten een paar eenzame sterren te schitteren.

En de hele tijd was ze zich bewust van Euan, die stilletjes naast haar wachtte. 'Ik moest hier even naar boven komen,' zei ze. 'Om erachter te komen hoe het er nu is.'

'En hoe is het nu?' Ze kon de uitdrukking in zijn ogen niet zien, maar hoorde aan zijn stem dat er meer achter die vraag schuilde.

'Het voelt hier nu vredig. Ik kan mijn vinger er niet op leggen.'

'Heb je geen nachtmerries meer gehad?' vroeg hij luchtig.

'Nee. Claire zegt dat Summer ze ook niet meer heeft.'

'Dat is mooi.' Maar het noemen van Claires naam hing tussen hen in.

'Je weet toch dat ik Claire nooit heb gewild?' zei hij op gedempte toon.

'Dat weet ik nu,' antwoordde ze.

'Zou ze het erg vinden als...' zei hij. 'Ik weet niet of...'

'Vraag je of ik me op de achtergrond wil houden voor het geval het haar kan kwetsen? Bedoel je dat soms?'

'Je houdt altijd zo veel rekening met haar gevoelens.'

Het verbaasde haar dat hij niet had gemerkt hoe haar gedachten over Claire in de afgelopen paar weken waren veranderd. Maar als je hem dat niet hebt verteld, hoe kan hij het dan weten, idioot die je bent, sprak ze zichzelf vermanend toe. En, hoe dan ook, Jon was er nu.

'Ik dacht aan wat jij had gezegd. Over dat ik medelijden met haar had.' Er was zo veel gebeurd sinds dat gesprek. 'Ik denk nu zo anders over haar. Ik heb geen medelijden meer. Je had gelijk. We moeten allemaal ons eigen leven leiden, onze eigen keuzes maken. Ik kijk anders tegen bepaalde dingen aan dan Claire.'

Hij was even stil. Uiteindelijk zei hij, en in zijn stem schemerde tederheid door: 'En hoe kijk je dan aan tegen... bepaalde dingen?'

Ze reikte omhoog en raakte in het donker met haar hand zijn gezicht aan. Hij deed een stap naar voren, hield haar stevig vast en hun gezichten waren slechts een ademtocht van elkaar verwijderd. Vervolgens trok hij haar naar zich toe en ging met zijn lippen over haar gezicht, als kleine nachtvlinderkusjes, vond toen haar mond en ze klampten zich aan elkaar vast. Jude voelde hoe goed haar lijf tegen de contouren van zijn lichaam aan paste. Zo stonden ze een tijdje tegen elkaar aan gedrukt, terwijl ze elkaars hartslag konden voelen. 'Sinds je me hier hebt uitgenodigd, voel ik me...' fluisterde ze, 'ongelooflijk gelukkig.' Ze wankelde een beetje, als door een overdosis geluk, en hij hield haar vast.

'Ik ook,' antwoordde hij, en hij kuste haar weer. Uiteindelijk zei hij: 'Kom mee. We kunnen maar beter weer naar beneden gaan voordat we in zwijm vallen en over de rand kukelen.' Ze giechelde.

Onder aan de ladder bleven ze staan om elkaar weer te omhelzen, waarna hij haar voorging de trap af, onderaan de zaklamp neerlegde en haar met een snelle, impulsieve beweging van de laatste treden af tilde en tegen de muur duwde. Hij kuste haar weer innig tot ze klaagde over een uitpuilende steen die in haar rug stak.

Hij lachte, veegde mos uit haar haren en ze liepen de nacht in.

'Kijk!' riep hij en ze slaakte een verraste kreet.

In het felle licht aan de andere kant van de open plek dromde een enorme zwerm nachtvlinders samen. 'Kom mee.' Hand in hand haastten ze zich naar de mottenval.

'Het zijn er wel honderden,' riep ze uit, en ze draaide een rondje om haar as om goed om zich heen te kijken.

'Dat zei ik je toch? Nou, waar is dat aantekenboek? Hier, hou vast, en hier is een potlood en een zaklamp, en nu gaan we kijken.' Hij hurkte behendig tussen de zwerm insecten neer en haalde een van de plexiglasdeksels weg. In de eierdozen hadden zich tientallen nachtvlinders verzameld, die hun prachtige vleugels als dames in een hoepelrok hadden uitgespreid.

'Kijk nou eens, wat is dat in vredesnaam voor gigantisch geval?' riep Jude, die naar een grote, bont- en goudkleurige nachtvlinder keek.

'Dat is een rietvink. Hij heet zo omdat hij in vochtige gebieden voorkomt,' zei hij. 'Kom op, schrijf "rietvink" op.'

Dat deed ze gehoorzaam. 'En dit is de kleine zomervlinder.' Een kleine, smaragdgroene nachtvlinder. Dat schreef ze ook op. 'Een peper-en-zoutvlinder, drie satijnvlinders.'

'O, die zijn prachtig,' fluisterde ze. 'Ik vind die het mooist.'

'Hier zijn er nog twee. En kijk eens naar dat exemplaar dat nu aan komt vliegen. Dat is een groot avondrood.'

'O, prachtig.' Ze staarde naar het grote roze-en-bruine schepsel dat verwoed rondfladderde totdat het op het plexiglas landde.

Hij legde een eierdoos neer en pakte een andere op. 'Die kleine zijn wat primitiever. Die staan bekend als micro-nachtvlinders, in tegenstelling tot de evolutionair verder ontwikkelde macro-nachtvlinders. Ah.'

Hij graaide in een tas met plastic monsterpotjes en, nadat hij er een uit had gehaald, deed hij er voorzichtig een klein, onopvallend insect in. 'Ik ben blij dat ik deze heb gezien. Een pinella. Dat bewijst dat ik gelijk had wat betreft migratie. Deze kleine jongen moet een heel eind gevlogen hebben. Er staan hier nergens pijnbomen, niet eerder dan bij het dorp.'

'Hoe komt hij dan terug?'

'Niet, ben ik bang. Volwassen nachtvlinders leven niet erg lang. Na hun ontpopping planten ze zich behoorlijk snel voort, en dan zit hun werk erop.'

'Na al die moeite om een nachtvlinder te worden, planten ze zich voort en gaan ze dood? Wat vreselijk!'

'O ja?' vroeg hij, en hij deed alsof hij een grove dennenspinner bestudeerde. 'Hm, mij staat het idee wel aan.'

Ze lachte en zweeg toen. 'O, kijk!' Het was nu gitzwart achter de cirkel van de lamp, en er dromden steeds meer nachtvlinders samen, die op het laken naast de doos vielen of verwoed boven het licht cirkelden. Vele doken de doos in en fladderden rond voordat ze achter een eierdoos gingen zitten, klaar om te worden gedetermineerd. Euan riep de een na de andere naam, en Jude krabbelde ze snel neer, schreef de ongewone namen fonetisch op als ze niet wist hoe ze die moest spellen.

Tegen elf uur had ze zesenvijftig soorten opgeschreven. Rond middernacht waren dat er honderdtien.

'Dit is ongelooflijk,' zei ze nadat ze de namen hadden geteld.

'En er zijn verschillende soorten op verschillende momenten in het jaar,' vertelde hij haar. 'Sinds ik hier woon heb ik bijna vijfhonderd soorten in alleen al dit bos ontdekt.'

'Ik had er geen idee van dat het er zo veel waren.'

'Er zijn zevenentwintigduizend soorten in Engeland,' zei hij. 'En maar vierenzestig soorten dagvlinders. We raken er soms een paar kwijt door de klimaatverandering of zo, maar we nemen ook steeds weer nieuwe waar.'

'Hou je al deze metingen dan bij?'

'Jazeker. Er is een behoorlijke nachtvlinderfanclub in de buurt en we wisselen onze bevindingen uit. Nou, volgens mij hebben we wel genoeg gezien, denk je niet? Als jij die zaklamp pakt, doe ik dat felle licht uit en kunnen we alles opruimen.'

Ze scheen hem bij met de zaklamp, keek hoe hij de mottenval behendig uit elkaar haalde en de nachtvlinders eruit schudde die koppig weigerden een eierdoos of het laken te verlaten. Er zaten motten in hun haar en op hun kleren, en ze veegden die lachend van elkaar af voordat ze alle spullen verzamelden en er klaar voor waren om weer naar de auto terug te lopen.

Boven hen waaiden de laatste wolkenslierten weg.

'Kijk eens naar de sterren!' riep Jude uit. 'O, kijk de sterren eens!'

Ze stonden samen met hun armen om elkaar heen geslagen naar de lichtshow boven hun hoofd te staren. 'Het zijn er vannacht een heleboel.' En dat was ook zo. Honderden en honderden. Ze werden duizelig van het kijken ernaar.

'Hier.' Euan pakte het laken dat ze voor de nachtvlinders hadden gebruikt, schudde die weer uit en spreidde hem op de grond uit. Ze gingen er naast elkaar op liggen, hielden elkaars hand vast en keken naar de nachthemel.

'Een oceaan van sterren,' fluisterde Euan.

'Ik weet zeker dat ze bewegen. De hele lucht beweegt,' zei Jude.

Hij lachte en kneep in haar hand. 'Niet de lucht, Jude, de aarde. De aarde draait.'

'Ja, natuurlijk.'

'*Rolling onwards into light*. Dat is volgens mij van een liedje.'

'Ik zag iets. Wat was dat?'

'Een vallende ster. Dat is het Zevengesternte. Een meteorietenregen. O, daar is er nog een.'

En nu ze naar vallende sterren op zoek was, zag ze die ineens overal, plotselinge lichtflitsjes, als vonkend vuurwerk, die maar even oplichtten en dan weer verdwenen.

'Het is een vreemd gevoel, alsof ze alleen voor ons aan het optreden zijn,' fluisterde ze.

'Dat doen ze ook,' zei hij vastbesloten.

Ze lagen zwijgend naast elkaar, ieder in eigen gedachten verzonken. En toen moest Jude denken aan een andere keer dat ze naar de sterren had gekeken en zich zo gelukkig had gevoeld. Dat was na het schoolfeest geweest, met Mark, toen zij op een ster had gezworen om altijd vrienden te blijven. Het was een van de belangrijkste momenten uit haar leven. En nu moest ze accepteren dat het voorbij was. Al lang voorbij. Naar het verleden, zoals Mark zelf naar het verleden was gegaan. Ze probeerde het gelukkige gevoel van toen weer op te roepen, en de twee momenten, toen en nu, smolten een kort ogenblik met zo'n intensiteit samen dat de tranen haar in de ogen sprongen. Mark was weg, toevertrouwd aan de zorg van de Sterrenwacht, maar de sterren zelf waren er nog. En nu, nu was Euan er, dicht bij haar, wachtend.

Ze rolde zich om en nestelde zich in de holte van zijn elleboog, en al snel begon hij haar weer te zoenen. Ze hadden elkaar lief terwijl de aarde onder de oeroude sterren verder draaide.

Ze bleef die nacht bij Euan logeren, hoewel ze niet veel sliepen.

's Ochtends reden ze naar het archiefgebouw in Norwich om erachter te komen wat er met Amelie Madingsfield was gebeurd, die Esther Wickham was geworden, en, ten slotte… stond het daar op het microfiche. Stella Brundall, geboren als Esther Wickham, die op 10 maart 1815 op het kerkhof van Starbrough was begraven. Er stond alleen de naam, verder niets.

'Weet je waar ik ineens aan moet denken?' vroeg Jude later aan Euan, toen ze aan het avondeten zaten aan de tafel in de nieuwe keuken. 'Aan die *Atlas of the Heavens* in de Starbrough-collectie. Je kunt je die misschien niet meer herinneren, maar die staat vol met dierenriemafbeeldingen die als inspiratie dienden voor de plafondschildering in de bibliotheek van Starbrough Hall.'

'Ik heb die niet gezien, maar je had me verteld dat het 't origineel was van het schilderij.'

'Er is iets waar ik me het hoofd over breek.'

'Maar één ding? Het lijkt er eerder op dat we heel wat meer raadsels hebben moeten oplossen.'

'Ja, hè?' Ze leunde voorover en woelde door zijn haar, en hij trok haar naar zich toe en kuste haar. Toen ze weer op adem was vervolgde ze: 'Nou, dit raadsel is een handgeschreven opdracht die vóór in het boek staat. Er staat A.W. van S.B. Ik dacht dat de A.W. voor Anthony Wickham stond. Maar stel dat het Augustus Wickham was – Chantal zei dat

Augustus zijn naam had veranderd in Wickham – en dat S.B. voor Stella Brundall staat.'

'Wat, bedoel je dat ze bevriend zijn geraakt na alles wat er is gebeurd?'

'Ik weet dat we het niet kunnen bewijzen, het was maar een ingeving.'

'Luchtkastelen.'

'Slechts een faux pas...'

'Maar het is een goede hypothese.'

Die nacht, toen ze in dat betoverde gebied tussen waken en slapen dwaalde, probeerde ze zich voor te stellen wat er gebeurd had kunnen zijn.

Op een dag kwamen ze elkaar weer tegen, zoals ze altijd had geweten.

In het begin, na haar huwelijk, hield ze zich op de achtergrond in hun cottage in Felbarton, weg van nieuwsgierige blikken, maar naarmate de jaren verstreken en haar angst om te worden ontdekt vervaagde, deden zich gelegenheden voor waarbij een boodschap of een uitnodiging voor een feestje haar dicht bij de Hall bracht. Eén keer was ze er in een rijtuig langsgereden, en had ze voorovergeleund om naar de prachtige contouren van het gebouw te kijken, nieuwsgierig, alsof ze door het gezicht van een oude geliefde te bestuderen gevoelens wilde opwekken die al lang waren begraven. Ze hoopte een teken van zijn bewoners te zien – misschien Susan die een stofdoek uit een raam uitklopte, of Sam die het grasveld verzorgde – maar tevergeefs. Ze reden erlangs en ze voelde zich diepbedroefd.

Toen, op een pinksterdag, bijna negenenhalf jaar na Anthony's dood, terwijl ze op weg naar huis waren na een avond bij Hughs vader, reden ze langs de kerk van Starbrough en moest de koets vaart minderen omdat de zondagsdienst was afgelopen en mensen de weg op liepen. Hugh klopte zachtjes op haar arm en wees naar een ernstig kijkende jongedame in een hemelsblauwe pelerine. Donkere krullen piepten onder haar kapje uit, terwijl ze twee ruziënde jonge jongens naar een wachtend rijtuig dreef. 'Dat is vrouwe Wickham,' fluisterde hij. Toen kwam Augustus uit de mensenmassa tevoorschijn en liep naar zijn vrouw toe. Ze herkende hem meteen, hoewel hij niet langer de verlegen, magere jongen was die ze zich herinnerde, maar een dunne, onbeholpen man met een versufte uitdrukking op zijn gezicht. De koets reed verder en het tafereel verdween uit beeld. Maar vanaf dat moment werd ze in haar slaap wederom door kwellende beelden achtervolgd.

Er verstreek nog een jaar en toen brak er een schitterende zomermiddag aan. Ze liep door de velden met haar twee jonge dochtertjes en hun kindermeisje, Molly, om Hughs getrouwde zus in Holt een bezoek te brengen. Waar het voetpad langs de rand van het bos liep, zag ze een man aan komen lopen, een man met zijn hoofd gebogen en met dromerige pas, en toen ze dichterbij kwam zag ze dat hij een boek aan het lezen was. Ze liepen elkaar bijna zonder te groeten voorbij, zozeer was hij in zijn tekst verdiept, maar toen herkende ze hem. Ze liet het moment bijna voorbijgaan, maar uiteindelijk kon ze dat niet over haar hart verkrijgen.

'Augustus!' riep ze uit.

Hij verstijfde en keek op, bleef staan, staarde haar toen aan alsof ze een hersenschim was, waarna hij uit zijn boek ontwaakte. 'Esther?' fluisterde hij.

'Ik heet nu Stella,' antwoordde ze, en ze vervloekte Molly's nieuwsgierigheid. De jonge meisjes besloten echter dat hij niet interessant was en begonnen in een vlinder te porren die uitgeput op het modderige pad lag.

'Stella,' herhaalde hij. 'Nog steeds een ster.' Hij glimlachte zwakjes.

'Molly,' zei ze met opgewekte stem, 'zou jij alvast met de kinderen vooruit willen lopen? Meneer Wickham en ik zijn oude vrienden en wensen elkaar even te spreken.'

Ze keek toe hoe de meisjes weg dansten; de oudste droeg de vlinder op een stok in de lucht alsof het een veroverd vaandel was.

'Wat is er met jou gebeurd?' vroeg Augustus met dringende stem, wanhopig bijna. 'Ik dacht... ik was bang dat je dood was. En dat het allemaal mijn schuld was.'

'Jouw schuld? Hoe kan dat nou? We waren kinderen, Gussie. We stonden machteloos. Je moeder...'

'Weet je dat mijn moeder dood is?'

'Nee, dat...' Maar nee, ze kon niet zeggen dat het haar speet, niet nu er zo'n gevoel van opluchting door haar heen voer. 'Wanneer?'

'Drie, nee, vier zomers geleden. Een ziekte in haar keel. In de laatste paar weken kon ze niet meer praten.'

Dat moest geweldig zijn geweest, dacht Esther, maar dat zei ze natuurlijk niet. 'En je vader?'

'Die leeft nog, maar hij komt Lincolnshire niet meer uit. Esther... Stella... Waarom Stella, in godsnaam?'

'Ik moest mijn naam veranderen. Ik heb Trotwood niet vermoord,

Augustus, maar dr. Brundall waarschuwde me voorzichtig te zijn. Ik ben met zijn zoon getrouwd, Hugh. We leiden een rustig leven. Ik wil niemand tot last zijn. Jou en je familie het allerminst.'

'Maar toch ben je me, hoewel onbewust,' riep hij uit, 'mijn hele leven tot last geweest!'

'Hoe dat zo?' vroeg ze ontsteld. Ze dacht weer terug aan die vreselijke gebeurtenissen tien jaar geleden en ze werd overspoeld door een kille woede. Zij was degene die het 't zwaarst te verduren had gehad. Dakloos had ze maandenlang als een balling met de zigeuners rondgetrokken, regelmatig honger geleden, gerild van de kou, vaak ziek van uitputting. Ze had hun de halsketting gegeven als betaling voor het onderdak dat ze haar boden – wat was het toch jammer dat ze een van de bedeltjes was kwijtgeraakt – en toen had ze niets meer. Ze had ook iets mysterieus gezien: Rowan was helemaal niet een van hen, ze vermomden haar als een zigeuner door haar haren te verven. Of ze ook een vondelinge als zijzelf was, of een wisselkind dat uit de voorouderlijke wieg van een of andere rijke familie gestolen was, vertelden ze haar niet en ze wist dat ze er maar beter niet naar kon vragen.

Ten slotte hadden ze Esther na haar smeekbedes bij de deur van de enige persoon in de wereld afgeleverd van wie ze dacht dat die haar kon helpen: Jonathan Brundall. En hij had haar onder zijn hoede genomen omdat Anthony een vriend was geweest, was genereus geweest toen Hugh verliefd op haar werd, terwijl veel andere vaders de verbintenis verboden zouden hebben. Hugh vestigde na jarenlange studie een praktijk in een aangrenzende kerkgemeente en daar zijn ze uiteindelijk in alle stilte getrouwd.

'Hoe heb ik jóú nou tot last kunnen zijn, Gussie?' vroeg ze weer en haar stem klonk laag, gepassioneerd. 'Jíj was degene die mij mijn erfenis afpakte, jóúw familie heeft mij dakloos en naamloos gemaakt. Als ik jou al tot last was, dan moet dat puur door mijn aanwezigheid zijn geweest, en daarvoor kan ik me moeilijk verontschuldigen.'

Hij kon haar niet recht aankijken. Het was terecht dat ze de schuld gaf aan de invloed van zijn moeder. Het was groter dan Esther ooit zou weten en de schaamte zou hem altijd blijven achtervolgen.

Nu hij haar had gevonden, zou hij het fijn vinden om elkaar nog eens te zien. Er kwam een uitnodiging om op de Hall te komen dineren en Hugh oordeelde dat het wijs was om die te aanvaarden. Na het diner nam Augustus haar mee naar haar vaders bibliotheek en liet weten dat ze zo vaak langs kon komen als ze wilde. En soms deed ze dat. Hij had de ruimte in precies dezelfde staat gelaten als ze zich herinnerde, en het was vertroostend om daar te zitten en aan haar vader te kunnen denken. Er was geen andere plek waar ze dat kon. Augustus ging soms weg om naar de sterren te kijken, maar zij zou nooit meer, haar leven lang niet, erin toestemmen om naar de folly te gaan. Voor haar was het een plek van geweld en paniek geworden.

Als een zoenoffer en ter nagedachtenis aan haar vader gaf ze Augustus een boek voor de bibliotheek, een nieuwe uitgave van de Atlas Coelestis, wat hem in verrukking bracht, maar hij had nooit de moed om haar zijn geheim op te biechten… het geheim dat Esther bijna het leven had gekost. In plaats daarvan liet hij, nadat ze aan de griep was bezweken, de prachtige plafondschildering maken, het hoogtepunt van de glorieuze bibliotheek. En tussen haar papieren vond Hugh een dikke envelop waarop stond: 'Voor de bibliotheek in Starbrough Hall.' Hij opende de envelop en las: 'Een verslag van Esther Wickham.' Hij bracht het persoonlijk naar Augustus. En nadat hij het had gelezen, gaf Augustus beverig aan Hugh toe wat hij had gedaan.

Door de halfopen deur had Augustus gezien dat ze Bellinghams brief in de ladekast had geschoven, en was geïntrigeerd geraakt. Later die dag vond hij de brief en las hem, maar begreep weinig van de inhoud en dacht alleen dat zijn rivale iets geheims beraamde waardoor Starbrough Hall haar zou toevallen, iets wat zijn moeders plannen in de war kon schoppen.

De rest van de dag hield hij Esther in de gaten, zag haar heimelijk voorbereidingen treffen, en toen ze die avond naar buiten ging om naar de folly te gaan, volgde hij haar. Zodra ze met het laatste stuk van de telescoop de trap van de toren op was verdwenen en de lorrie leeg was, was het alsof hij zijn moeders stem in zijn oor hoorde: 'Je weet wat je te doen staat, jongen.'

Hij vroeg zich af of hij de lorrie buiten moest laten staan, waardoor een achteloze voorbijganger misschien gealarmeerd zou raken, of dat hij moest riskeren dat ze hem zou horen en hem tijdens zijn missie betrapte. Als hij snel was, besloot hij… Hij rolde de lorrie de toren in, sloeg de deur dicht, deed die op slot en schoot weer naar de beschutting van de bomen.

Twee nachten lang, bang voor wat hij had gedaan, hield hij zijn daad geheim. Hij werd verrast door de gebeurtenissen. Esthers verdwijning werd geïnterpreteerd als weglopen, de erkenning van een nederlaag, en Alicia *kondigde het ook zo aan bij de huishouding. Er kwamen advocaten langs, er werden nieuwe documenten opgesteld, waarover werd geruzied en die uiteindelijk werden ondertekend. De ruzie zou zich voortslepen, met Anthony's advocaat, die achtervolgd werd door zijn loyaliteit, maar met Esthers verdwijning stond zijn zaak zwak.*

Op de derde avond werd er een licht in de folly waargenomen. Hij stortte uiteindelijk in en biechtte bij zijn moeder op wat hij had gedaan. In eerste instantie was ze geschrokken. Wie had kunnen denken dat haar zwakke sul van een kind tot zo'n besluitvaardige actie in staat was? Maar toen verscheen er een sluwe uitdrukking op haar gezicht en werd hij getroffen door een koud afgrijzen. Toen Alicia meneer Trotwood bij zich riep en hem zijn opdracht gaf, ging Gussie naar zijn kamer. Hij had nooit in zijn ergste nachtmerries kunnen dromen dat zijn daad zulke afschuwelijke gevolgen zou hebben. En, hoewel opgelucht dat ze was ontsnapt, werd hij er de rest van zijn leven door geplaagd, tot hij die middag op het voetpad Esther weer zag.

40

Het was de week voor Pasen, de tijd waarin Lord Madingsfield de deuren van zijn statige huis openzette voor het begin van een nieuw zomerseizoen. Elk jaar organiseerde hij een andere tentoonstelling uit zijn archieven en collecties, die een bepaald aspect van de geschiedenis van het huis en de familie voor het voetlicht bracht. De dertiende graaf, een ontdekkingsreiziger op de Noordpool, was de inspiratiebron geweest voor de 'White-Out'-tentoonstelling een jaar eerder. Het jaar dáárvoor was het thema de bijdrage die de tiende graaf aan de achttiende-eeuwse Landbouw Revolutie had geleverd. En dit jaar, 2009, het Jaar van de Astronomie, bood de perfecte gelegenheid om het verhaal van Esther Wickham te vertellen, de verloren dochter van Lucille, *De vrouw met de sterrenhalsketting*.

Dit portret zag ze als eerste toen ze de prachtige, gelambriseerde huiskamer binnenliep voor een besloten voorvertoning van de tentoonstelling. Glimlachend en mooi, zonder ook maar een spoortje te tonen van de problemen waarmee ze al spoedig zou worden geconfronteerd, keek Lucille vanaf haar nieuwe onderkomen boven de gegraveerde, houten schouw op de gebeurtenissen neer.

'Euan, dit is Lucille,' zei Jude, en ze draaide zich om om te zien waar hij was gebleven. Ah, hij had Cecelia gezien, die met hem mee terugliep.

'Ik had je niet zien aankomen,' zei Cecelia, terwijl ze Jude twee zoenen gaf. 'Hé, wat een prachtige jurk! Kom op, ik leid jullie even rond voordat de massa arriveert. En daar zijn champagne en canapés.'

'Er is zo veel wat al bekend voorkomt, natuurlijk,' zei Jude, die nogmaals de ruimte rondkeek, en het planetarium en Anthony Wickhams grote telescoop zag staan. Ze had Cecelia geholpen bij de beginfase van de voorbereidingen voor de tentoonstelling, maar het was geweldig om de definitieve opstelling te zien. 'O, en daar is Anthony's portret uit Starbrough Hall. Het is zo jammer dat er geen portret van Esther is.'

'Maar er is genoeg materiaal over haar. Waarom beginnen we niet bij het begin?' stelde Cecelia voor, en ze ging Jude voor naar de eerste uitstalling. Jude stond als aan de grond genageld. Het was de halsketting, schoongemaakt en compleet hersteld. Hij lag op groen fluweel in een beveiligde vitrine en de diamanten sprankelden als kleine vonken in het licht van de kroonluchters. Hij ziet er... buitengewoon uit,' zei ze naar adem snakkend.

'Net zo nieuw als hij was toen hij net was gemaakt, stel ik me zo voor,' stemde Euan in. 'Ik kan bijna niet geloven dat Summer die uiteindelijk in haar slaapkamer zal bewaren!'

'Toch is het een prachtig erfstuk om te hebben,' zei Cecelia. 'Nou, je begint hier en loopt dan langs de rest van de tentoonstelling. Ik weet dat je een deel ervan al hebt gezien.'

'Ik niet, hoor,' zei Euan, en hij plooide zijn ogen in een glimlach. 'En jaag me niet op. Ik wil absoluut alles goed lezen.'

Cecelia en Jude glimlachten teder naar elkaar. De tentoonstelling was Lord Madingsfields idee geweest. Sinds november, toen hij bij de veiling van de Starbrough-collectie aanwezig was en zo veel stukken had gekocht, had hij met die kenmerkende energie van hem verscheidene ideeën aangedragen om Esthers verhaal aan het publiek bekend te maken.

Zijn persbericht kort na de verkoop had de toon weten te zetten.

Lord Madingsfield kondigt met waar genoegen aan dat hij de hand heeft weten te leggen op de prestigieuze Starbrough-collectie van boeken, manuscripten en astronomische instrumenten. De observatieboeken en het autobiografische materiaal van Anthony Wickham en zijn adoptiefdochter, Esther, van Starbrough Hall, Norfolk, bieden een verklaring voor een fascinerend mysterie binnen de Madingsfield-familie, en belichamen een indrukwekkende bijdrage aan onze kennis van de achttiende-eeuwse astromomische ontdekkingen.

De veiling zelf had veel geïnteresseerden aangetrokken. Judes artikel in het tijdschrift van Beecham zorgden voor meer berichten in weekbladen en kranten, en ze was zowel door de televisie als de radio uitgenodigd om over Esther te vertellen. Ondanks de ongunstige economische omstandigheden kwamen er veel verzamelaars bij de veiling opdagen. Bij een aantal stukken werd flink geboden – de zeldzame boekdelen van Sir Isaac Newton, de *Atlas Coelestis*, het planetarium – maar in de meeste gevallen won Lord Madingsfield.

Tijdens de receptie, 's avonds na de veilingdag, stelde Jude hem voor aan Robert Wickham – het enige lid van de familie dat het over zijn hart had kunnen verkrijgen om alles te verkopen – en aan Cecelia, die hem betoverde, en daarna ging alles in sneltreinvaart. Een week later nam hij contact op met Cecelia om een bijzondere expositie te organiseren op Madingsfield Hall, waar alle items die hij op de veiling had gekocht tentoongesteld werden, en Esthers verhaal eindelijk publiekelijk zou worden verteld.

Jude waarschuwde Cecelia dat geld verdienen voor Geoffrey Madingsfield altijd een drijfveer zou zijn, evenals elitaire cultuur. Maar in het geval van de Starbrough-collectie verstrengelden deze twee interesses zich met een derde, die nog diepgewortelder en krachtiger was: een passie voor de familienaam. Hij was zijn leven lang geïnteresseerd geweest in het mysterie van de Madingsfield-familie – wat er met Lucille was gebeurd, de vrouw met de sterrenhalsketting, en haar dochters – en de Starbrough-collectie bood een oplossing. Die drievoudige motivatie bleek uiterst creatief en effectief te werken. Niet in het minst omdat Lord Madingsfield al snel connecties aanknoopte met de huidige generatie van de Wickham-familie. Zijn bezoek aan Starbrough Hall vlak voor Kerstmis veroorzaakte grote opwinding in de buurt. Hij verklaarde 'behoorlijk gefascineerd' te zijn door de bibliotheek. Met John Farrells verrukte toestemming werd hij in zijn klassieke Bentley naar de folly gereden om de plek te bekijken waar Anthony en Esther naar de sterren hadden gekeken; al snel daarna liet hij een zelden vertoonde vrijgevigheid zien en hij schonk Farrell een verbijsterende hoeveelheid geld voor de restauratie van de folly.

Dit had weer een bijna magisch effect op de plannen van Farrell. De eerste ontwerpen voor de ontwikkeling van Starbrough Woods werden, zoals door de gemeenteraad was voorspeld, in september door de afdeling ruimtelijke ordening afgewezen, evenals daaropvolgende, aangepaste plannen. Toen Farrell uiteindelijk een veel bescheidener voorstel deed voor twee milieuvriendelijke vakantiehuisjes aan Foxhole Lane, en aanbood om van de nood een deugd te maken door met Madingsfields geld de folly te restaureren en die voor het publiek open te stellen, bleek de gemeenteraad in elk geval bereid ernaar te luisteren. En Robert en Alexia kozen dit moment om hun eigen plannen om hun inkomen te verhogen aan te kondigen: ze gingen een deel van de ongebruikte slaapkamers van de Hall verhuren, en Robert ging doen waar hij altijd al van had gedroomd. Hij zou zijn eigen gespecialiseerde wijnhandel op het landgoed opzetten. Jude wilde graag weten wat Chantals rol in dat hele verhaal zou worden.

'Robert en Alexia zeggen dat ik altijd bij hen mag blijven wonen,' vertelde ze aan Jude op een koude middag in januari, toen Jude voor de thee op bezoek was. Ze zaten in de zitkamer, want Chantal kon het niet aan om in de lege bibliotheek te zitten. 'Ik zal hier heel gelukkig zijn en Alexia wellicht kunnen helpen met haar werk en de kinderen. Maar eerst ga ik me bezighouden met wat die dwaze, moderne tijdschriften "tijd voor jezelf" noemen. In mei ga ik een tijdje logeren bij de vrouw van mijn overleden broer in Toulouse en kan ik al mijn familie daar weer zien. In juni ga ik bij mijn vroegere schoolvriendin logeren, Audrie, in Parijs. En daarna heb ik een cruise geboekt. Wat dacht je daarvan?'

'Een cruise, Chantal, wat geweldig! Waar ga je naartoe?'

'Ik ga in Nice aan boord en we varen door het hele Middellandse-Zeegebied, in een bescheiden, elegant schip, niet in een van die enorme schepen. Er zijn nog zo veel plekken die ik al wilde bezoeken toen William nog leefde, maar William hield alleen van Norfolk. Dus nu ik alleen ben moet ik mijn kansen met beide handen aangrijpen.'

Door de nieuwe glinstering in Chantals ogen bij de opwindende gedachte aan de reis, vroeg Jude zich heimelijk af of Chantal wel altijd alleen zou blijven. Ze was zo mooi en elegant, en zo'n liefhebbend persoon, dat het heel waarschijnlijk was dat ze mensen aantrok, nieuwe vrienden, en misschien wel een minnaar.

'Zo te horen een briljant idee,' zei ze, 'maar Euan en ik hopen wel dat je weer terug bent voor ons huwelijk in juni.'

'Gaan jullie trouwen?! Waarom ben ik verbaasd? O, Jude!' Haar omhelzing vertelde Jude hoe blij ze voor haar was en ze bespraken geestdriftig hoe Chantal vanuit Frankrijk voor de bruiloft in de kerk van Starbrough terug kon vliegen voordat ze in juli op haar cruise zou gaan.

Chantals verdriet werd verzacht door het idee van de tentoonstelling en de restauratie van de folly. 'Er kunnen goede dingen uit verdrietige gebeurtenissen voortkomen, Jude, dat moeten we onthouden.'

Jude had al eeuwen naar de opening van de tentoonstelling uitgekeken.

'O, daar zijn ze!' riep Jude nu zwaaiend. 'Wauw, de hele familie is er!'

Robert stond in de deuropening en Chantal kwam achter hem aan met de kleine Georgie aan haar hand. Vlak achter haar kwamen Alexia en Max binnen, nee, ze bleven staan om Max' koffertje met houten treintjes op te rapen, dat open was gevallen. De volwassenen begroetten elkaar, schudden handen en kusten en omhelsden elkaar. Toen nam Cecelia Chantal, Georgie en Alexia mee om naar de halsketting te kijken, terwijl ze Robert met Max en zijn Thomas de Tankmachine achterliet om Lord Madingsfield stroop om de mond te smeren, die net de kamer in was gekomen en straalde van triomfantelijk plezier.

Jude en Euan grepen de kans aan om zelf even rond te lopen, en begonnen bij het eerste storyboard. Cecelia's verhaal over Esther begon, net als alle echt goede verhalen, bij het begin. Als we al kunnen zeggen dat er een begin was, aangezien Lucille, de jonge, ongelukkige Franse vrouw, haar eigen geschiedenis had voordat ze op Madingsfield Hall terechtkwam. Misschien konden ze alleen maar raden naar hoe ze bij haar familie en vaderland was weggesleurd en, cruciaal, van een onbekende man die haar hart had gestolen werd weggerukt naar een slim gepland huwelijk met een Engelse aristocraat.

Het storyboard liet een portret zien van een sensuele jongeman, die niet glimlachte, en bij wie een vleugje wreedheid om de mond speelde. Dit was Lucilles nieuwe echtgenoot, de burggraaf, erfgenaam van het graafschap van Madingsfield, lievelingetje van zijn moeder, tegen wie niemand tijdens haar leven ooit 'nee' had durven zeggen. Cecelia had met overduidelijk veel plezier de Madingsfield-archieven en andere bronnen doorgespit om deze beschrijving van hem uit te kunnen werken. Maar ze was ook professioneel geweest en had de bewezen feiten zorgvuldig gescheiden gehouden van zinspelingen en geruchten.

Jude had geholpen bij het onderzoek naar alles wat te maken had met de dode vrouw die in het Norfolkse bos in 1765 was gevonden. Het ging voornamelijk om krantenartikelen uit die tijd, want de officiële documenten van de lijkschouwer waren niet bewaard gebleven. Ook al was niet met zekerheid te zeggen dat de vrouw de weggelopen Lucille was, waren er een paar bijzonderheden die daar wel op wezen: haar kleding, haar lichaamsbouw plus het feit dat ze een zachte huid en handen had, en dat de lijkschouwer haar had beschreven als 'met een mogelijk buitenlands uiterlijk'. Ze was van dichtbij neergeschoten, waarbij diefstal klaarblijkelijk niet het motief was geweest, aangezien een gouden ring haar ringvinger sierde en er enkele op de grond verspreid liggende munten waren gevonden. Niemand wist wie ze was of waar ze vandaan kwam, en ook al werd verondersteld dat ze ten minste één kind had gebaard, stond er in het rapport niets over twee jonge meisjes.

Een van hen was Esther.

Het volgende storyboard bevatte een schilderij van Starbrough Hall en een citaat van Esther, waarin ze beschreef wat Anthony haar had verteld over hoe ze als klein meisje op de weg was gevonden, met Lucilles halsketting krampachtig in haar hand geklemd. Er werd wat gespeculeerd over wat er met het andere meisje gebeurd kon zijn. Jude zag Euan fronsen.

'Dacht Cecelia niet dat het zigeunermeisje Esthers zus kon zijn?' vroeg hij.

'Dat heb ik me ook afgevraagd. Maar er is gewoon onvoldoende bewijs voor, Euan.'

'Maar Summer denkt dat ze het wel was. Maar we kunnen dromen zeker niet als bewijsmateriaal aanvoeren.'

Jude schudde haar hoofd terwijl ze hem liefhebbend aankeek. 'Niet echt.'

Het derde storyboard beschreef Anthony's hobby, sterrenkijken. Twee van de observatieboeken lagen opengeslagen in een vitrine, samen met kaartjes waarop Judes transcriptie stond. Er werd ook een video vertoond, met een voice-over, die de kijker meenam de folly in, waar Cecelia's team de telescoop had gereconstrueerd en die nu op het beeldscherm te zien was.

De tentoonstelling weidde vervolgens uit over het belang van de Starbrough-ontdekkingen. Een andere video liet zien hoe Herschel de zevende planeet, Uranus, had ontdekt, en in een andere vitrine waren de aantekeningen van Esther te zien waaruit bleek dat zij de planeet eerder had ontdekt. Een van de brieven van Josiah Bellingham en de transcriptie ervan lagen naast het dagboek in de vitrine.

Jude wist ten slotte dat ze op de volgende video tegenover zichzelf zou komen te staan, gekleed in een achttiende-eeuws gewaad en waarop ze het verhaal vertelde van wat er uiteindelijk met Esther was gebeurd en waarom ze belangrijk was. Maar er was al iemand naar de video aan het kijken. Het was Claire!

'Hallo vreemdeling, ben je net aangekomen?' vroeg Jude die naar haar toe was gelopen en haar arm aanraakte.

'O, sorry,' zei Claire, die zich met een glimlach omdraaide. 'Ik wilde je net gaan begroeten toen ik dit zag. Het is zo grappig.'

'Grappig?' Claire wist nog steeds de plank mis te slaan.

'O, niet grappig, haha,' mompelde ze bij het zien van Judes gezichtsuitdrukking. 'Ik bedoel, het is een beetje vreemd...'

'Ja, dat zal wel.'

'Summer zal het geweldig vinden. Daar is ze. Summer, kom eens kijken naar tante Jude in een mooie jurk.'

Jude draaide zich om en zag Summer hooghartig binnen komen lopen, en de kleine Georgie verliet onmiddellijk zijn moeder om bewonderend achter haar aan te dribbelen. Daarachter liep Jon, zijn gezicht zo open als een lentedag, die Summers rugzak droeg, aangezien hij haar nederige page was geworden. Jude keek naar hoe hij en Euan elkaar enthousiast de hand schudden voordat ze zelf in zijn beerachtige omhelzing belandde.

'Geweldige plek hier!' zei Jon, die op het huis en het landgoed van Madingsfield doelde. 'Een mooie locatie voor een rockfestival.'

'Ik denk dat Madingsfield meer van Mozart is,' zei Euan. 'Maar ik ben het met je eens. Ik zou niet weten hoe je zo'n locatie als een bedrijf moest runnen.' Ze liepen al pratend weg door de tentoonstelling heen, Claire en Jude en de jonge meisjes achterlatend.

'O, nu ik eraan denk,' zei Claire en ze haalde een envelop en een pakje uit haar handtas. 'Gefeliciteerd met twee dagen geleden. Ik was vergeten om ze op de post te doen. Ik heb het zo druk gehad.'

Jude opende eerst de envelop. 'Gefeliciteerd met een echte ster!' stond er op de voorkant.

'Summer heeft die uitgekozen,' zei Claire. Toen Jude het pakje opende vervolgde ze: 'Ik hoop echt dat je het leuk vindt. Ik had het eerder willen doen, maar ik dacht dat je er niet in geloofde. Ik was bang dat je me zou uitlachen. Maar nu, nou ja, nu heb ik er toch maar toe besloten.'

Jude haalde het mooie cadeaudoosje tevoorschijn, dat helemaal bedekt was met gouden sterren, opende het, en haar hart sprong op van blijdschap. Het was een ster, haar eigen ster. Hij heette 'Judith'.

Claire was verrast door de stevige omhelzing van Jude. 'Moet je nou huilen?' vroeg ze ongelovig.

'O, ik stel me aan. Dank je wel, Claire.'

'Ik ook,' zei Summer.

'Natuurlijk, Summer, jij ook bedankt. Hoe gaat het met je, lieverd?'

'Prima, hoor.' Ze draaide zich om naar Georgie. 'Ik ga tante Judes bruidsmeisje zijn.'

Georgie keek verbaasd en zei meteen: 'Ik ga ook haar bruidsmeisje zijn.'

Euan liep net langs en hoorde haar dat zeggen. Jude wierp hem een bezorgde, vragende blik toe en hij vormde met zijn mond de woorden 'vraag maar', dus zei ze tegen Georgie: 'Zou jij ook mijn bruidsmeisje willen zijn? Summer zal je wel helpen.' En Georgie, die bijna uiteenspatte bij het horen van dat nieuws, rende naar haar moeder om het haar te vertellen.

'Ze zijn heel schattig samen,' zei Claire.

'En wat vind je van Max als bruidsjonker?' vroeg Euan.

'We kunnen het hem altijd vragen,' antwoordde Jude. De Wickhams waren zo vriendelijk geweest om aan te bieden dat ze de Hall voor de receptie konden gebruiken, dus het leek meer dan logisch om de kinderen bij de ceremonie te betrekken.

'En heb je al bedacht waar je gaat wonen?' vroeg Claire, als altijd praktisch.

Jude en Euan, die naar Claires geschenk keken, glimlachten naar elkaar.

'Dat hangt van een sollicitatiegesprek af,' zei Jude. Een kennis van het veilinghuis in Norwich, bij wie ze advies had ingewonnen over de waarde van de halsketting, had laten vallen dat ze nog iemand zochten. Ze had gesolliciteerd en het laatste gesprek zou over een week plaatsvinden.

'Kun je Euan dan niet overhalen om naar Londen te verhuizen?' vroeg Jon, zijn ogen sprankelden van pret.

'We hadden ongetwijfeld wel wat kunnen regelen,' zei Euan, 'maar deze baan is geweldig voor Jude.'

'Ik ga erop vooruit. Krijg meer verantwoordelijkheid,' zei Jude tegen Claire.

Beecham was een moeilijkere werkgever geweest om de afgelopen maanden voor te werken. De Starbrough-veiling was een groot succes geweest, al voldeed het niet aan het niveau dat haar baas, Klaus, het hogere management had voorgespiegeld. Maar de recessie was voelbaar en er waren ontslagen gevallen op andere afdelingen. Bovendien had Klaus de laatste speculaties de kop ingedrukt door aan te kondigen dat hij binnenkort helemaal niet met pensioen zou gaan. Daarom was de baan waarop ze had gesolliciteerd een mooie kans. Het was vreemd hoe de zaken zich zodanig bleven ontwikkelen dat Jude uiteindelijk zover kwam dat ze haar huisje in Greenwich in de verkoop deed om een nieuw leven met Euan op te bouwen. Ze had het vreemde gevoel dat als het met deze nieuwe baan niet zou lukken, het op een andere manier ook wel goed zou komen. En ze bedacht dat ze zich op een gegeven moment wilde gaan bezighouden met research en schrijven, en dat was zeker iets wat ze op het platteland kon doen.

Inmiddels liep de tentoonstellingsruimte vol. Jude zwaaide naar Inigo, die geanimeerd met een van Madingsfields protegés in gesprek was, een ernstig kijkende jonge vrouw die druk bezig was, wist ze, met het schrijven van een historisch verhaal over Madingsfield, en die er dezelfde manier van kleden als Inigo op na leek te houden. Plotseling schoot er een ondeugend beeld door Judes hoofd, van hun twee bijna identieke werkkostuums die samen naar de stomerij gingen.

'Wat is er zo grappig?' vroeg Euan.

'O, niets, ik dacht gewoon aan hoe heerlijk dit allemaal is.'

'Jude, Euan, kom eens hier en neem een drankje,' zei Lord Madingsfield, die als een verkeersregelaar met zijn arm zwaaide. 'En, wat vinden jullie ervan?'

'Echt fantastisch,' antwoordde Jude. 'Het is geweldig te bedenken dat Esther nu haar plekje in de geschiedenis krijgt.'

'En om te ontdekken dat we één grote familie zijn,' zei hij, met zijn trage, sluwe glimlach.

'O, de Bennetts zijn maar een heel kleine tak,' antwoordde Jude snel. Het had geen zin te veronderstellen dat ze op hoog niveau met de grote

Lord M zou kunnen omgaan. 'Er is alleen nog iets wat ons dwarszit,' zei ze tegen hem. 'En dat is wat er met Esthers jongere zus is gebeurd. Het is jammer dat er zo weinig bewijs voor is te vinden.'

'Heb je de vitrine met de astrologische kaart dan niet gezien?'

'Nee! Die heb ik een tijd geleden aan Cecelia uitgeleend. Waar ligt die?'

'Hier.' Ze liep met hem mee naar een vitrine aan het eind van de tentoonstelling, en daar lag hij, het kleine stukje perkament waar zij en Claire zich over hadden gebogen.

'Cecelia heeft hem aan een expert laten zien, die zegt dat het een voorspelling is van het najaar 1763. Niet een belangrijke periode voor Amelie/Esther, die geboren was in het voorjaar van 1762, maar wel voor haar zusje Genevieve, die een jaar later was geboren.'

'Maar hoe is die in de verstopplek in de folly terechtgekomen?'

'Dat weten we natuurlijk niet.'

Jude draaide zich om en riep Claire, die met Summer naar haar toe kwam lopen.

'Claire, kijk. Lord Madingsfield zegt dat de kaart die ik had gevonden van Esthers jongere zusje moet zijn geweest.'

'Hij is gerestaureerd,' zei Claire, die naar het document staarde.

'Mag ik ook kijken? Ik wil ook kijken.'

Summer ging op haar tenen staan en haar adem besloeg het glas van de vitrine. Na een tijdje zei ze: 'O, die is van Rowan. Die heeft ze een keer in de folly verstopt.'

De volwassenen staarden elkaar sprakeloos aan, terwijl het kleine meisje voor de zoveelste keer de show stal.

Boven hen bewaarde Lucille, die glimlachend de kamer in keek, stilletjes haar geheimen.

Juli 1765

Ze had overwogen om hen achter te laten. Ze zouden veilig zijn, dat wist ze, en worden verzorgd door een drietal kindermeisjes, en opgevoed op die benepen manier die geschikt werd geacht voor dochters van een Engelse graaf. Ze mocht nu al nauwelijks bij hen zijn. 'Voor het geval het je vermoeit, lieverd,' luidde altijd het excuus van haar schoonmoeder, en inderdaad. Op die dagen lieten ze haar het medicijn innemen waardoor ze de wereld zag alsof ze zich onder het zeeoppervlak bevond, waarbij ze alleen maar wilde liggen en naar de bodem wilde zinken. 'Hysterisch,' hoorde ze de arts haar eens omschrijven. 'Dat zijn die buitenlandse vrouwen vaak. Het zit in het bloed.'

'St John had nooit met haar moeten trouwen,' snauwde de gravin terug. 'Een complot van de ouders van het meisje, waar we niets vanaf wisten.'

Hysterisch.

Lucille voelde warme tranen langs haar wangen stromen. Welke zeventienjarige zou niet 'hysterisch' zijn nadat ze uit haar ouderlijk huis en uit de armen van een knappe, jonge geliefde was weggerukt, en gedwongen werd om te trouwen met een langstrekkende vreemde, een man die in een fractie van een seconde van vurige passie in kille harteloosheid kon veranderen, die haar naar een vreemd land had meegesleept, waar het platteland grijs en kleurloos was en het vocht haar botten binnendrong? Twee kinderen waren geboren uit zijn wrede handelingen in de slaapvertrekken die nooit het predicaat 'de liefde bedrijven' konden krijgen, voordat zijn obsessie met haar schoonheid veranderde in onverschilligheid en hij een minnares nam. Toen, als een lichtflits, ontving ze een brief van haar geliefde Guillaume, naar binnen gesmokkeld door haar kleine dienstmeid, Suzette. Hij had onlangs zijn erfenis gekregen, stond erin. Ze moest hem ontmoeten in de White Horse Inn in Great Yarmouth en dan zouden ze samen de vrijheid tegemoet varen.

Ze zou gaan of sterven.

Maar ze kon haar dochters niet achterlaten. Suzette, de donzige, kleine Suzette, zou haar helpen. En dat deed ze.

Ze bereidden zich behoedzaam voor. De eenvoudigste kleding, haar waardevolle spullen in een gordeltas onder haar mantel, een kleine reistas met kleren en noodzakelijke spullen, een knapzak met eten en drinken. Het was een donkere, maanloze nacht toen ze het raam van de eetkamer uit glipten, zij en Suzette, en door het park strompelden, ieder met een tas en een slapend kind in de armen, naar een deur in de muur en het rijtuig dat Guillaume naar haar toe had gestuurd, dat daarna de nacht in reed.

Hoe had haar echtgenoot haar gevonden? De pub bij Lynn, vermoedde ze, waar ze hadden haltgehouden om de paarden te vervangen. De landheer had haar nieuwsgierig aangestaard en iets tegen zijn vrouw gemompeld. Ja, ze zouden zich een mooi, buitenlands meisje herinneren, met een verwilderde uitdrukking op haar gezicht en met een parmantig dienstmeisje, evenals de twee mooie kindjes, die met zijn vieren zonder begeleiding aan het reizen waren. En ze zouden burggraaf St John ook hebben verteld waar ze naartoe gingen. Er waren tegenwoordig overal spionnen: de douanemannen die op de uitkijk stonden voor smokkelaars, het leger dat struikrovers opjaagde. Ze drong er bij de koetsier op aan om een minder bekende route te nemen.

Bij Fakenham was Suzette simpelweg verdwenen. Lucille had haar geld gegeven om slaapkleding voor de kinderen van te kopen, maar ze kwam nooit meer terug. Ze was weggelopen, vermoord of ontvoerd, dat was onmogelijk te zeggen. Het enige wat ze wist was dat ze snel weer verder moest, anders zou ze haar afspraak missen.

Het was op de weg ten zuiden van Holt dat St John het rijtuig inhaalde, terwijl zijn pistolen zilverkleurig glinsterden in de schemering. 'Staan blijven!' riep hij. 'Je hebt mijn vrouw.' De koetsier was doodsbang, de paarden steigerden in paniek. Maar toen haar echtgenoot afsteeg en het rijtuig dwong om te keren, opende ze de deur en tuimelde ze naar buiten met haar dochters, en sleepte hen trillend en jammerend mee in de richting van de bomen.

Ze zou niet naar Madingsfield, haar gevangenis, teruggaan.

St John liet de leidsels van de koetspaarden los en begon haar woest achterna te rijden. Zijn fout.

De koetsier greep zijn kans en spoorde zijn span aan. Het rijtuig schoot naar voren, en rammelde leeg verder in de richting van Yarmouth. Niet achteromkijken. Het waren niet zijn zaken. Hij zou de jongeman wel vertellen dat zijn geliefde van gedachten was veranderd.

Bij de rand van het bos bleef Lucilles voet in een konijnenhol steken, ze verdraaide haar enkel en werd op de grond geslingerd. 'Rennen, *mes petites*!' riep ze, haar ogen mistig van de pijn. 'Verstop je ergens.' Ze trok de gordeltas waar haar sieraden in zaten tevoorschijn – een voorgevoel, misschien – en duwde die in Amelies hand. 'Pak aan en rennen. Ik... Ik vind jullie wel. Rénnen!'

Snikkend maar gehoorzamend pakte Amelie Genevieves handje beet en ze wankelden tussen de bomen door. 'Kom op, Genna, we spelen verstoppertje,' troostte ze Genevieve, en ze hielp haar een tunnel in het kreupelhout in te kruipen.

Ze hoorden het schot maar wisten niet wat het betekende.

Ze hadden het lichaam van hun moeder nooit gezien, en daarvoor zou ze de goede Maria en alle heiligen gedankt hebben.

Ze hoorden de man die 'Vader' heette ronddenderen en hun namen roepen. Maar ze waren te bang om onder het kreupelhout vandaan te komen. Nadat er een lange, lange tijd verstreken was, hoorden ze hem niet meer.

Het werd donker, heel donker in het bos. Amelie en Genevieve rolden zich op in hun verstopplek voor troost en warmte. Na enige tijd vielen ze in slaap.

Amelie werd midden in de nacht huiverend wakker en riep '*Maman*!' Maar er kwam geen antwoord. Ze lag een tijdje te jammeren voordat ze weer in een rusteloze slaap viel.

Toen het koude licht van de dageraad door de bomen heen begon te sijpelen werd ze weer wakker. Ze moest plassen en maakte zich los van haar nog slapende zusje en kroop het pad op. '*Maman*!' riep ze. '*Maman*!' Ze greep de gordeltas die haar moeder haar had gegeven stevig vast. Wat er ook gebeurde, die moest ze niet verliezen.

Ze raapte zo goed als ze kon al haar moed bijeen, en liep toen een stukje het pad op, terwijl ze om haar moeder riep. Ze kwam niet, terwijl ze dat wel had beloofd, en het was heel angstaanjagend. Was het deze kant op waar ze haar voor het laatst hadden gezien? Amelie strompelde verder, hoopvol, de volgende bocht om en nog een bocht, maar er was geen *maman*. Ze zag een struik met felrode bessen, plukte er een en stopte die in haar mond. Hij smaakte vreselijk. Ze spuugde hem uit. Maar ze had erge honger dus nam ze er nog een en nog een, en slikte ze door.

Ze hoorde een gil en herinnerde zich Genevieve, dus draaide ze zich om om terug te gaan, over het pad, links en rechts zoekend naar hun verstopplek, maar ze kon die niet vinden, en toen werd het pad twee paden en wist ze niet meer waar ze naartoe moest. Ze hoorde nog een gil. Het moest Genevieve wel zijn, die nat en hongerig en alleen wakker was geworden. Ze volgde het geluid, maar haalde het niet in. Misschien was het een vogel. En ze kon de tunnel in het kreupelhout niet vinden waar ze in slaap waren gevallen. Al snel liet ze zich, moe en doodsbang, en met een buik die pijn deed van de bessen, op het pad vallen en begon wanhopig te snikken.

De dag verstreek in een eindeloze kwelling van momenten waarin ze rusteloos sliep of wreed wakker werd. Een keer, toen ze opgekruld op het pad lag, draafde er een vos dicht naar haar toe en snuffelde aan haar. Hij trok zich terug toen ze het uitgilde. Een andere keer kietelde haar huid toen een slang voorbijgleed, maar hij verdween onder de bladeren. Vaak riep ze '*maman*' of 'Genna', maar naarmate de uren verstreken en de schaduwen van het zonlicht langzaam over het bladerdek van het bos schoven, deed ze dat eerder als een troostende mantra dan in de hoop antwoord te krijgen. Tegen de tijd dat het daglicht afnam, was '*maman*' het enige woord dat ze zich nog kon herinneren en toen ze, half bij bewustzijn, een grassige glooiing op wankelde en op een modderige weg viel, was ook dat vergeten.

Als in een droom merkte ze het trillen van bonzende hoeven, het levendige gerinkel van paardentuig en de uitroep van een man. Toen werd ze door sterke armen opgetild, en zei de man: 'Wat hebben we hier?' Op dat moment begon er een ander leven.

Opmerking van de auteur

Het dorp Starbrough, de Hall en de folly zijn aan mijn verbeelding ontsproten, maar ze kwamen voort uit het landschap van Noord-Norfolk. Het gebied rondom het prachtige Georgian plaatsje Holt is in het bijzonder een inspiratie geweest, evenals de eenzame, vervallen folly bij Wickham, nabij Worsted, die vreemd genoeg zijn oorsprong vindt in het verhaal van twee jaloerse zussen. Ik heb het minder nauw genomen met de geografie en de route van het rijtuig in de laatste scène.

Terwijl ik mijn verhaal over een sterrenkijker en zijn adoptiefdochter uitwerkte, las ik over William Herschel en zijn zus Caroline in Richard Holmes' prachtige geschiedschrijving over de achttiende-eeuwse, wetenschappelijke prestaties, *De tijd van verwondering*. Herschel ontdekte Uranus, de zevende planeet, in 1781, en ik was niet alleen geïnteresseerd in Carolines enorme bijdrage aan het werk van haar broer, maar ook in het feit dat in elk geval één andere astronoom vóór hem het stralende object bij Tweelingen al had gezien, maar niet had geweten wat het was. Stel dat anderen het ook hadden gezien, en stel dat een van die anderen een vrouw was geweest, zelfs een vrouw zonder naam, wier oorsprong in raadselen was gehuld. Dit is Esthers verhaal.

Ik wil een aantal mensen bedanken die mij geholpen hebben tijdens het schrijven van dit boek, hoewel eventuele fouten slechts mij zijn aan te rekenen. Dr. Hilary Johnson voor haar suggesties en steun; Dave Balcombe, astronoom, voor zijn uitstekende advies; Jaqi Clayton, die alles weet over de naamgeving van sterren; het personeel van veilinghuis Bonham, in het bijzonder Simon Roberts voor de informatie over procedures; het personeel van Sculthorpe Moor Community Reserve voor informatie over nachtvlinders; Cindy Hurn voor de visuele technieken. Mijn grote dank gaat als altijd uit naar mijn agent, Sheila Crowley, en haar collega's bij Curtis Brown; iedereen bij Simon & Schuster, UK, maar vooral Suzanne Baboneau, Libby Yevtushenko, Sue Stephens en Jeff Jamieson, en mijn bureauredacteur, Clare Parkinson. Dank je wel, David, en ook Felix, Benjy en Leo, die, net als de kleine Max Wickham, binnenshuis blijven voetballen!